LES MÉMOIRES QUÉBÉCOISES

JACQUES MATHIEU
JACQUES LACOURSIÈRE

LES
MÉMOIRES
QUÉBÉCOISES

LES PRESSES DE L'UNIVERSITÉ LAVAL
Sainte-Foy, 1991

Données de catalogage avant publication (Canada)

Mathieu, Jacques, 1940-
    Les mémoires québécoises
    Comprend des références bibliographiques
    et un index.
    ISBN 2-7637-7229-3
    1. Québec (Province) – Civilisation.
    2. Caractéristiques nationales – Canadiens français.
    3. Identité collective – Québec (Province).
    I. Lacoursière, Jacques, 1932-   . II. Titre.
    FC2919.M37 1991   971.4 C91-096612-5
    F1052.M37 1991

*Cet ouvrage a été publié grâce à une aide
du Musée de la civilisation, à Québec.*

Conception graphique : Gilbert Bochenek inc.

Provenance des illustrations :

Archives nationales du Québec, Québec, E10/76-533.
Archives Pierre-Boucher, Séminaire de Trois-Rivières.
    Fonds Trois-Rivières, FN-0064-78-0-3.
La Presse, 20 octobre 1962, p. 9.
Archives de folklore de l'Université Laval.
    Collection Solange Deschêsne, n° 20, Saint-Jean-
    Port-Joli, 1907.
Archives nationales du Canada, C-6859.
Archives nationales du Canada, C-18734.
Archives nationales du Canada, C-72928.
    Canadian Illustrated News, 10 avril 1880, p. 229.

© Les Presses de l'Université Laval 1991
    Tous droits réservés. Imprimé au Canada
    Dépôt légal (Québec et Ottawa), 3ᵉ trimestre 1991
    ISBN 2-7637-7229-3

AVANT-PROPOS

Le passé n'a de sens que dans le présent. Mais le présent, lui, est habité par l'ensemble des traces et des expériences du passé. À l'exemple de la mémoire individuelle qui fonctionne sans chronologie linéaire et sans barrière disciplinaire, les collectivités retiennent et aménagent les faits d'hier pour mieux évaluer l'aujourd'hui et choisir pour demain. Tel est, ramené à l'essentiel, le credo de cette histoire de l'identité québécoise.

Cette recherche revoit l'expérience du passé à la lumière des préoccupations actuelles. Elle puise à toutes les sources: anciennes ou récentes, tangibles ou intangibles, inscrites dans la pierre ou dans les sensibilités. Elle s'attache à la vie des personnes plutôt qu'à celle des institutions, à un passé dans lequel chacun puisse se reconnaître et inscrire sa participation. Elle associe la raison et l'émotion comme dans l'entité indivisible de l'être humain. Elle construit, par touches juxtaposées, un portrait synthétique de l'identité. Elle vise à produire « une histoire à soi », reflet de la diversité des expériences québécoises.

Ce bilan de recherche s'appuie sur des bases scientifiques, même s'il n'emprunte pas l'appareil méthodologique habituel et adopte un langage à la portée de tous. De multiples documents d'accompagnement permettent d'approfondir certaines questions, tout en rappelant le contexte de leur élaboration. Ils peuvent servir aussi bien de pièces justificatives que de sources d'information utile à des fins pédagogiques. Cet ouvrage s'inspire de dossiers constitués par des chercheurs reconnus dans le cadre de la préparation de l'exposition *Mémoires* au Musée de la civilisation de Québec.

Notre dette envers ceux qui nous ont conseillés ou qui ont effectué des recherches pour nous est d'autant plus considérable que leur apport scientifique s'est accompagné de beaucoup de générosité. Nous les remercions très sincèrement de leur contribution.

Nous ont conseillés :

Claude Benoît   Serge Courville
Jean-Pierre Désaulniers   Marcel Fournier
Gérald Grandmont   Bogumil Koss
Jocelyn Létourneau   Paul-Louis Martin
John R. Porter   Jean Provencher
Normand Séguin   Gynette Tremblay
Pierre Anctil   Andrée Babin
Jean-Paul Bernard   Lise Bissonnette
Suzanne Boucher   Raymond Brodeur
Gilles Bureau   Fulvio Caccia
Gary Caldwell   Martine Cardin
Brigitte Caulier   Marcel Caya
Paul-André Comeau   Denys Delâge
Yvon Desloges   Denise Deshaies
John Dickinson   Danielle Dion
Jean DuBerger   René Durocher
Huguette Dussault   Nicole Gagnon
Serge Gagnon   Gaston Gauthier
Jean-Claude Germain   Lucille Guilbert
Hubert Guindon   Jean Hamelin
Fernand Harvey   Léo Jacques
Jean-Pierre Kesteman   Lorne Laforge
Laurent Laplante   Aline Lebel
P.-A. Leclerc   Bernard Lefebvre
Hélène Lefebvre   Denise Lemieux
Carole Lévesque   Rénald Lessard
Roger Levasseur   Louise Marcotte
Carole Morelli   Marcel Moussette
Judith Nefsky   Magella Paradis
G. Pronovost   Denis Racine
Pierre Raymond   Jean-Claude Robert
Guildo Rousseau   Jean Roy
Claire Samson   Nicole Saint-Pierre
Yves Taschereau   Yves Tessier
Marise Thivierge   Guy Vadeboncœur
Diane Vincent

Nous ont fait profiter de leurs recherches :

Alain Beaulieu
Hélène-Andrée Bizier
Marc-André Bluteau
Réal Brisson
Jacques Crochetière
Marie-France Fortier
Janine Gauthier
Lina Gouger
Donald Guay
Chantal Hébert
Laurence Hunt-Lamontagne
Valérie Laforge
Ginette Laroche-Joly
Denis Martin
Diane Morin
Conrad Ouellon
Claude Paulette
Louise Pothier
Gary Ross
Simonne Voyer

Mario Béland
Gaston Bergeron
Claude Boudreau
André Crochetière
Claire Desmeules
Benoît Gauthier
Lisette Gauthier
Robert Germain
François Guérard
Micheline Huart
Richard Jones
Paul L'Anglais
Jean-Marie Lebel
Suzanne Marchand
Danielle Noël
Yuri Oryschuk
Liliane Plamondon
Martine Roberge
Luc Roy

TABLE DES MATIÈRES

INTRODUCTION

> *Celui qui contrôle le présent*
> *contrôle le passé.*
> *Celui qui contrôle le passé*
> *contrôle le futur.*

George ORWELL, *1984.*

*L*ES MÉMOIRES QUÉBÉCOISES évoquent les conceptions de l'identité et de la destinée collectives. Elles montrent comment, à diverses époques, l'expérience du passé a été utilisée pour répondre aux préoccupations du présent. Elles s'attachent aux traits principaux d'une collectivité plurielle et dynamique. Elles retracent les changements dans les comportements et les attitudes, qui évoluent en fonction de l'« Autre » et des circonstances. Elles présentent enfin les sensibilités qui se muent en sentiments d'appartenance et en engagements, face à une identité voulue, reçue et représentée.

DÉFINIR L'IDENTITÉ

Depuis 1960, prenant la relève des polémistes et des historiens d'hier, dont les maîtres à penser étaient François-Xavier Garneau et Lionel Groulx, poètes, artistes, écrivains, créateurs et savants ont étudié l'identité de la petite collectivité francophone d'Amérique du Nord isolée dans une mer anglophone. La langue, le passé, la lutte pour la survie ont constitué des points de référence communs. Une communauté d'appartenance, un éventail de traits spécifiques, des actions engagées ont rallié des opinions largement partagées. Cependant, les divergences demeurent nombreuses, autant sur le plan idéologique que sur celui des stratégies politiques et des conceptions personnelles. Chacun a perçu cette identité à sa manière, selon son expérience, son environnement et ses sensibilités.

La recherche d'une unanimité de pensée et d'action sur la question de l'identité québécoise serait aussi illusoire que vaine. L'identité renvoie à une réalité abstraite et jamais figée dans le temps. Elle s'analyse à partir d'angles d'observation variables et s'appuie sur des traits diversifiés presque à l'infini. Tout, finalement, traduit une facette de l'identité.

Variables d'une notion

L'exemple suivant illustre la complexité de la notion d'identité. Dans le cadre d'un cours, chaque étudiant était invité à se définir en dix points. Parents, âge, sexe, état civil côtoyaient l'origine, la profession, l'appartenance à un milieu social, à un groupe engagé sur le plan politique, social ou culturel, etc. Aussi valables les unes que les autres, les réponses révélaient clairement la perception que chaque étudiant avait de lui-même. Elles définissaient des éléments de son identité, en faisant référence soit à des traits objectifs, soit à des représentations de soi.

Par ailleurs, différents adages communs à plusieurs peuples rappellent qu'on reconnaît quelqu'un à la façon dont il mange, s'habille, marche, parle, et même par le truchement de ses fréquentations : « Dis-moi qui tu hantes et je te dirai qui tu es. »

Un individu s'identifie différemment selon les lieux ou les circonstances. À Paris, il vient du Québec ; à Londres, du Canada ; à Ottawa, de Québec ; à Québec, de Sainte-Foy ; à Sainte-Foy, de telle rue. Selon son interlocuteur, il sera un enseignant, un parent, un voisin, un syndiqué, etc. Son identité demeure tributaire de l'« Autre ». Il y a enfin l'identité reçue. Pour un Européen, le Québécois est un Américain, tandis que ce dernier vient respirer au Québec un air de francité. Et à quoi reconnaît-on un Québécois à l'étranger, au Mexique par exemple ? On peut ne pas connaître quelqu'un personnellement, mais partager un sentiment d'appartenance, qu'il gêne ou qu'il rassure. Représentations de soi et perceptions de l'« Autre » façonnent l'identité.

Les questionnements scientifiques

Les recherches récentes sur l'identité québécoise ont suivi l'évolution des préoccupations de la majorité. Elles ont franchi des pas considérables depuis l'époque où Lionel Groulx définissait le « Canadien français » idéal comme un homme de culture française et de religion catholique. Une des directions de recherche les plus soutenues a livré plusieurs travaux sur des traits spécifiques : maison, mobilier, hiver, mobilité, famille, etc. Pour certains, comme Fernand Dumont, la langue et l'enracinement constituent les deux traits principaux de la spécificité québécoise. La principale menace à laquelle doit faire face la langue est la culture américaine, l'impérialisme culturel des États-Unis. L'éditorialiste Lise Bissonnette réplique que l'impérialisme « suave venu de Québec » lui fait plus peur que « les multinationales qui opèrent à partir de New York ». Au-delà de cette polémique, les deux auteurs mettent sur la piste d'une identité culturelle plus ouverte. Lise Bissonnette, rejetant la thèse du « ghetto », fait ressortir la présence des Québécois dans le monde. À l'inverse, Fernand Dumont insiste sur l'ouverture du Québec au monde extérieur. Il rejette l'idée du repli dans des traditions folkloriques immobiles et propose « de créer une identité par l'assimilation d'influences extérieures ».

Le sociologue Marcel Fournier signale, pour sa part, que, dans les années 1930-1940, la question de la spécificité québécoise a emprunté la voie des traits de caractère ou de mentalité. Mais comment décrire une « âme », comment définir une identité par un culte de la liberté, un esprit de délinquance, des cordes sensibles, une prétention à l'égalité se refusant à un ordre hiérarchique ? Ce discours a depuis quitté les sentiers de la science pour se réfugier dans les sensibilités des artistes et des poètes. Les succès de ces chantres de l'identité confirment cependant que leurs œuvres ont su rejoindre des attentes collectives et qu'on ne saurait en mésestimer la portée.

En fait, les représentations symboliques d'une collectivité ont toujours eu plus de force que les réalités factuelles. Dans un récent ouvrage sur l'identité du Québec, le sociologue Léon Dion ouvrait d'ailleurs une porte à la place de l'imaginaire dans l'expression et l'affirmation d'une volonté collective. En accord avec son collègue Marcel Rioux, il voyait dans le recours à l'imaginaire un moyen de façonner une identité de remplacement.

Trois autres apports scientifiques significatifs semblent, maintenant, communément acceptés. D'abord, l'évolution dynamique, constante et adaptée aux circonstances d'une collectivité qui n'a pas vécu repliée sur elle-même. En deuxième lieu, la prise de conscience de l'importance de l'« Autre », autant de ce qu'il est que du regard qu'il porte sur « soi ». Ainsi, l'identité résulte en partie d'interrelations constantes. Enfin, sous les termes d'idéologie, d'affirmation active, de conscience agissante ou de mobilisation, la notion d'identité – ou, selon la formulation plus riche, plus nuancée et plus vivante de Léon Dion, le sens de l'identité – présuppose un engagement.

Au fil des débats sur l'identité québécoise, trois constats ont pris un caractère permanent. Le premier tient au fait même de poser la question et, partant, à sa pertinence et à son importance. Le deuxième réside dans le recours au passé comme élément d'explication, même si, depuis 20 ans, le débat a retenu l'attention des sociologues plus que celle des historiens. L'élément prédominant reste toutefois les bases nationales qui ont prioritairement servi d'assises à l'étude de l'identité. De Lionel Groulx à Léon Dion, la « question nationale » occupe l'avant-scène de toutes les recherches et prises de position. La question est politique et souvent politisée.

Les recherches faites depuis quelques décennies se sont de plus en plus démarquées de cette idéologie parfois trop exclusivement politique ou nationaliste. Du reste, les accessoires de cette idéologie contiennent des relents de croyance en un État-providence. La vision « misérabiliste » d'un petit peuple à qui il ne reste que de minces espoirs, vision qui se manifeste à tout instant dans les écrits et déclarations de l'époque, correspond mal aux temps présents. Cette image n'a plus d'effets mobilisateurs. Le déplacement des enjeux collectifs vers l'écologie, la famille ou les ethnies, le remplacement des lieux de mémoire, la prise de conscience d'un savoir-faire technique et culturel qui jouit d'un marché international et, enfin, l'attention prioritaire accordée à la personne humaine ont fait de l'identité collective une question d'abord sociale.

L'identité se ramène donc à un système de représentations qui s'appuient sur un ensemble de traits et sur une interaction avec l'« Autre ». Faite de ressemblances et de différences, elle ne saurait reposer exclusivement sur des spécificités très inégalement partagées dans une collectivité. À l'exemple de la personnalité qui évolue au cours d'une vie, l'identité varie dans le temps. C'est cette appartenance plurielle et changeante que nous tentons de saisir à un moment de son évolution. Au Québec, dit-on, on sait ce qu'on est, mais on ignore comment le dire. «Nous autres», une expression populaire courante, indique bien que le Québécois sait se reconnaître. L'identité d'une personne ou d'une collectivité est ce qu'elle est, comment elle est vue et comment elle se voit. Cette représentation de soi, où le mythe l'emporte sur la réalité, est au cœur de l'identité. Elle génère des sentiments d'appartenance où le passé fournit une expérience utile au choix d'une destinée.

Explorations de l'imaginaire

Par l'étude des représentations, cette quête du sens et de la nature de l'identité québécoise réintroduit l'imaginaire et les sensibilités dans le champ de la science. Elle évite cependant l'écueil des traits de mentalité présentés comme éléments de spécificité, s'appuyant plutôt sur les engagements et les représentations de soi. Elle explore la façon dont les sociétés passées se sont identifiées et représentées. Elle montre, à travers le discours tenu, comment ces collectivités ont agi, à quoi elles ont cru, ce pour quoi elles ont lutté. Elle fait ainsi ressortir les choix de société qui paraissent les plus évidents ou significatifs. En somme, elle analyse des gestes et des comportements vérifiables. Elle les voit comme l'expression de volontés qui ont rallié l'assentiment de la majorité à une époque donnée.

Ce qu'une société érige en représentation de soi comporte inévitablement une part de déformation. Mais ce sont justement ces altérations de sens qui traduisent des changements dans l'identité. L'expression bien connue «Québécois pure laine», par exemple, se réfère à des réalités différentes dans le temps, mais elle affirme toujours une appartenance ou des ressemblances.

Ce type de discours mythifié témoigne de certains aspects de l'identité. Il importe donc avant tout de le reconnaître pour ce qu'il est et de ne pas y adhérer comme à une vérité ou à un fait historique. D'où la nécessité, d'une part, de confronter les mythes aux faits qui les supportent et, d'autre part, de rendre compte de leur signification changeante dans une expérience québécoise, en incessant renouvellement.

Orientations

Une problématique aussi large que celle de l'identité requiert des cadres d'analyse très précis. Une approche par les mémoires collectives, qui se modèle sur un processus mental inhérent à l'humain, a fourni les principales orientations de cette recherche. Le passé mis en mémoire, qu'il soit émotif ou raisonné, appris, transmis ou acquis par observation, se traduit en une expérience qui fonde l'analyse et le jugement. Il préside au choix des actions et des gestes et sert l'individu et les collectivités.

L'approche par les mémoires se distingue par le fait qu'elle part du présent, des personnes et des sensibilités. Elle montre comment le passé se définit à partir du présent. Elle indique comment et pourquoi l'évocation des souvenirs partagés change avec le temps et elle en dégage les continuités et les ruptures. Elle retient donc deux temps : hier et aujourd'hui, un « hier » qui englobe tout l'héritage du passé, à la manière non linéaire dont s'en imprègnent les mémoires individuelles. Elle établit ainsi les rapports entre l'individuel et le collectif, touchant les différents modes de recours au passé. Elle insiste sur les représentations imaginaires ou mythiques qui se dégagent des réalités vécues. Aux faits, elle associe les sensibilités qui les accompagnent et leur donnent sens.

Ces orientations influencent le choix des contenus et la façon de les traiter. Dans la vie courante, l'être humain ne met à profit qu'une partie des souvenirs emmagasinés dans sa mémoire. Ainsi, l'approche par les mémoires, tout en concernant l'essence même de la vie, n'a aucune prétention à l'exhaustivité historique. Par contre, une démarche multidisciplinaire, qui prend en compte les recherches scientifiques jugées les plus solides et les plus avancées, permet d'esquisser un portrait du Québécois. Un tel bilan montre l'importance des modes de représentation d'une société dans la perception de son identité. Il fait ressortir les décalages et les adaptations entre les représentations du passé et l'expérience de vie. Il met sur la piste d'une mémoire et d'une identité en constante redéfinition.

L'identité concerne tous ceux qui habitent l'espace québécois et qui ont contribué à le façonner. Elle retient, mais sans les « ghettoïser », les contributions autochtones et ethniques à une vie de relations dominée depuis quelques siècles par une majorité francophone. Elle s'attache moins aux apports particuliers qu'aux manières partagées d'être, d'agir et de réagir. Un peu à l'image de la mémoire défaillante qui conserve plus nettement les souvenirs d'enfance, elle s'appuie sur les indicateurs de changements culturels dans la longue durée.

Enfin, l'essentiel du présent ouvrage est consacré aux thèmes jugés les plus significatifs et les plus spontanément associés à l'identité : l'espace, la population, la famille, l'encadrement institutionnel, les savoir-faire techniques et culturels et les représentations symboliques. Tous ces sujets sont abordés dans une perspective de mémoires, d'une part constamment stimulée par le présent, les personnes et leurs sensibilités et, d'autre part, réaménageant les faits du passé.

Ce vécu québécois, intégrant sa profondeur historique, nous révèle à nous-mêmes et aux autres tels que nous sommes – ou pensons être – actuellement, sans prétention ni fausse modestie. L'approche par les mémoires collectives vise donc à rappeler nos représentations mythiques du passé, à vérifier leur correspondance avec nos expériences de vie et à dégager les ajustements récents ou en cours. Comme toute construction intellectuelle ou affective d'une relation présent-passé, elle propose une réharmonisation de l'unité et de l'entité de l'humain dans le présent et en vue de l'avenir.

CHAPITRE PREMIER

IDENTITÉ ET MÉMOIRES : MYTHES ET RÉALITÉS

L'IDENTITÉ QUI NOUS INTÉRESSE concerne le présent et l'avenir. Le présent, habité par un passé proche et lointain, sera le point d'ancrage de notre recherche. Du passé proche il retient la diversité des expériences de vie; du passé lointain il s'attache aux représentations mythiques à travers lesquelles les Québécois se sont reconnus, auxquelles ils se sont identifiés, qui ont servi à définir leur identité et à leur proposer une destinée.

L'interrogation délaisse également le cadre idéologique national à finalités politiques. Elle lui substitue des assises sociales, plus proches de la perception des enjeux qui préoccupent actuellement toutes les collectivités québécoises et plus proches aussi du vécu de chacun. Elle évite ainsi, à tort ou à raison, de sombrer dans les visées institutionnelles et les pronostics défaitistes. Elle s'appuie sur un passé dans lequel chacun peut facilement se reconnaître.

L'approche par les mémoires ne saurait dissocier le cœur et la raison. L'un et l'autre nourrissent le souvenir et façonnent une expérience constituée de savoirs et de sensibilités qui orientent les décisions et l'action. Dans une société, le miroir déformant des représentations de soi définit l'identité plus précisément que la réalité.

Le passé et le présent ne s'interrogent pas n'importe comment, au fil de l'inspiration. Cette démarche renouvelle davantage la manière que la matière. Elle passe les ressources documentaires disponibles au tamis de leur signification pour les personnes et pour le présent. Elle agence ces matériaux autour du concept de mémoire collective, un concept utilisé ailleurs mais qui, au Québec, n'avait pas débordé les cercles universitaires. Ce concept permet pourtant de concilier les différentes composantes dynamiques du sens de l'identité.

CE PASSÉ QUI NOUS HABITE

Dans la rue, chez soi et en soi, le passé est omniprésent. Il nous environne et nous investit. Les bâtiments qui nous abritent, le mobilier dont on s'entoure, les recettes culinaires où l'on puise portent l'empreinte du passé. On y fait appel, individuellement ou collectivement, comme à des souvenirs précieux ou à une expérience de vie utile.

D'innombrables types de passé nous touchent. Un temps d'arrêt et de réflexion est même parfois nécessaire pour reconstituer les plus évidents d'entre eux. Les perceptions sensorielles se fixent rapidement dans la mémoire. La douleur de la chute, la brûlure de la chaleur et la morsure du froid rendent prudent. L'odeur de pain grillé ou d'encens, les thèmes musicaux ou publicitaires, le goût des sucreries ou des glaces relèvent aussi de la mémoire des sens. Chacun garde en mémoire des souvenirs que d'autres ont aussi vécus en d'autres temps ou en d'autres circonstances : première journée d'école, premier diplôme, première escapade, premier baiser et premières délinquances ou premiers pas vers l'autonomie de la vie adulte. Aujourd'hui, plusieurs inscrivent sur pellicule ou bande magnétique ces moments jugés dignes de mémoire. D'autres collectionnent des souvenirs de la vie familiale ou associative, comme autant de pans de mémoire. L'expérience du passé dont le rappel est toujours plus ou moins précis nous singularise comme individu et comme collectivité. Elle a pu être transmise dans la famille, apprise à l'école ou acquise au contact des autres. Elle permet de fonder des choix de vie sur des connaissances. Elle repose sur l'émotion autant que sur la raison. Si elle prend des colorations diverses, elle tend le plus souvent à rassurer celui qui l'évoque.

Comme l'individu, la société a, elle aussi, ses mémoires. Elle s'est même dotée de puissantes banques de données pour préserver la connaissance des faits et des savoirs. Qu'on pense aux cartes routières, géographiques ou aux cartes postales ! Qu'on se rappelle les divers appareils destinés à marquer le temps : montre, horloge,

compteur, parcomètre, sablier, aussi bien que les cloches qui sonnent l'angélus ou le sifflet du train et celui
de l'usine! Ces traces du passé guident l'action, préservent un souvenir ou allègent l'esprit. Les données
mémorisées servent à des fins individuelles ou collectives, quotidiennes ou épisodiques. Aux livres de recettes,
annuaires du téléphone, dictionnaires et encyclopédies
correspondent, à l'échelle globale, les archives, les musées et les bibliothèques. Les rappels sont parfois inscrits
dans le dur comme la pierre tombale, le monument, la
toponymée, les plaques et trophées commémoratifs, ou
parfois logés dans un souvenir nostalgique.

Certaines traces du passé sont ainsi dégagées de la
mémoire vive et engrangées dans une mémoire morte,
d'où elles ne sont tirées qu'au besoin. Ainsi en est-il du
rapport des Québécois à leur passé. Il vient un temps où
les représentations du passé correspondent moins bien
aux expériences de vie. La mémoire procède alors à un
ménage. Elle remise certaines images dans un passé
définitivement révolu, tandis qu'elle en réactive d'autres.
Ainsi, chaque génération renouvelle son passé. Elle
puise dans l'histoire de nouveaux moyens de concevoir
son avenir. Dès lors, la perspective des mémoires conduit moins à s'interroger sur l'avenir du passé qu'à se
demander quel passé a un avenir.

L'avenir du passé

La question de l'avenir du passé n'est ni simple ni
nouvelle. Les réponses varient selon les personnes et les
collectivités. Elles changent dans le temps et selon les
points de vue. L'historien, l'archéologue, l'ethnologue
construisent une réserve d'informations cohérentes et
structurées. Les collectivités, elles, sélectionnent et
aménagent ce passé en fonction de sa signification dans
le présent et pour l'avenir.

À chaque usage du passé, en somme, correspond
une finalité. Aux yeux de certains, la connaissance des
dates, des événements ou des institutions fournit des
points de repère essentiels. Ainsi, des milliers de
Québécois savent, pour l'avoir appris par cœur, que
Jacques Cartier, considéré comme le découvreur du
Canada, a remonté le Saint-Laurent jusqu'à Québec en
1535. Beaucoup de Québécois ont également récité par
cœur aussi bien les réponses du *Petit Catéchisme* que la
liste des forts de la Nouvelle-France et leur date de
construction. Chacun s'est vu offrir un héros en modèle :

Dollard Des Ormeaux, Madeleine de Verchères, Kateri Tekakouitha, Montcalm, etc. Ce passé ne semble plus répondre adéquatement aux attentes du présent. Pourtant, qu'un enfant cambodgien arrivé au Québec depuis cinq ans puisse parler en toute connaissance de cause de Jacques Cartier ou de Champlain n'est ni banal ni insignifiant. Quand l'histoire devient mémoire, elle ne laisse pas indifférent.

Le rapport au passé, dans la mesure surtout où il exerce sur les collectivités une puissante fonction identitaire, incite à une recherche de sens. Quel passé les générations d'hier ont-elles voulu préserver et faire valoir ? Quel passé a nourri leur imaginaire et fourni des assises à leurs convictions ? Quel passé participe aujourd'hui activement aux enjeux du présent ?

Les attitudes collectives face au passé peuvent paraître paradoxales, car elles sont rarement passéistes. Il ne faut pas se méprendre. L'historien écrit pour l'avenir et la société agit pour demain. C'est pourquoi le passé est en constante reconstruction. Certains dirigeants d'États totalitaires l'ont bien compris. Un proverbe chinois en rend également compte : « L'historien est un prophète tourné vers le passé » ! Le chercheur traduit dans une perspective temporelle les préoccupations de sa génération. Et chaque nouvelle génération entraîne avec elle un renouvellement du passé pour mieux harmoniser le présent et envisager le futur. L'histoire ne se répète pas, elle s'ajuste à son temps.

Les relations des Québécois à leur passé

La courte expérience de la société québécoise est très révélatrice du contexte dans lequel s'inscrit cette présentation de son identité. Il ne s'est même pas écoulé un siècle et demi depuis la parution de notre première histoire nationale par François-Xavier Garneau. Pendant longtemps, et encore aujourd'hui jusqu'à un certain point, les entreprises historiques ont été axées sur cette lutte pour la sauvegarde de l'identité nationale. Par contre, l'histoire sociale s'est substituée de plus en plus à l'histoire nationale.

Elle rompait ainsi avec un passé qui nourrissait moins le présent. Elle invitait à parcourir d'autres pistes, en rapport plus étroit avec les enjeux du présent et plus conformes aux expériences de vie. Elle recherchait les traces d'un passé qui habite les collectivités québécoises, les définit et oriente leurs destins.

L'évolution des sociétés modernes a déplacé considérablement les lieux d'expression et d'affirmation de la mémoire collective. Le Québec n'a pas échappé à cette lame de fond qui a traversé l'ensemble des pays occidentaux. Les transformations y ont été, semble-t-il, plus rapides et plus intenses que partout ailleurs.

D'entrée de jeu, il faut reconnaître que le passé jouit encore d'une très grande popularité. Le nombre de musées et leur fréquentation, la multiplication des revues de vulgarisation, des séries et romans historiques le prouvent sans conteste. Les thèmes et les contenus traités ont cependant beaucoup changé. On célèbre plus rarement la Nation, l'Église, l'École ou l'État. Les nouvelles préoccupations gravitent autour de la famille, du quartier, du groupe professionnel, des ethnies, des jeunes et des activités culturelles. La quête d'identité a pris de nouvelles directions. Elle s'attache aux racines propres aux personnes.

Cette évolution et cette recherche de lieux de mémoire significatifs n'ont finalement négligé à peu près aucune trace du passé, encore que d'innombrables chantiers manquent de main-d'œuvre. L'écrit, l'oral, l'objet, l'immeuble ont été interrogés. L'archéologie maritime, la génétique, la démographie, le discours ont retenu l'attention. Les études sur les besoins primaires, les technologies, les environnements ont côtoyé les travaux sur les stratégies familiales, les comportements professionnels, les pratiques sociales et les représentations mentales. On a décrit, classé, constitué des typologies, ébauché des processus. On s'est attaché aux fonctions, aux usages et aux valeurs symboliques. Tout geste humain est devenu trace de civilisation, d'une civilisation complexe, plurielle, parfois paradoxale.

*

Le passé habite donc le présent sous une multitude de formes. Dépositaire des expériences de vie, il guide, de façon implicite ou explicite, les individus et les collectivités, dans leurs gestes quotidiens et leurs aspirations pour demain. Ainsi, au-delà de certaines continuités historiques, chaque génération a interrogé le passé en fonction des questions qui se posaient dans son temps.

Le renouvellement actuel du rapport des Québécois à leur passé procède d'une double modernisation. D'abord celle de la société elle-même, puis celle de l'appréhension de son passé. Les expériences de vie postérieures aux années 1960 semblent n'avoir plus rien de commun avec les représentations imaginaires de la société d'autrefois. Les mythes qui, hier, définissaient l'identité et la destinée des Québécois prennent de plus en plus l'allure d'une confortable nostalgie. L'étude du passé s'est à son tour renouvelée. Elle a voulu fournir un éclairage aux préoccupations sociales du présent. Elle s'est efforcée de rejoindre toutes les dimensions de l'humain, de rendre compte de ces lieux de mémoire en formation.

RETRACER L'IDENTITÉ

Plusieurs chercheurs ont, dans diverses disciplines, proposé des modèles d'analyse de l'identité. Les approches les plus récentes distinguent en général trois niveaux constitutifs de l'identité. Le premier correspond à celui des traits spécifiques. Il repose sur des caractéristiques descriptives qui se veulent objectives, comme le nombre, les dimensions, le lieu, etc. Il porte sur la matière de base ou sur des données concrètes. Le deuxième niveau d'analyse privilégie les interrelations. Il fait ressortir l'effet de la présence ou de la perception de l'« Autre » sur ses propres comportements. Enfin, à un niveau supérieur, l'analyse s'intéresse aux idéologies, aux valeurs, aux représentations mythiques ou symboliques. Elle précise les engagements qui président aux choix de vie. Ces modèles permettent d'ordonner les éléments identitaires les uns par rapport aux autres et d'en évaluer le poids relatif.

Les travaux sur l'identité québécoise ont souvent emprunté la voie des traits de spécificité. À travers des comportements et des environnements particuliers, on a relevé des singularités apparemment distinctives. Tour à tour, le patrimoine immobilier, les biens matériels, les modes de vie ou les traits de mentalité ont constitué des assises de l'identité collective. Ces différences, inégalement réparties dans la société québécoise et souvent présentes ailleurs, se prêtent à un schéma conceptuel systémique que le géographe-historien Serge Courville a adapté.

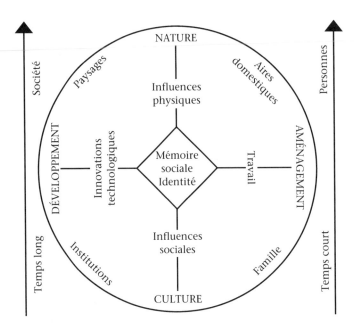

Ce schéma ouvert et englobant intègre les principales expressions de l'identité en les structurant et en les hiérarchisant. Il précise la nature des rapports privilégiés entre chacune des facettes. Il associe temps court et temps long, l'individuel et le collectif. Il rejoint les grandes questions de l'heure : famille, nature, pluralisme culturel. Il présente enfin l'avantage de correspondre à des universaux.

L'identité ainsi retracée, aussi bien dans les différences que dans les ressemblances, n'entraîne pas une homogénéité factice. Chaque âge de la vie et chaque génération ouvrent à des réalités nouvelles. Des dynamiques régionales et des expériences territoriales diversifiées existent selon le climat, la topographie, les distances, l'aménagement rural ou urbain. Les espaces-temps se décomposent également en une infinité de groupes d'appartenance interreliés. Comme l'a démontré le politicologue Vincent Lemieux, ces réseaux rejoignent tout le monde individuellement, dans un lien informel et fluctuant. Chaque personne, selon son environnement physique et social, sa profession, son éducation ou sa culture, circule d'un groupe à un autre. Chez le même individu, telle attitude élitiste peut côtoyer tel comportement jugé primaire. Personne n'agit ni ne pense de la même façon, mais chacun partage avec d'autres un certain nombre de manières d'être ou de paraître. Ces distinctions culturelles se repèrent dans le quotidien autant que dans le séculaire, dans l'aire de vie domestique comme dans les espaces connus et fréquentés, dans les façons de vivre aussi bien que dans celles de se concevoir ou de se représenter. Elles reflètent une identité complexe et actuelle.

À un deuxième niveau d'appréhension, l'identité se définit dans les rapports à l'« Autre ». Le sociologue français Edmond-Marc Lipiansky a structuré de façon intéressante la notion d'identité à partir d'un groupe de jeunes en situation de rencontres interculturelles. Il présente au départ un processus génétique qui fait prendre conscience de soi et de ce qui lui est extérieur. Il distingue ensuite trois niveaux identitaires. L'identité primaire constitue un ensemble de traits qui définissent la *personne* en regard de ses propres sensations et dans les catégories constitutives de la réalité : le temps, l'espace, l'objet, la relation causale. L'apprentissage social permet ensuite de se fabriquer un *personnage*, une identité de rôle qui résulte de la perception de l'« Autre ». La volonté de créer ou non des relations avec un groupe extérieur influence le choix des attitudes et des comportements. Cette relation se déroule comme un processus actif qui finit par changer le soi. À l'observation des ressemblances et des différences succèdent une évaluation, puis une décision de rejet ou d'adoption. Elle conduit à une identité constamment adaptée à l'environnement culturel du moment. Enfin, l'identité idéologique touche le registre de l'imaginaire et de l'engagement. Elle s'appuie sur des valeurs politiques, philosophiques ou religieuses et elle construit alors une *personnalité*.

Reste le niveau supérieur d'abstraction, où l'identité collective s'exprime sous la forme de représentations mythiques ou symboliques qui incarnent des volontés d'être. L'historien Richard Slotkin a conçu ce modèle de référence identitaire en étudiant le mythe de la frontière, centré sur l'expérience coloniale américaine, mais qui perdure, en se transformant, pour soutenir idéologiquement l'essor industriel des États-Unis au XIXe siècle.

Pour Slotkin, le mythe a des fondements historiques nécessaires qui se transforment en métaphores dans le langage commun. Ces mythes s'expriment dans des histoires découlant de l'histoire et acquièrent, par le fait d'un usage qui se maintient durant plusieurs générations, une fonction symbolique centrale au fonctionnement de la société qui les a produits. L'expérience historique est ainsi à la fois préservée et ramenée en une formule narrative d'une extrême concision, facilement mémorisable. Des expressions comme « Québécois pure laine » ou « Révolution tranquille », par exemple, formules abstraites et conventionnelles, deviennent des symboles puissamment évocateurs, porteurs d'une forte charge idéologique et identitaire. Le mythe, réduit pratiquement à un cliché, devient le langage de la mémoire et renvoie à ce qui concerne les gens le plus profondément.

Les mythes constituent en somme les leçons apprises de l'histoire et rejoignent les éléments essentiels de la vision du monde. Ils agissent comme une série de mots vedettes qui se réfèrent aux traditions et transmettent à chacun un message codé de la culture du groupe. Ils sont des projections dans le passé de valeurs ou de préoccupations contemporaines, d'où leurs fonctions sociales très nettes. Ils créent une mémoire nostalgique, empreinte de fierté. La présentation d'un passé idéalisé façonne ainsi, pour les temps présents, une preuve d'habileté et de capacité. Ce passé exceptionnel justifie de croire dans les valeurs proposées, de croire en l'avenir.

L'histoire et la mémoire québécoises sont parsemées de formules stéréotypées et de représentations symboliques. Une majorité de personnes se reconnaissent encore dans le « Québécois pure laine », la société « repliée sur elle-même » et dotée de « grosses familles », etc. Ces représentations collectives habitent la mémoire des Québécois.

*

Quel que soit le modèle d'analyse utilisé, l'identité est finalement vue comme ce par quoi des personnes se sentent liées les unes aux autres, de façon passagère ou non. Elle s'exprime autant par des différences que par des ressemblances, autant par des comportements que par des engagements. Elle change dans le temps et selon les lieux fréquentés. Elle découle de ses propres perceptions tout autant que de ses rapports à l'« Autre ». Chacun participe même à plusieurs réseaux d'appartenance auxquels il adhère plus ou moins fortement et plus ou moins longtemps. Les fondements de l'identité reposent donc sur des traits personnels, des modes de vie, des rapports sociaux, des valeurs et des représentations.

Ainsi construite, particularisée et ordonnée, l'identité ne peut être que plurielle. Elle permet, en contrepartie, de concevoir la vie collective comme un prolongement de la vie privée. Elle rend les individus solidaires de la chaîne du temps, d'un environnement spatial, d'un groupe social, d'une appartenance culturelle, d'un engagement collectif. D'hier à aujourd'hui, elle passe du champ national globalisant à une conscience sociale personnalisée. Elle se ramène à un système de références dont la nature ou la substance, pour insaisissable qu'elle soit, définit une collectivité et auquel peu de gens voudraient renoncer. Elle associe les mythes aux réalités dans la recherche d'une destinée.

UNE APPROCHE PAR LES MÉMOIRES

Une approche par les mémoires collectives permet de combiner ces trois modèles d'analyse et de concilier les rapports entre individus et collectivités, faits et sensibilités, présent et passé, représentations imaginaires et réalités. Effectuée à partir des personnes, elle maintient le lien avec le présent d'où découle la pertinence immédiate du passé étudié. Elle dégage les tris opérés par la mémoire à chaque époque, tris qui conditionnent les valeurs transmises et les mémoires de demain. Elle porte sur des éléments concrets, tangibles ou intangibles, constitués par l'expérience de vie ou par les représentations du vécu. Elle inscrit chacun dans un contexte interactif et dans la durée. Elle produit un passé dans lequel chacun peut se reconnaître, une histoire qui correspond à ce qu'une collectivité est ou pense être.

L'approche par les mémoires collectives permet, jusqu'à un certain point, de pénétrer dans la tête et le cœur des Québécois d'hier et d'aujourd'hui. Elle présente le Québécois au Québécois dans une rencontre plus intime. Elle le place en observation de son propre comportement et de ses valeurs. Elle le confronte à ses actes. Elle dérange et rassure à la fois. Elle construit des cohérences qui interpellent et interrogent. Les études semblables menées en Europe ou aux États-Unis depuis une dizaine d'années ont illustré le fait que cette approche reflète et rejoint les sensibilités populaires et qu'elle correspond à des attentes sociales.

La mémoire collective fonctionne de façon assez semblable à celle des individus. Elle sélectionne, rejette ou retient. Elle reproduit, souvent en embellissant. L'approche par les mémoires collectives permet de vérifier comment les Québécois ont actualisé leur passé et construit leur identité.

Notion et fonctionnement de la mémoire

L'historien français Pierre Nora, dans *La nouvelle histoire*, définit ainsi la mémoire collective : « le souvenir ou l'ensemble des souvenirs conscients ou non, d'une expérience vécue et/ou mythifiée par une collectivité et dont le sentiment du passé fait partie intégrante de l'identité ». Plus simplement, la mémoire, c'est le souvenir partagé. Elle part de l'expérience concrète et individuelle, apprise ou acquise. Elle n'existe que si elle est partagée. La mémoire collective, c'est le savoir de la société sur elle-même. Elle définit « ce que nous sommes à la lumière de ce que nous ne sommes plus », et que parfois nous savons n'être plus. Elle est le point de référence à travers lequel on se reconnaît et s'identifie. Elle est un regard sur soi, actuel, social et pluriel, non coupé de ses sensibilités. Elle voit les recherches sur le passé comme un projet du présent tourné vers l'avenir.

La connaissance du fonctionnement de la mémoire individuelle peut aider à jeter les balises d'une mémoire sociale. Par son pouvoir de rappel, la mémoire favorise des évocations plus ou moins précises des temps ou des espaces plus lointains. Par sa capacité de reconstruction, elle peut bâtir des éléments constitutifs d'une réalité passée, d'une période historique plus proche. Enfin, par la fonction de reconnaissance, elle détermine ce qui participe de son environnement ou de son expérience.

La mémoire n'accumule pas les souvenirs selon une chronologie linéaire. Elle fonctionne à la manière d'une chaîne, par association d'idées, indépendamment d'un moment précis dans le temps ; tout s'y bouscule. Elle actualise tous ces passés. Les recherches de type médical ont à peine jeté les bases d'une connaissance du fonctionnement de la mémoire individuelle. Les informations les plus précises viennent encore de l'observation des comportements extrêmes. L'exemple le plus éloquent concerne les personnes frappées d'amnésie. On y distingue l'accident et la dégénérescence. Dans ce dernier cas, le processus paraît irrémédiable et les espoirs d'amélioration, vains. La personne perd contact avec la réalité et sa vie semble n'avoir plus de sens. Coupée du présent, elle se révèle incapable de choisir, d'organiser, de planifier. Jugée inapte, elle perd son pouvoir de décision. Elle n'a pas plus d'emprise sur son présent que sur son avenir. Le cas de l'accidenté cérébral a apporté d'autres enseignements. La perte de mémoire est alors souvent temporaire et partielle. Comme chez certaines personnes affectées par les maux de l'âge, les souvenirs anciens résistent mieux que les événements récents. Ils auraient eu le temps de s'imprégner de façon quasi indélébile dans la mémoire. Enfin, ces souvenirs du temps lointain seraient souvent plus émotifs qu'intellectuels. Les faits de vie ressentis auraient mieux résisté à l'oubli que les faits appris.

La mémoire individuelle agit donc à la fois comme une réserve de souvenirs et un processus qui aménage. Mais tout n'entre pas dans cette banque. Certains produits sont rejetés ou mis de côté. La mémoire sélectionne, par choix autant que par obligation. Elle ne peut ni ne veut tout retenir et emmagasiner. Une succession de lettres, comme N/D/I/E/T/T/E/I, se retient nettement plus facilement quand elle s'illustre par un mot significatif : IDENTITÉ.

Enfin, la mémoire retient ce qui lui convient, ce qui l'a touchée, ce qu'elle souhaite conserver. Elle réagence ensuite l'ensemble des éléments recueillis, en vue d'une compréhension nouvelle. Il n'est pas rare que des personnes réaménagent une partie de leur passé pour mieux s'en accommoder. La confrontation des perceptions de la société québécoise aux réalités actuelles enclenche aussi ce processus de mémorisation et favorise une nouvelle présentation des éléments qui sont entrés dans la banque de souvenirs.

L'historien Jocelyn Létourneau a bien illustré ce processus par un exemple tiré de l'histoire récente. Il s'est penché sur les représentations que des étudiants de moins de 18 ans avaient des leaders politiques québécois Maurice Duplessis et Jean Lesage. Il a constaté la mise en place de deux pôles opposés d'interprétation : la « Grande Noirceur » en regard de la « Révolution tranquille ». Dans cette reconstruction, Jean Lesage devient un nouveau Robin des Bois. Ce héros sort le Québec de sa torpeur. L'aristocrate a toutes les qualités, y compris celle d'être près des travailleurs et des petites gens. Il vainc la nuit, l'ennui et l'ennemi. Là s'arrêtent les représentations, car la suite est un règne heureux et, partant, sans histoire. L'image de Duplessis, elle, est tout le contraire. Rétrograde, méchant, dépassé, il vend le Québec aux Américains et emprisonne des gens. Le développement des voies de communication n'est que favoritisme et malhonnêteté; l'électrification rurale, une réalisation oubliée. Voilà un beau modèle de conte typiquement médiéval. Cette magnifique simplification de la réalité fournit un bel exemple du processus de fonctionnement de la mémoire et de la construction des représentations collectives.

La capacité d'harmonisation de la mémoire tolère également la cohabitation de représentations paradoxales et de comportements contradictoires. Par exemple, le territoire québécois compte près d'un demi-million de lacs. La fierté que les Québécois affichent à propos de la quantité et de la qualité de l'eau ne les empêche pas d'acheter de plus en plus d'eau embouteillée, une eau parfois moins pure que celle du robinet. Alors que les interdictions de baignade se multiplient, pour des raisons écologiques plutôt que morales, les gens cherchent de plus en plus à s'installer au bord de l'eau. Alors que les engrais chimiques et les pesticides envahissent la campagne, on crée, en ville, des jardins biologiques. Même si l'on évoque avec nostalgie les tempêtes d'antan, subies le plus souvent au coin du feu, les destinations soleil gagnent de plus en plus d'adeptes. Au moment où l'on aménage des passes pour les saumons, les autoroutes viennent couper l'accès de la population aux plans d'eau. Ces paradoxes collectifs existent aussi dans les comportements sociaux. La société québécoise qu'on s'est plu à décrire comme une société faible, fermée, repliée sur elle-même, a accueilli et intégré des centaines de milliers d'immigrants tout au long de son histoire. Elle regimbe tout autant contre le vol de « jobs » qu'elle s'attendrit sur le sort des persécutés politiques et des réfugiés dans la détresse. Les libertés nouvelles vont de pair avec la multiplication des entraves et des réglementations. L'humanisation des rapports sociaux passe par la numérotation. En somme, beaucoup de paradoxes, de faits et d'apparences se télescopent dans la mémoire québécoise.

Les aménagements auxquels procède la mémoire n'ont rien de neutre ou de passéiste. Ils simplifient pour donner une plus grande cohérence aux faits. Ils facilitent le jugement. Ils rassurent. Ils ont tendance à embellir la réalité. Ils harmonisent. Et peut-être cette fonction est-elle essentielle à l'équilibre humain et collectif ? Il faudrait se demander si ce n'est pas la mémoire plutôt que le temps qui panse les plaies et guérit les blessures.

Les stéréotypes de la mémoire québécoise

La mémoire québécoise a mis du temps à se façonner et elle a duré encore plus. Au lendemain de la conquête britannique de la Nouvelle-France en 1760, il reste, selon les mots de l'historien Guy Frégault, « des Canadiens sans Canada ». En 1839, un représentant du gouvernement anglais, lord Durham, écrit que ce peuple n'a pas d'histoire. Dès lors, et pendant plus d'un siècle, en gros de 1840 à 1960, l'histoire s'est vouée à la construction d'une conscience nationale. Cette finalité identitaire a constitué le seul support idéologique acceptable pour toute entreprise de recherche. C'est dire à quel point les images ainsi construites ont pu s'imprégner dans la mémoire québécoise et orienter les perceptions du passé.

Jusqu'aux années 1960, l'époque de la Nouvelle-France a été présentée comme une ère paradisiaque, idéalisée par les chercheurs et la société. Les plus grands symboles identitaires se réfèrent à cette époque et la plupart des personnages cités en exemple et présentés comme des héros à des générations de Québécois ont vécu durant cette période. La société québécoise était essentiellement rurale, catholique et francophone de vieille souche. Elle n'était constituée que de « Canadiens français pure laine ». Ce sont les institutions (Église, École et même État) qui ont assuré la survie culturelle de cette population. La famille a permis de prendre la plus douce des revanches sur le conquérant : celle des berceaux. Les rôles masculin et féminin ont été si bien campés qu'ils ont fait figure de symboles : la mère animant le berceau du bout du pied tout en filant la laine à son rouet ; le père agissant, lui, comme le protecteur et le pourvoyeur de la famille. Gens de hache, disait-on de ces Québécois, habiles en tout et inventifs. Il suffisait de laisser parler le génie de la race pour sortir de sa condition de « porteur d'eau » et ne plus se croire « né pour un petit pain ». La nature immense et généreuse assurait la récompense ultime à celui qui voulait bien y consacrer une vie de labeur. Le portrait de l'homme du peuple ne s'écartait guère de cette représentation. Attaché à la nature, fier de sa force physique, ce géant au cœur d'or savait rire, boire et conter. Gros, grand et fort, aucune tâche ne l'effrayait, aucune distance ne le rebutait. En veste à carreaux, bottines de peau de bœuf et raquettes aux pieds, il s'était, comme nul autre, adapté à l'hiver. Pourtant, ce personnage indépendant et indiscipliné finissait par se ranger. Il se mariait et avait beaucoup d'enfants. Il mangeait des fèves au lard et du ragoût de pattes, puis il fumait la pipe dans sa « berçante » canadienne, dans sa maison canadienne, dans un environnement à coup sûr québécois. C'était « nous autres » ; des gens hospitaliers comme pas un, dont les insuccès étaient attribuables aux Anglais.

L'élaboration de ces représentations mythiques, qui s'est étalée des années 1840 à l'aube des années 1970, a créé l'image d'une société autarcique, autosuffisante et repliée sur elle-même. Née de la conjugaison des idéologies politiques dominantes et d'une continuité dans la résistance, cette construction historique véhicule une vision généralement défaitiste de la société québécoise. Léon Dion y voit la hantise d'un destin tragique et Lise Bissonnette, la vocation de martyr comme spécificité. Cette projection du passé s'illustre également dans des expressions symboliques entrées dans le vocabulaire québécois comme autant de stigmates : « Jean-Baptiste Gagnepetit », « porteur d'eau » ou « né pour un petit pain ». Certaines époques n'ont projeté que des images douloureuses : la « guerre des Éteignoirs » ou la « Grande Noirceur ». L'histoire allait jusqu'à organiser la célébration des défaites. L'avenir résidait finalement dans l'éternel de l'humain, comme l'écrivait Félix-Antoine Savard. Vivre, c'était apprendre à bien mourir.

Ce portrait du Québécois, qui, pourtant, s'y reconnaît, tant sa mémoire collective en est imprégnée, semble suranné. Ces images ont exercé une fonction identitaire puissante fondée sur les sensibilités collectives, et, parfois, elles l'exercent encore. Ces mythes étaient pertinents en leur temps, mais on peut se demander s'ils continuent de servir efficacement la conception d'un destin.

*

La conscience de former une collectivité, ou de lui appartenir, s'appuie sur des souvenirs communs qui proviennent autant d'une expérience personnelle que de représentations partagées. L'approche par les mémoires cherche à réduire l'écart entre les expériences de vie et les représentations du passé. Elle tente d'instaurer un dialogue signifiant entre les perceptions du présent et leur passé propre, autant en regard des faits et des sensibilités que des valeurs.

Une nouvelle manière de regarder les mêmes faits et une insistance sur d'autres réalités tendent à mettre en évidence l'ouverture de la société québécoise sur le monde. Sûre d'elle-même, libérale et accueillante, elle a été capable d'adaptation, voire d'assimilation. Elle a emprunté aux Amérindiens, aux Britanniques, aux Américains et aux autres ethnies qui partagent le Québec avec la majorité francophone. Cette société québécoise a intégré sans trop de malaises des dizaines de milliers de Britanniques et d'Irlandais arrivés entre 1760 et 1860. Elle s'est adaptée sans problème aux lois et coutumes britanniques. Elle participe d'une relation à la nature empruntée surtout à l'Amérindien. Elle va jusqu'à concevoir l'intégration ethnique dans une société pluraliste. Elle revoit le passé à la lumière de ses emprunts plutôt qu'à celle de ses traits spécifiques. Cette diversité et cette multitude de contributions intégrées dans la vie des Québécois ont abouti à la définition d'une « culture de convergence ».

Cette relecture du Québec ancien découle directement du contexte québécois actuel. Elle correspond néanmoins à des pistes tracées ailleurs, il y a plus de 30 ans. L'historien français Philippe Ariès, dans *Le temps de l'histoire*, voyait les sociétés conservatrices du XXe siècle, refermées sur leurs valeurs propres, se dessécher faute de saisir la diversité de leur monde et se confiner dans un vain repli sur des certitudes épuisées. Pour lui, « il n'est pas d'identité sans confrontation, pas de tradition vivante sans rencontre avec l'aujourd'hui, pas d'intelligence du présent sans compréhension des discontinuités de l'histoire ».

La culture de convergence est ainsi vue comme une résultante, jamais figée, de la rencontre et des échanges d'ordre matériel ou spirituel entre des systèmes culturels différents et dont les fondements sont souvent associés à une identité ethnique ou nationale. Elle s'écarte résolument des sens uniques que véhiculent les notions d'assimilation ou d'intégration. Elle se réfère à un processus d'adaptation à un environnement physique, humain et institutionnel qui s'exprime sous forme de traits et de comportements. Elle loge à la fois dans des formes matérielles comme le paysage, l'habitat ou l'alimentation, dans des formes expressives comme la musique, la chanson, le théâtre ou le sport et dans des institutions économiques et politiques. En somme, elle explique pourquoi nous nous pensons authentiquement et spécifiquement québécois, tandis que les Américains nous voient comme des Français et les Français comme des Américains.

Les ruptures des années 1960

Au Québec, après 1960, tout semble vouloir changer : c'est la « Révolution tranquille ». Elle s'amorce sur une profession de foi politique résumée dans le mot « Désormais », leitmotiv du nouveau chef d'État. Les artistes participent de près au mouvement. En trois ans, une chanson à succès de Claude Gauthier est remaniée pour s'adapter à l'évolution des appellations identitaires qui passent de « Canadien » à « Canadien français », puis à « Québécois ». Un peu plus tard, un autre air connu proclame que « c'est le début d'un temps nouveau ».

Si la mémoire collective québécoise regarde les années 1960 comme celles d'un nouveau départ, des signes avant-coureurs avaient pourtant annoncé ces ruptures. Les recherches en sciences humaines et sociales ont montré que la société québécoise n'avait pas attendu ces années pour évoluer. Les synthèses historiques récentes rappellent avec précision les nombreuses transformations qui avaient eu cours antérieurement. De grands établissements industriels fondés sur la division du travail et sur de nouvelles technologies apparaissent dès le milieu du XIXᵉ siècle, modifiant considérablement les paysages. Les études démographiques montrent que le contrôle des naissances commence à se généraliser dès la fin du XIXᵉ siècle. Les établissements d'enseignement et d'hospitalisation se laïcisent à la même époque et leurs actions reposent de plus en plus sur des connaissances scientifiques éprouvées. Les chercheurs québécois vont se former en Europe et aux États-Unis et les sciences commencent à s'enseigner dans les universités. La révolution des transports et des communications s'amorce avec le début du XXᵉ siècle. Les loisirs sportifs et culturels organisés sont alors en vogue dans toutes les villes. La liste des changements qui traduisent cette évolution paraît sans fin. Mais il semble que cette histoire plus récente n'a pas encore imprégné fortement la mémoire québécoise. Comme dans la mémoire individuelle, les souvenirs plus anciens résistent mieux et les événements se bousculent dans la tête sans références chronologiques précises. En ce sens, la Révolution tranquille constitue aussi un aboutissement, une prise de conscience que les temps avaient bien changé.

Il a suffi de quelques années ou d'une courte génération, selon les perceptions ou les réalités observées, pour ranger les mythes anciens du côté de la mémoire d'hier. L'éclatement semble total; des ruptures majeures se produisent dans tous les secteurs. La perception du Québec a perdu ses fondements uniques et s'est écartée d'une vision monolithique simplifiée.

Les mouvements écologiques amènent un grand nombre de Québécois à prendre conscience des limites à l'occupation de l'espace et à l'exploitation des ressources naturelles. On entreprend un retour à la nature et de grandes batailles s'engagent dans le but de préserver la qualité de l'environnement.

Les lieux mémoriels traditionnels que constituent les institutions majeures (Église, État, École) subissent d'importants bouleversements. Le concile Vatican II entraîne la mise en veilleuse des objets de piété (médaille, chapelet, missel, eau bénite, reliquaire, etc.). La fameuse tour des Martyrs de Saint-Célestin, près de Nicolet, qui comptait quelque 6 000 reliquaires, est fermée puis démolie. Les pratiques religieuses changent. L'Église catholique se tourne davantage vers les fidèles et se laïcise progressivement. De plus en plus de gens, tout en continuant à se dire croyants, délaissent l'usage régulier des sacrements. Le nombre de pratiquants diminue des deux tiers en 15 ans. Parallèlement à cette désaffection des catholiques envers leur Église, on assiste à la multiplication des groupes religieux et à une montée des mouvements charismatiques.

L'École s'est, elle aussi, profondément modifiée. L'accès aux universités est libéralisé. Les programmes scolaires de tous les cycles sont transformés. Les manuels et les matières enseignées changent. La « petite école de rang » n'est plus qu'un lointain souvenir. La perception de l'enseignement se modifie. À la figure traditionnelle hautement valorisée de la maîtresse d'école, on substitue l'écoute et les besoins de l'« apprenant », responsable de ses choix et de plus en plus autonome. On a tendance à se cantonner dans l'enseignement disciplinaire. L'école évolue pour devenir un milieu de vie à temps partiel. Son prolongement à travers des tâches à compléter à la maison est progressivement réduit. Dorénavant, c'est la famille qui se rend à l'école où s'organisent des comités de parents. L'instruction devient un héritage fortement valorisé. Un slogan du ministre de l'Éducation Paul Gérin-Lajoie prône ces changements et précise les nouvelles aspirations : « Qui s'instruit s'enrichit. » Il est maintenant possible de prendre un peu de recul et de tenter d'analyser ces ruptures dans une plus longue durée.

La démocratisation n'est pas moins bien ancrée dans d'autres domaines, comme celui des droits de la personne. L'accès aux soins et aux services de santé se généralise. Même les travailleurs dont les services sont jugés essentiels à la collectivité obtiennent le droit de se syndiquer. La liberté de presse prend corps tandis que l'accès aux moyens de communication se libéralise et s'intensifie. Pourtant, aujourd'hui, il faut débourser pour certains services hospitaliers particuliers. La loi des services essentiels a réduit les effets négatifs des grèves jugées inopportunes. Tout le monde a son poste de télévision, mais un nombre réduit de consommateurs peut s'offrir la télévision payante.

La mise en place d'instruments juridiques de préservation des droits de l'individu illustre une volonté collective. Les chartes des droits, les lois de protection des renseignements personnels ou des droits des consommateurs montrent cette démocratisation. L'attention portée aux personnes ne permet plus de parler de la population en général, ou en son nom. On a reconnu la primauté du consommateur individuel, même en matière de culture. La place et l'autonomie des personnes, les souvenirs individuels volontairement partagés se sont approprié un lieu significatif de la mémoire collective québécoise.

Au Québec comme partout ailleurs dans le monde occidental, la famille a subi de profondes mutations. Elle a évolué dans sa constitution, sa composition, son rôle, son importance et quant à sa place dans la société. Le Québec a vu son taux de natalité chuter à un peu moins de 1,5, ce qui n'assure même pas, et de loin, la reproduction biologique. Simultanément, les relations homme-femme se sont modifiées. De nouveaux types d'union, de nouveaux modes d'organisation de la vie ont entraîné à leur suite un nouveau partage des rôles.

Dans cette société vieillissante, le troisième âge occupe une place de plus en plus grande. Souvent, les maux de l'âge (difficultés de logement, maladie, abandon de la vie active, insécurité) sont évacués des préoccupations sociales au profit des voyages, des loisirs organisés et du retour à l'école. À mesure que cette fraction de la société structure l'organisation de sa vie, une conscience sociale nouvelle se façonne.

Pareil éclatement ne prive pas la famille de son sens. Des recherches sociographiques récentes démontrent qu'en milieu urbain – du moins à Québec – les réseaux familial et parental conservent une valeur prépondérante par rapport au voisinage ou aux mouvements associatifs. En même temps, on assiste à une émergence du culte de l'ancêtre et de la lignée familiale. À côté d'une mémoire familiale courte qui ne permet qu'à bien peu de gens de donner le nom exact de chacun de leurs grands-parents ou de leurs arrière-grands-parents, des milliers de Québécois se sont donné une famille imaginaire. Des dizaines de milliers de personnes participent au regroupement des familles souches et se retrouvent chaque année près de la maison ancestrale. Cette solidarité forgée traduit le maintien de certaines valeurs attribuées à la famille.

Enfin, la société dans son ensemble donne aujourd'hui l'impression d'être autrement constituée. La foi dans le mythe de la « race pure » s'est effritée. L'effet conjugué de la chute du taux de natalité et de l'accroissement de l'immigration laisse entrevoir qu'en l'an 2000, plus de 50 pour cent des enfants inscrits dans les classes de niveau primaire, à Montréal, seront des néo-Québécois. En certains milieux, on ne manque pas d'exprimer des craintes, voire du ressentiment, face aux membres de communautés ethniques qui adoptent la langue anglaise ou qui obtiennent les meilleurs emplois. Pour plusieurs, l'avenir est sombre. Pourtant, on oublie un peu vite que des Écossais, des Irlandais, des Allemands venus par milliers au milieu du XIXᵉ siècle se sont globalement intégrés à la société québécoise. Dans le même temps, la majorité francophone de vieille souche paraît bien à l'aise avec les lois et les manières de faire anglaises, le folklore irlandais, les apports autochtones et les contributions des ethnies dans plusieurs domaines. Du reste, la multiplication des moyens de communication semble avoir ouvert le Québec aux marchés internationaux des produits, des savoir-faire, de l'art et de la culture. Pourtant, la société implantée dans la vallée laurentienne au XVIIIe siècle participait aussi à une aire culturelle occidentale. Il y a lieu de sonder la mémoire québécoise pour vérifier comment elle s'adapte au pluralisme social et à un certain internationalisme culturel. Il y a lieu également de vérifier dans l'histoire comment la société d'hier a vécu les expériences semblables à celles auxquelles les Québécois sont aujourd'hui confrontés.

* * *

Les ruptures opérées dans la foulée des années 1960 et de la Révolution tranquille ont, semble-t-il, profondément modifié les valeurs. Du coup, elles ont ouvert la porte à un nouvel imaginaire. Dans la plupart des domaines, un vocabulaire inédit s'est développé. Les immigrants et les néo-Québécois sont devenus qui des ethnies, qui des minorités visibles, qui des communautés culturelles. Les vieux, les retraités, ont constitué un âge d'or, un troisième âge, avant d'être reconnus comme la deuxième jeunesse ou le bel âge. On a réinterprété les grands événements. Les pêcheurs du XVIe siècle ont pris plus d'importance que Jacques Cartier. La montée d'un nationalisme conduisant à l'élection d'un parti indépendantiste a failli effacer définitivement les effets de la Conquête de 1760. On a fait du Patriote de 1837-1838 un nouveau héros et plusieurs Québécois voudraient que leurs ancêtres aient participé aux rébellions. L'avènement du régime confédératif canadien en 1867, les guerres mondiales, la grippe espagnole ont laissé peu de traces et de souvenirs hormis dans les milieux familiaux ou institutionnels. La société a dépouillé assez brutalement les anciens héros de leurs titres de gloire, les troquant souvent contre des vedettes américaines, au règne éphémère.

Ainsi, autant les ruptures des années 1960 ont-elles radicalement transformé le vécu, autant influent-elles aujourd'hui sur la construction de la mémoire québécoise. On a assisté à une intensification du phénomène de la rétromanie. À une certaine époque, le marché des antiquités était en pleine effervescence. La protection et la restauration du patrimoine immobilier ont connu un essor remarquable. Chaque localité a trouvé un anniversaire à célébrer. Le retour aux sources a donné aux individus le pouvoir d'inventer une mémoire familiale mythique. Mais certains de ces courants ont déjà vécu. Une nouvelle attitude par rapport à la banque de souvenirs s'est développée. Pour la collectivité, il importe moins de la sauvegarder que de la dynamiser, en lui faisant jouer un rôle actif.

UNE MÉMOIRE EN CONSTRUCTION

Une approche par les mémoires fait ressortir la place du passé dans le présent. Elle montre comment les représentations du passé prennent un caractère mythique, traduisent les préoccupations majeures d'un temps et balisent les voies de l'avenir. Elle révèle comment évoluent ces représentations, s'ajustant à de nouveaux contextes ou perdant de leur pertinence et de leur puissance idéologique. Elle illustre l'inévitable démarche de renouvellement de la connaissance du passé pour concilier l'expérience de vie et l'imaginaire issu du passé lointain. En ce sens, elle rappelle que les mouvements de retour aux sources ont connu les plus longues destinées. Cette approche éclaire le processus même de la construction d'une mémoire collective.

Traiter de l'identité à travers les mémoires oblige à la constitution d'un savoir synthétique et pluriel qui ne saurait être atteint en dehors d'une démarche pluridisciplinaire et demeurer en dehors du regard de la société sur elle-même. Cette démarche tient compte des processus individuels de mémorisation. Elle s'écarte d'un strict ordonnancement chronologique. Elle se définit à partir des défis du présent. Si elle se nourrit de faits vérifiés et contextualisés dans le passé, elle subit inévitablement l'influence des sensibilités et de l'affectivité. Elle se donne comme pierre d'assise la perspective d'une conscience sociale plutôt que celle d'une mémoire nationale. Le plus souvent, elle interroge ou présente des solutions de rechange plutôt que de fournir des réponses. Elle tend vers une réappropriation personnelle et sociale de son histoire, de sa mémoire, de son identité. Elle s'appuie sur les connaissances qui fondent les choix pour l'avenir. Elle précise des lieux et des engagements à partir desquels demain jugera. À ce titre, elle incarne des possibles, propose des trajectoires, s'inquiète d'un destin.

Une semblable reconstruction de l'identité ou de la mémoire québécoise obéit à trois critères interreliés : les faits, les sensibilités et l'imaginaire.

Les recherches qui touchent la mémoire et l'identité québécoises sont fondées sur des faits et des représentations vérifiés et vérifiables. L'important consiste à ne pas prendre l'un pour l'autre le mythe et la réalité. Ces recherches n'ignorent ni ne taisent les facettes moins agréables du passé et du présent. C'est le cas, par exemple, des événements associés à des défaites.

La construction d'une mémoire identitaire tient également compte des sensibilités. Ce sont elles qui donnent leur relief aux faits. Ce sont elles qui permettent de comprendre les attitudes et les comportements. Ce sont elles, encore, qui témoignent de la manière dont les événements ont été ressentis. Elles couvrent tout le registre des émotions. Elles sont à la base d'un assentiment ou d'un rejet, d'une distanciation ou d'une appartenance. Elles font appel à la connivence. Elles sont comme un clin d'œil ; elles obligent à réagir. Elles instituent un rapport dynamique entre deux personnes, entre l'individuel et le collectif. Elles font ressortir les significations du document ou de l'objet. Elles en favorisent les dimensions immatérielles qui lui donnent un sens. Un chapelet ou un médaillon ne se réduisent pas à un matériau technique ; ils sont traces et projections de valeurs. Tel est le sens d'une communication engagée et sensible. Introduire la mémoire québécoise au cœur d'une entreprise semblable, c'est l'insérer dans un processus culturel actuel dynamique et interactif.

Enfin, ces recherches participent, sous l'angle particulier de la science, à ce réflexe des sociétés qui se construisent une réalité historique et un passé mythique : un imaginaire éminemment culturel. Dans Charlevoix, au cours de l'été de 1987, plus de 50 000 personnes ont visité le site du tournage du téléroman *Le temps d'une paix*. Ils y recherchaient quelques souvenirs d'un passé et de personnages qui n'ont pourtant jamais existé en dehors d'une œuvre de fiction. L'insatiable mémoire collective s'abreuve à toutes les sources. Une approche par les mémoires s'attache donc aux sensibilités et à l'imaginaire, c'est-à-dire à la façon dont une société se conçoit, se présente et se représente. Elle allie, de façon indissociable, les faits et les sensibilités, le passé et le présent.

L'imaginaire d'une société fonde son identité. Il lui assure cohérence, équilibre, cohésion et harmonisation. Il est créateur d'espaces de vie et de comportements acceptés. Il est un moyen d'accepter le passé et de vivre le présent sans s'y sentir menacé, ce qui permet de s'assumer et de se rassurer. Ainsi en est-il de la mémoire collective. Elle a tendance à atténuer les mauvais souvenirs et à embellir les bons. Elle se refuse à célébrer ses défaites, mais sans les ignorer. L'approche par les mémoires n'a finalement rien de neutre, de passif ou de passéiste. D'une démarche inquiète elle tire un message positif. Il faut en être conscient pour éviter de se leurrer.

Dans son ensemble, cette lecture de l'identité s'appuie au départ sur les mythes qui ont servi à définir les Québécois dans chacun des domaines couverts par la recherche : les espaces infinis aux richesses inépuisables, la famille nombreuse et unie, le rôle providentiel des institutions, la petite société repliée sur elle-même mais dotée d'un génie propre à sa race. Elle montre cependant que ce « Québécois pure laine » n'est pas tout à fait ce qu'il pense être ou tel qu'il se voit. Par une vérification dans les faits du passé, observés au filtre des préoccupations du présent, elle cherche à reconstituer l'identité et la mémoire québécoises dans leur évolution récente. La vie en société et la culture de convergence occupent le cœur de cette relation créée par le présent entre le passé et l'avenir.

LECTURES COMPLÉMENTAIRES

Ariès, Philippe, *Le temps de l'histoire*, Paris, Seuil, 1986.

Bastide, Roger, «Mémoire collective et sociologie du bricolage», *L'Année sociologique*, vol. 21, 1970.

Bergeron, Gérard, *À nous autres, aide-mémoire politique par le temps qui court*, Montréal, Québec/ Amérique, 1986.

Berque, Jacques, «Identités collectives et sujets de l'histoire», *Identités collectives et relations interculturelles*, Guy Michaud (dir.), Bruxelles, Éditions Complexes, 1978, pp. 11-18.

Braudel, Fernand, *L'identité de la France. Espace et histoire*, Paris, Arthaud-Flammarion, 1986.

Chauchard, Paul, *Connaissance et maîtrise de la mémoire*, Paris, PHESS, 1968.

Dion, Léon, *Québec 1945-2000. Tome I, À la recherche du Québec*, Québec, PUL, 1987.

Fournier, Marcel, «L'évolution socio-culturelle du Québec, de la seconde guerre mondiale à aujourd'hui», *Le Québec statistique. Édition 1985-1986*, Québec, Les Publications du Québec, 1985, pp. 113-128.

Fournier, Marcel, «Autour de la spécificité», *Possibles*, vol. 8, n° 1, 1983, pp. 85-114.

Guillaume, Marc, *La politique du patrimoine*, Paris, Galilée, 1980, coll. Espace critique.

Halbwachs, Maurice, *La mémoire collective*, Paris, PUF, 1950.

Jewsiewicki, Bogumil, *Récits de vie et mémoires. Vers une anthropologie historique du souvenir*, Paris, L'Harmattan, 1988.

Joutard, Philippe, «Tradition orale et mémoire sélective», dans Le Moigne, Jean-Louis, *et al., Les processus collectifs de mémorisation (mémoire et organisation)*, Actes du colloque d'Aix-en-Provence publiés par Jean-Louis Le Moigne et Daniel Pascot, Aix-en-Provence, Librairie de l'Université, 1979, pp. 78-85.

Kammen, Michael, «La mémoire américaine et sa problématique», *Le Débat*, vol. 30, 1984, p. 112-117.

Lemieux, Vincent, *Réseaux et appareils. Logique des systèmes et langage des graphes*, Saint-Hyacinthe, Édisem, 1982.

Létourneau, Jocelyn, « L'imaginaire historique des jeunes Québécois », *Revue d'histoire de l'Amérique française*, vol. 41, n° 4, printemps 1988, pp. 553-574.

Lipiansky, Edmond-Marc, *L'âme française ou le national-libéralisme. Analyse d'une représentation sociale*, Paris, Anthropos, 1979.

Lipiansky, Edmond-Marc, « Identité, communication et rencontres interculturelles », *Cahiers de sociologie économique et culturelle*, vol. 5, juin l986, pp. 7-49.

Lowenthal, David, *The past in a foreign country*, New York, Cambridge University Press, 1985.

Mathieu, Jacques, *Étude de la construction de la mémoire collective des Québécois au XXe siècle*, Québec, CÉLAT, 1986.

Namer, Gérard, *Mémoire et société*, Paris, Méridiens Klincksieck, 1987.

Nora, Pierre, « Entre mémoire et histoire. La problématique des lieux », *Les Lieux de la mémoire I. La République*, Pierre Nora (dir.), Paris, Gallimard, 1985, coll. Bibliothèque illustrée des histoires, pp. xvii-xlii.

Nora, Pierre, « Mémoire collective », *La nouvelle histoire*, Paris, CELP, 1978, pp. 398-401.

Nora, Pierre, « Quatre coins de la mémoire », *H-Histoire*, n° 2, juin 1979, pp. 9-31.

Rioux, Jean-Pierre, « La mémoire collective en France depuis 1945. Propos d'étape sur l'activité d'un groupe de travail », *Bulletin de l'Institut d'histoire du temps présent*, n° 6, 1981, pp. 29-34.

Rioux, Marcel, *Les Québécois*, Paris, Seuil, 1974.

Slotkin, Richard, *The Fatal Environment. The Myth of the Frontier in the Age of Industrialization, 1800-1890*, Middletown (CT), Wesleyan University Press, 1986.

Vansina, Jan, « Memory and Oral Tradition », *African past speaks*, publié par J.C. Miller, Folkeston-Hamden, Danson-Aichon, 1980.

Zonabend, Françoise, *La mémoire longue. Temps et histoires au village*, Paris, PUF, 1980.

CHAPITRE DEUXIÈME

LES ESPACES QUÉBÉCOIS

L ES RELATIONS ENTRETENUES par les Québécois avec la nature sont empreintes de représentations mentales et de sensibilités très fortes. Comme l'a fait Jacques Cartier autrefois, le Québécois peut, du haut du mont Royal, faire porter son regard au loin, sans pouvoir imaginer la limite des terres. L'immensité du territoire a constamment été célébrée. Le fleuve Saint-Laurent a été décrit comme une véritable mer. Le pays n'était qu'une vaste forêt vierge. Et, aujourd'hui encore, il n'est pas nécessaire de s'aventurer bien loin pour goûter l'illusion de fouler une terre encore inexplorée.

Dans la mémoire collective québécoise, la nature a joui d'un pouvoir évocateur exceptionnel. Elle a longtemps fait rêver, suscitant le plus souvent des sentiments de force et de nostalgie qui s'exprimaient ainsi: immensité, forêt sauvage, nature vierge, eau cristalline, ressources inépuisables, hivers d'antan. L'espace québécois invitait et invite encore à la découverte d'une richesse et d'une diversité incomparables: paysages de montagne magnifiques, lacs nombreux et extraordinaires, coloris d'automne qui teintent les plus beaux souvenirs. Dans les sensibilités québécoises d'autrefois, la richesse l'emportait sur les contraintes, la paix sur la fureur des éléments, les beautés figées de l'hiver sur les excès de température. Hier, le *Petit Catéchisme* enseignait que cette nature prodigue était un don de Dieu.

Cette représentation imaginaire du territoire a joué un rôle prépondérant dans la culture et l'identité québécoises. Aux caractéristiques physiques considérées comme des traits spécifiques – immensité, richesse, saison froide – se sont ajoutées les « victoires de l'humain sur la nature ». Selon le sociologue Fernand Harvey, à défaut de pouvoir célébrer son passé, la collectivité francophone aurait valorisé la conquête du territoire. Elle aurait mis en évidence ses capacités d'adaptation à cet espace, ses réussites dans la domestication de la nature – recul de la forêt, victoires sur le froid, le Nord et les distances – et dans l'exploitation de ses généreuses ressources. De fait, les premières personnalités collectives à travers lesquelles les Québécois se sont représentés sont justement celles qui avaient apprivoisé ou domestiqué la nature: le voyageur, qu'il fût explorateur, missionnaire, coureur de bois ou bûcheron, et le colon-défricheur. Les plus grands symboles identitaires traditionnels – castor, raquettes, feuille d'érable, canot, voire motoneige – illustrent l'intensité des relations avec la nature. Récits historiques et ouvrages littéraires d'autrefois sont tout imprégnés de cette image d'une conquête ardue du sol, grâce au courage ou au labeur humain.

Que reste-t-il, aujourd'hui, de ces représentations glorifiantes de l'espace québécois? Jusqu'à quel point correspondent-elles aux expériences de vie? L'impression d'immensité résiste mal à la mesure du territoire occupé et occupable. L'illusion d'abondance a été entachée par la fermeture de villes vidées de leurs occupants par suite de l'épuisement des matières premières. L'image de pureté a été ternie par les besoins ressentis d'achat d'eau de source, par les interdictions de pêche ou de baignade et par la multiplication des usines d'épuration et de filtration. En définitive, l'émergence des préoccupations écologiques a rendu en partie caduques les représentations anciennes. De nouvelles sensibilités, encouragées par le discours institutionnel et renforcées par les efforts consentis en ressources humaines et financières, sont en voie d'éclore. Elles font passer les représentations ancrées dans l'imaginaire collectif d'une nature à apprivoiser à une nature à protéger. Elles incitent à jeter un regard renouvelé sur le passé du territoire québécois.

D'hier il reste tout de même dans la mémoire québécoise une intimité, un attachement, des comportements un peu exceptionnels et des habiletés professionnelles. Ces permanences inscrivent l'identité dans la durée. Mais la rupture des années 1960 a ouvert un autre champ d'exploration davantage lié aux activités de l'humain et à leurs effets sur le territoire. Ces activités semblent avoir laissé plus de traces au sol que dans la mémoire collective. Ainsi la renommée maritime du Québec au XIXᵉ siècle, le découpage des terres, l'évolution des modes d'établissement, le développement urbain, la multiplication des échanges et des services, la création de zones et de quartiers à vocation particulière; tout cela n'a, en général, laissé que des souvenirs flous.

Pourtant, c'est dans les couches sédimentaires recelant l'empreinte laissée au sol par des générations successives que résident les principaux éléments de compréhension de l'occupation du territoire.

Le rappel de ces réalités fournit des assises spatiales et temporelles à la connaissance et à la compréhension de la diversité de l'emprise au sol et de l'aménagement des espaces individuels et collectifs. C'est pourquoi notre démarche suit de près les éléments de la grille proposée par Serge Courville. Dans l'étude de l'occupation du territoire, elle s'attache d'abord au cadre défini plus ou moins rigoureusement par les institutions politiques, juridiques et économiques. Elle signale le passage de la campagne à la ville et les effets sur l'organisation de la vie en société. Par l'étude de la manière d'habiter, elle insiste sur ce qui touche la personne humaine de plus près. Cet aménagement d'aires de vie domestique, conditionné par des règles d'occupation et des niveaux de revenu, traduit des tendances, des comportements sociaux et des modes de vie en évolution, ainsi que des choix culturels. L'exploitation des ressources naturelles évoque à la fois les marques laissées dans le paysage et les bases du savoir-faire québécois en regard de la nature. En somme, au fil du temps, chaque individu et chaque génération a dû apprendre à composer avec la nature. Chacun en est venu à se construire des environnements physiques et humains variables d'un contexte à un autre. L'impact de la modernité qui s'est partout fait sentir a brisé les perceptions d'homogénéité.

La question de l'heure, l'écologie, autour de laquelle sont en voie de se définir de nouveaux comportements et de se façonner un nouvel imaginaire, relève des mêmes préoccupations. Elle invite au développement d'une conscience sociale où chaque individu se sentirait concerné, tant dans ses comportements que dans ses engagements, par la qualité du territoire qui sera légué aux générations futures. En ce sens, elle pourrait conserver une signification identitaire, même si le problème écologique dépasse les frontières du Québec. C'est là-dessus que demain jugera.

LES MÉMOIRES DE L'ESPACE

Les grandes réalités physiques du territoire, eau, terre, climat, ont stimulé l'imagination et parfois créé l'illusion dans la mémoire québécoise. Elles ont soutenu et enrichi un imaginaire fabuleux hérité des temps les plus anciens. Les relations à cet espace physique à conquérir ont par la suite engendré des personnages types qui ont projeté une image identitaire forte, en même temps qu'une vue très simplifiée de la réalité. Ce territoire imaginaire a beaucoup participé à la définition de l'identité québécoise et les Québécois s'y reconnaissent encore facilement. Mais les représentations ainsi créées paraissent de plus en plus éloignées des expériences actuelles de vie. L'écart entre l'imaginaire et le réel s'agrandit, vidant de leur sens et de leur force ces éléments autrefois définisseurs de l'identité.

Un imaginaire transplanté

Les premiers immigrants français sur le territoire québécois ont apporté avec eux une bonne partie de ce qui forme aujourd'hui l'imaginaire traditionnel. Gestes et comportements, coutumes et croyances se sont inspirés de leur système de valeurs, énonciateur de stratégies de vie et d'attitudes. Plus tard, les élites intellectuelles se sont attachées à cet héritage, expression d'un enracinement séculaire et, partant, garant de l'avenir et de l'identité.

La prédominance rurale de l'expérience du territoire québécois a assuré une certaine vitalité à cet imaginaire jusqu'au début du XXe siècle. Mais celui-ci n'a pu résister à l'usure du temps ni à l'impact de la modernité. À compter des années 1940, il ne garde plus qu'une valeur de souvenir, plutôt nostalgique, et on entreprend de le sauvegarder en le logeant dans les entrepôts institutionnalisés de la mémoire.

L'historien Gérard Bouchard estime que, dans le transfert de France vers la Nouvelle-France, l'imaginaire culturel traditionnel a souffert de nombreuses déperditions. Comment, par exemple, assurer la survie de légendes associées à un accident de terrain – grotte, caverne, mont – et à un événement quand les nouveaux arrivants ne partagent ni la même connaissance des lieux précis de départ et d'arrivée, ni celle des événements associés à des particularités locales ? Ainsi, l'imaginaire de la terre qui aurait le mieux survécu serait très général, surtout à caractère religieux et fondé sur des valeurs morales renforcées par l'enseignement de l'Église catholique.

Des bûcherons rongés par l'ennui, une veille de Noël, empruntent le canot du diable qui vole dans les airs pour aller fêter avec leurs belles. Au retour, l'un d'eux rompt le pacte conclu avec le diable, interdisant de prononcer le nom de Dieu ou de Marie, et le canot tombe. Cette légende québécoise provient du folklore international. Le message fondamental rappelle la nécessité de respecter les interdits de l'Église. Au Québec cependant, le bûcheron, personnage type de la colonisation du territoire, a remplacé le chasseur qui, en France, est au centre de cette légende. Dans les siècles passés, le canot était le moyen de transport le plus courant et le mieux adapté pour franchir les grandes distances. Il évoque l'immensité du territoire et l'isolement des personnes.

(Henri Julien, *La chasse-galerie*, Québec, Musée du Québec, 34.254. Photo P. Altman.)

Dans les contes médiévaux et les traditions populaires québécoises relevés dans les archives de folklore, la terre fait l'objet de nombreux récits. Combien de fois un père amène-t-il ses fils au carrefour des chemins? De la route choisie – symbole d'un système de valeurs – dépend le succès ou l'échec de l'entreprise. Signe des temps anciens, la route la plus difficile se révèle toujours la meilleure. Les croix de chemin, particulièrement nombreuses au Québec et souvent situées à des carrefours, ont longtemps incarné et rappelé de façon tangible et visible cette appartenance à des valeurs collectives. Mais ce type de rapport à la terre ne guide plus guère les leçons de vie. Le souvenir même de leur signification s'est progressivement perdu.

L'image de la terre-mère, qui correspond à la terre nourricière, n'a pas mieux survécu. Rythmée par les saisons, cette terre nourricière prête vie à la nature qui la régit et dont elle cherche à se concilier les humeurs. Elle tient compte des rites à respecter. Elle sait comment demander la fertilité et comment remercier au temps des récoltes. Des dictons enseignent quoi faire, comment faire et quand faire. La terre-mère récompense et punit. Elle souligne la renaissance de la nature par la fête du Mai. Elle s'allie les éléments naturels par le feu de la Saint-Jean. Elle remercie Dieu et les hommes à la fin des récoltes. Du sens des fêtes et des rites ne subsistent plus que des dictons anecdotiques et un imaginaire rangé dans la mémoire morte de la collectivité québécoise.

L'imaginaire de l'eau a également été emprunté et il commence à prendre sérieusement de l'âge. L'eau est protectrice, si on pense à l'eau bénite ou à l'eau de Pâques. Elle est menaçante, quand elle recèle en son sein des serpents de mer ou des monstres marins et quand elle rappelle les naufrages. Parfois, grâce aux sirènes, elle est séductrice. Elle peut être annonciatrice du printemps, par la débâcle ou le temps des sucres. Elle nourrit et sert à la fois. Amie ou ennemie, elle sauve la vie ou donne la mort. Ce sont là beaux contes d'hier.

La plantation du mai

« Le dernier jour d'avril de chaque année, quatre pères de famille vont demander au capitaine de milice de la paroisse où ils résident la permission de planter un mai (c'est un sapin de soixante pieds de haut orné d'une girouette) à sa porte ; ce qu'il leur permet toujours, car c'est une marque d'honneur pour lui. En conséquence de cette permission, le lendemain de grand matin, on voit arriver à sa maison les quatre mêmes pères de famille suivis d'une douzaine de jeunes gens armés de fusils, qui escortent le mai tiré par deux chevaux attelés à deux paires de petites roues éloignées de vingt pieds l'une de l'autre sur lesquelles est couché le mai. Dès qu'ils sont rendus à la place désignée par le capitaine, ils creusent un trou de quatre pieds perpendiculaires, l'élèvent de la manière suivante : un homme fort se met au pied et pose une planche dans le trou,

sur laquelle vient s'accoter le pied du mai. Pendant que les autres le soulèvent avec des pièces de bois de douze pieds de long, les autres le soutiennent avec des gaffes, et ils s'approchent du pied à mesure que le mai s'élève. Dès qu'il est debout et qu'ils sont sûrs qu'il est bien droit, un jeune homme vif et vigoureux se saisit à la hâte d'une houe et remplit le trou de terre aux côtés du mai. Ils enfoncent ensuite à grands coups de masse des piquets tout autour, les autres continuant toujours à le soutenir avec leurs gaffes jusqu'à ce qu'un nombre suffisant de piquets pour le soutenir soient posés. Ils placent alors six guettes en cercle sur le mai. Ces guettes ont cinq pieds de long. Le mai ainsi fixé, les jeunes gens font une décharge de fusil pour saluer le capitaine à quoi il répond en tirant aussi un coup. Le chef de la brigade tire aussitôt une bouteille d'eau-de-vie qu'il a cachée sous

son capot, et en présente un coup au capitaine et ensuite à tous les assistants, et ce à l'entour du mai.

Cette cérémonie faite, le capitaine les prie d'entrer chez lui, où ils trouvent une table dressée, avec une quantité de crêpes, arrosées de melasse ou de sucre d'érable, et quelques viandes, mais principalement quantité d'eau-de-vie. À chaque coup qu'ils boivent trois jeunes gens se lèvent de table, et vont tirer une décharge de fusil sur le mai afin de le marquer, car c'est en quoi consiste le plus grand honneur, que de noircir le mai à coups de fusil. Le reste de la journée est employé à danser. »

(Nicolas-Gaspard Boisseau, notaire (1765-1842), dans *Mémoires de Nicolas-Gaspard Boisseau*, Lévis, 1907, pp. 85-86.)

L'expérience séculaire du contact des Québécois avec l'eau a laissé des traces profondes, mais plus dans l'inconscient que dans la mémoire vive. Pendant des siècles, de très nombreux Québécois ont vécu au rythme des saisons de navigation et de l'horaire des marées. La langue, les mœurs, la culture en ont été marquées. Des goûts et des habiletés se sont développés. Mais cette expérience a peu servi à nourrir le rêve et la représentation de la collectivité québécoise. Le souvenir de toutes ces réalisations semble avoir été éphémère. Les périlleuses traversées atlantiques appartiennent à un passé révolu. Les exploits maritimes du XIXᵉ siècle sont oubliés. Les grands travaux de canalisation du Saint-Laurent, tout comme la construction de ponts au-dessus du fleuve, font simplement partie du paysage. Aujourd'hui, ce sont les projets hydro-électriques qui font la manchette. Même la réputation de navigateurs et de canotiers que les Québécois avaient acquise à l'étranger a sombré dans l'oubli. Ainsi en est-il de cette équipée des 380 avironneurs recrutés surtout au Québec en 1885 pour aller reprendre la ville de Khartoum, au Soudan, en effectuant la remontée du Nil. Les habiletés techniques et les compétences professionnelles ont été ainsi ramenées au niveau d'anecdotes historiques.

Quelques mots « marins »

Dans le vocabulaire courant de plusieurs Québécois francophones, on retrouve des termes qui ont une origine quasi maritime, c'est-à-dire des mots employés surtout dans les régions de France où la mer avait une grande importance, comme la Normandie ou la Bretagne. il est en ainsi du mot « embarquer » : on embarque dans les chars ou dans une automobile ; on embarque sur un cheval ou dans un avion. Tout comme on en débarque ! « Embarquer quelqu'un », c'est non seulement le faire monter à bord de son véhicule, mais aussi « le faire marcher », le duper.

« Se greyer » équivaut à s'habiller. « Être greyé », c'est être prêt à partir. « Greyer une maison », c'est la meubler. Et le « gréement » devient donc ce avec quoi on meuble une maison, une pièce, un endroit.

Dans certaines régions, plutôt que d'utiliser le mot « claques » ou « caoutchouc » pour désigner un genre de couvre-chaussures, on emploie le mot « chaloupe ».

Immensité du territoire

«Parlant de la Nouvelle-France en général, je peux que dire que c'est un bon Pays, & qui contient en soi une bonne partie de ce que l'on peut désirer. Le terre y est très bonne, y produit à merveille, & n'est point ingrate; Nous en avons l'expérience. Le Pays est couvert de très-belles & épaisses forest, lesquelles sont peuplées de quantité d'Animaux, & de diverses espèces; & ce qui est encore plus considérable, c'est que lesdites forest sont entre-coupées de grandes & petites rivières de très-bonnes eaux, avec quantité de sources & belles fontaines; de grands & petits lacs, bordés aussibien que les rivières de belles & grandes prairies, qui produisent d'aussi bonnes herbes qu'en France : Dans ces lacs & rivières, il s'y trouve grand nombre de toutes sortes de Poissons, très-bons & délicats; Il s'y rencontre aussi grande quantité de Gibier de rivière : le Pays est fort sain.

[...] La Nouvelle-France est un très-grand Pays, qui est coupé en deux par un grand fleuve nommé saint Laurens : Son embouchure commence à Gaspé, & a cinquante lieues de large; pour sa longueur, nous n'en savons aucune chose, sinon qu'il prend son origine au lac des Hurons, autrement appelé la Mer-douce, que l'on tient avoir environ trois cens lieues de contour; de sorte qu'il se trouve que depuis Gaspé jusques audit lac, il y a près de cinq cens lieues, par le circuit qu'elle fait.»

(Pierre Boucher, *Histoire véritable et naturelle Des Mœurs & Productions du Pays de la Nouvelle France Vulgairement dite le Canada*, Paris, Chez Florentin Lambert, 1664, pp. 1-5.)

Les représentations mythiques du territoire québécois

À côté de cet imaginaire transplanté, une expérience de près de quatre siècles sur le territoire québécois, une expérience d'ailleurs enrichie de celle multiséculaire des nations autochtones, a généré des représentations collectives durables.

Le territoire québécois est encore fréquemment présenté comme le pays des grands espaces et des horizons infinis. On se targue que, même amputé du Labrador, il puisse contenir à la fois la France, l'Espagne, le Portugal, l'Allemagne unifiée, la Suisse et la Belgique. On rappelle qu'au début du XVIIIe siècle la Nouvelle-France constituait une des plus grandes unités territoriales juridiquement reconnues. Elle occupait les trois quarts du continent nord-américain. Il fallut près de trois siècles avant qu'on ne réussisse à franchir cette barrière continentale explorée par Jacques Cartier.

Cette représentation d'immensité ne fait pas moins figure d'utopie, dans la mesure où elle exagère le potentiel d'exploitation et d'utilisation du territoire. En fait, à peine 13 pour cent du territoire est densément peuplé. Le relief, le climat, la durée de la saison de végétation, la qualité des sols, les ressources naturelles, l'importance de la faune et de la flore, les moyens de communication, les sources d'énergie et les richesses du sous-sol ont influencé l'occupation effective du territoire. Au-delà du 52ᵉ parallèle, il est quasi impossible de pratiquer une agriculture viable. Au-dessus d'une certaine altitude, le gel précoce limite l'implantation humaine. Les sols arables ne sont pas toujours d'une qualité suffisante pour assurer un approvisionnement local en denrées alimentaires. L'espace québécois qu'il est effectivement possible d'occuper se ramène à une longue bande étroite située dans la partie sud du territoire, à quelques vallées jouissant d'un sol et d'un microclimat favorables et à des zones exploitées pour leurs ressources particulières comme le minérai ou l'hydro-électricité. Du nord au sud, les possibilités d'aménagement de même que le rendement des terres varient considérablement. Il en résulte presque autant de microrégions, parfois difficile-ment comparables. La représentation quasi mythique de l'espace québécois se décompose donc dans la réalité physique en une infinité d'espaces particuliers, locaux ou régionaux, différents par le peuplement, l'aménage-ment et l'exploitation.

Dans la mémoire collective québécoise, l'eau a dis-puté à la terre la place prépondérante. Elle a été perçue comme une ressource inépuisable, tant par sa quantité que par sa qualité. Jusqu'au début du XXᵉ siècle, l'eau fait partie du quotidien de la majeure partie des Québécois. On ne sait plus très bien à quel point elle a pu imprégner la culture québécoise, comme moyen de transport, pour la circulation des produits, par l'activité industrielle qu'elle a générée et comme source de den-rées alimentaires. Elle était alors associée à une grande diversité d'exploitations, en plus de satisfaire aux besoins domestiques. Au XXᵉ siècle, elle évoque encore la pêche, les loisirs, les barrages hydro-électriques, mais elle n'est plus considérée comme un régulateur des échanges de biens et de services entre les personnes.

Comme pour la terre, ce sont les caractères physi-ques de l'espace aqueux qui ont le plus impressionné les sensibilités des Québécois et des visiteurs. Du haut des airs, avec ses centaines de milliers de lacs, le Québec ressemble à un immense gruyère. Certains de ses cours d'eau ont paru d'une longueur démesurée. Le fleuve Saint-Laurent et ses affluents constituent un réseau d'artères essentiel au développement et à la vitalité du pays. Le fleuve, majestueux et terrible, traverse le Québec de part en part. Il a été décrit comme une voie souveraine: celle par laquelle la France étendait et gérait son empire.

**L'Abitibi des années 1930:
deux visions en deux chansons**

1

Depuis quelque temps dans le pays
S'est déclarée une maladie
Qui n'est pas très contagieuse,
Mais qui est fort ennuyeuse.
Presque tout le monde est pris
De la maladie de l'Abitibi.

C'est surtout dans le village
Que la maladie fait du ravage.
Ils veulent tous quitter le pays
Pour s'en aller faire de l'abattis,
Croyant trouver du pain rôti
Dans les roches de l'Abitibi.

On dit que, pour récolter,
On a pas besoin de semer.
Quand ils parlent de ce qui pousse,
Ils ne se vantent pas que c'est de la mousse
Des talles de sac à commis
Ce qui pousse le mieux en Abitibi.

2

Et notre bon curé
Mon Dieu! Qu'il est dévoué.
Et parmi tous nos colons
Vivent tous à l'unisson.
Quant à nos jeunes filles,
Toutes sont fort gentilles.

Dans nos belles colonies,
On vit tant près d'amis.
Le monde est charitable.
Quand il s'agit de la table,
On goûte à tous les mets.
On mange comme des gourmands
On chante, on danse, on rit
Dans l'Abitibi.

(Archives de folklore de l'Université Laval.)

Voie d'exploration, le fleuve était aussi une voie d'invasion privilégiée. Route de commerce, d'échange et voie de transport, il a assuré les liens entre la mère patrie et la colonie, entre la ville et la campagne, ainsi qu'entre les humains.

En fait, l'eau occupe près du quart de la superficie totale du territoire. L'eau douce compte pour 13,5 pour cent et l'eau salée pour 9,2 pour cent. À peine 10 pour cent des lacs ont un nom officiel. Il y a donc de quoi honorer la plupart des visiteurs de marque et des personnalités québécoises en attribuant leur nom à l'un ou l'autre de ces plans d'eau. On dénombre environ 3 000 rivières et 11 000 ruisseaux dûment répertoriés. Comme si cela n'était pas suffisant, on a construit d'immenses réservoirs pour assurer le fonctionnement régulier des turbines productrices d'électricité. À lui seul, l'aménagement de la Grande Rivière, dans le secteur de la baie James, a donné naissance à trois réservoirs d'une superficie totale de 9 581 kilomètres carrés. Dans la réalité comme dans la représentation qui en est issue, l'eau impressionne par son importance.

L'histoire du Québec est jalonnée de récits laissés par les voyageurs et les explorateurs. Tous ces textes contiennent de nombreuses descriptions précises ayant trait à la multitude et à l'immensité des voies d'eau. C'est le réseau hydrographique qui a permis la pénétration et l'installation des Français à l'intérieur du continent. Ce sont les ressources en poisson qui, avant même la venue de Jacques Cartier, ont attiré les Européens sur les côtes atlantiques et sur les rives du Saint-Laurent. Ces incomparables voies de communication ont permis l'exploration du continent. Aux XVIIIe et XIXe siècles, elles ont assuré un essor économique sans précédent, par la circulation des produits, l'exportation des céréales et du bois et la construction navale. Par des réalisations exceptionnelles dans les activités maritimes, le Québec a alors acquis une renommée mondiale. Encore là cependant, la représentation physique du territoire aurait laissé dans la mémoire collective des impressions plus nettes que les réalisations de l'activité humaine.

Aux illusions d'abondance correspondent des impressions aussi fortes quant à la pureté de l'eau. Dès les premières années de la Nouvelle-France, le récollet Nicolas Viel écrit: « Pour la boisson, il ne s'en parle point que de la belle eau claire du lac qui était là devant notre cabane. » Les réserves d'eau potable paraissent inépuisables. Un projet récent soumis par un ingénieur d'origine montréalaise proposait même l'aménagement d'un grand canal, courant de la baie James jusqu'aux États-Unis, afin d'assurer au puissant voisin du Sud un approvisionnement constant en eau potable.

La réalité historique, nettement plus complexe, sape ce mythe de la facilité d'approvisionnement en eau pure. Les religieuses de l'Hôtel-Dieu de Québec ont dû, matin et soir, pendant trois ans, transporter leur eau sur une distance de près de deux kilomètres avant de disposer d'un puits convenable. En hiver, on doit briser la glace ou faire fondre la neige pour les besoins domestiques quotidiens. Au tournant du XIXe siècle, naît à la ville et dans les villages le métier de porteur d'eau. À la campagne, la pompe domestique apparaît vers 1875 seulement. Si l'impression de pureté de l'eau persiste pendant longtemps, les nécessités d'approvisionnement en eau potable ont rapidement raison du mythe. Dès 1839, on établit un lien entre la qualité de l'eau et certaines fièvres qui provoquent des épidémies. Au début du XXe siècle,

L'eau de demain ?

« La question de l'eau est susceptible de soulever beaucoup d'émotions. La perspective que quelque partie que ce soit de nos cours d'eau soit détournée vers les États-Unis risque fort de provoquer des réactions négatives chez certains citoyens inquiets de voir dilapider leur patrimoine. Pour prévenir tout malentendu et s'assurer qu'aucune inquiétude légitime ne sera négligée, il serait essentiel de veiller à ce que toute proposition sérieuse réponde à des normes strictes du point de vue de l'environnement aussi bien que sous d'autres aspects fondamentaux comme la protection des droits riverains.

Par exemple, Thomas W. Kierans, ingénieur montréalais bien connu qui vit maintenant à Terre-Neuve, a proposé une solution qui semble particulièrement intelligente, du fait qu'elle tient compte de ces critères. Il conçut son projet au cours des années 1930, au moment où il faisait la prospection de minerais en parcourant les rivières sauvages de la Baie James en canot, en compagnie d'autochtones. Son plan, assure-t-il, permettrait d'approvisionner tout le continent en eau douce sans qu'une seule goutte d'eau canadienne ne soit détournée. Pour cela, il propose la création d'une toute nouvelle étendue d'eau douce dans le nord du Canada, un immense réservoir alimenté par des rivières qui terminent leur course naturelle sur la côte.

La principale caractéristique du concept du GRAND Canal [GRAND pour « Great Recycling and Northern Development »] est la création d'un très vaste lac d'eau douce retenu par des digues, lac situé au niveau de la mer, à l'intérieur de la Baie James, dont les eaux peu profondes sont actuellement salées et dont l'étendue est en voie de diminuer. Ce nouveau plan d'eau canadien, entièrement fait de main d'homme, capterait les eaux de ruissellement du bassin de la Baie James, qui totalisent en moyenne environ deux fois le volume d'eau de tout le bassin des Grands Lacs. Cette première étape prévoirait le recyclage (et non le détournement) d'une partie de cet énorme volume d'eau nouvelle, de manière à stabiliser le volume d'eau du système hydrographique international des Grands Lacs et du Saint-Laurent. Cela permettrait également d'apporter une aide des plus nécessaires aux régions agricoles en voie de dessèchement de l'ouest du Canada et des États-Unis. Enfin une telle mesure améliorerait la qualité de l'eau potable dans toutes les régions qui tirent leur eau des Grands Lacs et des systèmes qui leur sont reliés. »

(Robert Bourassa, *L'énergie du Nord, la force du Québec*, Montréal, Québec/Amérique, 1985, pp. 182-183.)

dans les grandes villes, on conçoit des systèmes de filtration. Cependant tous les efforts pour assurer un approvisionnement en eau de qualité n'ont pas réussi à faire fléchir la tendance croissante de consommation d'eau embouteillée. L'eau est devenue un patrimoine à protéger.

La température, « le temps qu'il fait », est si présente dans le discours des Québécois que les étrangers s'en étonnent. Rares sont les salutations quotidiennes ne faisant pas référence au temps. Dans la mémoire collective, le cycle des saisons et les particularités de l'hiver occupent une place à part. Chaque année voit pour ainsi dire arriver « la » tempête du siècle et les quatre saisons sont souvent considérées comme n'en faisant que deux : l'hiver et l'été.

Soir d'hiver

Ah! comme la neige a neigé!   Pleurez, oiseaux de février,
Ma vitre est un jardin de givre.   Au sinistre frisson des choses,
Ah! comme la neige a neigé!   Pleurez, oiseaux de février,
Qu'est-ce que le spasme de vivre   Pleurez mes pleurs, pleurez mes roses,
A la douleur que j'ai, que j'ai!   Aux branches de genévrier.

Tous les étangs gisent gelés,   Ah! comme la neige a neigé!
Mon âme est noire: où vis-je? où vais-je?   Ma vitre est un jardin de givre.
Tous ses espoirs gisent gelés: Ah! comme la neige a neigé!
Je suis la nouvelle Norvège   Qu'est-ce que le spasme de vivre,
D'où les blonds ciels s'en sont allés.   A tout l'ennui que j'ai, que j'ai!...

(Émile Nelligan, *Poésies complètes 1896-1899*, texte établi et annoté par Luc Lacourcière,
Montréal, Fides, coll. du Nénuphar, 1952, pp. 82-83.)

Les représentations de l'hiver qui, dans la mémoire collective québécoise, associent le froid extérieur et la chaleur des intérieurs n'ont pas eu moins de force. Elles évoquent la clarté de la nuit et rappellent l'ombre des arbres noirs projetée sur la neige immaculée. Elles combinent temps de repos et festivités. Elles rappellent la mort avant la vie, avec cette nuance toutefois que cette saison morte préserve de la putréfaction. Elles opposent l'isolement et l'enfermement aux jeux, promenades et glissades sur la neige.

Depuis le XIXe siècle, l'hiver canadien constitue une grande source d'inspiration pour les artistes. Ceux-ci ont immortalisé le givre ou les flocons devenus des étoiles de glace scintillantes, les tempêtes, les jeux et la neige qu'ils ont comparée à un grand manteau blanc. Encore aujourd'hui, l'hiver continue de séduire les aquarellistes et les peintres, les graveurs et les photographes, les poètes et les chansonniers. La froide saison a également inspiré un imposant répertoire de dictons qui rivalisent de justesse avec les prévisions météorologiques. Ils tendent à prévoir le degré de froidure, la hauteur de la neige, le nombre de tempêtes, la fin de l'hiver, etc. Enfin, la langue et en particulier le vocabulaire québécois ont été profondément marqués par le phénomène hivernal. Une vingtaine de termes différents – banc de neige, poudrerie, congère, grêle, grésil, etc. – servent à décrire des réalités particulières qui, ailleurs, se ramènent à un mot.

Vive les raquettes!

«Pendant les grandes neiges, nous étions souvent contraints de nous attacher des raquettes sous les pieds, ou pour aller au village, ou pour aller quérir du bois, d'autant que n'y ayant sentier ni chemin frayé, nous n'eussions pu facilement nous retirer des neiges avec nos sandales de bois.»

(Gabriel Sagard, *Histoire du Canada et Voyages que les Frères mineurs dits Recollets y ont faicts pour la conversion des infidèles depuis l'an 1615*, Paris, Librairie Tross, tome 1, 1866, pp. 248-249.)

Les premiers hivers vécus par des Européens en terre nord-américaine ont été particulièrement pénibles. Les hommes de Jacques Cartier se réfugient pendant plusieurs semaines à l'abri dans leur navire, mais l'intérieur de la coque est recouvert de quatre doigts d'épaisseur de glace. Au cours de l'hiver 1632-1633, l'encre gèle dans les encriers de la résidence des jésuites à Québec. On craint de mettre le bout du nez dehors. On a peur de s'enliser dans la neige. On s'emmitoufle et on surchauffe les maisons. La nuit, on s'entasse près de l'âtre, plus tard près du poêle, dans la seule pièce chauffée de la maison. Et pourtant, au petit matin, tout le monde est transi. La religieuse Marie Morin a bien résumé ces difficultés: « Le froid de ce pays ne peut être compris que par ceux qui en souffrent. »

L'hiver sera-t-il long, froid et neigeux?

La sagesse populaire a formulé toute une série de dictons basés sur une certaine observation de la nature pour essayer de prévoir le genre d'hiver qui commence. On dit qu'il y aura beaucoup de neige si le cormier est abondant ou que des nids de guêpes sont accrochés aux branches élevées. Si les pelures des oignons ou des blés d'Inde sont nombreuses et épaisses, il fera froid. Des voiliers de milliers d'oiseaux blancs annoncent de fortes tempêtes de neige.

Et c'est à la Chandeleur (2 février) que la neige est à sa hauteur. Ce jour-là, l'hiver finit ou empire.

On dit que l'hiver sera long si la rate des cochons que l'on tue à la fin de l'automne est épaisse. Si elle est mince, l'hiver à venir sera beau. Si elle n'est mince que d'un bout, pendant le mois de mars les tempêtes seront nombreuses. Plus les animaux ont le poil long, plus l'hiver sera long et froid. Enfin, l'hiver sera venteux si la première neige colle aux arbres.

(Archives de folklore de l'Université Laval.)

Ce discours un peu pessimiste n'est pas sans fondement. Il est vrai qu'on enregistre au Québec des moyennes de température parmi les plus basses au monde. Québec est même saluée comme la capitale de la neige, titre amplement justifié puisqu'il y tombe en moyenne 343 centimètres de neige chaque hiver. C'est au Québec également qu'on enregistre les écarts de température les plus élevés et les plus brusques. « La différence entre les neiges d'antan et celles d'aujourd'hui, écrit la journaliste Marie-Thérèse Ribeyron, c'est que nous payons en argent ce que nos pères versaient en énergie et en temps. » Il est vrai qu'en ville on se rend moins compte maintenant des rigueurs de l'hiver. La neige y est vite déblayée et les problèmes de circulation

Pendant très longtemps, on ne procédait pas à l'enlèvement de la neige dans les rues des villes. On se contentait d'en aplanir la surface, de sorte que, certains hivers, «on descendait chez soi».

(Archives nationales du Canada, PA-103073. Photo L.-P. Vallée.)

sont aisément surmontés. Par contre, les excès de Dame Nature coûtent cher. En 1982, le gouvernement du Québec dépensait 125 millions de dollars pour le seul entretien des routes pendant l'hiver, soit l'équivalent du budget total du ministère des Affaires culturelles. Environ 700 000 tonnes de sel sont épandues annuellement sur les routes et on évalue à environ 2 000 dollars par personne le coût du chauffage des édifices tant publics que privés. Quant aux coûts de construction des maisons, ils sont de près du quart supérieurs à ceux d'un bâtiment semblable construit 600 kilomètres plus au sud, sans compter des frais d'entretien élevés destinés à ralentir le vieillissement des édifices. Enfin, le froid hivernal fait plus que doubler les sommes consacrées à l'habillement.

L'hiver entraîne aussi toutes sortes de réactions et de comportements. À côté de ceux qui y résistent, il y a ceux qui le fuient, ceux qui le subliment et ceux qui en jouissent. Depuis quelques décennies, en moyenne un Québécois sur 24 met le cap sur les destinations soleil et chaleur pendant l'hiver. On s'installe ou on prend des vacances en Floride, dans les pays de l'Amérique latine ou aux Antilles.

Les personnages de l'espace québécois

Les réalités de l'espace imaginaire ont été si prégnantes dans l'histoire et la culture québécoises qu'elles ont donné naissance à des personnages types. Par le fait des humains, l'espace est ici devenu culture et identité. Ceux qui ont « marché » le territoire, qui l'ont sillonné en tout sens au gré des méandres des rivières et qui ont repoussé les frontières de l'inconnu ont acquis un prestige unique dans la mémoire québécoise. Coureur de bois, bûcheron, colon-défricheur ont été érigés en symboles de la marche d'un peuple dans la prise de possession du territoire.

La fourrure a attiré et retenu les Français à l'intérieur de la vallée du Saint-Laurent. À l'époque de la Nouvelle-France, de la baie d'Hudson aux montagnes Rocheuses, le coureur de bois canadien-français représente l'activité économique dominante qu'était alors la traite des fourrures. Parcourant inlassablement le territoire, il a été l'intermédiaire entre l'Amérindien, qui chassait les animaux à fourrure, et les compagnies qui achetaient ces pelleteries pour les écouler sur le marché européen. On lui a attribué le goût de l'aventure et du risque, voire de l'errance, une endurance physique exceptionnelle et une remarquable capacité d'adaptation à la vie en forêt. Dans son action, ce personnage rassemble toutes les facettes de l'adaptation à un pays neuf. Il symbolise à lui seul cet apprivoisement. On en a dégagé des caractéristiques identitaires, immortalisées dans la littérature par des ouvrages comme *Les engagés du Grand Portage*, ou dans des personnages comme Radisson, puis le Survenant.

Les coureurs de bois, selon un administrateur

« Il est bien fâcheux que la jeunesse canadienne, qui est vigoureuse, de grande fatigue, ne puisse presque rien goûter que ces sortes de voyages, où ils vivent dans les bois comme des sauvages, et sont des deux ou trois ans sans pratiquer aucuns sacrements, vivant dans une oisiveté et souvent dans une misère extraordinaire. Quand une fois ils sont accoutumés à cette vie, ils ont peine à s'attacher à la culture des terres, et ils demeurent dans une extrême pauvreté, fesant beaucoup de dépenses quand ils viennent. Nous voyons au contraire que ceux qui se sont attachés à faire valoir les terres, sont riches, ou tout au moins, vivent commodement, ayant leurs champs et pêches autour de leurs maisons et un nombre considérable de bestiaux, ce que l'on verra décliner, diminuer à mesure que les Français qui se sont établis en ce pays manqueront, puisque ce sont eux principalement qui s'attachent à ses travaux; au lieu que la plus grande partie de leurs enfants sont continuellement dans des voyages, ce qui est de la dernière conséquence d'empêcher avec quelque sévérité. »

(L'intendant Jean Bochart de Champigny, « Mémoire instructif sur le Canada, 12 mai 1691 », *Rapports de l'archiviste de la province de Québec 1939-1940*, p. 299.)

Quel que soit le nom qu'ils aient porté – truchements, voyageurs, canotiers, engagés ou coureurs de bois –, ils ont été nombreux à fréquenter l'espace amérindien de la Nouvelle-France. En 1690, on en comptait environ 700, soit plus du quart de la population masculine adulte. En 1778, on en dénombrait 2 600. Pour la seule année 1800, plus de 50 000 peaux de bêtes, en particulier des chevreuils (204 000) et des castors (135 000), ont été exportées à partir du port de Québec. C'est dire l'importance de ce personnage au début de l'histoire du Québec, ainsi que l'influence et l'attrait qu'il a pu exercer sur les manières d'être, d'agir et de représenter le Québécois.

Le bûcheron semble avoir succédé au coureur de bois. À son tour, il est considéré comme un pionnier de la colonisation. Il projette l'image d'un homme fort, courageux, épris de liberté et qui ouvre de nouveaux territoires au peuplement. Le personnage du bûcheron est aussi en partie associé au défricheur. Il incarne alors ce père qui s'acharne à faire reculer la forêt pour établir sa famille sur une terre d'où il tirera sa subsistance. Le personnage prend de l'ampleur au XIXe siècle. Le Québec devient alors un des plus grands exportateurs de bois vers l'Angleterre. Chaque année, des milliers de jeunes gens s'engagent auprès des compagnies. L'hiver, ils gagnent les chantiers dans l'espoir d'amasser quelque pécule. Ils y vivent dans des conditions rudimentaires, à la merci des employeurs et de la nature. Ce travail en forêt a suscité de très nombreux témoignages dans la littérature et le légendaire québécois d'hier à aujourd'hui.

En Nouvelle-France, l'habitant exerce les tâches du défricheur, du colon et de l'agriculteur, mais il n'aurait pas accepté un autre nom que celui d'habitant, signe qu'il était propriétaire de sa terre. Ce personnage, l'un de ceux qu'on a le plus célébrés dans notre histoire comme dans notre littérature, se rencontre en particulier chez ces grands classiques que sont *Maria Chapdelaine*, *Restons chez-nous*, *Trente arpents*, *La terre paternelle*, ou, à la télévision, dans *Le temps d'une paix*, *Les belles histoires des pays d'en-haut* et *Entre chien et loup*. Par son labeur qui assurait la subsistance de sa famille, l'homme qui travaillait la terre garantissait en même temps la survie d'un peuple et de ses valeurs. Appuyé par une femme courageuse, installé à l'ombre du clocher, il élevait de nombreux enfants. Attaché au sol et à la famille, il assurait la pérennité de son patrimoine foncier et spirituel en se donnant à ses enfants. Sa vie était un gage de

Les coureurs de bois, vus par un historien

« Au moral, le coureur des bois que la course n'a pas trop perverti, nous offre une physionomie plutôt aimable, souriante. Débrouillard dans les bois à l'égal du sauvage, dur au travail, point plaignard pour la peine, forcé à la frugalité, il prend la vie avec une douce philosophie. À force de pratiquer la vie, les mœurs de l'Indien, il en a pris le tour d'esprit, la tranquille indolence. Donnez-lui, en outre, un penchant facile à la nostalgie, à « l'ennui », ainsi qu'en témoignent tant de ses couplets ou refrains où revient le souvenir de la blonde ou « maîtresse ». Infatigable chanteur au surplus, triste ou joyeux, sous le soleil comme sous la pluie, il se garde une chanson aux lèvres. »

(Lionel Groulx, *Notre grande aventure. L'Empire français en Amérique du Nord (1535-1760)*, Montréal, Fides, 1958, pp. 186-188.)

stabilité, de respect des autres et de moralité, à l'image du système de valeurs qu'il voulait léguer à ses descendants.

Les représentations de ces personnages stéréotypés qui ont marqué le territoire et l'identité québécoises sont également en voie d'éclatement. Entre le coureur de bois, le bûcheron et l'habitant, la distance n'est pas grande. En fait, la course des bois n'a été, pour une bonne moitié de ceux qui l'ont pratiquée, qu'une occupation passagère, le temps d'amasser un peu d'argent en vue de s'établir. Ceux qui en ont fait leur métier vivaient pour la plupart à Montréal ou dans la campagne environnante. Les études démographiques ont même montré que leurs femmes mettaient en moyenne plus d'enfants au monde que les femmes d'agriculteurs. Le modèle de vie des bûcherons différait assez peu de la course des bois. La coupe du bois constituait avant tout une occupation saisonnière adaptée aux fils d'agriculteurs sur le point de s'installer sur une terre. On aurait tort de percevoir ces personnages comme d'éternels errants.

Le bûcheron à la fin du siècle dernier

« Au chapitre des conditions de vie, la situation n'était pas plus reluisante. Les travailleurs devaient vivre éloignés et sans nouvelles de leur famille pendant de longs mois. Les campements étaient mal éclairés, mal chauffés, humides et mal aérés. Au mieux, les écuries, la cuisine et le dortoir formaient des bâtiments séparés. Au pire, comme c'était souvent le cas dans les campements des petits sous-traitants, ils étaient concentrés sous le même toit, hommes et chevaux partageant la même cabane. Le mobilier, restreint et inconfortable, se prêtait mal au repos des corps exténués. Les lits, de simples brancards de bois recouverts de branches de sapin, hébergeaient poux et autres parasites qui s'agrippaient à la peau des hommes et dont ils ne pouvaient se débarrasser qu'à la fin de l'hiver.

L'hygiène aussi faisait grandement défaut. On nettoyait rarement les habits de travail. Les soins corporels se résumaient la plupart du temps à quelques ablutions, matin et soir. L'eau potable que l'on puisait au ruisseau ou à la rivière la plus proche était parfois polluée par des déversements d'immondices des campements situés en amont, ce qui laissait constamment planer les risques d'une épidémie.

Les travailleurs pouvaient néanmoins compter sur une nourriture d'un généreux apport en calories et en lipides, abondante mais peu variée. Les repas se composaient généralement de légumineuses (pois et haricots), de pommes de terre, de pain et de substantielles portions de viande. Le porc, salé ou non, était à l'honneur sur la table du bûcheron. Dépendamment des coûts et de la disponibilité du bœuf sur le marché, on en servait également. À l'occasion, on agrémentait le menu de viandes sauvages. L'alimentation tenait une place importante dans la vie de ces hommes. Un cuisinier mauvais ou parcimonieux soulevait vite leur mécontentement. Ils trouvaient souvent là un motif suffisant pour déserter le chantier pour s'embaucher ailleurs ou retourner dans leur famille. »

(Benoît Gauthier, Rapport de recherche pour l'exposition *Mémoires*, Québec, Musée de la civilisation, 1987.)

Le portrait du colon-défricheur autosuffisant et fixé à demeure sur sa terre n'a guère mieux résisté à l'analyse scientifique. S'il est vrai que, pendant plus de deux siècles, 80 pour cent de la population a surtout vécu de l'agriculture, toutes les recherches récentes, écartant le modèle unique de comportement, renvoient plutôt l'image d'un milieu rural dynamique, mobile, complexe et ouvert aux diverses possibilités. L'agriculteur sait reconnaître la qualité des sols qu'il exploite et en tirer parti. Dès le XVIIIᵉ siècle, certains agriculteurs produisent des surplus destinés à l'exportation. D'autres se livrent à la pêche ou à la chasse, sources d'aliments et de revenus d'appoint; certains se tournent de préférence vers l'élevage ou les cultures industrielles du lin et du chanvre. Dans le même esprit, ils ne manquent pas de tirer profit du bois vendu pour la charpente ou le chauffage. Gérard Bouchard a montré que l'agriculteur, par la vente et l'achat, ajuste constamment les dimensions de sa terre à la taille et aux besoins de sa famille.

Ce dynamisme rural s'accompagne de la mobilité des personnes. Un seul enfant, le plus souvent masculin, l'aîné ou le benjamin de la famille, hérite de la terre. Les autres doivent partir, s'installer ailleurs. Le jeu des alliances matrimoniales entraîne alors une mobilité considérable. Les enfants en surnombre se font à leur tour pionniers de nouvelles zones de colonisation. Ce sont eux aussi qui gagnent les villages et les villes. Dès les premières décennies du XVIIIᵉ siècle, on assiste à la multiplication du nombre de villages; en même temps, les grandes villes se développent. En 1921, la population urbaine dépasse en nombre la population rurale. La mémoire québécoise n'a cependant pas encore su fournir une représentation satisfaisante de cette mutation. Elle n'a pu qu'esquisser des profils particuliers et diversifiés.

Nation et nationalité

Le rapport de l'identité à la nation ou à la nationalité éclaire une autre facette de la mémoire québécoise en regard de son espace. Il s'appuie sur une relation implicite et multiforme au territoire et paraît davantage ressenti que clairement énoncé. Il comporte d'ailleurs encore plus d'interrogations que de réponses.

Selon l'historien Normand Séguin, la perception de la conquête britannique de 1760 place le Canadien français dans une situation paradoxale. Le « nous » francophone devient «autre», dans la mesure où il s'inscrit dans un environnement à dominante britannique ou anglo-saxonne. Ainsi, à compter de 1760, et encore plus après la formulation précise du discours idéologique sur l'identité en péril dans les années 1840, les sensibilités sont axées sur la nationalité plutôt que sur la nation. Les perceptions identitaires et les représentations d'immensité franchissent les frontières politiques. Les assises sur lesquelles elles s'appuient, la famille et la paroisse, sont reproduites partout. Saint-Boniface au Manitoba, Gravelbourg en Saskatchewan ou Lowell au Massachusetts sont considérés comme autant de «petits Canadas francophones». Tant que durent l'émigration massive vers les États-Unis et la mission providentielle définie par l'élite québécoise, l'identité s'accroche à la nationalité.

Entre 1920 et 1960, les réalités qui fondent cette appartenance changent pratiquement du tout au tout. L'exode intensif vers l'Ouest ou les États-Unis cesse. La population qui se regroupe dans les villes dépasse en nombre celle des campagnes. Le clergé ne peut plus assurer un encadrement social aussi serré que dans les paroisses rurales. La Première Guerre mondiale et l'essor des communications ouvrent le Québec aux réalités mondiales. Au lendemain de la guerre, le Québec accueille de forts contingents de réfugiés européens et commence à se percevoir comme une terre d'asile. Les changements dans la taille, la composition et la stabilité de la famille dans les années 1960 achèvent de saper les fondements de la nationalité.

Au lendemain de la Révolution tranquille, le Québec tourne ses représentations vers l'intérieur. L'affirmation identitaire délaisse la nationalité au profit de la nation. Le passage de l'appellation de Canadiens français à celle de Québécois rend compte de ce changement. Malgré d'épisodiques cris du cœur venant surtout des communautés francophones canadiennes ou américaines, la francophonie nord-américaine ne mobilise plus beaucoup les engagements émotifs, intellectuels et encore moins politiques des Québécois. Dans cette diaspora francophone, les liens entre le cœur et les parties se sont grandement affaiblis. Les enfants du «mon oncle des États» ne parlent même plus le français. L'évocation de ces souvenirs d'appartenance ne suffit d'ailleurs plus à nourrir l'identité actuelle des Québécois.

*

Les représentations mythiques du territoire québécois ont finalement beaucoup évolué. Attaqués de tous côtés par le réel, le présent, les modes de vie, la mobilité des personnes, la diversité des paysages, des aménagements de l'espace et des expériences de vie, par l'industrialisation et l'urbanisation, par l'écologie, en somme, par la modernité, ces mythes ont subi l'usure du temps. La mémoire de l'espace, en voie de reconstruction, se révèle plus complexe et plus dynamique que les études antérieures à 1960 ne l'ont laissé entendre. Elle ne renie pourtant pas l'imaginaire auquel elle a donné des assises et qu'elle a nourri. Une expérience séculaire d'adaptation aux contraintes physiques et humaines a laissé dans le paysage et les mentalités des traces reconnaissables.

De ces fondements identitaires puisés dans la nature subsistent des éléments implicites dans les comportements et les savoir-faire, des rappels tangibles dans le paysage et la façon de le nommer et des sensibilités qu'on ne saurait mésestimer. L'urbain de vieille souche a souvent conservé le goût de la nature. À la manière de l'explorateur, ses sensibilités sont avivées par la redécouverte de la nature vierge et sauvage. La marche en forêt, le chalet à la campagne, les produits du jardin, la beauté des paysages, le plaisir de vivre au rythme de la nature ont de nombreux adeptes dans la société québécoise. Certains caressent le rêve d'un abri dans la forêt, sans électricité, sans eau courante, à la limite sans feu. Pour beaucoup de Québécois et de visiteurs, le Québec reste «un paradis pour les chasseurs et les pêcheurs». Chaque année, environ 1 200 000 lièvres et autant de perdrix, près de 500 000 canards, 70 000 oies blanches et quelques dizaines de milliers d'orignaux et de chevreuils sont la cible des chasseurs, tandis qu'un Québécois adulte sur trois va taquiner le poisson à l'occasion. La navigation à la voile, le canotage, le sentier écologique et le tourisme de paysage suscitent un grand attrait. Nombreux sont les Québécois qui demeurent à l'affût de richesses naturelles insoupçonnées: grottes et cavernes naturelles, sites montagneux, forêts giboyeuses, lacs poissonneux, rivières chatoyantes, plages de sable fin, aires champêtres, parcs écologiques protégés, etc. Et ils n'hésitent pas à franchir de longues distances pour fréquenter ces sites majestueux.

Cette relation à l'espace a cependant quitté les secteurs du travail et de la production pour occuper le champ des loisirs, ce qui aurait un effet réducteur sur sa prégnance comme fondement d'une identité. Cette mémoire ne correspondrait qu'à une bien mince parcelle de la réalité vécue et des sensibilités actuelles. Surtout, elle ne rendrait pas compte de la diversité des territoires physiques et aménagés. Elle laisserait en plan des transformations spatiales majeures dans la foulée de l'organisation de la vie urbaine. Les recherches récentes en géographie historique et humaine incitent à s'intéresser un peu moins au territoire donné et un peu plus au territoire construit, à s'arrêter aux façons dont l'humain a investi et aménagé ce territoire, à mieux dégager les relations que cet espace entretient avec la culture. Le renoncement à l'homogénéité et l'acceptation de la diversité pourraient montrer qu'au fil des générations la contribution des Québécois au façonnement des paysages n'est pas moins riche d'activités, de labeur et de sensibilités que ne l'a laissé croire l'imaginaire d'autrefois.

L'EMPRISE SUR LE TERRITOIRE

La marque du labeur humain à travers les âges réside plus dans le paysage lui-même que dans la mémoire collective. Ayant tout consigné, idéalisé dans des personnages types, la mémoire collective n'a le plus souvent retenu que des connaissances disparates. Près de quatre siècles d'histoire joints à une occupation autochtone millénaire ont pourtant laissé une forte empreinte, comparable à autant de strates superposées de sédimentation sur une trame ancienne en constante évolution, chaque individu et chaque génération ajoutant les leurs à celles des collectivités précédentes.

Notre démarche rappelle d'abord les cadres politiques et juridiques de l'occupation du sol. Par la marche du peuplement, elle évoque ensuite l'extension et la densification de l'emprise sur le territoire. Dans le contexte québécois, cette évolution est surtout marquée par le passage de la campagne à la ville et l'organisation de la vie en société dans les agglomérations urbaines. Dès lors, elle tente une percée dans l'individuel ou le quotidien, en s'attachant aux manières d'habiter et d'apprivoiser l'hiver. Elle rejoint ainsi les genres et les modes de vie, les choix et les tendances dans l'aménagement des espaces de vie.

Les frontières politiques

À travers le temps, le territoire de juridiction «québécoise» a plusieurs fois été modifié et, jusqu'en 1867, les
métropoles européennes se sont disputé ces contrées.
Au début du XVIIIe siècle, par exemple, la Nouvelle-
France occupe les trois quarts du continent nord-américain. Elle inclut une série de petits postes sur la côte sud
de Terre-Neuve. L'Acadie française regroupe quelques
agglomérations importantes dans la baie de Port-Royal.
Sa population essaime lentement à l'île Royale (devenue
l'île du Cap-Breton) et à l'île Saint-Jean (l'île du Prince-
Édouard). La vallée laurentienne entre Montréal et
Québec est la région la plus densément peuplée des
colonies françaises de l'époque en Amérique du Nord.
La région des Grands Lacs connaît une circulation
intense à cause du commerce des fourrures et de
l'expansionnisme français. Des forts, des postes de traite
et des missions religieuses assurent l'emprise de la France
sur ces territoires. Les explorateurs ont également ouvert
le nord et le sud à la présence française. On trouve de
nombreux postes de traite autour de la baie d'Hudson,
tandis que s'amorce le peuplement de la Louisiane.
Mais, selon le mot de l'historien Marcel Trudel, l'Amérique française de 1700 restait «un colosse aux pieds
d'argile».

En 1713, la France cède à l'Angleterre tout le bassin
de la baie d'Hudson, abandonne ses possessions terre-
neuviennes, renonce à une grande partie de l'Acadie et
laisse passer l'Iroquoisie sous l'égide anglaise. Cinquante
ans plus tard, la Nouvelle-France n'existe plus. Elle a été
remplacée par « The Province of Quebec ». Les nouvelles
frontières de cette colonie sont très réduites, allant de la
pointe de la Gaspésie jusqu'à un point situé à quelques
kilomètres à l'ouest de Montréal. Le siège administratif
de l'ancienne colonie française perd son pouvoir sur le
bassin de la baie d'Hudson, sur celui des Grands Lacs et
sur une bonne partie du Mississippi, tandis que « The
Province of Nova Scotia » intègre les anciennes terres
acadiennes. En 1774, à cause de la menace engendrée
par la guerre de l'Indépendance américaine, ces frontières sont pratiquement ramenées à leurs anciennes limites. En 1791, toute la partie située au sud des Grands Lacs
est laissée aux nouveaux États-Unis d'Amérique. On
forme alors le Bas et le Haut-Canada afin d'assurer une
majorité ethnique dans chaque partie de ce nouveau
découpage territorial. Réunis en 1840, ces «Canadas»
sont à nouveau distingués en 1867. Enfin, le Québec est

amputé du Labrador en 1927 alors qu'on s'appuie sur la ligne de partage des eaux pour tracer la frontière. De toutes ces variations, il se dégage une constante. La vallée du Saint-Laurent et les rives de ses affluents depuis Gaspé jusqu'à quelques kilomètres à l'ouest de Montréal sont restées occupées par une population à majorité francophone. Quant aux francophones qui ont débordé ces frontières, ils ont dû mener une lutte acharnée et souvent vaine pour préserver les caractéristiques de leur identité originale.

Les marques d'occupation du sol

L'empreinte du défrichement et de la colonisation de l'espace québécois reste gravée dans le paysage. Elle a pourtant subi d'importants bouleversements, en particulier par l'extension des espaces peuplés et le développement des zones urbanisées. Mais, pour qui parcourt la campagne québécoise, les trames anciennes d'implantation au sol demeurent visibles, parfois jusque dans les moindres détails.

Le cheminement de la collectivité québécoise convie à une mémoire spatiale, fondée pour une part sur la marche du peuplement. Les contraintes physiques du territoire expliquent en bonne partie le choix des lieux d'établissement. Le réseau hydrographique y a joué un rôle primordial. Après avoir fréquenté les zones de pêche sur les côtes de l'Atlantique et du Labrador, les premiers colons français ont emprunté la voie du Saint-Laurent. Ils se sont surtout fixés sur les basses terres de la vallée laurentienne, entre Québec et Montréal. Puis, ils ont progressivement occupé les berges des rivières navigables: Chaudière, Richelieu, Batiscan, Yamaska, etc. À la fin du XVIIIe siècle, l'arrivée massive de Loyalistes – des habitants de la Nouvelle-Angleterre qui, par fidélité à leur souverain, choisirent d'émigrer dans les colonies du Nord demeurées anglaises – amorce la colonisation de l'Estrie et de l'Outaouais. L'espace propice à la culture du sol paraît vite saturé. On en vient à occuper des terres moins productives, en marge de l'œkoumène. Les surplus de population gagnent les régions du Saguenay et du Lac-Saint-Jean, les contreforts des Laurentides et des Appalaches où, du moins, le bois peut être exploité.

Les métiers urbains, en plein essor au milieu du XIXe siècle, attirent de très nombreux jeunes gens qui gagnent le village, vont en ville, montent vers le Témiscamingue ou descendent vers les États-Unis. Au Québec, le nombre de villages décuple de 1762 à 1831. Ensemble, Montréal et les villages répartis sur l'île en 1831 comptent déjà plus de 60 000 habitants. À la même date, la plus grande ville du Haut-Canada, Kingston, n'abrite encore que 4 000 habitants. Entre 1840 et 1900, quelque 615 000 Québécois émigrent aux États-unis où ils travaillent surtout dans les «factoreries» de textile de la Nouvelle-Angleterre.

Au XXe siècle, on assiste à l'ouverture de plusieurs fronts de peuplement. De forts contingents de ruraux, souvent encadrés par des prêtres et des religieux, vont ouvrir l'Abitibi à la colonisation. Pendant le même temps, le peuplement des villes s'accélère. Aujourd'hui, 78 pour cent de la population est urbaine. À elle seule, la région administrative de Montréal compte 54 pour cent de toute la population du Québec. Par sa composition et son organisation, elle se démarque de plus en plus du reste du Québec. Enfin, le Nouveau-Québec offre d'autres possibilités, drainant d'importants groupes ouvriers vers les ressources forestières, minières ou hydro-électriques. Au total cependant, 98 pour cent de la population du Québec vit sur 13 pour cent de son territoire, une densité qui n'a rien de comparable avec celle des pays européens, même si les aménagements du territoire québécois sont aussi diversifiés qu'ailleurs.

De ce lent processus d'occupation du territoire, la mémoire québécoise semble avoir conservé peu de souvenirs tangibles. La migration vers les États-Unis ou les régions de colonisation a généré peu de sensibilités positives. Les personnes expatriées ont souvent conservé un attachement de cœur envers le Québec français, mais les liens de famille ou les solidarités de provenance n'ont pas résisté à la succession des générations. Depuis quelques décennies cependant, à divers endroits comme en Beauce, en Gaspésie, dans Charlevoix ou au Saguenay – Lac-Saint-Jean, on assiste à l'affirmation d'un sentiment d'appartenance régionale et locale. Cette sensibilité, qui se manifeste notamment par la commémoration d'anniversaires, s'accompagne souvent d'un hommage aux familles pionnières. Peut-être existe-t-il un lien entre ces rappels et la fin du grand mouvement d'exil vers les États-Unis ? La migration et le rôle des pionniers auraient ainsi bénéficié depuis quelques décennies d'une connotation positive dans la mémoire collective.

Densité de la population

Alors que le Canada ne compte que 2,6 habitants en moyenne au kilomètre carré, le Québec en dénombre 4,8. Il arrive ainsi au cinquième rang des provinces canadiennes.

Habitants au kilomètre carré

Île-du-Prince-Édouard	21,6
Nouvelle-Écosse	16,0
Nouveau-Brunswick	9,7
Ontario	9,4
Québec	4,8
Alberta	3,5
Colombie-Britannique	3,1
Manitoba	1,9
Saskatchewan	1,7
Terre-Neuve	1,5

(*Le Québec statistique. Édition 1985-1986*, Québec, Bureau de la statistique du Québec, 1985, p. 278.)

Taux d'urbanisation comparés (%)

	1851	1911	1951	1981
Canada	13,1	41,8	62,9	75,8
Ontario	14,0	49,5	72,5	81,7
Québec	14,9	44,5	66,8	77,6

(Gérald Bernier et Robert Boily, *Le Québec en chiffres de 1850 à nos jours*, Montréal, ACFAS, 1987, p. 62.)

Observés à macro-échelle, deux grands modes anciens d'occupation des terres ressortent nettement: la seigneurie et le canton (*township*). Le peuplement francophone entre 1608 et 1760 a surtout occupé les rives du fleuve et des rivières, ainsi que la plaine de Montréal. Le régime seigneurial, qui a survécu légalement jusqu'en 1854, se caractérise visuellement par un découpage des terres en longues bandes étroites, généralement perpendiculaires aux cours d'eau, et par la création de rangs dans la profondeur des terres, au fur et à mesure du peuplement. Après 1763, les autorités britanniques ont instauré un nouveau système de distribution et d'occupation des terres: le canton, qui formait habituellement un carré de 10 milles (16 kilomètres) de côté et comprenait 300 lots. On en retrouve en particulier en Estrie, le long de l'Outaouais et en Abitibi.

Un des caractères dominants de ces deux modes d'occupation réside dans le fait que l'habitant disposait d'une terre d'un seul tenant, suffisante pour assurer la subsistance d'une famille. Ainsi, chaque ferme était située à bonne distance de sa voisine. On y trouvait des bâtiments indépendants les uns des autres: maison, grange, étable, écurie, hangar, poulailler. Ils étaient regroupés près de la voie de communication la plus ordinaire, soit le fleuve, la rivière ou le chemin. En principe, chaque habitant répartissait l'occupation de sa terre en trois sections distinctes: cultures (foin et céréales), prairies (animaux) et forêt (bois de chauffage). Ces matrices cadastrales, jamais abrogées, ont été peu modifiées. Les terres n'ont été fragmentées que juridiquement ou pour faire place aux villages. À compter du milieu du XIXe siècle s'amorce le dépeuplement des campagnes au profit des villes. En même temps, la production se spécialise: l'avoine vers 1850, le lait dans les années 1870-1880, puis le foin dans la décennie 1880 et à nouveau le lait entre 1910 et 1930. Depuis quelques

La concession de terres selon le mode seigneurial : de longues bandes étroites perpendiculaires au fleuve Saint-Laurent ou à d'importants cours d'eau, comme la rivière Richelieu sur cette photographie.

(Archives nationales du Québec, Québec, E10/76-533.)

dizaines d'années, la création d'aménagements particuliers destinés à augmenter la productivité des exploitations agricoles s'est intensifiée : fermes laitières, élevage du bœuf ou du porc, monocultures, cultures en serre, etc. La mécanisation et la spécialisation ont transformé le paysage rural.

La création des villages résulte de l'accroissement de la population, de l'augmentation des besoins commerciaux et du développement de services nouveaux, de type urbain. Serge Courville a montré, par exemple, l'importance des activités économiques spécialisées dans ces regroupements de population. De la vingtaine d'agglomérations qu'on dénombre en 1760, on passe à environ 220 villages en 1831 et à plus de 300 en 1850. Quant à l'ancienne paroisse religieuse, elle donne naisssance à 1 503 municipalités constituées en 1986. Au début, la plupart de ces villages s'étirent en longueur, de part et d'autre de l'église, le long de la route principale. Au cœur du village ancien, on trouve l'église, le presbytère, le manoir seigneurial, quelquefois un couvent ou un moulin et, plus tard, le magasin général.

Quand le nombre d'habitants les incitait à venir, on voyait s'ajouter la maison du médecin, celles du notaire, du forgeron, du cordonnier et puis de plusieurs autres commerçants et gens de métier. Ces cœurs de village existent encore au Québec, constitués des bâtiments les plus considérables et des résidences les plus cossues situés près du centre. Par contre, les villages ont grossi, les professions représentées se sont diversifiées et les édifices se sont multipliés.

Au tout début de la Nouvelle-France, ce qui tient lieu d'agglomération urbaine n'est guère plus qu'un comptoir de commerce auquel se greffent des institutions administratives, ou encore des services publics tels que les soins hospitaliers, l'instruction et la protection des personnes. La ville agit également comme centre d'approvisionnement et de redistribution. Marché de produits ouvrés et alimentaires, elle est le lieu privilégié de l'échange de biens et de services. Les rapports sociaux les plus intenses et les plus complexes s'y nouent.

La localisation actuelle des villes s'explique par des fonctions stratégiques anciennes. Québec, Montréal et Trois-Rivières, les trois seules agglomérations de type urbain formées sous le Régime français, se trouvent sur d'anciens lieux de rassemblement ou de campement amérindiens. La possibilité de faire des pêches avantageuses, de cueillir des petits fruits, de semer quelques grains et de profiter de la migration des oiseaux en avait fait des lieux de rencontre privilégiés entre les nations. Dans leur choix de lieux d'établissement, les Européens mettront à profit ces mêmes facilités de circulation et d'approvisionnement en denrées alimentaires et en produits commerciaux.

À compter du milieu du XIXe siècle, d'autres agglomérations apparaissent, cette fois à l'intérieur des terres. L'essor du réseau ferroviaire favorise le développement de centres de population au croisement des voies ferrées, comme à Saint-Hyacinthe, Kingsey Falls, Tring Jonction et Sherbrooke. Plusieurs de ces agglomérations et emplacements portent, associé à leur nom, le mot « station ».

La présence de ressources naturelles explique aussi la naissance de plusieurs villes. Les premières sont forestières. Elles sont suivies par d'autres à vocation minière et d'autres encore centrées sur l'hydro-électricité.

Le mouvement s'est amorcé dès le milieu du siècle dernier, alors que l'Outaouais, la Mauricie, la Haute-Beauce et le Saguenay ont reçu les surplus de population de la vallée laurentienne. Chicoutimi, Val-Jalbert, Saint-Georges de Beauce, Hull, Joliette, Manseau ont résulté de l'association entre le commerce du bois et la colonisation agricole. Asbestos, Thetford, Sept-Îles, Gagnon, Rouyn, Chibougamau font partie de la poussée centrée sur l'exploitation minière. L'économie industrielle a favorisé une importante implantation de villes dont le noyau initial est anglophone, telles Val-d'Or, Alma, Grand-Mère, Shawinigan, Arvida. L'aménagement de rivières a entraîné l'essor de villes comme Valleyfield et Beauharnois. Charlevoix et l'île d'Orléans sont progressivement devenus des lieux de villégiature, accentuant leur représentation symbolique. On assiste, en somme, à une intensification de l'occupation du territoire, en même temps qu'à des spécialisations locales et, à l'échelle de l'ensemble, à une diversification considérable des fonctions et des aménagements. Certaines villes n'ont cependant pas résisté à l'épuisement des ressources premières ou aux fluctuations des marchés. Par contre, la grande plaine de Montréal, qui s'est industrialisée plus rapidement que le reste du Québec, a poursuivi son urbanisation rapide. En tous ces endroits, l'emprise au sol s'est constamment modifiée.

La population urbaine du Québec passe d'environ 110 000 personnes en 1851 à près de 450 000 en 1901 et à 5 088 995 en 1986. Cette même année, le Québec compte 20 villes de plus de 50 000 habitants, 89 ayant entre 10 000 et 50 000 habitants et 687 de plus de 1 000 personnes. Les rapports de répartition de la population se sont inversés depuis la période française. Maintenant, près de 80 pour cent de la population vit à la ville. Le mode de vie urbain a pris une allure tentaculaire ; même la campagne n'y échappe pas. La vie a dû s'organiser autrement.

L'urbanisation, créatrice d'un cadre de vie collectif, a multiplié les besoins en même temps que les possibilités. À côté de services essentiels tels que routes, aqueduc, égout, police, protection contre l'incendie, aménagements sanitaires, transport ou éclairage, la ville a répondu à de nouveaux besoins comme les garderies, l'hygiène, le zonage, les espaces de stationnement, la circulation, etc. Aux fonctions anciennes de soins hospitaliers et d'instruction se sont ajoutées des préoccupations liées aux activités extérieures (parcs ou pistes cyclables) et aux loisirs culturels (bibliothèques, cinémas, théâtres, etc.).

Au fur et à mesure de sa croissance, la ville gruge l'espace de la campagne. En même temps, elle s'élève en hauteur. Annexions, fusions et partage de services visent l'efficacité et l'économie. Les échanges et les relations se sont intensifiés et étendus. Dès le XIXᵉ siècle, des ponts majestueux contribuent à élargir l'espace que chacun peut facilement parcourir. À Montréal, le pont Victoria, construit pour le passage du chemin de fer, unit l'île à la rive sud en 1860. Il place Montréal au cœur d'un réseau de communications nord-américain. En 1917, le pont de Québec relie les rives nord et sud du fleuve. Les tramways, les autobus et bientôt le métro viennent faciliter et accélérer les déplacements.

L'espace fréquenté s'étend et s'organise selon des impératifs économiques, administratifs, sociaux ou culturels. À proximité des aménagements portuaires se développent des zones industrielles ou commerciales. Les gens ont tendance à se regrouper en quartiers socialement homogènes et bon nombre de personnes préfèrent s'installer dans des banlieues-dortoirs. Certains espaces acquièrent une vocation propre. L'église, la croix de chemin, la boutique du cordonnier, le magasin général ou le marché cèdent la place à de nouveaux lieux stratégiques de la vie collective. Le centre commercial, le parc sportif, le jardin naturel, les rues et les terrasses, les brasseries et les discothèques drainent une partie de la population vers de nouveaux centres de rassemblement. Des lieux de relais adaptés à un XXᵉ siècle en mutation voient le jour. Le garage, la station de métro et le bar remplacent la forge, le magasin général et l'auberge. Le mode de vie et la façon d'habiter se transforment. Des profils particuliers d'identité s'esquissent : Québec, ville de fonctionnaires, les quartiers ouvriers de l'est de Montréal ou la place des financiers, rue Saint-Jacques.

Si les Québécois se reconnaissent dans quelques grandes représentations, ces nouvelles relations à l'espace comportent une diversité considérable que la mémoire collective a encore peu synthétisée. À ce propos,

Normand Séguin écrit: «Les pays de densité du centre n'entraînent pas le même rapport à la nature que les pays de dispersion qui vivent plus étroitement de l'exploitation des ressources.» Au-delà des choix individuels, les vocations économiques régionales ou l'intensité des rapports à la terre, à la mer, à la forêt ou à l'industrie suscitent des pratiques différentes de l'espace. Les variations des aires de référence et de fréquentation, qu'elles soient économiques, linguistiques, éducatives, culturelles, ethniques ou sociales, créent des réseaux d'échange et de relation diversifiés. Chaque entité spatiale en vient à constituer un petit monde, mais en constante interrelation avec les autres. Chaque ville et chaque rue, chaque région et chaque quartier créent des modes de vie particuliers.

Les modes d'habiter

Qu'elle soit vue dans une perspective individuelle ou collective, l'évolution du mode d'habiter au Québec est prioritairement liée à l'activité économique, ainsi qu'aux goûts et aux possibilités des personnes.

L'habitat primitif, celui du premier colon, qu'il soit défricheur ou artisan, est généralement de dimensions très modestes. Au XVIIIe siècle, selon les données de l'historien Jean-Pierre Hardy, dans 98 pour cent des cas, la maison, construite en bois, ne compte qu'un étage. D'une longueur généralement inférieure à sept mètres, elle ne comporte pas de divisions intérieures et loge en moyenne six personnes. Au bout de quelques générations, l'habitation devient plus spacieuse, mesurant en moyenne dix mètres de longueur. À la ville, un bon quart sont construites en pierre, ont deux étages et comportent quelques pièces aux fonctions distinctes. À la campagne, à une maison de bois agrandie s'ajoutent une grange et une étable, parfois une écurie et d'autres bâtiments secondaires.

Au XIXe siècle, le territoire se découpe en une infinité d'emplacements finement cadastrés sur lesquels s'élèvent une maison, un bâtiment secondaire, souvent un potager ou un espace pour jouer. Le bâtiment réservé au cheval, au porc, à la vache et aux volailles tend à disparaître progressivement. C'est la vogue de la maison unifamiliale, pendant qu'ailleurs, dans les quartiers défavorisés, on s'entasse à plusieurs dans un même logement et que, à la campagne, une maison sur dix accueille un jour ou l'autre les parents retraités.

On a longtemps estimé que l'habitation traditionnelle était fonction d'un environnement. La disponibilité du bois, la proximité d'un cours d'eau, l'élévation de
terrain, le degré d'ensoleillement et le sens des vents
dominants auraient expliqué le choix de l'emplacement, l'alignement des bâtiments, la situation des fenêtres, la hauteur du toit, la présence d'une cave et d'une
galerie. L'ethnologue Robert-Lionel Séguin a également
cru pouvoir situer l'influence bretonne à Montréal et
l'influence normande dans la région de Québec. La
première maison, plus trapue et massive, aurait offert
plus de résistance face à la menace amérindienne; la
seconde, plus dégagée et plus ouverte, n'aurait pas eu
besoin d'offrir une protection semblable. On a enfin
signalé l'influence de l'hiver, visible, a-t-on cru, dans le
rehaussement des fondations, les cheminées, l'isolation
et le revêtement. On en a d'ailleurs fait une création du
génie de la race.

Cependant, plus on a comparé et plus on a approfondi l'analyse, plus on a repéré d'emprunts et de
diversité, en même temps que de similitudes entre les
maisons du Québec et d'ailleurs. Ainsi que le montrent
les travaux de l'architecte-ethnologue Georges-Pierre
Léonidoff, les aires culturelles nordiques, françaises,
britanniques, américaines ont influencé les modèles de
maison que l'on retrouve au Québec et qui datent de
diverses époques. On se rend compte finalement que
l'habitation québécoise a obéi aux tendances occidentales. Elle a adopté les styles colonial américain, Regency,
victorien, etc. De fait, l'architecture de la plus vieille
ville française d'Amérique, Québec, est majoritairement
victorienne.

L'habitation a évolué dans sa constitution même.
Elle a été soumise à un processus adaptatif constant et
complexe, tenant compte aussi bien du matériau, de la
main-d'œuvre, des techniques employées que de l'utilisation prévue. À l'époque de la Nouvelle-France, très
souvent le futur propriétaire construit lui-même son
habitation, après en avoir choisi, coupé et équarri le
bois. Les personnes mieux nanties faisaient cependant
appel à des ouvriers – charpentiers et menuisiers – et à
des maçons pour la cheminée. Au milieu du XIXe siècle
apparaissent de plus en plus des structures à claire-voie
ainsi que des maisons en brique construites par des
hommes de métier. Au XXe siècle, les ouvriers de la
construction recourent progressivement à des matériaux usinés: contreplaqué, isolants de fibre de verre ou

de mousse, pierre manufacturée, bardeau goudronné, etc. La technique de construction des gratte-ciel n'a plus rien à voir avec la technologie traditionnelle. Dorénavant, des opérateurs de grue veillent à l'assemblage des plaques de béton précontraint et de verre armé. Enfin, la maison unifamiliale est en partie remplacée par des bâtiments de conceptions plus variées.

Un changement majeur, qui est presque passé inaperçu, s'est produit au cours des dernières années : le Québec a cessé d'être un espace majoritairement occupé par des locataires. L'élargissement de l'accès à la propriété en milieu urbain remonte au milieu du XIXe siècle, alors que, sous l'égide de la Société Saint-Jean-Baptiste, on crée des mutuelles et des coopératives d'habitations afin de permettre aux ouvriers des villes de se loger plus décemment et à moindre coût. Le mouvement connaît un essor marquant vers la fin de la Deuxième Guerre mondiale. Le nombre de propriétaires a dépassé le nombre de locataires au cours de la décennie 1971-1981.

Cette tendance générale recouvre plusieurs réalités différentes. En 1981, 71 pour cent des logements de Montréal-Centre étaient occupés par des locataires contre seulement 36 pour cent dans la région de Montréal-Rive-Nord. En 1987, la ville de Québec compte 75 pour cent de locataires, tandis que le territoire de la communauté urbaine de Québec en regroupe 52 pour cent. À l'inverse, dans la région du Bas-Saint-Laurent – Gaspésie, les trois quarts des logements restent entre les mains de propriétaires. Malgré les changements, les centres-villes attirent surtout des locataires en plus des commerces et des bureaux. Ces différences n'illustrent qu'une partie des écarts sociaux. L'espace disponible varie selon qu'on est locataire ou propriétaire : 90 pour cent des propriétaires disposent de 5 pièces et plus, alors que seulement 36 pour cent des locataires jouissent d'un espace équivalent ; les premiers ont en moyenne 6 pièces et demie et les seconds, quatre. Il faudrait ajouter qu'en 1986, au Québec, les femmes ne représentaient que 18 pour cent de l'ensemble des propriétaires.

Il est évident que chaque situation est particulière. Il est tout aussi évident qu'un choix de lieu de vie et de manière d'habiter découle d'un ensemble d'éléments contextuels où la situation économique, sociale et culturelle a souvent bien plus de poids que les circonstances. Il s'ensuit des regroupements variés et des organisations de vie particulières. Chacun participe à des degrés divers à des associations de travail, de loisir, de culture ou de religion et est amené à circuler d'un groupe à un autre. Et tout cela se produit à des échelles différentes qui vont de la famille au voisinage, à la classe, aux relations dans des associations, jusqu'aux grandes manifestations festives, et qui varient avec l'âge des personnes concernées. Il importe moins de rendre compte d'une diversité aussi ramifiée que de la reconnaître. Elle brise l'homogénéité factice des projections d'hier. Elle affirme l'existence de manières partagées d'être et d'agir qui fondent l'idée de la culture de convergence.

Pays des grands espaces, le Québec est aussi celui des déplacements fréquents. Certains locataires, tant à l'époque du cheval qu'à celle du camion, changent de logement presque chaque année. La ville de Montréal compte souvent plus de 80 000 déménagements annuels.

(*L'Opinion publique*, 17 mai 1876.)

Aperçu des modes de vie

Un bref aperçu des modes de vie et de leur évolution, à partir de deux cas témoins, la façon d'apprivoiser l'hiver et les loisirs sportifs, évoque l'adaptation au territoire, les emprunts culturels et la diversité des manières de faire.

Les Amérindiens sédentaires creusaient dans le sol des « greniers souterrains » où ils entreposaient les citrouilles, les fruits et les grains pour les conserver et les garantir contre les effets de la rigueur de l'hiver. Les nomades avaient appris à profiter de l'épaisseur de la neige pour traquer les animaux à poil, comme le chevreuil et l'orignal, qui leur fournissaient une nourriture fraîche et abondante. Ils savaient aussi pêcher sous la glace. Les habitants de la Nouvelle-France leur ont emprunté ces techniques. Aujourd'hui, les caves froides ou les caveaux des maisons de campagne servent encore à la conservation des aliments du potager. La chasse et la pêche en hiver s'inspirent encore des mêmes façons de faire.

Pendant tout le XIXe siècle, on profite de l'hiver pour faire de grandes provisions de glace. On coupe des blocs de glace de grandes dimensions qu'on entrepose dans des glacières. Pendant l'été, on peut ainsi répondre aux besoins domestiques. Ce mode de conservation des aliments reste en usage jusque dans les années 1950, même si, depuis les années 1920, le réfrigérateur le remplace progressivement.

En 1924, le réfrigérateur apparaît comme la dernière invention au service de la ménagère. La science se substitue aux traditions et modifie le rapport à l'environnement et l'organisation du quotidien.

(Almanach de l'Action catholique, 1924, p. 120.)

Sous le Régime français, les habitants manifestent un attachement bien légitime à la mode vestimentaire française, même si les moins bien nantis doivent avoir recours à l'étoffe du pays. Pourtant, les habits français conviennent mal à l'hiver. Pour se prémunir contre le froid, il a fallu emprunter aux costumes amérindiens. « Par nécessité absolue, écrit Laurence Lamontagne, les Français adoptent le costume autochtone : tunique, mitasses, moufles, casques de pelleteries et souliers sauvages. » Ces derniers sont indispensables pour chausser les raquettes. Le manteau de fourrure, lui, n'apparaît qu'à la fin du XIXe siècle. Il est d'ailleurs réservé presque exclusivement aux hommes, et aux hommes fortunés. Le manteau féminin en étoffe commence à se parer de fourrure au cou, aux manches et dans le bas, surtout à partir des années 1930. Plus récemment, ces vêtements lourds sont souvent remplacés par des tissus synthétiques isolants. On continue cependant de confectionner des vêtements d'hiver avec de la plume et du duvet.

Même si la partie du Québec la plus densément peuplée se trouve à la même latitude que Paris, les hivers sont beaucoup plus rudes et plus longs. Un certain nombre d'innovations ou d'adaptations dans le style des habitations favorise la lutte contre le froid. L'hiver, on « renchausse » le bas de la maison avec de la terre, du gravier ou de la neige bien foulée. On double les murs, les fenêtres et les portes. On remplit l'espace entre les murs de matière isolante, comme la mousse végétale, l'étoupe, le bran de scie ou des chiffons. Dès la fin du XVIIe siècle, on se rend compte que le foyer à tirage entraîne une grande perte de chaleur et on trouve plus commode d'utiliser le poêle. À partir des années 1740, on fabrique aux forges du Saint-Maurice des poêles de fonte à un, puis deux et même trois ponts, mais on en importe encore plus de l'étranger. Le bois demeure le combustible le plus utilisé jusque tard au XXe siècle. Il est progressivement remplacé par des produits pétroliers. Au début des années 1970, plus de trois maisonnées sur quatre utilisent ces derniers combustibles, une proportion qui tombe à 40 pour cent en 1984 et à 29 pour cent en 1986. Ce phénomène s'explique par l'avènement du chauffage à l'électricité dont la clientèle s'est multipliée, passant de 12,3 pour cent à 55,6 pour cent du total des logements.

C'est aux Amérindiens encore que les Français établis sur le territoire québécois au XVIIᵉ siècle ont emprunté les moyens de se déplacer pendant la saison hivernale. La raquette et la traîne sauvage en sont les exemples les plus connus. La carriole, elle, serait plutôt une adaptation d'un véhicule européen. Et on n'a pas tardé à se rendre compte que la neige et la glace facilitaient, plutôt qu'elles n'entravaient, la circulation. Dès les années 1690, les Canadiens purent surprendre des villages de la Nouvelle-Angleterre en les attaquant en plein hiver. Les 300 guerriers s'y étaient rendus en raquettes. De même, les ponts de glace, qui permettaient les relations entre les deux rives du fleuve, faisaient l'objet d'une attention particulière.

Pour aplanir les chemins, on utilisait des rouleaux en bois cerclés de bandes de fer, dans lesquels on faisait geler de l'eau pour donner plus de poids. Le rouleau ci-contre, de fabrication trifluvienne, a été utilisé en 1908 dans la municipalité de Grand-Mère.

(Archives Pierre-Boucher, Séminaire de Trois-Rivières. Fonds Trois-Rivières, FN-0064-78-0-3.)

Au cours du XIXᵉ siècle, la technique d'entretien des chemins se résume à fouler ou à battre la neige. Seuls les piétons et les attelages peuvent passer. À compter des années 1920, des *snowmobiles* y circulent. L'automobile n'a accès aux routes durant l'hiver qu'à partir de 1929, après que l'entreprise Sicard eut imaginé et produit la souffleuse à neige. Aujourd'hui, l'hiver ne pose pas de véritables problèmes de circulation. Les interruptions d'électricité, le blocage des routes, des voies ferrées ou la suspension du trafic aérien ne sont jamais que passagers, voire distrayants. Domestiquées, les rigueurs de la nature peuvent se transformer en divertissement.

Les loisirs liés à la nature sont multiples, informels ou organisés, individuels ou collectifs. Nous nous en tiendrons aux loisirs associés à l'eau et à l'hiver, où se dessinent des changements majeurs portant la marque de l'influence britannique.

Depuis l'origine de la colonisation du territoire par les Français, la pêche a servi à des fins alimentaires mais, vers le milieu du XIXᵉ siècle, les bourgeois en font un véritable sport. Pendant près d'un siècle, la pêche reste libre. Mais, en 1940, le gouvernement du Québec juge nécessaire de réglementer cette activité. Aujourd'hui, les fonctionnaires émettent chaque année des centaines de milliers de permis, dont un bon tiers aux femmes, pour satisfaire ceux qui veulent jeter leur ligne dans un endroit paisible et poissonneux.

Selon les recherches de Donald Guay, aucun document d'archives ne permet de prétendre à une certaine vogue de la natation avant le milieu du XIXᵉ siècle. Les anglophones furent les premiers à organiser des concours de natation et à tenir des écoles où l'on enseigne à nager. Plus tard se pose la question des baignades mixtes et de la décence des vêtements de bain. La femme, surtout, reçoit de sévères mises en garde du clergé catholique. Dans les années 1950, on assiste à la multiplication des piscines publiques, les rivières étant devenues peu accessibles ou trop polluées. À partir de la décennie suivante, les piscines privées surgissent autour des maisons. Du haut des airs, en plein été, dans un ciel sans nuages, on peut remarquer cette multitude de points vert-bleu tout auprès des résidences de banlieue.

Au milieu du XIXᵉ siècle, Kamouraska, Rivière-Ouelle, Rivière-du-Loup, Cacouna, La Malbaie et Tadoussac de-viennent des places d'eau fréquentées par les mieux nantis qui recherchent la fraîcheur de l'air marin et la compagnie de gens appartenant à leur milieu. Cinquante ans plus tard, les Québécois commencent à rêver d'avoir un chalet au bord de l'eau. Les urbains retournent à la campagne, au moins le temps d'une fin de semaine, et les rives des lacs et des rivières se garnissent de chalets et de maisons.

Utilisé depuis le début de la Nouvelle-France, le canot est d'abord une embarcation utilitaire. Dans les années 1820, les anglophones de la ville de Québec organisent sur le fleuve les premières compétitions de canotiers. Un siècle plus tard, on crée la grande course de canots de la rivière Saint-Maurice. Aujourd'hui, on assiste à des compétitions de toutes sortes : embarcations à moteur, voiliers, dériveurs, planches à voile, etc.

Ceux qui aiment profondément l'hiver profitent de cette saison pour pratiquer des sports extérieurs. Le patinage et les glissades en traîneau existent depuis l'époque de la Nouvelle-France. Au milieu du XIXe siècle, la raquette puis le ski s'imposent comme des sports. On organise des courses sur patins, des glissades mixtes – que dénoncera le clergé –, des courses de voiliers. Des bourgeois de Québec et de Montréal se baladent sur la glace du fleuve à bord d'embarcations montées sur de grands patins et munies d'une voile. Le hockey est popularisé à compter de 1870. En tous ces domaines, les anglophones ont fixé les règles du jeu.

Depuis quelques décennies, les Québécois s'adonnent de plus en plus aux sports d'hiver. La motoneige, une adaptation québécoise, a connu une vogue fulgurante. Aujourd'hui, les sentiers de motoneige couvrent 22 000 kilomètres et, grâce à ces «routes secondaires», il est possible de se balader entre Québec, Chicoutimi, Rimouski et le nord de Montréal. Entre 1974 et 1984, le nombre de centres de ski de randonnée passe de 100 à 816. On a créé des centres polyvalents de sports d'hiver; on peut même faire du ski de soirée sur des pistes éclairées. Par contre, le patinage se pratique de plus en plus à l'intérieur.

Ce rapide aperçu des modes d'organisation de la vie en relation avec la nature et centré sur des besoins primaires et de loisirs fait ressortir quelques éléments significatifs de l'identité québécoise. Ces activités ont laissé des traces surtout dans les souvenirs personnels immédiats. Elles n'ont pas réussi à s'inscrire dans la mémoire longue. Les rappels se ramènent à des informations éparses et érudites. On a été assez peu attentif au fait que les instruments de travail d'hier sont devenus des objets de loisir depuis environ un siècle et au caractère de plus en plus individualiste du jeu. Ces changements résultent de multiples emprunts à d'autres cultures. Avant les années 1960, la lutte désespérée pour la survie de la petite collectivité francophone aurait occulté ces redevances envers l'Amérindien, le Britannique et l'Américain.

*

Le paysage lui-même est encore celui qui raconte le mieux l'histoire des relations de l'homme avec la nature au Québec. Le découpage du territoire, l'emplacement des villes, l'aménagement des terres en milieu rural, la localisation des services publics, les places ou les édifices symboliques, l'architecture et la toponymie traduisent notre évolution et notre identité. Ces traces qu'on gagne à mieux observer et reconnaître, comme autant de paysages offerts à la carte, portent en eux-mêmes le fait de leur passé.

Cette grande diversité d'inscriptions dans le paysage a donné peu d'emprise à la mémoire collective. Le tri entre les réalités immédiates a paru trop considérable pour se prêter à une synthèse. Même des transformations majeures, comme celle de l'urbanisation, n'ont pas été traduites en représentations symboliques. De fait, les réalités sont très complexes. La vie urbaine a accéléré la transformation des modes de vie. Chacun a dû apprendre à vivre dans une certaine promiscuité physique, à définir son espace intime, à composer avec des voisins de palier ou de corridor. L'apparent anonymat voisine cependant avec une vie de quartier parfois intense, tandis que la multiplication des possibilités d'installation coïncide avec les plus grandes inégalités. À mesure que l'image simplifiée d'un territoire immense aux richesses inépuisables s'est décomposée, la connaissance véritable de l'espace vécu et parcouru s'est étendue, approfondie et diversifiée. Elle a éclaté en une multitude de petites zones naturelles, familiales, économiques ou culturelles à protéger.

Malgré ces changements, le Québécois ne semble avoir perdu ni le goût des déplacements ni celui des distances. En 1988, dans la région métropolitaine de Montréal, on a dénombré près de 160 000 déménagements. Le Québec est resté le pays des distances. On y voyage et on y téléphone plus que partout ailleurs. Le Québécois se plaît à dire que, si son territoire était aussi peuplé que le sont les pays européens qui peuvent y loger, il compterait 200 millions d'habitants. Il laisse entretenir un discours qui rappelle ses habiletés à affronter la neige, les tempêtes, le froid. Il donne ainsi crédit à une identification qui valorise ses aptitudes face aux éléments. C'est dire l'importance de cette expérience territoriale.

L'exploitation des ressources naturelles

Il ne fait pas de doute que des savoir-faire liés à l'exploitation de la nature se sont transmis et se sont enrichis de génération en génération. La meilleure preuve réside peut-être dans les domaines où le savoir québécois est internationalement reconnu : les transports terrestres, aériens ou d'hiver, la canalisation des cours d'eau, l'hydro-électricité, le traitement des eaux usées, etc. Par contre, tout se passe comme si chaque innovation, chaque adaptation, chaque développement dans un secteur d'activité se déroulait indépendamment l'un de l'autre. Une nouveauté chassant l'autre, la mémoire collective oublierait ce qui avait précédé. Elle n'aurait pas plus enregistré la succession qu'intégré l'accumulation de ces savoir-faire, pourtant à fort contenu identitaire.

L'eau est sans doute la ressource qui contribue le plus à la satisfaction des nécessités de la vie. Sa consommation répond à un besoin primaire. Elle offre un moyen de transport qui fut longtemps prépondérant dans l'histoire du Québec. Elle contient des réserves alimentaires de premier ordre. Plus encore, l'eau fournit l'énergie nécessaire à la production de l'électricité dont dépendent les individus et les industries.

Il paraît bien loin ce temps où porteurs et vendeurs d'eau offraient leur produit en parcourant les rues des villes. Elle est loin cette première moitié du XIXᵉ siècle où l'on constatait que le charroi par tonneau ou à bras d'homme s'avérait inadéquat, que cette eau se corrompait et risquait d'entraîner de graves maladies. Dans les années 1850, Québec et Montréal se dotent d'un aqueduc et commencent bientôt à filtrer l'eau. En 1928, plus de la moitié des Québécois, soit 1 550 000, sont desservis par des « distributions d'eau », dont un million reçoivent des eaux filtrées et 150 000 des eaux chlorées. Un autre million de Québécois consomment de l'eau de

---

La consommation d'eau en 1914

En 1914, le Conseil d'hygiène de la province de Québec donnait les indications suivantes dans son *Bulletin sanitaire* : « Les approvisionnements en eau modernes doivent satisfaire à plusieurs usages et fournir des quantités d'eau beaucoup plus considérables, par tête d'habitant, que dans les temps anciens. Aux quelques gallons par jour qui suffisaient alors à tous les besoins, il faut maintenant fournir de 20 à 35 gallons pour les usages domestiques; de 5 à 30 gallons pour des fins publiques et industrielles et environ 20 gallons et souvent plus pour les pertes dues aux défectuosités du système ou à la négligence du consommateur. Les aqueducs modernes doivent pouvoir fournir au moins 150 gallons par jour par tête d'habitant afin de pouvoir satisfaire à la demande maximum. [...] Le problème de l'alimentation en eau devient de plus en plus difficile, à cause de l'augmentation toujours croissante de la consommation, due aux exigences du confort moderne. Par contre, les ressources pouvant fournir une eau saine et abondante se font plus rares avec l'accroissement de la population et la multiplication des systèmes de drainage déversant directement dans les cours d'eau les matières résiduaires provenant de l'homme et de ses industries. D'une façon générale, on peut considérer maintenant comme impropres à l'alimentation, toutes les eaux de rivières traversant des régions habitées. »

(*Bulletin sanitaire*, vol. 14, nᵒˢ 7 à 12, juillet-décembre 1914, p. 83.)

Le 11 septembre 1916, on s'apprête
à installer la travée centrale du pont
de Québec, que l'on considère déjà
comme la huitième merveille du
monde. Alors que la travée est
suspendue à 40 pieds (quelque
12 mètres) de hauteur, l'extrémité
sud-ouest cède et c'est, à nouveau,
l'accident.

(Archives nationales du Québec,
Québec, GH 972-54,
P600-6/N 1077-11.)

puits et l'on évalue à quelque 250 000 les personnes s'approvisionnant à des cours d'eau plus ou moins contaminés. Aujourd'hui, on construit des usines d'épuration et de filtration des eaux. En 1987, le Québec recense 748 usines de filtration. Une usine d'épuration traite en moyenne de 125 à 150 gallons d'eau par jour par personne. C'est dire l'importance du recyclage des eaux usées et les problèmes d'approvisionnement en eau potable dans les villes de toutes dimensions. Malgré les investissements destinés à conserver à l'eau sa pureté, il se vend annuellement au Québec 48 millions de litres d'eau minérale ou d'eau de source embouteillée.

L'histoire de la consommation de l'eau s'apparente à celle de son utilisation et de son exploitation. La première route entre Québec et Montréal n'a été ouverte qu'en 1735. Et encore fallait-il cinq ou six fois, en cours de route, emprunter un bac pour franchir les cours d'eau. À cheval, le voyage prenait environ une semaine, autant de temps qu'en canot. Il a fallu attendre le XXe siècle pour que l'île d'Orléans et les rives nord et sud du fleuve à Québec soient reliées par un pont. On devine la maîtrise des technologies maritimes qu'ont dû acquérir nos ancêtres pour développer l'économie du pays. En plus de la construction navale qui a connu une belle vitalité du XVIIIe siècle au début du XXe, la traite des fourrures sous le Régime français, le commerce du bois presque tout au long du XIXe siècle et la transformation du bois en pâte à papier au XXe siècle ont constitué à tour de rôle des pôles de croissance économique. On ne saurait donc donner trop d'importance à la circulation maritime dans l'histoire du Québec.

En 1833, le Royal Williams *relie Pictou à Gavesend en 25 jours. Il sera vendu par la suite à des Portugais, puis à des Espagnols, et devint alors le premier bâtiment de guerre à vapeur à livrer un combat.*

(J.P. Cockburn, *Royal Williams*. Archives nationales du Canada, C-12649.)

Dès le milieu du XVIIIe siècle, on installe à Québec des chantiers de construction navale destinés à approvisionner la marine royale de France. Un siècle plus tard, le Québec a acquis dans ce domaine une renommée mondiale. Il possède l'un des plus importants chantiers de construction navale au monde. En un siècle, quelque 2 500 bâtiments de haute mer sont construits ou complètement radoubés. À la fine pointe de la technologie, dès 1808 John Molson équipe son navire l'*Accommodation* d'une machine à vapeur. Construit à Québec en 1831, le *Royal Williams* effectue deux ans plus tard la première traversée atlantique d'un navire mû exclusivement par la vapeur. Emprunts et innovations ont donné naissance à trois types de bâtiments identifiés au Québec : le canot emprunté à l'Amérindien, la goélette et la verchères.

Commencé sous le Régime français, le canal de Lachine est devenu réalité dans les années 1830 et fut agrandi dans les années 1870. Il perdit son importance avec l'aménagement de la voie maritime du Saint-Laurent, inaugurée en 1959.

(Archives nationales du Canada, C-64628. *Canadian Illustrated News*, 21 octobre 1876.)

Jusqu'au XXᵉ siècle au moins, le commerce maritime s'est constamment développé. Aux échanges avec la France se sont ajoutés ceux avec les Antilles. Au cours des années 1730, ce fameux commerce triangulaire conduisait annuellement à Québec une trentaine de voiliers. Un siècle plus tard, l'immigration et le commerce attirent chaque année plusieurs centaines de navires dans le port de Québec. À compter de la seconde moitié du XIXᵉ siècle, on assiste à un déclin important. Depuis que les chantiers américains construisent des bâtiments en fer qui durent plus longtemps et coûtent moins cher, les riches forêts québécoises ne sont plus indispensables. Le cabotage par goélette est lui aussi en diminution constante : les vapeurs transatlantiques et le chemin de fer accaparent sa clientèle.

Les activités reliées à la navigation ont requis de tout temps des savoir-faire particuliers. L'hydrographie, cette science des fonds marins, des courants et des marées, aurait été la première matière scientifique enseignée en Nouvelle-France. Il en est fait mention dès les années 1650 et Louis Jolliet en assure l'enseignement à compter de 1683. Au début du XVIIIᵉ siècle, un capitaine de port veille à faciliter la navigation et à développer les aménagements portuaires. Au XIXᵉ siècle, on érige une série de phares le long du Saint-Laurent. À compter de 1825, reprenant un projet amorcé plus d'un siècle plus tôt et resté inachevé, on entreprend la canalisation du fleuve près de Montréal. En 25 ans, on aménage un chenal navigable pour les bâtiments de 2,5 à 4 mètres de tirant d'eau. Il couvre de façon continue une distance totale de 335 kilomètres. Finalement, en 1959, on termine la voie maritime du Saint-Laurent qui permet aux navires de fort tonnage de se rendre jusqu'aux Grands Lacs.

À l'image du castor, dont le travail incessant permet d'endiguer les cours d'eau, les Québécois ont appris à aménager les rivières et à utiliser l'eau comme source d'énergie. Aux XVIIIe et XIXe siècles, on réserve à la construction de moulins à farine ou de sciage les emplacements situés en bordure des rivières et présentant une bonne dénivellation. Retenue par un barrage et dirigée par une canalisation à débit contrôlé, l'eau activait une grande roue qui procurait une énergie motrice à l'ensemble du moulin. Dans les années 1740, presque chaque seigneurie comptait un moulin à farine. Dans la première moitié du XIXe siècle, le développement du commerce du bois donna à l'industrie du sciage un essor sans précédent. En 1829, on compte 287 moulins à farine, 545 moulins de sciage et 186 moulins à carder. L'autre grande épopée de domestication du potentiel énergétique de l'eau prend place au XXe siècle. Shawinigan en 1900, Beauharnois en 1930 et Bersimis en 1950 annoncent le développement d'une technologie de pointe dans la production hydro-électrique et ses composantes : aménagement d'un site et d'une rivière, érection d'un barrage, conduites forcées, groupes turbo-alternateurs, etc. Plus tard, les réalisations sur la Manicouagan et à la baie James confirment l'expertise québécoise. Enfin, le produit et la technologie du Québec sont exportés à l'étranger.

Dans la foulée de la Révolution tranquille, la propriété des sources d'énergie, comme l'électricité, devient l'une des clefs de l'avenir économique du Québec. «Maîtres chez nous» sera le slogan du Parti libéral du Québec, lors des élections générales de l'automne 1962.

(*La Presse*, 20 octobre 1962, p. 9.)

L'importance de l'eau réside aussi dans les ressources qu'on y puise. Pendant des siècles, le poisson demeura l'une des denrées les plus recherchées du continent. Après les Amérindiens, des pêcheurs bretons, basques et normands furent les premiers à fréquenter les contrées qui allaient devenir la Nouvelle-France. La morue salée ou séchée garnissait les tables, tandis que la baleine et le loup-marin fournissaient des huiles précieuses. Jusqu'à nos jours, on a pu distinguer deux types de pêche au Québec : la pêche maritime, à caractère commercial, et la pêche en eau douce. Actuellement, la pêche commerciale est côtière ou hauturière. Elle se pratique surtout à bord de bateaux de 12 à 20 mètres montés par des équipages de quatre à six hommes. Dans l'ensemble, cette pêche procure à l'industrie quelque 80 000 tonnes de poisson par année. Quant à la pêche en eau douce, qui se pratique surtout dans la région du lac Saint-Pierre, elle rapporte environ 1 040 tonnes de poisson par année. Des réglementations restrictives ont entraîné son déclin, tandis que la pêche sportive s'accroît depuis une trentaine d'années. Pour les seules années

La morue a été la première ressource exploitée par les Européens en territoire nord-américain. À la fin du XIXᵉ siècle, la pêche constitue encore la principale activité économique de la Gaspésie. C'est par centaines de milliers que, chaque année, on fait sécher le poisson avant de l'expédier à travers le monde. Jour après jour, une main-d'œuvre s'affaire à le tourner et le retourner pour assurer la bonne qualité du produit.

(Archives nationales du Canada, C-19207. *Dominion Illustrated News*, 15 novembre 1890.)

Pratiquée par les Amérindiens depuis des temps immémoriaux, puis par les Français depuis les années 1630, la pêche au poulamon est devenue un sport auquel s'adonnent encore des milliers de Québécois de toute classe sociale.

(Archives nationales du Canada, C-72928. *Canadian Illustrated News*, 10 avril 1880, p. 229.)

1984-1985, le gouvernement du Québec a émis près de 744 000 permis de pêche sportive. La pratique de la pêche commerciale faisait autrefois appel à une grande diversité de techniques, en fonction des espèces recherchées, des outils et des équipements, des procédés de conservation et de mise en marché. Aujourd'hui, le commerce du poisson a dû s'adapter à des exigences internationales. Les usines de transformation livrent leurs produits dans le monde entier, mais, en même temps, on a dû prendre des mesures pour préserver certaines espèces en voie de disparition.

Source d'énergie sans pareille, ressource alimentaire exceptionnelle, support du commerce et de l'industrie, réponse à un besoin primaire, l'eau a constamment joué un rôle de premier plan dans l'histoire du Québec. Elle a favorisé le développement de technologies de pointe. Elle a imprégné les mœurs et la culture. Pourtant, ces traces sont généralement demeurées implicites. Elles ne se sont pas ancrées dans la mémoire autrement que par de vagues impressions de richesses et de capacité.

Pour sa part, l'exploitation des ressources terrestres a donné naissance à des représentations multiformes et variées, souvent associées à l'image de l'habitant autosuffisant. On a affirmé qu'il pratiquait une agriculture traditionnelle, visant uniquement à assurer la subsistance de sa famille. On a loué son labeur exigeant. On a parfois créé l'image de gens gagnant péniblement leur vie à défricher une terre de roches dont le rendement était bien pauvre. Les recherches récentes ont cependant révélé une réalité bien différente, tout empreinte d'ajustements et de dynamismes particuliers. Ainsi, dans les années 1730, l'agriculteur produit suffisamment de surplus pour exporter du blé vers les Antilles françaises, tout en subvenant aux besoins des villes. Au XIXᵉ siècle, on exporte des milliers de tonnes de blé vers d'autres pays.

Dans les grandes villes, les marchés publics demeurent, jusqu'à l'avènement de l'industrie agroalimentaire et la multiplication des points de vente, le principal débouché pour les produits agricoles. À titre d'exemple, le marché Montcalm de Québec est un lieu d'échanges, de rencontres et d'activités sociales.

(Archives nationales du Québec, Québec. Fonds L.-P. Vallée, GH 1071-10.)

À partir du milieu du XIXᵉ siècle s'amorcent des changements majeurs. Tandis que le marché urbain domestique accroît sa demande, l'agriculture s'ouvre aux marchés américain et britannique. Le chemin de fer facilite la circulation des produits et l'agriculture se mécanise, s'efforçant de répondre aux demandes du marché. D'une polyculture centrée sur le blé, puis sur les pommes de terre et l'avoine, on en vient à développer l'élevage et la production laitière. Le nombre de fromageries, par exemple, passe de 25 en 1871 à près de 1 500 à peine 30 ans plus tard. L'agriculture s'adapte au rythme des grandes conjonctures économiques.

Les exploitations agricoles en chiffres

	Nombre d'exploitations agricoles au Québec	Superficie provinciale (%)	Nombre d'acres en moyenne par ferme
1901	140 110	6,6	103,1
1931	135 957	5,2	127,3
1951	134 336	5,0	125,0
1961	95 777	4,2	148,2
1981	48 144	2,8	194,0

(Gérald Bernier et Robert Boily, *Le Québec en chiffres de 1850 à nos jours*, Montréal, ACFAS, 1987, p. 165.)

Le XXᵉ siècle sera celui de la spécialisation et de la mécanisation poussées. Le nombre de fermes diminue. Les terres pauvres sont rendues à la nature sauvage ou vendues à des urbains pour leurs loisirs. En 1941, le quart de la population du Québec vit de l'agriculture, mais, 40 ans plus tard, cette proportion est réduite à 10 pour cent. Par contre, la superficie moyenne des terres a augmenté de 50 pour cent. Actuellement, la valeur en capital des entreprises agricoles totalise 9,5 milliards de dollars. Elles procurent 400 000 emplois directs ou indirects. Le secteur agro-alimentaire occupe 9,2 pour cent de la main-d'œuvre du Québec et comble 78 pour cent de ses besoins alimentaires.

Associée à la terre, on trouve la forêt. Les Québécois ont su aussi bien exploiter cette dernière ressource que l'industrie a pu, par la suite, s'adapter aux besoins du marché. Bien avant l'arrivée des Européens, les Amérindiens ont utilisé la forêt pour s'approvisionner en bois de chauffage et pour se procurer l'écorce nécessaire à la construction des canots et des cabanes. Les premiers colons français ont, eux aussi, employé le bois pour s'abriter du froid et des intempéries. Vers 1670,

Pour assurer la descente des billes de bois équarri jusqu'au port d'embarquement de Québec, on forme d'immenses radeaux sur lesquels on construit des abris pour les hommes de cage. Ces trains de bois descendent la rivière des Outaouais, puis soit la rivière des Prairies et le Saint-Laurent, soit tout simplement le fleuve en sautant les rapides de Lachine.

(Archives nationales du Canada, C-19884.)

l'intendant de la Nouvelle-France réserve au roi, sous peine d'amendes sévères, tout le bois propre à la construction navale. Au début du XIXᵉ siècle, le blocus de la mer Baltique par Napoléon incite l'Angleterre à s'approvisionner en bois équarri dans les colonies d'Amérique du Nord. Enfin, un traité de réciprocité conclu avec les États-Unis en 1854 ouvre au Québec le marché du bois de sciage. Des régions comme la Haute-Beauce, la Mauricie, le Saguenay–Lac-Saint-Jean et le Bas-Saint-Laurent se développent grâce à l'exploitation forestière.

*Les billes de bois sont parfois
tellement nombreuses sur des cours
d'eau qu'elles forment comme des
« trottoirs de bois ».*

(Archives nationales du Québec,
Québec, E22/Envel 183.)

Au XXᵉ siècle, le développement accéléré de la presse
populaire à fort tirage augmente considérablement les
besoins en bois mou pour la fabrication des pâtes et
papiers. On commence à bûcher en Abitibi, dans la
région de Chibougamau et sur la Côte-Nord. Après la
Deuxième Guerre mondiale, les techniques évoluent
rapidement. Les nouvelles tronçonneuses coupent,
ébranchent, débitent en longueur et cordent dans une
même opération. Elles dévorent la forêt à un rythme
hallucinant.

Les richesses du sous-sol ont également suscité des
convoitises. En 1534, le roi de France donne à Jacques
Cartier la mission de découvrir de l'or en Amérique. Il
semble que, par la suite, on ait continué inlassablement
à tenter de remplir ce mandat. Les autorités administratives de la Nouvelle-France stimulent la recherche de
mines qui pourraient être profitables à la mère patrie :
mine d'argent près de Baie-Saint-Paul en 1675 ; mines de
plomb ou d'ardoise ailleurs et, enfin, mines de fer le long
de la rivière Saint-Maurice, près de Trois-Rivières. À ce
dernier endroit, l'extraction et la fonte du minerai
commencent en 1732 et se poursuivent, à peu près sans
interruption, jusqu'à la fin du siècle dernier.

En 1863, la Beauce entre dans la fièvre de l'or. On publie même un petit guide du chercheur d'or. La passion reste si vive dans les esprits que, lors de la découverte de l'amiante dans les Cantons-de-l'Est en 1876, la petite ville d'Asbestos est appelée « la cité de l'or blanc ». Après l'Estrie, l'Abitibi ! En 1920, on y découvre des filons d'or et de cuivre. Rouyn vient de naître, viendront ensuite Val-d'Or et Malartic. Des villes poussent comme des champignons dans le Nord-Est québécois : Schefferville, Port-Cartier, Gagnon, Fermont, Chibougamau, Chapais. Le fer, le cuivre, l'or, le zinc et le titane trouvent preneur sur les marchés mondiaux. La production du secteur minier passe d'une valeur de 91 millions de dollars en 1945 à 446 millions en 1960. En 1986, elle atteint 2,2 milliards de dollars courants.

Mais, en 1980, c'est la cassure. L'amiante souffre d'une publicité néfaste, à cause de la fibre longue, dangereuse pour la santé. Le fer et le cuivre ne se vendent plus aussi bien. Des mines ferment. Des villes sont abandonnées. La population quitte. En 1988 cependant, une reprise se manifeste dans le secteur du cuivre et des métaux non métalliques comme l'uranium et le magnésium.

*

L'expérience québécoise du territoire s'est épanouie dans les savoir-faire techniques. Le lien créé entre les barrages de castor, ceux des moulins et de l'entreprise hydro-électrique est significatif. Il symbolise le travail incessant, l'ardeur au travail et la domestication de la nature. Mais les réalisations concrètes de l'humain dans le paysage, ses interventions sur l'eau, sur la terre ou dans la forêt, les activités liées à la chasse, à la pêche, à la culture des terres ou à la canalisation du Saint-Laurent ont laissé des souvenirs épars. Les activités qui ont le plus contribué à transformer le paysage n'ont pas réussi à franchir la barrière du réel et à imprégner la mémoire collective. Seules quelques représentations et quelques personnages types ont joué un rôle identitaire puissant.

L'ÉCOLOGIE

Si la mémoire d'hier évoque l'immensité et la richesse du territoire québécois, celle de demain ne pourra ignorer l'écologie qui, aujourd'hui, constitue un enjeu majeur. Il y a tout lieu de croire que les Québécois des générations futures évoqueront l'espace en des termes de protection ou de dégradation. Ils évalueront sur ces bases l'état dans lequel le territoire leur aura été transmis.

Le bilan que l'on dressera alors tiendra certainement compte des espèces végétales ou animales disparues ou menacées. Il fera également état des efforts accomplis pour assurer la protection de la nature. Il précisera le genre et l'importance des énergies collectives et des actions individuelles investies dans cette cause. Il dégagera les attitudes positives autant que les comportements négatifs. Il saura faire ressortir, mieux qu'il n'est possible de le faire aujourd'hui, les temps forts de la constitution de cet espace de vie.

On estimait généralement, hier, que la nature portait en elle-même son propre équilibre. Que survienne une maladie ou une épidémie comme celle des tordeuses de bourgeons d'épinette, l'humain n'y était, en principe, pour rien. Et la nature, par un phénomène autorégulateur, recréait elle-même son harmonie. Il est arrivé d'ailleurs que certains remèdes aient engendré des situations pires que les maux à guérir. Si l'on a pu croire que le problème pouvait se résoudre par lui-même, on en doute maintenant de plus en plus. Les zoos, par exemple, consacrent une part croissante de leur énergie à la sauvegarde et à la reproduction des espèces menacées.

Quant aux problèmes de pollution, ils ne sont pas exclusifs au Québec. La diminution de la couche d'ozone, par exemple, découle d'un usage généralisé de produits chimiques. Sur l'ensemble de la planète, on dénombre actuellement 25 000 espèces végétales et 1 300 espèces animales en voie de disparition, sans compter évidemment les espèces déjà disparues. Les pluies imprégnées des produits acides projetés dans l'atmosphère par les industries causent chaque année des millions de dollars de dégâts au Québec seulement. La solution ne saurait être individuelle ni temporaire.

Plusieurs se plaisent à rappeler que la situation était tout autre avant l'arrivée des Européens en Amérique du Nord et l'accroissement de la population qui ont fini par causer des déséquilibres graves dans le cycle de la nature. Certaines espèces de poissons, tels le bar rayé et l'esturgeon noir, ont pratiquement disparu ou sont devenues très rares. Des espèces comme le castor, le caribou, le chevreuil et aussi le loup et l'ours ont beaucoup diminué en nombre, tandis que d'autres ont dû céder leur territoire naturel à la civilisation. Dès le XVIIe siècle, les autorités de la Nouvelle-France interdisent de jeter dans le fleuve le sang des bêtes tuées et autres immondices, « pour empêcher l'infection que cela pourrait causer ». À la même époque, on prohibe les chasses inconsidérées. On songe aussi au reboisement de certaines régions afin d'assurer l'approvisionnement en bois nécessaire à la construction navale.

Au XIXe siècle, diverses mesures de protection, épisodiques, sectorielles et souvent éphémères, sont mises de l'avant. En 1830, on s'inquiète de l'avenir du saumon. En 1858, des anglophones fondent la Société du Bas-Canada pour la protection du poisson et du gibier. En 1877, le gouvernement procède à l'engagement de 20 gardes-chasse pour assurer la protection de la faune. En 1893, on adopte au Québec de timides mesures pour empêcher la dégradation des forêts. Deux ans plus tard, on crée le parc national des Laurentides dans le but de

Déjà, en 1898, un quotidien montréalais dénonce la pollution et ceux qui violent les règlements édictés par certaines villes depuis plus de deux siècles concernant la fumée et autres menaces à la santé.

(*La Presse*, 1er octobre 1898, p. 1.)

« protéger ses forêts, le poisson et le gibier, de conserver une réserve d'eau constante et d'encourager l'étude et la culture des arbres forestiers ».

Au cours des années 1930, un mouvement populaire se dessine. L'intérêt des jeunes pour la nature devient tangible. Le Cercle des jeunes naturalistes voit le jour en 1931. L'année suivante naît la Société zoologique de Québec ; peu après, les clubs 4H sont fondés. Ce sont souvent des jeunes issus de ces groupes qui dénonceront les effets néfastes de l'industrialisation sur la nature vers la fin des années 1960 et s'engageront dans les mouvements écologiques.

Si le mot « écologie » est créé en 1866 par Ernst Haeckel, il n'entre vraiment dans le vocabulaire québécois qu'un siècle plus tard. À ce moment commence une campagne de dénonciation de plus en plus virulente de la pollution sous toutes ses formes. Le gouvernement crée la Commission d'étude des problèmes de l'eau en 1968 et un ministère de l'Environnement en 1972. Il se préoccupe plus concrètement du reboisement et de l'épuration des eaux. Mais il semble parfois que les interdictions et les amendes ne suffisent même pas à favoriser une prise de conscience écologique.

On ne ramènera à la vie ni les wapitis, ni le grand pingouin, ni la tourte. Pourtant, Jacques Cartier avait rempli en une demi-heure quatre ou cinq tonneaux de ces pingouins. L'évêque de Québec François de Montmorency-Laval avait dû exorciser les tourtes tellement elles étaient nombreuses et causaient des ravages aux semences.

L'espace écologique de demain reste à définir. On peut croire que la volonté des individus n'y aura pas moins d'importance que celle des organismes et des gouvernements. Quelle mémoire conservera-t-on de cette question ? Une fois le tri effectué entre les efforts et les négligences, la mémoire rassurera-t-elle ou refoulera-t-elle cette lutte parmi les défaites dont elle n'aime pas faire état ? Quel sort attend cet espace fragilisé par l'activité de l'humain ?

* * *

De cette relecture des rapports des Québécois à leur espace se dégage finalement une impression kaléidoscopique. Changements et permanences, recommencements et continuités cohabitent. Réel et imaginaire se

À la fin des années 1850, des naturalistes évaluent le nombre de tourtes sur le territoire nord-américain à plus d'un milliard. Soixante ans plus tard, il n'en reste plus. La dernière tourte est morte en captivité à Cincinnati le 19 septembre 1914.

(Jacob H. Studer, *The Birds of North America...*, Montréal, A. J. Cleveland and Co., 1881, pl. XXIX.)

croisent constamment. Faits et sensibilités s'entremêlent. Temps et espaces se chevauchent. Tout réside en
fait dans les diverses façons d'aborder ces fondements
identitaires, matière et manière finissant par se conju-
guer.

L'analyse de la conception que se sont faite, et que
se font encore, une bonne proportion de Québécois a
fait ressortir les caractères stéréotypés et mythiques de
leurs représentations. Les effets de la modernité et des
enjeux sociaux actuels ont sérieusement entamé ces
fondements identitaires québécois à référent spatial. Ils
en ont touché la présentation comme la conception. Les
impressions d'absolu, énoncées à travers les représentations d'immensité ou de richesse, résistent difficilement. Elles ne sont d'aucune utilité pour résoudre les
problèmes du présent et correspondent bien peu aux
réalités de l'occupation du territoire. Tant que ce territoire est considéré comme un donné, ces représentations figent l'humain dans une attitude passive. Enfin,
elles associent à une collectivité – majoritaire, il est vrai,
mais en les lui réservant comme une propriété exclusive
– des appréciations et des sensibilités que le plus récent
arrivant ressent et est tout prêt à partager.

La construction de personnages types, à forte saveur
identitaire, loge à la même enseigne. Les recherches
récentes atténuent considérablement la valeur repré-
sentative de personnages comme le coureur de bois ou
l'agriculteur ou, du moins, celle de l'image qu'on en a
projetée. Celui qu'on a décrit comme un aventurier
aurait passé plus de temps à la ferme que dans les bois,
tandis que la majorité des enfants de l'agriculteur devaient un jour quitter la terre paternelle et, souvent, la
paroisse. Le monde rural dit traditionnel se révèle de
plus en plus comme une société mobile, active et sensible aux conjonctures, tout le contraire d'une société
immobile et repliée sur elle-même.

L'observation de l'emprise au sol, dans le temps, a
fait ressortir trois constats majeurs. Les modes d'inscription du Québécois dans l'espace aboutissent à la constitution de paysages diversifiés, particularisés et complexes. Ils évoluent dans le temps, varient selon les
personnes, subissent l'effet des circonstances et plus
encore de situations économiques, sociales ou culturelles qui engendrent des environnements cohérents.

Des milliards de tourtes

« Les Sauvages d'Amérique ne tirent jamais sur ces pigeons et ne
les tuent jamais lorsqu'ils couvent ou qu'ils sont des jeunes ; ils
ne permettent pas davantage que
d'autres le fassent et ils disent
que ce serait manquer gravement
à la bonté envers les jeunes, car
ils seraient contraints de mourir
de faim. Certains Français m'ont
raconté qu'ils étaient sortis avec
l'intention d'en tuer à cette épo-
que-là mais que les Sauvages,
d'abord gentiment, puis en les
menaçant, les en avaient empê-
chés, parce qu'ils ne pouvaient
tolérer une action de ce genre. »

(Pehr Kalm, dans Jacques Rousseau et
Guy Béthune, *Voyage de Pehr Kalm au
Canada en 1749*, Montréal, Pierre Tisseyre,
1977, p. 284.)

L'aménagement de ces espaces de vie est également redevable, bien qu'à des degrés variables, à la contribution de tous ceux qui ont vécu sur le territoire, appuyant ainsi la thèse d'une culture de convergence. Enfin, l'histoire de l'exploitation des ressources naturelles illustre la fréquence des démarrages et des initiatives. La géographie ou l'histoire gardant une trace concrète de ces œuvres, il ne semblait pas utile de les mettre en mémoire; une réalisation chassait le souvenir de la précédente. L'expérience du territoire, qui s'exprime notamment dans les savoir-faire qui s'y développent, se transmet mais sans s'accumuler de façon consciente dans la mémoire. Les recommencements l'emportent sur l'évolution ou la continuité.

Cette mesure du réel révèle surtout que le paysage est un construit plutôt qu'un donné. Il est le fait de l'humain dans le temps. Cela conduit naturellement à rechercher des bases élargies, mobiles et actuelles pour asseoir les représentations de l'identité québécoise en rapport avec son territoire. La diversité des espaces québécois, la complexité de l'organisation des lieux de vie et les préoccupations individuelles tendent à asseoir le renouvellement des fondements identitaires sur des bases sociales plutôt que nationales. Voilà qui reflète mieux la composition de la population, la contribution de chacun à son aménagement et le caractère collectif des questions à résoudre.

Le rapport de la collectivité francophone à l'espace aurait servi à compenser une réalité historique difficile à supporter. Elle aurait produit un discours valorisant ses forces et ses aptitudes face à la nature. Les constants recommencements que révèle l'exploitation du territoire auraient également touché les sensibilités. Dans ce pays neuf, chacun aurait dû, en quelque sorte, se faire pionnier, conquérir sa propre part de territoire, pour s'aménager un espace de vie. On pourrait y voir la source de l'intensité des traits physiques dans la représentation du territoire. Les ruptures des années 1960 deviennent ici particulièrement significatives puisqu'elles ouvrent la porte à la question écologique. Actuelle, sociale, sensible, collective, incitant à un engagement et à des comportements, cette question, même si elle dépasse les frontières, pourrait imprégner l'imaginaire de demain. Elle perpétuerait, mais dans une autre approche, les rêves d'immensité, de richesse et de pureté.

Affirmer le rôle majeur de l'espace dans la constitution d'une identité serait un pur truisme. Au Québec comme ailleurs, à l'échelle de l'individu ou de la collectivité, par ses caractères physiques, comme dans la vie de relations qu'il engendre, l'espace modèle le vécu, les représentations et les aspirations. Il reste pour tous un lieu d'identification, un mode d'expression d'une appartenance et de participation à un vécu collectif.

L'espace physique a permis au Québécois de se reconnaître et de reconnaître sa place, sa *personne*. Le discours relatif à l'espace réel immense et au climat hivernal continue encore à définir l'identité, même si l'expérience de vie en diffère de plus en plus. Par la vie de relations qui s'y est développée, l'espace a contribué à façonner un *personnage*. Des personnages types, à l'allure de pionniers, ont évoqué l'emprise progressive sur le territoire. Peut-être ont-ils servi alors à compenser ou à soutenir la marche vers l'ailleurs, que ce soit la ville, les régions de colonisation, l'Ouest canadien ou les États-Unis. On ignore cependant l'effet de la fin du grand mouvement d'exil vers le sud sur les mentalités collectives et la perception de l'identité. L'obsession migratoire cessant, l'ailleurs a possiblement paru plus hospitalier, tandis que les solidarités internes, régionales, locales ou familiales se sont développées. À travers ces changements, le rural est devenu majoritairement urbain. Mais les visages de cet urbain sont si nombreux qu'il paraît impossible d'en esquisser un profil commun. Enfin, depuis une génération, un nouvel enjeu, l'écologie, retient l'attention. Par les engagements vitaux qu'aujourd'hui il commande aux collectivités, il peut participer à la formation d'une *personnalité* et de la mémoire de demain.

LECTURES COMPLÉMENTAIRES

Bernier, Gérald, et Robert Boily, *Le Québec en chiffres de 1850 à nos jours*, Montréal, ACFAS, 1987.

Bolduc, André, C. Hogue et Daniel Larouche, *Québec, un siècle d'électricité*, Montréal, Libre Expression, 1984.

Bouchard, Gérard (dir.), *De la dynamique de la population à l'épidémiologie génétique. Actes du symposium international SOREP, tenu à Chicoutimi du 23 au 25 septembre 1987*, Chicoutimi, SOREP, 1988.

Bourassa, Robert, *L'énergie du Nord, la force du Québec*, Montréal, Québec/Amérique, 1985.

Brisson, Réal, *La charpenterie navale à Québec*, Québec, IQRC, 1982.

Brunet, Yves, *et al.*, *La distribution des villes selon la taille de leur population. Le système urbain québécois, 1871-1976*, Montréal, PUM, 1978.

Bureau, Luc, *Entre l'Éden et l'Utopie. Les fondements imaginaires de l'espace québécois*, Montréal, Québec/Amérique, 1984.

Francis, Daniel, et Toby Morantz, *La traite des fourrures dans l'est de la Baie James, 1600-1870*, Sillery, PUQ, 1984.

Goy, Joseph, et Jean-Pierre Wallot, *Évolution et éclatement du monde rural*, Montréal, PUM, 1986.

Guay, Donald, *Introduction à l'histoire des sports au Québec*, Montréal, VLB éditeur, 1987.

Hamelin, Louis-Edmond, *Nordicité canadienne*, Montréal, Hurtubise HMH, 1980.

Hardy, René, *L'agriculture en Mauricie. Dossier statistique, 1850-1950*, Trois-Rivières, UQTR, 1980.

Jurdant, Michel, *Le défi écologique*, Montréal, Boréal Express, 1983.

Lacroix, Benoît, *Folklore de la mer et religion*, Montréal, Leméac, 1980.

Lamontagne, Sophie-Laurence, *L'hiver dans la culture québécoise (XVIIe-XIXe siècles)*, Québec, IQRC, 1983.

Lessard, Marc-André, et Jean-Paul Montminy (dir.), *L'urbanisation de la société canadienne-française*, Québec, PUL, 1967.

Linteau, Paul-André, *Maisonneuve ou comment des promoteurs fabriquent une ville, 1883-1918*, Montréal, Boréal Express, 1981.

Marsan, Jean-Claude, *Montréal en évolution. Historique du développement de l'architecture et de l'environnement montréalais*, Montréal, Fides, 1974.

Martin, Paul-Louis, *Histoire de la chasse au Québec*, Montréal, Boréal Express, 1984.

Mathieu, Jacques, *Construction navale royale à Québec*, Québec, Société historique de Québec, 1971.

Mathieu, Jacques, Serge Courville *et al.*, *Peuplement colonisateur aux XVIIe et XVIIIe siècles*, Québec, Cahiers du CÉLAT, 1987.

Ministère de l'Environnement, *L'environnement au Québec. Un premier bilan. Document technique*, Québec, 1988.

Provencher, Jean, *C'était l'hiver. La vie traditionnelle rurale dans la vallée du Saint-Laurent*, Montréal, Boréal Express, 1986.

Séguin, Normand, et René Hardy, *Forêt et société en Mauricie. La formation de la région de Trois-Rivières, 1830-1930*, Montréal, Boréal Express, 1984.

Séguin, Normand, et François Lebrun, *Société villageoise et rapports villes-campagnes au Québec et dans la France de l'ouest, XVIIe-XXe siècles*, Trois-Rivières, UQTR, 1985.

Séguin, Robert-Lionel, *La civilisation traditionnelle de l'« habitant » aux XVIIe et XVIIIe siècles*, Montréal, Fides, 1967.

Trudel, Marcel, *Initiation à la Nouvelle-France*, Toronto, Montréal, Holt, Rinehart and Winston, 1968.

CHAPITRE TROISIÈME

LA POPULATION QUÉBÉCOISE : COMPOSITION ET INTERRELATIONS

I L Y A PLUSIEURS FAÇONS d'être Québécois. On peut l'être d'origine, de cœur, de souche ancienne, de fraîche date, comme aussi d'idéologie ou d'engagement politique, etc. La réalité de l'identité québécoise n'a rien de simple, même dans son acception territoriale. On ne saurait nier, d'une part, aux membres des nations amérindiennes qui, les premiers, ont occupé ce territoire, le droit de s'identifier comme Québécois. D'autre part, les immigrants français, allemands ou britanniques des XVIIe et XVIIIe siècles, les Irlandais et les Écossais arrivés au XIXe siècle, ainsi que les membres des diverses communautés culturelles venus s'installer au Québec au cours de ce siècle peuvent aussi revendiquer à bon droit cette identité. L'appellation «québécois» n'a donc pas un sens univoque et elle n'est pas plus exclusive à la majorité francophone de vieille souche qu'elle ne serait adaptée à la description d'une mosaïque culturelle. Nous privilégions, ici, l'étude de tous ceux dont le choix d'un lieu permanent de vie s'est porté sur ce territoire québécois juridiquement défini et qui, avec d'autres, ont dessiné les formes de son humanisation et de la culture qui s'y exprime.

Une invitation, quelle que soit son origine, à rallier l'identité de la majorité.

(Archives nationales du Canada, C-115712. Harry Mayerovitch.)

La Première Guerre mondiale a été l'occasion pour les Canadiens français de réclamer des régiments où ils seraient en majorité. Le gouvernement du Canada a utilisé ce souhait au maximum pour inciter «purs Canayens» à aller se battre «pour le roi, pour la patrie, pour l'humanité».

(Archives nationales du Canada, C-116604.)

Cette définition élargit la conception étroite et traditionnelle de celui qu'hier on appelait « Canayen », Canadien français ou « Québécois pure laine ». Comme le montrent les données du *Trésor de la langue française au Québec*, ces termes du discours populaire étaient réservés aux seuls membres de la collectivité francophone descendant de Français venus à l'époque de la Nouvelle-France. Cette affirmation identitaire était plus politique que sociale, plus symbolique que réelle. Elle écartait une partie des occupants du territoire. Elle n'existe plus que dans une mémoire nostalgique. Elle correspond de plus en plus mal à la réalité et aux volontés contemporaines.

La composition ethnique du Québec actuel et les enjeux qu'elle sous-tend pour le devenir de cette société ainsi que les recherches historiques récentes incitent à renverser la vision traditionnelle. Au mythe du « Québécois pure laine » tend à se substituer une mémoire fondée sur une « culture de convergence ». Cette proposition, sans nul doute fortement marquée par les défis actuels, a trouvé des fondements valables dans le passé, tant en regard de la composition de la population que des modes de vie. Elle révèle une facette inattendue et encore largement inexplorée de l'identité québécoise, dégageant les multiples emprunts et influences internes ou externes qui imprègnent l'histoire et le vécu des Québécois.

Évolution de la répartition ethnique de la ville de Montréal, de la ville de Québec et de la province de Québec (%)

	Montréal			Québec (ville)			Québec (province)		
	Français	Britanniques	autres	Français	Britanniques	autres	Français	Britanniques	autres
1831				47,9	48,6	3,5			
1851	45,3	52,4	2,3	58,8	36,3	4,9	75,2	22,8	2,0
1881	55,9	41,2	2,9	74,4	24,6	1,0	79,0	19,1	1,9
1911	54,8	29,6	15,6	86,5	12,0	1,5	80,1	15,8	4,1
1941	66,3	20,3	13,4	92,2	6,7	1,1	80,9	13,6	5,5
1961	66,6	12,4	21,0	94,3	3,9	1,8	80,6	10,8	8,6
1981	62,3	8,9	28,8	94,1	2,9	3,0	80,2	7,6	12,2

(Gérald Bernier et Robert Boily, *Le Québec en chiffres de 1850 à nos jours*, Montréal, ACFAS, 1987, pp. 43-44.)

Aujourd'hui, la région de Montréal compte plus d'un demi-million de Québécois issus ou membres de communautés culturelles autres que française ou anglaise, soit à peu près autant que la population totale de la ville de Québec. Cette diversité plonge ses racines dans la succession de vagues migratoires qui ont déferlé sur le Québec. Et cette présence «ethnique» a eu sur la culture «québécoise» des effets aussi considérables que méconnus. Les études des rapports à l'«Autre», dans un contexte québécois dominé par des préoccupations institutionnelles et la «question nationale», ont privilégié les oppositions plutôt que l'analyse des points de rencontre. Elles ont occulté le nombre et l'importance des échanges réciproques qui touchent des aspects majeurs de la vie et de l'identité.

Tenter de mieux rendre compte de ces réalités du présent et en rechercher les fondements dans le passé, c'est, du coup, entreprendre de se concevoir et de se représenter autrement, se chercher une nouvelle image identitaire, renouveler l'imaginaire et la mémoire québécoises.

APPELLATIONS
ET REPRÉSENTATIONS

Une étude exhaustive du passé généalogique et génétique de tous les Québécois francophones montrerait, à la fois, les limites et l'extension du mythe du «Québécois pure laine». Si l'on entend, par cette appellation, la population de souche francophone établie sur les rives du Saint-Laurent depuis l'époque de la Nouvelle-France, il faut rappeler que cette désignation a changé dans le temps et que les mêmes dénominations n'ont pas toujours regroupé les mêmes personnes.

Ce sont des Amérindiens qui, les premiers, furent appelés «Canadiens». En 1535, Jacques Cartier donne ce nom aux gens d'une nation qui habitent la région de Québec. À compter des années 1670, le mot «Canadien» désigne les Français qui ont fait souche en Nouvelle-France, ceux qui y «sont installés à demeure» ou qui «se sont habitués au pays» comme on dit à l'époque, les distinguant ainsi des immigrants récents. L'expression «Canadien français», elle, a été popularisée à la fin des années 1810. À cette époque, les immigrants anglophones commencent, à leur tour, à s'appeler «Canadiens» ou «Canadians». Peu à peu, on en vient à distinguer les «Canadiens anglais» et les «Canadiens français», mais les expressions «canadien» et «canayen» continuent à désigner le groupe de souche francophone ancienne. L'affirmation identitaire s'accentue au XXᵉ siècle. Dans le journal *La Presse* du 4 janvier 1912, on parle des «Canayens pure laine», tandis que l'expression «Québécois pure laine», popularisée après les années 1960, est apparue dès 1951.

Au tournant des années 1960, les appellations changent d'une façon spectaculaire. En trois ans, le chansonnier Claude Gauthier compose trois versions d'une même chanson pour tenir compte des modifications des appellations identitaires : «Canadiens français», «Canadiens», «Québécois». Le mot «Québécois»

De «Canadians» à «Québécois»

«À Stadaconé [Québec], le 3 mai 1536, les hommes de Jacques Cartier s'emparent du chef Donnacona, de ses deux fils Taignoagny et Domagaya, ainsi que de deux autres personnages importants pour les amener avec eux en France. Dans le récit du deuxième voyage de Cartier, à cette date, on peut lire : «Lesdicts Canadians, voyant ladicte prise, commencèrent à fuir et courir comme brebis devant le loup, les uns au travers de la rivière, les autres parmi les bois, chacun cherchant son avantage. Ladicte prise ainsi faite des dessusdits, et que les autres se furent tous retirés, furent mis en sûre garde ledict seigneur et ses compagnons. »

(H.P. Biggar, *Voyages of Cartier*, Ottawa, Imprimeur du roi, 1924, p. 227.)

«Un canadien est un homme né en Canada, mais de parents français établis au Canada. »

(*Dictionnaire de Trévoux*, éd. 1734, p. 1374.)

«À quoi bon, de grâce, cette distinction puérile, [...] entre les Canadiens Écossais ou Anglais et les Canadiens Français. »

(*Gazette de Trois-Rivières*, 21 juillet 1818, citant un texte de 1789.)

«Il fut un temps où les Canadiens d'origine française étaient les seuls désignés par le nom de *Canadiens*. Il n'est pas nécessaire d'être très vieux pour se rappeler que ce titre était dédaigné par ceux d'autre origine. C'est un grand pas de fait sans doute pour l'existence nationale du Canada, que l'adoption de la patrie com-

mune par les descendants de toutes les races qui la peuplent ; mais nous ne serons réellement un peuple et une nation que du jour où une race aura cessé de rêver de l'absorption et l'assimilation de l'autre, au moins par des moyens factices, et où chacun laissera à la Providence et au temps, le plus puissant de tous les instruments qu'elle emploie, le soin de résoudre le problème de nos destinées. »

(*Relation du voyage de S.A.R. le Prince de Galles, en Amérique*, 1860, p. 99.)

À bas « le Québec » !

Dans son roman *L'appel de la race*, publié en 1922, Lionel Groulx emploie l'expression « le Québec » plutôt que « la province de Québec ». Cela choque le critique littéraire Camille Roy qui réplique : « L'auteur fait effort pour varier son vocabulaire, et bien que l'on retrouve toujours un peu partout la manière éloquente, le vocabulaire est remarquable de précision. Il n'y a, je crois, qu'un seul barbarisme à relever dans cette langue, c'est : « le Québec » et « du Québec ». C'est affreux. Une fois seulement Alonié de Lestres [pseudonyme de Groulx] a écrit selon le bon usage : « la vigilance combative du petit peuple de Québec ». Et tout le monde a compris. Une fois aussi il a renchéri sur les barbares en écrivant : « la province du Québec ». Au temps où Lantagnac (personnage principal du roman) faisait ses études, on écrivait encore : La province de Québec, le gouvernement de Québec ; et quand le contexte le permettait, on écrivait tout simplement et clairement « Québec » sans article pour « la province de Québec ». S'il pouvait y avoir équivoque on écrivait plus longuement mais plus correctement : la province de Québec, les noms de ville ne prenant pas d'article même quand ils désignent la région ou la province qui les entoure. On n'était pas encore pris de cette sorte d'anglomanie qui consiste à faire aussi court que les Anglais au détriment du génie de la langue. Voilà comment on écrivait au temps où Lantagnac et moi nous faisions nos études. On était alors peu patriote, mais férocement grammatical. L'article devant Québec est une nouveauté qui date d'une quinzaine d'années. Il a contre lui nos oreilles, le bon goût et la grammaire. Cet emploi est horriblement et détestablement barbare : il est condamnable, fût-il autorisé par tous les journalistes du *Devoir*, qui y tiennent. On peut être barbare au *Devoir*, comme à *La Presse*, comme au *Soleil*, comme à *L'Action Catholique*. »

(Camille Roy, *À l'ombre des érables. Hommes et livres*. Québec, Imprimerie de l'Action sociale, 1924, pp. 294-295.)

---

prend alors une coloration politique, mais il conserve une valeur plus large, à la fois territoriale, sociale, idéologique et sentimentale. L'expression « Canadien français », elle, en vient à s'appliquer surtout aux francophones hors Québec, qui avec le temps préfèrent plutôt se définir comme Franco-Ontariens ou Franco-Ontarois, Franco-Manitobains, etc. Cette attention portée à la façon dont on se nomme, ou dont on est nommé, traduit des sentiments d'appartenance inhérents à la notion d'identité. Elle a une valeur symbolique et idéologique tournée vers l'avenir.

Cette identité n'est pas simplifiée pour autant. Des démographes ou des généalogistes pourraient démontrer que rares sont les « Québécois pure laine » qui n'ont pas un peu de sang amérindien, britannique ou irlandais dans leurs veines. Certes, cette portion peut être assez faible. Une ancêtre amérindienne au XVIIe siècle n'aura laissé, en général, qu'une seule trace génétique parmi les 1 024 ascendants que compte un individu au bout de 12 générations. Par contre, un jeu de pure mathématique laisserait croire qu'une seule trace de sang amérindien se trouve reproduite 4 494 304 fois au bout des 12 mêmes générations dans une descendance moyenne constituée de 4 enfants par famille. Il suffit donc de bien peu de cas de métissage pour engendrer une diversité. En outre, les « lois des Blancs », fondant la lignée sur le père ou l'ancêtre masculin, ont eu pour effet de priver les enfants de nombreuses Amérindiennes de leur nationalité d'origine. Ces règles, non conformes aux coutumes des autochtones, sont depuis longtemps contestées. Et un bon nombre de personnes proclament, aujourd'hui, leur ascendance amérindienne.

Au surplus, même le peuplement initial de la Nouvelle-France ne fut pas parfaitement homogène. Un bon nombre des 750 soldats du régiment de Carignan-Salières qui s'installèrent dans la colonie après la pacification des Iroquois en 1667 avaient été recrutés en Suisse. Des prisonniers britanniques ont fini par s'établir dans la vallée du Saint-Laurent. Dans les années 1710, quelques dizaines d'entre eux sont naturalisés. Cette colonie catholique a aussi accueilli bon nombre de protestants. Après 1760, l'évêque catholique de la colonie se plaindra de ce que les « Québécoises » ne restent pas suffisamment insensibles au charme des beaux officiers anglais. Au milieu du XIXe siècle, les grandes familles de l'élite francophone sont très à l'aise dans la

---

Lettres de naturalité accordées à 34 catholiques natifs de la vieille Angleterre,
4 catholiques natifs de la Nouvelle-Angleterre et 2 catholiques natifs de l'Irlande

« Louis par la Grace de Dieu Roy de france et de Navarre : a tous Présents et a venir, Salut. [...] ; Jean Otis ; Jean Arnald ; Jean Wilet ; Edouard Fléchier ; Edouar Clements ; Jacques Lorey ; [...] ; Guillaume White [...] ; Jeanne Wardaway, anglais et anglaises natifs de la vieille angleterre ; Daniel fisk, Simon Lucas ; Tiétov Thomas Dion ; Catherine Parsons natifs de la Nouvelle Angleterre ; Jean Holms, et Denis Bryere natifs d'Irlande ; tous Quarente habitants de la Nouvelle france faisants Proffession de la Religion Catholique ; apostolique et Romaine ; Nous ont fait remontrés, qu'ils s'étaient establis audit Pays [...] Depuis quelques années et qu'ils y desireraient y finir leurs jours, ou en tel autre lieu de Nostre Royaume, ou leurs affaires les rappelleront, Et jouir des mesmes avantages que nos autres sujets ; Nous suppliants très humblement de leur accorder nos lettres sur ce nécessaires ; A ces causes voulant traitter favorablement les Exposants, leur faciliter de faire et continuer leurs Establissements ; De nostre grace spéciale, pleine puissance et authorité royalle, Nous avons lesdits Otis, Arnald Willet [...] ; Reconnûes, tenûs, censés, Et réputés, Et par ces Présentes signées de nostre main ; Reconnaissons, tenons, censons, Et réputons pour nos Vrays, naturels sujets et régnicoles, Voulons, et Nous Plaist que Comme tels ils puissent et leur soit permis, et loisible de demeurer en la Nouvelle france, ou autres lieux de nostre Royaume, pays Et terres de nostre obéissance qu'ils desireront, qu'ils jouissent des privilèges, franchises, Et libertés dont jouissent nos Vrays, Et originaires sujets. [...] Donné à Rambouillet au mois de juin l'an de Grace mil sept cent treize. »

(Archives nationales du Québec à Québec, *Registre des insinuations et Enregistrements du Conseil Supérieur de Québec*, vol. 4, folios 9v.-11v.)

bourgeoisie anglophone. Malgré des réticences nombreuses, suscitées par l'ethnie comme par la religion, il
y eut de plus en plus de mariages mixtes. Les Irlandais,
catholiques, s'allient plus facilement aux Canadiens français. Et les vagues migratoires récentes, associées à la chute
de la natalité, rendent plus visibles ces apports ethniques
et érodent le mythe du « Québécois pure laine ».

*

Pendant longtemps, la perception d'une identité en
péril a soutenu un nationalisme étroit, à peu près
exclusivement associé aux racines françaises de vieille
souche. Les énoncés politiques autonomistes, le discours relatif à une société repliée sur elle-même et les
engagements idéologiques s'accompagnaient d'expressions identitaires ayant un caractère d'exclusivité. Il
subsistait cependant une zone floue liée à la composition effective de la société québécoise. Des descendants
d'Irlandais ou d'Italiens, voire des immigrants d'origines diverses installés au Québec depuis une ou deux
décennies ont, à leur tour, réclamé le droit de se considérer comme des « Québécois pure laine ». Modifiant le
sens de la métaphore ancienne, mais non sa formule, ils
affichaient aussi leur sentiment et leur volonté d'appartenance. Du reste, dans le temps et par leur importance
numérique, les Québécois non francophones ont constitué une partie inaliénable de la *personne* collective du
Québécois. Leur présence et ce qu'ils ont apporté à
l'ensemble ont engendré des comportements et des
valeurs parfois si bien intégrés qu'ils sont associés au
personnage du Québécois et fondent l'idée de la culture
de convergence.

LES GRANDES VAGUES
MIGRATOIRES

L'histoire du peuplement du territoire québécois est
étroitement reliée aux mouvements migratoires qui ont
transformé le continent nord-américain depuis près de
quatre siècles. La composition de la population précise,
par la provenance, un des attributs principaux de la
personne du Québécois. Peuplé d'abord par les
Amérindiens, le territoire du Québec actuel fut colonisé
par les Français dès le début du XVIIe siècle. À l'exception des soldats et des filles du roi, cette immigration

s'est faite pour ainsi dire au compte-gouttes, à raison le plus souvent de quelques dizaines de personnes par année. En 150 ans, entre 1608 et 1760, un peu moins de 10 000 Français de Normandie, de Bretagne, du Perche, de la région parisienne, du Poitou, de l'Angoumois, etc., ont ainsi fait souche en Nouvelle-France. C'est ce petit noyau qui a grossi jusqu'à constituer plus de 6 000 000 de personnes au Québec et à laisser à peu près autant de descendants aux États-Unis, sans compter les centaines de milliers de Franco-Canadiens.

Après la conquête de la Nouvelle-France, quelques milliers de Britanniques sont venus à leur tour s'installer dans la nouvelle « Province of Quebec ». On en dénombre environ 3 000 en 20 ans, gens d'armée et de commerce pour la plupart. Par la suite, le peuplement du territoire s'effectue surtout par vagues successives et ce, jusqu'à nos jours. Un des plus grands apports fut celui des habitants des colonies de la Nouvelle-Angleterre. Au lendemain de la guerre de l'Indépendance américaine, en 1783, environ 25 000 personnes qui ont voulu rester fidèles au roi d'Angleterre – d'où leur nom de Loyalistes – ont migré au Québec. Ils se sont installés surtout dans les régions de l'Estrie et de l'Outaouais. La grande vague migratoire suivante arrive au XIXe siècle. Entre 1820 et 1860, chassés de leur pays par la crise agricole et la famine, environ 435 000 Irlandais débarquent dans le port de Québec. Un peu plus de 50 000 d'entre eux restent dans le Bas-Canada, dont une majorité s'installe dans les régions rurales. Montréal en aurait retenu et finalement intégré plus de 11 000, soit l'équivalent du cinquième de sa population à l'époque.

Jusqu'au début du XXe siècle, le Québec est tout de même resté massivement français (80 pour cent) et britannique (environ 20 pour cent). À l'exception des Amérindiens, les individus d'autres origines ethniques n'avaient jamais représenté qu'environ 2 pour cent de la population. Ils étaient souvent concentrés dans des lieux ou des professions déterminés. En 1788, par exemple, le tiers du corps médical de la colonie est constitué d'Allemands d'origine. Après 1850, de nombreuses villes, comme Sherbrooke, Shawinigan, Arvida, Thetford Mines voient le jour grâce à de forts noyaux de peuplement anglophone.

Au XXe siècle, les vagues migratoires se succèdent à un rythme accéléré, en raison le plus souvent de situations difficiles dans le pays d'origine. Au lendemain de la Première Guerre mondiale (1914-1918) et de la crise économique des années 1930, le Québec reçoit un nombre impressionnant de migrants en provenance surtout de l'est et du sud de l'Europe : 60 000 Juifs, 25 000 Italiens, etc. À partir des années 1950, Grecs, Portugais, Espagnols, Libanais et Marocains s'installent au pays. Au cours de la dernière décennie, la migration vient plutôt des pays asiatiques et de l'Amérique latine. Vietnamiens, Cambodgiens et Haïtiens trouvent refuge et asile au Québec. Actuellement, le Québec reçoit environ 20 000 immigrants par année.

Population immigrée au Québec selon le pays de naissance et la période d'immigration au recensement de 1981

Pays de naissance	Avant 1931	1931-1945	1946-1960	1960-1975	1976-1981	Total
Italie	2 040	370	48 585	34 730	2 665	88 395
Royaume-Uni	12 525	1 815	13 505	11 045	3 395	42 280
États-Unis	12 275	3 455	4 805	12 955	4 990	38 485
France	555	250	12 240	18 295	5 210	36 540
Grèce	250	90	9 010	17 110	1 850	26 300
Haïti	15	35	345	14 490	10 900	25 780
Portugal	10	15	2 645	16 090	2 670	21 430

(Recensement du Canada, 1981.)

Cette diversification des sources de l'immigration a légèrement modifié la répartition ethnique d'ensemble de la population. Les francophones de souche constituent encore 80 pour cent de la population, mais les Britanniques n'en forment plus que 8 pour cent. Les Amérindiens occupent le cinquième rang, derrière les Italiens, les Juifs et les Grecs. Ils précèdent les Allemands, les Portugais et les Polonais. Mais cette répartition est encore appelée à changer puisque la majorité des derniers migrants viennent d'Haïti, du Viêt-nam, du Salvador, du Cambodge et de la Turquie. On trouve également de toutes petites communautés bien vivantes, comme les Tibétains, les Bulgares, les Péruviens et les Tunisiens. Tout cela offre du Québec une nouvelle image, celle de la diversité, d'une certaine composition multiethnique.

La diversification dans la composition numérique de la population québécoise et peut-être une plus grande ouverture au monde ont changé les façons dont les Québécois se représentent. Longtemps perçu comme une société fermée et repliée sur elle-même, longtemps perturbé par le départ de milliers de personnes vers l'Ouest canadien et les États-Unis, le Québec est en voie de se définir une image de terre d'accueil et de société ouverte.

Depuis un siècle, plusieurs immigrants, fuyant un système et un pouvoir oppressants, sont venus au Québec pour des raisons politiques. L'accueil ne fut pas toujours chaleureux parce qu'ils ont parfois été vus comme une menace par la collectivité francophone. On reprochait aux uns leur impérialisme, à d'autres le « vol de jobs », à certains, enfin, leurs croyances incompatibles avec les pratiques catholiques. Jusque vers les années 1960, la communauté juive, par exemple, s'est heurtée à des oppositions déclarées. Ainsi en 1938, plus de 100 000 personnes demandent dans une pétition l'arrêt de l'immigration juive. L'anthropologue Pierre Anctil explique que la présence juive pouvait être ressentie comme une agression des principaux bastions de la lutte pour la survivance de la collectivité francophone: la religion, la constitution, l'immigration et l'économie.

L'arrivée de nouveaux réfugiés, à commencer par les Hongrois après le soulèvement de 1956, a contribué à changer en partie ces perceptions. Depuis les années 1960, la proportion de réfugiés et, par la suite, de leurs parents, n'a cessé de s'accroître dans le nombre d'immigrants reçus. Cette sympathie envers des personnes défavorisées ou persécutées et la réaction même de ces personnes ont contribué à dessiner une image nettement plus positive des communautés culturelles québécoises et de l'attitude des Québécois à leur égard. Celles-ci

Après son adhésion, en 1947, à l'Organisation internationale des réfugiés, le Canada a reçu une bonne partie des réfugiés politiques de l'Europe de l'Est qui se trouvaient dans des camps de « personnes déplacées ». De 1948 à 1952, les Polonais ont constitué l'un des cinq premiers groupes d'immigrants au Québec. D'autres événements politiques ont été par la suite à l'origine de l'arrivée massive d'Européens de l'Est: l'insurrection hongroise de 1956, l'invasion de Prague de 1968 et la loi martiale de 1981 en Pologne.

(Centre de documentation de *La Presse*. « Arrivée de 29 réfugiés estoniens », 1er septembre 1946.)

Population selon certaines origines ethniques, 1981 et 1986

Les données pour l'année 1986 sont basées sur un échantillon de 20 pour cent. Ces données ne sont pas toujours exactement compatibles parce que les rubriques ont varié d'un relevé à un autre. Les changements d'intitulés et les modes d'identification, parfois aussi flous que « Noir » ou « Juif », sont cependant significatifs en eux-mêmes de perceptions particulières et adaptées dans le temps.

	Québec		Canada
	1981	1986	1986
Population totale	6 438 403	6 454 490	25 022 005
Origines uniques		**6 010 010**	**18 035 665**
Français	5 105 670	5 015 565	6 093 160
Britanniques	487 380	319 550	6 332 725
Italiens	163 735	163 880	709 590
Juifs	90 355	81 190	245 855
Autochtones	46 855	49 320	373 265
Grecs	49 420	47 450	143 780
Noirs		36 785	170 340
Portugais	27 375	29 700	199 595
Allemands	33 770	26 780	896 720
Chinois	19 255	23 205	360 320
Polonais	19 755	18 835	222 260
Sud-Asiatiques		17 780	266 800
Espagnols	15 460	16 605	57 125
Vietnamiens	15 125	15 860	53 015
Caraïbes	12 980	48 475	
Ukrainiens	14 640	12 225	420 210
De l'Amérique latine, centrale et du Sud		12 085	32 235
Arméniens	10 380	10 810	22 525
Arabes		9 190	27 270
Hongrois (Magyars)	9 750	8 545	97 850
Libanais		8 270	29 345
Belges	6 465	6 485	28 395
Hollandais	8 055	6 365	351 765
Égyptiens	4 990	6 160	11 580
Cambodgiens		5 165	10 365
Philippins	4 460	5 110	93 285
Tchèques et Slovaques		4 085	55 535
Yougoslaves	6 460	3 735	51 205
Suisses		3 425	19 130
Roumains	2 785	3 315	18 745
Iraniens		3 205	13 325
Laotiens		2 795	9 580
Scandinaves	4 225	2 540	171 715
Lithuaniens	2 745	2 195	14 725
Russes	2 945	1 815	32 080
Autrichiens	2 275	1 645	24 900
Japonais		1 285	40 245
Coréens		1 235	27 685
Croates		920	35 115
Lettons		905	12 615
Finlandais		810	40 565
Turcs		735	5 065
Estoniens		655	13 200
Noirs africains		640	4 630

	Québec		Canada
	1981	1986	1986
Slovènes		245	5 890
Serbes		240	9 510
Maltais		150	15 345
Des îles du Pacifique		90	6 625
Macédoniens		30	11 355
Autres		7 420	99 025
Origines multiples		**444 480**	**6 986 345**
Britanniques		60 715	2 073 830
Britanniques et Français	62 270	174 250	1 139 345
Britanniques et autres	20 645	55 235	2 262 525
Français		3 490	5 930
Français et autres	21 790	77 195	325 655
Britanniques, Français et autres		39 590	563 065
Autres	23 250	33 995	616 000

(*Recensement du Canada, 1981 et 1986.*)

estiment avoir trouvé une terre où elles pouvaient vivre et s'exprimer librement. Terre d'asile, le Québec se serait aussi révélé pour eux une terre d'accueil. Société tolérante, ouverte au pluralisme, le Québec a pu mettre au point un plan d'action intitulé « Autant de façons d'être Québécois ». Un vieux dicton prétend que « Chez nous, c'est chez vous ». Ainsi un Québécois, dans la pensée de Pierre Bourgault, c'est devenu « quiconque décide de l'être ». Sous l'influence de la présence et des perceptions des nouvelles communautés culturelles, le Québec renouvelle ainsi un aspect fondamental de son identité collective qui joue même sur la lecture de son passé.

Les perceptions des nouveaux membres de la collectivité québécoise correspondent aux sentiments des Québécois de naissance. De plus en plus de recherches, s'inscrivant dans des perspectives multiculturalistes, visent à faire tomber les préjugés et les opinions erronées, ainsi qu'à favoriser un rapprochement. Il suffit d'observer l'évolution du vocabulaire qui les nomme, d'immigrants à néo-Québécois ou minorité ethnique à communauté culturelle, pour rendre compte du respect mutuel qu'on désire consolider. Les recherches actuelles tentent en somme de mieux faire saisir la complexité de la réalité multiculturelle. Elles proposent à notre entendement la perspective d'une culture de convergence. Elles trouvent dans le passé des références permettant d'affirmer cette image dans la durée historique.

LE QUÉBEC DE LA DIVERSITÉ

Une centaine de nations composent la mosaïque ethnique du Québec. Les gens des communautés culturelles migrantes, autres que francophone ou britannique, constituent une proportion croissante de la population du Québec, passant de 5,9 pour cent en 1951 à 8,6 pour cent en 1961 et à 12,2 pour cent en 1981. En chiffres absolus, ces collectivités regroupent 236 735 personnes en 1951, 450 800 en 1961 et 776 015 en 1981, dont la majorité vit à Montréal et dans la région. Par leur nombre et la diversité de leur contribution à la vie collective québécoise, ces communautés ont créé un nouveau paysage culturel au Québec. Elles ont nettement creusé l'écart entre le Québec rural et la réalité montréalaise cosmopolite.

Les grandes thèses nord-américaines associées à l'esprit de «frontière» conviennent mal à l'histoire de l'immigration au Québec. On retrouve assez peu ici de ces peuplements hétérogènes, unis par une croyance politique ou religieuse mais constitués d'individus isolés qui gagnent une terre en voie de peuplement et finissent par créer entre eux des liens sociaux étroits. Rien, en somme, de comparable au *melting pot* américain !

Pourcentage de la population ethnique vivant dans la région métropolitaine de Montréal, selon l'origine

Française	44,7	Vietnamienne	88,5
Britannique	61,8	Cambodgienne	76,6
Autochtone	16,0	Philippine	97,8
Italienne	96,0	Laotienne	70,2
Juive	99,1	Noire	96,7
Grecque	97,5	Libanaise	85,1
Portugaise	86,2	Égyptienne	92,9
Allemande	65,3	Indienne de l'Inde	95,9
Polonaise	87,0	Pakistanaise	95,8
Espagnole	88,6	Arménienne	98,8
Ukrainienne	90,2	Iranienne	95,2
Hongroise (magyare)	91,4	Haïtienne	93,5
Belge	60,5	Autre antillaise	94,3
Hollandaise	64,3	Chilienne	91,2
Yougoslave	91,3		
Suisse	56,2		
Roumaine	90,3		
Chinoise	91,5	*(Recensement du Canada, 1985.)*	

La population autochtone

En 1985, la population inuit du Québec comprenait 5 395 personnes, les femmes représentant 51,2 pour cent du total.

Quant aux Amérindiens, au 31 décembre 1983, on en dénombrait 33 911. Selon *Le Québec statistique* (édition 1985-1986), « de ce nombre 69,4 % vivent dans une réserve, 16 % sur une terre de la Couronne et 14,6 % hors d'une réserve ». À cette époque, le Québec comptait 39 réserves réparties en cinq districts. La réserve la plus populeuse est celle de Kahnawake avec 5 273 habitants. Par réserve, on entend une « résidence des membres d'une bande indienne consistant en une réserve mise de côté pour leur bande ou pour d'autres bandes », alors que la terre de la Couronne est une « résidence des membres d'une bande indienne consistant en une terre de la Couronne administrée par leur bande, ou par d'autres bandes, ou non administrée par une bande spécifique ».

Au contraire, les membres des communautés culturelles qui se sont implantés au Québec ont eu tendance à se regrouper, unis qu'ils étaient au départ par l'appartenance ethnique mais encore plus par des solidarités de provenance et de famille. La politique gouvernementale à l'égard des 15 pour cent de personnes venues comme réfugiés tend d'ailleurs à faciliter la réunion des familles. Ces processus migratoires favorisent l'entraide et la survie des coutumes d'origine dans les groupes migrants.

Un peu partout au Québec subsistent de petites enclaves ethniques identifiées par leur origine ou leur provenance. Il y a d'abord les territoires amérindiens, juridiquement autonomes mais dont les membres sont habituellement bien insérés dans l'économie et la société québécoises dans leur ensemble. On trouve encore une concentration de descendants de réfugiés acadiens dans la région de Nicolet. La Malbaie a été peuplée par des militaires de régiments écossais restés au Québec après 1760. À trente kilomètres au nord de Québec vit à Shannon une communauté irlandaise dynamique. Dans la Beauce, Charlevoix et les Cantons-de-l'Est survivent quelques groupes d'ascendance allemande. Dans la ville de Québec, une petite communauté chinoise, implantée depuis près d'un siècle, a gardé une partie de ses coutumes tout en participant à la vie collective.

C'est à Montréal cependant que s'installe la majorité des migrants, dix fois plus que partout ailleurs au Québec. Les immigrants dont la langue d'origine n'est ni le français ni l'anglais se concentrent à plus de 95 pour cent dans la région de Montréal, tandis que ceux qui viennent de pays francophones se dispersent plus facilement. La ville de Québec, par exemple, ne retient que 4 pour cent des migrants, soit quelques centaines de personnes par année au total. Montréal est d'ailleurs le seul endroit où la présence ethnique croît en proportion relative. Même dans les anciennes zones de peuplement comme l'Estrie, où la proportion de la population d'origine britannique a été longtemps fortement majoritaire, elle tend à diminuer constamment, migrant à nouveau vers les grandes villes ou vers l'extérieur ; une population francophone y remplace les anglophones.

Dans la grande région administrative de Montréal, on assiste également à des regroupements par quartiers. L'indice de concentration ethnique est en moyenne de

0,5, tandis que celui des personnes d'origine juive atteint 0,85. Jusque dans les années 1970, le secteur du boulevard Saint-Laurent constitue le principal couloir d'entrée des migrants qui arrivent au pays, en même temps qu'une ligne de démarcation entre les populations anciennes et nouvelles. Au cours des dernières années, les nouveaux arrivants se sont plutôt dirigés vers les secteurs Notre-Dame-de-Grâce et Côte-des-Neiges. Dans ce dernier quartier, on dénombre plus de 100 ethnies. Les Québécois de vieille souche, anglophones et francophones, y forment ensemble à peine le quart de la population totale. La question qui se pose dès lors a trait aux rapports entre les diverses collectivités québécoises.

Cette mosaïque ethnique a contribué à la vie québécoise par son apport économique, par sa vitalité culturelle, par des initiatives remarquées, en somme par un enrichissement humain. Plusieurs grands personnages qui ont laissé leur marque dans certains domaines d'activité ont choisi un jour de s'installer au Québec. Malgré des conditions de vie souvent difficiles au début, les membres de ces communautés culturelles ont contribué à l'essor économique. Leur présence ouvre une fenêtre sur le monde. Elle fait connaître d'autres modes de vie, d'autres façons de faire, d'autres coutumes, cultures et croyances. Elle renseigne sur ce qui se passe ailleurs. Elle conduit vers l'expression de solidarités mondiales et contribue à porter à l'extérieur la réputation des Québécois.

Près de 30 communautés culturelles possèdent leur journal, leurs émissions de radio et de télévision. Certaines publications multiethniques comme *ViceVersa*, *Humanitas*, *Interculture* et *Horizons interculturels* atteignent l'ensemble de ces groupes, dont plusieurs ont implanté un réseau d'institutions qui leur sont propres. En 1986, on dénombre 1 600 organismes ethniques à vocation syndicale, religieuse, culturelle, économique ; ils enrichissent le calendrier québécois de plus de 200 fêtes nationales, religieuses ou traditionnelles qui témoignent de la diversité ethnique du Québec actuel.

Les contributions autochtones ou ethniques ont été perçues comme venant de l'extérieur de la culture de la majorité francophone de vieille souche. Elles ont été vues comme autant de réalités différentes qui s'ajoutent les unes aux autres et qui profitent à l'ensemble. Elles ont même été exprimées à travers des stéréotypes comme le commerce chinois de « nettoyage et de repassage », les chauffeurs de taxi haïtiens ou l'éventail des blagues ethniques. Les recherches font cependant peu état des éléments intégrés ou fusionnés dans les comportements collectifs. Elles rendent faiblement compte de l'évolution des rapprochements entre les collectivités. Il est d'ailleurs extrêmement difficile de prendre une mesure de cette évolution. Les anciens noyaux ethniques du centre de Montréal paraissent refermés sur eux-mêmes tout en s'effritant. La concentration ethnique diminue au fil des ans. Dans le quartier Côte-des-Neiges, l'enjeu est devenu la création d'un secteur multiethnique qui intègre chacun dans des pratiques communes. Ailleurs, c'est le tissu social de la clientèle scolaire qui retient l'attention. Dans 25 écoles de Montréal, les enfants d'immigrants composent plus du quart de la clientèle scolaire. À La Dauversière, les deux tiers des 600 élèves proviennent de communautés autres que française ou anglaise. À la polyvalente Lucien-Pagé, les 2 000 élèves sont à 40 pour cent allophones et appartiennent à 56 communautés culturelles différentes.

Combien de personnes se sont intégrées par le mariage ou le travail à d'autres réseaux collectifs ? À partir de quand des Irlandais ou des Italiens ont-ils préféré se définir comme Québécois ? Le processus varie selon les individus et la question n'est jamais rigoureusement tranchée. Les plus sérieuses recherches dont on dispose – Gary Caldwell sur les Britanniques en Estrie, Pierre Anctil sur les Juifs, Bruno Ramirez sur les Italiens et Denise Helly sur les Chinois – relèvent un processus qui s'étend sur deux ou trois générations et montrent une intégration progressive aux collectivités environnantes, en même temps qu'un effort soutenu et conscient pour maintenir les traits identitaires d'origine.

*

La diversité ethnique au Québec a rendu plus visible et plus aiguë la question de l'harmonisation sociale. Depuis quelques décennies, la recherche tend à mieux faire connaître cette mosaïque, à en signaler les richesses et à dégager l'apport particulier de chacun de ses éléments. Mais l'image d'ensemble reste à construire. Sur le plan spatial, la réalité ethnique semble en voie de créer au Québec des profils nettement distinctifs : le Montréal cosmopolite, quelques villes à dominante anglophone et le reste du Québec à majorité francophone. Mais

comment ne pas faire le rapprochement avec la composition de la population des villes du Québec au milieu du
XIXᵉ siècle ? Que sont devenus les Britanniques qui, en
1851, constituaient 50 pour cent de la population de la
ville de Québec, actuellement la plus francophone des
grandes villes nord-américaines ? Et qu'ont-ils laissé à la
collectivité québécoise ? La diversité des composantes
de l'identité québécoise et des préoccupations qu'elle
soulève n'est pas un phénomène récent. Aujourd'hui
comme hier, les mêmes questions se posent : l'intégration scolaire, le choix de la langue, le marché du travail,
la place dans les institutions. Elles sont présentées
comme des enjeux pour demain. Ce que l'on interroge,
en somme, c'est l'influence réciproque des cultures.
L'histoire, qui nous inscrit dans la durée, est riche
d'enseignements à cet égard !

LES FONDEMENTS D'UNE
CULTURE DE CONVERGENCE

La composition ethnique actuelle et prévisible du Québec
semble servir d'assise à une nouvelle représentation de
la société québécoise, moins univoque. De fait, la connaissance des mouvements migratoires a révélé qu'en
tout temps la société québécoise a compris des collectivités diversifiées. Il en a été de même en ce qui concerne
les échanges culturels.

Les recherches globalisantes anciennes, qui ont
servi de base au mythe du «Québécois pure laine»,
présentaient un grand nombre de réalisations matérielles et de coutumes comme authentiquement québécoises,
même si on leur accolait alors l'épithète «canadiennes».
Au cours des dernières années, des chercheurs ont
commencé à étudier plus systématiquement la rencontre des cultures amérindienne et française. Pour le reste,
le champ est largement resté en friche. C'est en glanant
ici et là dans des études spécialisées qu'il a été possible
de présenter un certain nombre d'influences qui se sont
exercées sur la culture québécoise. Notre exploration a
révélé une quantité tout à fait impressionnante d'apports et d'emprunts de toutes sortes dont les Québécois
ne sont souvent même pas conscients. Et ces contributions
sont loin d'être marginales. Elles concernent des traits
culturels qui ont, ou ont eu, une fonction symbolique et

identitaire. Une présentation plutôt descriptive et encore fragmentaire évoque ces réalités passées qui fondent l'idée d'une culture de convergence.

Pendant longtemps, on a enseigné que les Amérindiens, présentés comme barbares, avaient reçu de la France les bienfaits de la religion et de la civilisation. Depuis quelques décennies cependant, le portrait de la rencontre des cultures européenne et amérindienne s'est modifié. À la recherche de ses propres racines, la collectivité amérindienne a présenté une nouvelle image d'elle-même et de son passé. On a tenté d'étudier l'Amérindien de l'intérieur, d'en dresser un portrait libéré des perceptions ethnocentristes, de le décrire et de le comprendre en lui-même, dans la cohérence de ses gestes, de ses croyances et de son système de valeurs. On a également remis en cause les rapports entre les deux civilisations et montré que les échanges ne s'étaient pas produits dans un seul sens. On a aussi rappelé que la contribution autochtone subsiste encore dans plusieurs aspects du mode de vie et de la mentalité de la société québécoise actuelle.

L'apport autochtone

Les recherches qui ont touché l'influence amérindienne ont beaucoup insisté sur les apports matériels. Les contributions les plus significatives sur ce plan sont très bien connues. Il convient cependant d'en rappeler brièvement la nature et le caractère actuel. Les Québécois savent que le canot, les raquettes, la traîne sauvage (toboggan) ont été empruntés à l'Amérindien. Le canot est devenu l'instrument primordial d'exploration du continent. La raquette a permis aux premiers hivernants d'oser s'aventurer à l'extérieur de la maison, sur la couverture neigeuse. Grâce à la traîne, il a été possible de transporter des marchandises et des provisions. Tous ces articles sont restés d'usage courant au Québec, mais surtout à des fins de loisir. À ces objets il faudrait ajouter les vêtements d'hiver – mitasses et mocassins – encore portés aujourd'hui. Les Amérindiens ont initié les Français à la consommation du maïs et du tabac, et leur ont appris diverses techniques d'approvisionnement comme la germination hâtive, la chasse et la pêche (pêche sous la glace, chasse par le rabattage, pistage et trappage). Le sport de la crosse, typiquement amérindien, se pratique encore. Dès le premier hivernage au Canada en 1535-1536, l'équipage de Jacques Cartier a pu être sauvé du scorbut grâce à un remède naturel. Nombre de produits d'origine végétale et animale connus des Amérindiens entrent aujourd'hui dans la composition de médicaments. Les hivernants ont aussi appris des Amérindiens des moyens de faire du feu, de confectionner un lit de branchages, de dresser une tente pour s'abriter. En somme, les autochtones ont enseigné aux Européens à composer avec la nature et à tirer profit de ses ressources pour se nourrir, se chauffer, s'abriter, se déplacer, en un mot pour survivre.

L'exemple d'un certain mode de vie amérindien vient aussi renforcer les modèles et perspectives écologiques. Plusieurs études présentent l'autochtone comme ayant vécu en harmonie parfaite avec la nature, dans le respect de l'environnement. Il n'aurait chassé ou pêché que pour ses besoins immédiats, se refusant à toute déprédation. Les nomades se déplacent selon un cycle défini par la nature. L'hiver, ils se séparent en bandes et gagnent un territoire de chasse à l'intérieur des terres pour faciliter l'approvisionnement de chaque groupe. Au début de l'été, les bandes se rassemblent sur les lieux de passage des oiseaux migrateurs. L'abondance de nourriture, après un hiver parfois difficile, facilite la cordialité des rencontres et des échanges. L'Amérindien vit en somme au rythme de la nature dont il prend grand soin de préserver l'équilibre. Cette représentation comporte sa part de mythe, mais elle a la force de traduire un système de valeurs global.

La présence des Amérindiens dans la culture québécoise actuelle ne se limite pas à des apports matériels. La force de leur éloquence et de leurs rites symboliques a elle aussi laissé des traces. Quand les gouverneurs de la Nouvelle-France veulent négocier la paix, ils empruntent à l'Amérindien ses stratégies diplomatiques. L'échange d'objets symboliques joue un rôle primordial, afin de rappeler de façon tangible la nature de l'entente. Il s'accompagne toujours d'un grand discours. Il est courant aussi d'associer à l'influence amérindienne la relation privilégiée du Québécois avec la nature, l'appel des grands espaces et la multiplication des déplacements.

En s'appuyant sur de nombreux témoignages de Français aux XVIIᵉ et XVIIIᵉ siècles, on a également évoqué l'influence amérindienne dans la mentalité québécoise. Les missionnaires et les administrateurs de la Nouvelle-France ont maintes fois célébré le courage, la générosité et l'esprit de tolérance de l'Amérindien. Ils

Des « Sauvages » avec des Français

« Les François mesmes, mieux instruits & eslevez dans les Escoles de la Foy, deviennent Sauvages pour si peu qu'ils vivent avec les Sauvages. »

(Gabriel Sagard, *Histoire du Canada et Voyages que les Frères mineurs dits Recollets y ont faicts …*, Paris, Librairie Tross, 1866, tome 1, p. 166.)

ont signalé l'autonomie, l'égalité et l'indépendance des personnes. Enfin, plusieurs d'entre eux ne manquent pas d'écrire, sous une forme ou sous une autre, qu'il est plus facile de faire un Indien avec un Français que l'inverse ; les comportements et les qualités de l'un sont bien vite attribués à l'autre. Ainsi, en 1707, l'intendant Raudot se plaint de ce que « les habitants de ce pays-ci n'ayant jamais d'éducation à cause de la faiblesse qui vient d'une folle tendresse que les père et mère ont pour eux dans leur enfance, *imitant en cela les sauvages*, ce qui les empêche de les corriger […] et discipliner ». Ces discours, malgré leur nombre et leur unanimité, ne sauraient fonder une preuve. Mais le fait qu'on les ait repris et diffusés traduit des sensibilités, une certaine recherche d'identification positive. Cette thèse du « Bon Sauvage » a conduit à la construction d'un modèle de vie. Elle a appuyé la proposition d'un système de valeurs, que certains ont étendu à tout l'Occident. À travers les théories du retour à l'Église primitive, ou de l'enfant de la nature de Jean-Jacques Rousseau, c'est tout l'Occident qui aurait subi l'influence de l'américanité ou de l'indianité. Bien malin celui qui pourrait en préciser l'influence véritable dans la mentalité québécoise d'aujourd'hui ! Ces sensibilités résident dans un imaginaire culturel dont la science ne peut rendre compte, mais qu'on ne saurait nier.

Quelques emprunts linguistiques aux Amérindiens

Certains mots d'origine amérindienne sont passés dans la langue courante de plusieurs Québécois. Quelques-uns ont même enrichi le trésor de la langue française universelle. D'autres, enfin, ont eu leur heure de gloire avant de connaître une mort linguistique ou devenir d'un usage plus restreint. Nous soulignons ici quelques emprunts.

squaw	(femme)
sagamo	(chef)
wigwam	(tente)
toboggan	(traîneau)
mocassin	(chaussure)
babiche	(lanière de peau crue)

mackinaw	(veston)
tomahawk	(hache de guerre)
soupane	(bouillie de farine d'avoine ou de maïs)
pow-wow	(fête)
manitou	(personne importante) ; Grand Manitou (Dieu)
pitoune	(bille de bois)
canadien	
micmac	(manigance)
totem	

Plusieurs noms d'animaux ou de poissons sont aussi d'origine amérindienne. Par exemple, caribou, carcajou, orignal, pichou, wapiti, ouaouaron, maskinongé, achigan et ouananiche.

Enfin, la toponymie du Québec regorge de noms d'origine amérindienne dont la signification n'est pas toujours facile à préciser. À titre d'exemples : Québec, Abitibi, Mistassini, Anticosti, La Romaine, Natashquan, Rimouski, Chicoutimi, Shawinigan, Kamouraska, Témiscouata, Yamaska, Memphrémagog, Magog, Manicouagan.

(Voir Jacques Rousseau, « Les américanismes du parler canadien-français », *Les cahiers des dix*, vol. 21, 1956, pp. 89-103.)

L'apport français

Si l'apport amérindien se situe surtout aux extrémités des éléments constitutifs d'une identité, soit les besoins matériels primaires et une sorte d'inconscient collectif, l'apport français, lui, semble couvrir tous les autres traits culturels d'une société. Au Québec, l'historiographie de la survivance nationale a fortement misé sur l'appartenance d'origine et sur l'enracinement dans l'esprit et les coutumes de la mère patrie pour décrire et affirmer l'identité québécoise. Il ne serait pas utile, ici, de rappeler les innombrables actes de foi, pas plus que la multitude de traits spécifiques français énoncés dans des centaines d'études depuis un siècle. La démarche centrée sur la culture de convergence ne renie pourtant pas ces sources vives de la culture française qu'elle tient pour un acquis. Elle en fait un substrat à partir duquel il devient significatif de relever des différences et des écarts.

De la France à la Nouvelle-France ou au Québec, la relation à l'espace n'est pas la même. Dans sa réalité physique, comme dans son aménagement évolutif et encore plus dans l'imaginaire, cette relation diffère du tout au tout. Elle oppose contrée ancienne et pays neuf, territoire populeux et espaces vides à occuper. La disponibilité de terres, même s'il fallait les gagner sur la forêt, offre un contraste fondamental avec le territoire de la vieille France, déjà fortement parcellisé au XVIIe siècle, découpé en petits terroirs dispersés et exploités de façon intensive. Au Québec, l'agriculture reste extensive jusque dans les années récentes, tandis que les villes et les villages, la colonisation ou l'émigration, constituent depuis le premier quart du XIXe siècle un exutoire important quand les surplus de population risquent d'entraîner une fragmentation des terres agricoles.

Cette relative disponibilité entraîne l'aménagement d'espaces de vie très différents de ce que l'on retrouve en France. La France rurale est parsemée de petites agglomérations villageoises regroupant propriétaires et ouvriers de la terre qui se répartissent en catégories précises. Au Québec, les habitations rurales sont construites le long des cours d'eau ou des routes. Chaque habitation est habituellement éloignée de celle du voisin de près de 200 mètres. La terre y est d'un seul tenant et, le plus souvent, elle est la propriété de l'habitant. La fragmentation des unités cadastrales de base ne commence à se produire que tardivement au XIXe siècle.

Disponible et pratiquement gratuite, la terre n'a pendant près de deux siècles, pour toute valeur commerciale ou financière, que l'équivalent du labeur humain nécessaire pour la rendre productive. L'appropriation foncière et les redevances qui y sont associées ne peuvent servir d'assise à une stratification sociale départageant les pauvres et les riches, les roturiers et les nobles, les privilégiés et les exploités du système. Malgré la survivance de formes féodales, trop de seigneurs pauvres et absents et trop de censitaires aussi bien pourvus que les seigneurs se partagent les pouvoirs locaux. Le bien foncier n'assure pas nécessairement un statut enviable, du moins tant qu'il ne subit pas l'emprise de l'économie de marché.

Les assises foncières qui, en France, consolidaient la stratification sociale n'eurent pas le même effet en Nouvelle-France. N'allons pas croire que, du jour au lendemain, tout l'ordre social fut renversé, que toutes les aspirations devinrent légitimes et réalisables et que le gueux put se croire sieur ou chevalier. La mobilité dans l'échelle sociale a ses limites. Mais on ne peut contester que prédominait en France un ordre hiérarchique qui aurait été plutôt mal apprécié au Québec. D'ailleurs, depuis le XVIIe siècle, les autorités se plaignent d'être mal ou insuffisamment respectées.

La place des institutions n'est pas moins grande au Québec qu'en France, mais le partage des pouvoirs diffère sensiblement. Au lendemain de la Conquête de 1760, l'Église catholique, qui regroupe la majeure partie de l'élite instruite, accentue l'importance de son rôle. Elle se pose en protectrice du peuple et œuvre à sauvegarder la foi en même temps que la nation canadienne-française. En France, dans le sillage de la Révolution de 1789, les détenteurs de privilèges, dont l'Église catholique, perdent une grande partie de leurs avantages. Plusieurs membres de communautés religieuses forcés de s'expatrier sont accueillis au Québec. Au moment où l'État français se laïcise, le Québec commence à projeter l'image d'une *priest-ridden province*. C'est le secteur de l'enseignement qui illustre peut-être le mieux les différences et le partage des pouvoirs. En France, il relève de l'État ; au Québec, de l'Église, au moins jusqu'aux années 1960. Ici, la journée de classe commençait par la prière ; là-bas, par la leçon de morale centrée sur les devoirs du citoyen.

Un des legs français les plus persistants concerne les rapports entre les personnes, juridiquement définis par les lois. En effet, les lois civiles françaises se sont perpétuées, ici, jusqu'à nos jours. Au lendemain de la Conquête, le gouvernement anglais, respectueux des droits individuels, maintient les lois civiles françaises, à côté du droit criminel anglais. Leurs transformations en 1866, par l'adoption du Code civil, s'inspirent, à leur tour, du Code Napoléon.

Restent le ferment d'une identité, la culture, l'imaginaire populaire qui prescrit les normes et les règles du jeu en société. Nous avons retenu ici un lieu de vérification privilégié, les faits ethnographiques. Ces éléments du folklore québécois ont constitué, souvent dans le discours plus que dans la réalité, une illustration vivante de l'enracinement français, un lieu particulier de l'affirmation de l'identité.

Les différences entre les cultures française et québécoise se remarquent aisément et sur plusieurs plans. L'architecture, la vie domestique, les métiers, la médecine populaire, les pratiques liées aux cycles du quotidien ou de l'année ont dû très vite s'adapter à un environnement particulier. La façon de vivre les fêtes et les événements s'est éloignée considérablement de son principe originel. Au Québec, la Chandeleur, la Toussaint, l'Assomption ou la fête du saint patron ont très peu de résonances par comparaison à ce qu'elles sont restées en France. Tout le reste, fondé sur des connaissances particulières, sur une technologie et, jusqu'à un certain point, sur des goûts, a suivi les grands courants occidentaux, aussi bien dans le secteur immobilier que dans celui du meuble ou de la décoration. Le Québec ne tarde jamais à suivre les goûts du jour.

Les formes expressives de la culture couvrent notamment la musique et la danse, les comptines et les proverbes, le conte, la chanson et la légende. La question est ici un peu plus délicate, à cause du mode de cueillette de ce folklore qu'on ne peut dissocier de l'entreprise de sauvegarde nationale. En certains domaines, comme le conte et la chanson, les survivances françaises sont plus manifestes, même si ce folklore est bien loin d'être exclusivement français. Dans d'autres domaines, comme celui des légendes, les déperditions et les adaptations, sous les pressions d'un contexte religieux, maritime et de colonisation, modifient considérablement

Un code d'inspiration napoléonienne

Sur les 2 285 articles que comprend le Code civil du Bas-Canada, adopté en 1866, environ 1 500 concordent avec ceux du Code civil des Français, connu sous le nom de Code Napoléon de 1804.

le bagage imaginaire. Enfin, Simonne Voyer, en comparant les folklores internationaux et en établissant les filiations avec la musique et les danses populaires du Québec, a constaté que les airs de violon, plusieurs « reels », les danses carrées et la gigue avaient été empruntés aux Irlandais plutôt qu'aux Français. Les fondements français de nos pratiques culturelles ne sont donc ni aussi solidement enracinés ni aussi authentiquement « québécois pure laine » que l'on aurait bien voulu le croire.

L'écart qui sépare le Québécois du Français paraît donc considérable, et il ne date pas d'hier. Les historiens Lionel Groulx et Guy Frégault estiment que Français et Canadiens se distinguent les uns des autres aussi tôt que vers les années 1700. Des témoignages d'ordre économique, religieux, social et culturel signalent sans cesse les différences, voire les oppositions.

Cette analyse nous conduit vers les sensibilités actuelles, un secteur si délicat que l'on ne peut s'y référer que sur un ton plus léger. Ah ! les maudits Français ! Cette expression résume bien à la fois l'affection et la distance qui rapprochent et séparent la collectivité québécoise de celle de ses ancêtres et cousins français. C'est comme s'il existait deux façons d'être québécois, cohabitant harmonieusement dans la même personne. L'un est plus porté sur la bière que sur le bon vin. Il préfère le hockey au théâtre, le hamburger et le cola à l'eau minérale, l'avion au train, le « 4x4 » à la Renault, l'égalité à la hiérarchie, le sentiment à l'idéologie, la bataille à la querelle des mots, et il a des attachements inégaux pour la mode, le parfum ou les revues françaises. La France a apporté la culture française en Amérique du Nord et elle l'y a laissée ; avec un petit quelque chose qui, peut-être, s'apparente au raffinement du goût, à la délicatesse de l'esprit et des manières, à une certaine chaleur humaine non dépourvue d'exubérance. Cet héritage entremêle le tangible et l'intangible, le matériel et le spirituel. Il réside dans la langue, dans les mots qu'on emploie, mais encore plus, pour reprendre l'expression du poète Pierre Monette, dans l'emploi qu'on fait des mots. Ces pratiques de langage ont été appréciées au début pour leur pureté. Elles ont fait l'objet de luttes épiques contre l'introduction d'anglicismes. Elles ont un temps pris la voie du « joual », avant de revenir à la fois à des différences acceptées d'accent, de niveaux, de contexte, et vers une communication plus internationale. Les

À bas le « joual » !

« Le joual est une langue désossée : les consonnes sont toutes escamotées, un peu comme dans les langues que parlent (je suppose, d'après certains disques) les danseuses des Îles-sous-le-Vent : oula-oula-alao-alao. On dit : « chu pas apable », au lieu de : je ne suis pas capable ; on dit : « l'coach m'enweille cri les mit du gôleur », au lieu de : le moniteur m'envoie chercher les gants du gardien, etc. Remarquez que je n'arrive pas à signifier phonétiquement le parler joual. Le joual ne se prête pas à une fixation écrite. Le joual est une décomposition ; on ne fixe pas une décomposition, à moins de s'appeler Edgar Poe. [...] Cette absence de langue qu'est le joual est un cas de notre inexistence, à nous, les Canadiens français. On n'étudiera jamais assez le langage. Le langage est le lieu de toutes les significations. Notre inaptitude à nous affirmer, notre refus de l'avenir, notre obsession du passé, tout cela se reflète dans le joual, qui est vraiment notre langue. »

(Jean-Paul Desbiens, *Les insolences du frère Untel. Texte annoté par l'auteur*, Montréal, Éditions de l'Homme, 1988, p. 32.)

Québécois sont restés un peuple de conteurs où l'oral joue un rôle de première force. Dans le savoir, la gastronomie, les productions artistiques et esthétiques, les Québécois et les Québécoises renouvellent continuellement leur esprit français.

L'apport britannique

Le 7 octobre 1763, le cœur de la Nouvelle-France devient «The Province of Quebec». Commençait alors une présence démographique, économique, linguistique et juridique qui a profondément modifié le paysage et la culture québécois.

Tant qu'a duré la lutte forcenée pour une survivance nationale tournée vers elle-même, cette présence et cette contribution ont plutôt été ignorées ou vues comme une menace. Pourtant, dans le quotidien, souvent de façon implicite, des coutumes et des pratiques ont été parfaitement intégrées à la culture québécoise.

Le paysage québécois porte manifestement des empreintes anglaises. Ainsi en est-il de la division des terres en cantons qui couvrent une grande proportion de la superficie du monde rural. Ce sont surtout les Britanniques qui ont exploité les forêts du Québec, favorisant le développement de nouvelles zones d'établissement. Les structures majeures de circulation : canaux, ponts, réseaux ferroviaires, ont été conçues et

---

À Montréal, influence de l'architecture anglaise

«Au niveau des édifices de prestige, [...] les banques, les édifices commerciaux, les gares, les spacieuses résidences et autres bâtiments d'intérêt architectural, témoignent surtout des idéaux d'une classe dirigeante et possédante, qui recrute ses adhérents presque exclusivement chez les Anglo-Saxons [...]

Remarquons cependant que l'architecture victorienne n'est pas, à Montréal, une simple copie de celle de la Grande-Bretagne. Elle s'enrichit ou se dégrade (selon les monuments et les points de vue) en une série d'autres influences extérieures qui reflètent bien encore les effets de la situation géographique de Montréal et de son cosmopolitisme. L'influence, entre autres, des puissants voisins du Sud se fera sentir dans plusieurs monuments ; et comme les Américains commencent à produire des architectes de grand renom, tel un Richardson ou un Sullivan, ces influences auront d'heureux résultats. Mais, en règle générale, tant dans l'architecture publique que dans celle des nantis, cette architecture victorienne montréalaise a tendance à être moins sobre qu'en Grande-Bretagne, plus flamboyante, souvent même vulgaire, témoignant indécemment des réussites de l'argent et du prestige des parvenus. »

(Jean-Claude Marsan, *Montréal en évolution. Historique du développement de l'architecture et de l'environnement montréalais*, Montréal, Fides, 1974, pp. 205-207.)

Une toponymie de source britannique

Plusieurs toponymes québécois rappellent le souvenir de personnages d'origine britannique et de lieux situés en Grande-Bretagne. Par exemple, Abbotsford, Aylmer, Beaconsfield, Buckhingham, Drummondville, Farnham, Granby, Hampstead, Hull, Saint-Cuthbert, Sherbrooke, Thetford Mines, Westmount, Windsor, etc.

complétées sous l'égide du gouvernement britannique et en faisant appel à des ingénieurs et à des ouvriers anglais, irlandais et écossais. Les parcs urbains, comme celui du mont Royal, les jardins, tel celui du manoir Papineau à Montebello, les allées d'arbres sont le plus souvent d'inspiration anglo-saxonne. L'architecture de grands quartiers urbains est anglaise. La toponymie anglaise, malgré un impressionnant recul, est encore bien présente.

Les institutions britanniques ont également laissé des traces indélébiles. Le droit public et criminel, ainsi qu'une partie du droit privé qui s'applique au Québec, est anglais « d'origine, d'esprit et de langue ». La règle bien connue de l'*habeas corpus*, qui présume de la non-culpabilité avant jugement, en est la pierre de touche. Le système électoral s'inspire directement des pratiques anglaises. Ce n'est qu'en 1964, sous le gouvernement de Jean Lesage, que le Québec a abandonné les symboles les plus vétustes du parlementarisme britannique, comme la toge, le tricorne, la tabatière du greffier, l'huissier de la verge noire, etc.

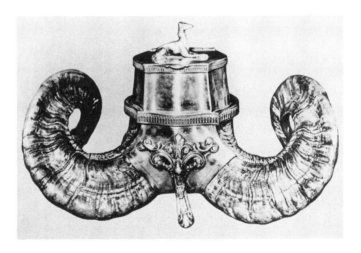

À la Chambre des communes de Londres, les députés qui désiraient priser pouvaient s'alimenter à la tabatière du greffier. Cette coutume a été adoptée par les députés de l'Assemblée législative de la province de Québec. Ce symbole a perduré jusqu'à la Révolution tranquille.

(*Forces*, automne 1967, p. 8. Photo Eugène Kedl.)

Plus d'un siècle de régime britannique, à une époque où tout le monde occidental connaît, par l'industrialisation et l'urbanisation, des transformations profondes et rapides, allait laisser sa marque. Les Britanniques ont joué un rôle de premier plan dans la création d'entreprises et d'institutions urbaines. On les trouve à la tête des usines. Ils possèdent les grands chantiers de construction navale. Ils créent des lieux de villégiature, une université, des places d'affaires, etc.

Provenance des sports au Québec

	Origine	Influence dominante	Époque d'apparition
Baseball	anglaise	américaine	*circa* 1860
Billard	française	américaine	1850
Boxe	anglaise	anglaise	1820
Courses de chevaux	anglaise	anglaise	1800
Crosse	amérindienne	anglaise	1840
Cyclisme	française	–	1868
Hockey	anglaise	anglaise	*circa* 1870
Raquette	amérindienne	anglaise	1840
Régates	anglaise	anglaise	1820
Ski	norvégienne	norvégienne	1880
Curling	écossaise	écossaise	1810
Golf	écossaise	écossaise	1800

(Donald Guay, *Introduction à l'histoire des sports au Québec*, Montréal, VLB éditeur, 1987.)

Pendant longtemps, les collectivités francophone et britannique ont vécu comme deux entités à part, entretenant apparemment bien peu de relations entre elles, chacune s'étant dotée de ses propres institutions religieuses, scolaires et de loisirs. On a parfois l'impression d'une coexistence, d'ailleurs pas toujours pacifique, de deux cultures. Mais, en fait, ces deux entités n'ont pas été étanches l'une à l'autre. L'appartenance des Irlandais à la religion catholique a d'ailleurs facilité l'établissement de bien des ponts entre les deux groupes. Sur le plan social, une grande proportion d'Écossais et d'Irlandais se sont intégrés à la collectivité par le fait des alliances matrimoniales.

L'apport britannique varie selon les nationalités. Les Anglais ont amené au Québec les règles sportives; ils ont réglementé les courses de chevaux, la boxe, la crosse, les régates, le golf et même le hockey. La façon de recevoir des invités à un repas, la manière de dresser la table et le déroulement du repas s'inspirent des modes anglaises, tout comme la « tradition » des vœux de Noël ou la célébration de l'halloween. Porter un toast, manger un *fish and chips* ou un *roast beef*, servir dans de la porcelaine *Wedgewood* du bovril ou un thé, tout cela porte la marque de l'Angleterre. Les Écossais nous auraient, eux, apporté le curling, des poêles de qualité, le gruau (*porridge*) et, bien sûr, les *tweeds*. Grâce aux Irlandais,

À la mode anglaise

« Non seulement les Canadiens commencent à apprendre la langue de la mère patrie, mais j'aperçois aussi qu'ils en prennent les manières. Nos habits, nos tables, nos maisons, &c. sont à l'anglaise, et rien ne plaît tant à nos jeunes demoiselles que lorsqu'on leur dit qu'elles ont l'air anglais. Plusieurs jeunes gens même sans savoir un mot d'anglais en contrefont l'accent et seraient au désespoir de parler français purement. »

(*Le Courrier de Québec*, 2 novembre 1808, p. 118.)

Plusieurs danses traditionnelles québécoises sont d'origine irlandaise.

(Henri Julien, *Le rigodon chez Batissette Auger*, Québec, Musée du Québec, 34.603. Photo P. Altman.)

quelques bons verres de whisky ou de *Irish coffee* ont agrémenté la soirée de la Saint-Patrick sur des danses et des airs de violon traditionnels. Ce sont eux aussi qui ont poussé à l'adoption par les provinces ecclésiastiques de Québec, de Montréal et d'Ottawa d'une traduction française du catéchisme anglais de Baltimore en 1886.

Au total, l'apport britannique est beaucoup plus considérable qu'on ne l'aurait soupçonné au départ. Souvent restés implicites, des éléments culturels intégrés dans la législation, le folklore, l'architecture et les habitudes alimentaires ont joué, comme par mégarde, un rôle dans l'identité canadienne-française.

L'apport des États-Unis

La culture franchit plus aisément que les humains les frontières territoriales et ce, de plus en plus à mesure que se développent les moyens électroniques de communication. Ainsi en est-il de l'influence des États-Unis sur la culture québécoise. Depuis plus d'un siècle, l'*American way of life* exerce une véritable fascination sur le Québécois, parfois même à son insu. Le mythe de l'« oncle Sam » a joué au point que, malgré les barrières linguistiques, le Québécois se sent souvent plus à l'aise aux États-Unis qu'en France. Une bonne partie de la force de cette influence tient à l'introduction de produits nouveaux qui envahissent le quotidien et imprègnent la culture et l'imaginaire des individus.

Les moyens de communication du colosse américain ont investi les productions culturelles québécoises. La première imprimerie, implantée en 1763-1764, est venue des colonies britanniques américaines. La presse américaine a donné le ton au choix et à la nature de la nouvelle. Le journalisme à sensation est importé ici dès son apparition en 1895 et le format tabloïd en 1919. Les Américains ont aussi introduit le principe de la vente par catalogue et ils conservent une emprise considérable sur la publicité. Depuis 1910, les réseaux de distribution de films et les exploitants de salles de cinéma sont majoritairement américains. De 1890 à 1930, les scènes de théâtre montréalaises offrent le répertoire de Broadway. Aujourd'hui, il se vend plus de magazines américains que québécois. Les best-sellers sont souvent des traductions d'œuvres américaines. Trois disques sur quatre vendus au Québec sont *made in U.S.A.* Le rock, le jazz sont américains. Les cotes d'écoute de la télévision révèlent la popularité des émissions produites aux États-Unis, qu'elles soient diffusées en version originale ou traduites en français. Beaucoup de productions culturelles portent l'empreinte américaine.

Un deuxième élément de force de l'influence américaine est associé à la recherche d'un certain confort. Dès le milieu du XIXe siècle, des membres de l'élite québécoise commencent à dénoncer les goûts de luxe qui se répandent dans les campagnes. Vers la fin de ce siècle, les syndicats qui s'implantent au Québec, succursales des fédérations américaines, revendiquent une réduction des heures de travail, de meilleures conditions

---

**Les Québécois aiment
« à se déguiser en citadins des États »**

« Le Canadien français, pris d'admiration pour l'esprit américain, croit se hausser en se défaisant peu à peu de ce qui le caractérise. Les campagnes elles-mêmes ne sont plus un refuge assuré pour nos vieilles coutumes. Depuis longtemps déjà, mais surtout depuis l'invasion de nos paisibles paroisses par la grosse presse, l'automobile et les catalogues des grosses maisons d'affaires, nos bonnes gens s'enorgueillissent d'adopter le langage, les modes, les mœurs de la ville, qui sont une imitation de la langue, des modes et des mœurs américaines. Les villes, les États-Unis, fascinent l'imagination de nos bonnes populations campagnardes et les poussent à se déguiser en citadins des États. »

(Adélard Dugré, *La campagne canadienne*, Montréal, Imprimerie du Messager, 1925, p. 6.)

de travail, des salaires plus élevés, des congés payés et un âge minimum pour le travail en usine. La troisième grande poussée du confort américain concerne la femme au foyer dans les années 1920-1930. L'introduction des appareils ménagers – réfrigérateur, machine à coudre, laveuse, aspirateur, cuisinière électrique, etc. – est présentée comme une nécessité qui donne une plus grande liberté. La femme peut dès lors exercer divers métiers et se livrer à des activités sportives ou de loisirs.

« Notre américanisation », en 1936

En 1936, la *Revue dominicaine* publie un numéro spécial consacré au degré d'américanisation des Québécois. On veut mesurer, entre autres, l'influence des États-Unis sur la musique, les sports, la presse et… sur la femme ! Les différents articles sont publiés en volume, l'année suivante : *Notre américanisation*, Montréal, Éditions de l'œuvre de presse dominicaine, 1937 :

Une façon de vivre et de penser

« Qu'est-ce au juste que s'américaniser ? Selon moi, c'est adopter, de force aveugle ou consciente, le niveau de vie, les façons de vivre, de penser, de jouir, de se vêtir, de manger, des Américains. C'est accepter sans même discuter, des théories et une morale incompatibles à nos cerveaux latins et nos âmes catholiques. C'est importer chez nous les mœurs d'une civilisation vieillie avant l'âge et trahir nos origines françaises. C'est renier un passé plein de gloire et de mérites en s'attachant à la perte de la famille et de la race canadienne-française, héritière de l'une des plus grandes civilisations de la terre. C'est s'unir aux prédicants de la puissance matérielle, pour chasser de notre pays la religion, l'idéal, la spiritualité, l'indivi-

dualité et y intégrer l'indifférence religieuse, le dieu dollar, le matérialisme, la standardisation à tous les degrés. S'américaniser, c'est donc pour des Canadiens français, donner des signes de débilité générale. »

(Ernestine Pineault-Léveillé, « Notre américanisation par la femme », dans *Notre américanisation*, pp. 129-130.)

« Notre américanisation » par la radio

« L'un des méfaits les plus apparents de la T.S.F. américaine est sans doute la déformation du goût. À force d'entendre du matin au soir, et souvent du soir au matin, la cacophonie du jazz, l'oreille peu cultivée s'exerce à rejeter comme nourriture indigeste la vraie musique pour absorber plutôt un infect brouet fait de bruits anormaux sans rythme et sans originalité. »

(Lucien Desbiens, « L'infiltration américaine par la radio », dans *Notre américanisation*, pp. 169-170.)

« Notre américanisation » par la femme

« La mode américaine habille en effet tous les corps de la même façon et par un maquillage indiscret, fait les visages tous pareils. Elle va mieux au grand nombre

que la mode française, parce que la Canadienne dont l'éducation du goût n'a pas été faite, aime mieux le clinquant, la copie sériée ; parce qu'elle les préfère à la sobriété et à la rigueur de la ligne, à la richesse du tissu, à l'originalité du modèle adapté à son type : « toutes les femmes portent ceci ou cela » et « de telle et telle façon », « on en voit beaucoup cette année ». Leur raisonnement n'est pas plus compliqué que cela et ne va pas au-delà.

Au surplus, comme son amie l'Américaine, elle pèche facilement contre le bon goût, et le sentiment des convenances lui fait assez souvent défaut. Sur la rue, comme dans sa maison, invitée ou hôtesse à l'heure du thé, du lunch ou du dîner, elle ne sait pas s'habiller, s'il arrive que son père ou son mari ait trop vite bâti sa fortune. Là où il faudrait le costume tailleur, elle porte une toilette habillée ; où la toilette habillée est de rigueur, elle se présente déshabillée comme pour le bal. »

(Ernestine Pineault-Léveillé, « Notre américanisation par la femme », dans *Notre américanisation*, pp. 146-147.)

« Notre américanisation » par les sports

« Un autre abus qui nous vient des États-Unis, c'est le sport féminin. Que la femme reçoive une éducation physique appropriée, c'est, pour elle autant que pour l'homme, une nécessité. La vraie beauté n'est pas affaire de poudre et de fard, mais de santé, de grâce et de proportion. Qu'elle fasse de la gymnastique, du ski, du golf, du patin et du tennis, personne non plus ne s'en offusquera. Tout au plus trouverons-nous ridicule et inconvenant qu'elle croie devoir, pour imiter certaines étoiles, paraître sur les terrains de tennis en « shorts ».

Là où l'abus commence, c'est quand elle croit devoir s'entraîner à certains jeux qui ne conviennent qu'à l'homme : la lutte, la boxe, le base-ball, le hockey, etc. »

(M.-Ceslas Forest, « Notre américanisation par les sports », dans *Notre américanisation*, p. 120.)

« Notre américanisation » et la religion

« Aucun doute que nos notions de justice ont été profondément modifiées, en ces vingt dernières années, par la spéculation à laquelle nous ont initiés nos voisins. Nous ne sommes pas les seuls à avoir été contaminés. Notre mal, pour être partagé, n'en est pas moins réel, et loin de le diminuer, cet asservissement du monde par la morale de l'argent nous impose davantage ses lois. On les connaît ces lois : faire travailler l'argent ; remplacer le labeur productif par la spéculation ; pousser à l'inflation des valeurs boursières ; provoquer, par des manœuvres déloyales, par la diffusion de fausses nouvelles, la hausse ou la baisse des titres ; s'enrichir vite ; ramasser les richesses dans les mains d'un petit nombre. C'est tout le code de Wall Street, appris à la lettre par les magnats de la finance, et dont le moindre commerçant possède les principes essentiels. »

(Raymond-M. Voyer, o.p., « L'Américanisme et notre vie religieuse », dans *Notre américanisation*, pp. 22-23.)

Une troisième zone d'influence touche le domaine de l'alimentation et de la restauration, plus précisément la restauration rapide. Au Québec, cette emprise, qui a maintenant une allure tout à fait internationale, remonte à 50 ans et plus. Même ce fameux plat « typiquement québécois » que sont les fèves au lard nous viendrait des États-Unis.

Hier comme aujourd'hui, le colosse américain s'impose par sa richesse et ses innovations technologiques. De l'automobile à l'ordinateur, il représente la fine pointe de la production, mais aussi du savoir. Au XXᵉ siècle, de plus en plus de Québécois vont se perfectionner dans les universités américaines. Les grands mouvements de culture ou de contre-culture (*rock, peace and love, flower children* et *yuppies*) ont eu leurs adeptes au Québec.

Chaque bastion de la culture et de l'imaginaire québécois s'américanise, sans que l'on s'en rende trop compte. Les mesures actuelles de protection ou les dénonciations de cette influence n'ont d'ailleurs plus la virulence qu'elles avaient il y a un siècle. Les propos incisifs d'un éditorialiste selon qui nous sommes des « Américains parlant français » dérangent peu. Seule la barrière linguistique semble avoir maintenu la fragile frontière qui nous distingue de la culture américaine.

L'apport des autres ethnies

La centaine de communautés culturelles concentrées dans la région de Montréal intervient également dans la trajectoire culturelle du Québec, même si les recherches disponibles ne permettent pas de dresser un bilan clair de leur apport. Le paysage de la réalité montréalaise s'est enrichi de discothèques africaines, de restaurants grecs, vietnamiens, chinois, italiens ou latino-américains, de vêtements de laine péruviens et chiliens, de jardins japonais, de commerces tenus par des juifs. La crème glacée italienne, les pâtes alimentaires chinoises – importées en Italie par Marco Polo – et la musique arabe font aussi partie du décor. Ces présences n'ont plus rien d'exceptionnel, mais leur signification en regard de l'identité n'est pas toujours facile à pénétrer.

Une enquête menée auprès des jeunes en 1985 montre l'importance des modifications dans les habitu- des alimentaires. «Les mets les plus populaires sont, dans l'ordre décroissant, la pizza, le spaghetti, les mets chinois, le poulet et la lasagne.» Les mets italiens rem- portent les faveurs de 42,9 pour cent des répondants ; les mets dits ethniques, autres qu'italiens, sont prio- ritairement choisis par 13,4 pour cent et «les mets dits typiquement québécois dont la tourtière, le cipaille, la poutine et les fèves au lard ont été choisis par seulement 3,2 pour cent».

Nous sommes loin des produits alimentaires tradi- tionnels des Québécois du siècle dernier, époque où il semble qu'à la suite d'une urbanisation accélérée la cuisine québécoise ait régressé. Aujourd'hui, fruits, lé- gumes, épices et produits de toutes sortes arrivent du monde entier. Il n'y a plus de saison sans oranges ou sans bananes. Les progrès dans la préparation et la conserva- tion des aliments ont favorisé l'internationalisation de certaines habitudes alimentaires. Depuis longtemps, le *roast beef*, le *fish and chips*, les gaufres belges, les endives braisées, le *butterscotch*, le *porridge*, le buffet froid, le *brunch* du dimanche, le *Irish stew* et le *Irish coffee*, l'es- calope à la viennoise, les *delikatessen*, le *gaspacho*, les *souvlakis* et les *baklavas*, les méchouis et les couscous ne sont plus le fait d'une minorité. Le Québec s'est ouvert à la cuisine et aux habitudes alimentaires de l'extérieur.

Les usages ont beaucoup changé depuis quelques décennies. Les repas se prennent moins régulièrement à la table familiale. On mange à n'importe quelle heure et un peu n'importe où, selon les moments et les besoins.

Des « Boston Beans » aux fèves au lard

«Le déplacement fréquent des chantiers, leur éloignement des routes, exigeaient une nourriture simple et de conservation faci- le. De passage en Nouvelle- Angleterre (début XIXᵉ siècle), le père de Louis-Joseph Papineau (Joseph), qui exploitait les forêts de sa seigneurie de la Petite- Nation, découvrit les «Boston Porks and Beans», inconnues jusqu'alors au Canada. Il crayonna la recette sur un vieux journal que j'ai eu dans mes mains, à l'adresse de ses contre- maîtres. La recette fit alors son entrée chez les bûcherons. Ce mets, devenu les «binnes (beans) au lard», gardait ainsi une trace de son origine américaine, mais il se francisa par la suite en «fèves au lard.»

(Jacques Rousseau, « Gastronomie qué- bécoise », *Les cahiers des dix*, vol. 32, 1967, p. 32.)

Même à table, les habitudes se sont modifiées. Il y a deux siècles, dans certaines familles, les enfants ne mangeaient à la table familiale qu'après leur première communion. À table, les enfants écoutaient. Maintenant, ils parlent et on les laisse parler, lorsqu'ils sont là, bien entendu. Car souvent, le midi, il y a bien peu de membres de la famille à la maison. L'un mange à l'école, l'autre à la cafétéria de l'établissement où il travaille, un troisième se contente de son lunch. Ces choix sans contrainte ne sont pas sans signification pour une identité collective.

* * *

La composition de la population qui, à diverses époques, vit sur le territoire québécois, ajoutée à la nature et à l'importance des interrelations, détruit ou change le sens du mythe du « Québécois pure laine ». La présence constante de collectivités diverses, l'initiation au territoire grâce aux nations autochtones, le poids d'un régime britannique séculaire et l'attention récente accordée aux communautés culturelles confirment le caractère ambigu de cette représentation, tout en montrant que la situation actuelle n'est pas si nouvelle.

La description de la *personne* du Québécois fait appel à toute une gamme de traits de provenances diverses. Les collectivités sont de souches différentes. Les paysages aménagés sont autant britanniques que français. Les quartiers à caractéristiques sociales ou ethniques affirmées au départ ont généralement tendance à devenir multiculturels sous l'effet d'une mixité croissante. Les initiatives économiques ont été marquées d'un fort accent britannique et américain. Le mode de vie en société de l'ensemble des Québécois s'apparente nettement à celui des Américains. Sur le plan culturel, les Québécois ne se sont pas seulement enrichis par l'observation. Ils ont emprunté à tout un chacun pour la satisfaction de leurs besoins primaires. Ils se nourrissent, se vêtent, s'abritent en empruntant aux Amérindiens, aux Français, aux Britanniques, aux Américains et autres. Ils ont fusionné des traits culturels diversifiés.

L'image du *personnage* québécois est rendue davantage par la diversité que par l'homogénéité. Les luttes pour la survivance de la collectivité canadienne-française ont eu pour effet de tendre les relations entre les groupes et, apparemment, de les cantonner chacun dans leur milieu. Jusque dans les années 1960, on était Canadien français, Canadien anglais, immigrant ou néo-Québécois. Les *personnages* étaient nettement dessinés par leur passé plutôt que par leur présent ; chacun définissait sa propre mémoire. Jusque-là, l'un était catholique pratiquant et l'autre, indistinctement, protestant, le plus souvent anglophone. Le Québec actuel loge simultanément plusieurs *personnages* différents qui partagent en partie le même encadrement institutionnel, le même paysage, les mêmes pratiques et coutumes, les mêmes professions, tâches et loisirs et qui ont un mode de vie très semblable. Les distinctions schématisées d'hier se sont considérablement atténuées.

La *personne* et le *personnage* du Québécois ont évolué depuis quelques décennies. La composition ethnique est plus diversifiée. Le groupe anglophone affiche de nets reculs que la collectivité francophone met à profit pour accentuer un peu partout sa majorité numérique. Mais le grand changement en est un de *personnalité*. À quoi les Québécois sont-ils prêts socialement à s'engager ? Quels faits et quelles sensibilités influencent leurs comportements et les choix de leur devenir ? L'option de la culture de convergence est-elle compatible avec une prédominance linguistique et culturelle francophone ? Fondée sur les réalités et les sensibilités du présent, la culture de convergence propose un engagement collectif, devient le fondement d'un projet d'harmonisation sociale qui incite à la recherche des assises d'une mémoire commune.

LECTURES COMPLÉMENTAIRES

Alpahao, J. Antonio, et Victor Da Rosa, *Les Portugais du Québec*, Ottawa, PUO, 1979.

Anctil, Pierre, et Gary Caldwell, *Juifs et réalités juives au Québec*, Québec, IQRC, 1984.

Avery, D.H., et J.K. Fedorowicz, *Les Polonais au Canada*, Ottawa, Société historique du Canada, 1982.

Bovay, Émile-Henri, *Le Canada et les Suisses, 1604-1974*, Fribourg, Éditions universitaires, 1976.

Caldwell, Gary, *Les études ethniques au Québec. Bilan et perspectives*, Québec, IQRC, 1983.

Caldwell, Gary, et Éric Waddel, *Les anglophones au Québec. De majoritaires à minoritaires*, Québec, IQRC, 1982.

Debor, Henrich Wilhelm, *Les Allemands dans la province de Québec*, Québec, Como, 1964.

Delâge, Denys, *Le pays renversé. Amérindiens et Européens en Amérique du nord-est, 1600-1664*, Montréal, Boréal Express, 1985.

Forces, numéro spécial sur les communautés culturelles du Québec, n° 73, hiver 1986.

Grosmaire, Jean-Louis, *L'immigration au Québec*, Montréal, Université de Montréal, Département de géographie, 1981.

Helly, Denise, *Les Chinois à Montréal, 1877-1951*, Québec, IQRC, 1987.

Ioannou, Tina, *La communauté grecque du Québec*, Québec, IQRC, 1983.

Isajiw, Wsevolod, *Definitions of Ethnicity*, Toronto, The Multicultural History Society of Ontario, 1979.

Johnston, Hugh, *Les Indiens asiatiques au Canada*, Ottawa, Société historique du Canada, 1984.

Langlais, Jacques, et David Rome, *Juifs et Québécois français. 200 ans d'histoire commune*, Montréal, Fides, 1986.

Lefèbvre, Michel, et Yuri Oryschuck, *Les communautés culturelles du Québec originaires de l'Europe centrale et de l'Europe du Sud*, Montréal, Fides, 1985.

Mathews, Georges, *Le choc démographique. Le déclin du Québec est-il inévitable?*, Montréal, Boréal Express, 1984.

Ramirez, Bruno, *Les Italiens de Montréal. L'origine de la Petite Italie du Québec*, Montréal, Boréal Express, 1984.

Rousseau, Guildo, *L'image des États-Unis dans la littérature québécoise (1775-1930)*, Sherbrooke, Éditions Naaman, 1981.

Tan, Jin, et Patricia E. Roy, *Les Chinois au Canada*, Ottawa, Société historique du Canada, 1985.

Trigger, Bruce G., *The Children of Aataentsic. A History of the Huron People to 1660*, Montréal et Kingston, McGill-Queen's University Press, 1978.

Wilhelmy, Jean-Pierre, *Les mercenaires allemands au Québec du XVIIIe siècle et leur apport à la population*, Belœil, Maison des mots, 1984.

CHAPITRE QUATRIÈME

LA FAMILLE

L A FAMILLE fait partie, avec l'écologie, l'ethnie, le quotidien et les jeunes, des nouveaux lieux de la mémoire collective. Hier, les réalisations de l'Église, de l'État, de leurs personnalités et des héros remplissaient les pages des manuels d'histoire. Aujourd'hui, la recherche, influencée par les enjeux auxquels est confrontée la collectivité, est plutôt tournée vers de nouvelles préoccupations.

La famille québécoise n'est plus ce qu'elle était. Elle a tellement évolué dans sa constitution, sa composition, son rôle, son importance et sa place dans la société qu'on la prétend éclatée ou, du moins, en crise. Et ces transformations paraissent inquiétantes à plusieurs titres. Au Québec comme dans les autres pays occidentaux, les tendances récentes dans la composition et le fonctionnement de la famille bouleversent une réalité multiséculaire reposant sur les fonctions et le «sens de la famille». Une facette de ce questionnement, particulièrement intense au Québec, porte sur la chute de la natalité. Combinée aux apports migratoires, cette diminution du nombre d'enfants par famille met en cause la composition de la société de demain. Enfin, à plus long terme, l'évolution de la famille crée un vide difficile à combler dans les institutions et les valeurs sur lesquelles l'Église, l'État et la société comptaient pour garantir la survie de la petite collectivité canadienne-française en Amérique du Nord.

Le discours des élites québécoises à propos de la famille a favorisé la construction de représentations nettement définies dans la mémoire collective. Effet de ce discours et d'un encadrement institutionnel serré, l'image construite de la famille a joué un rôle de premier plan dans les comportements des Québécois et la perception de leur identité. Cellule de base de la société, unité de production économique, milieu propice à la transmission des valeurs, fondement du réseau d'entraide sociale, toutes les facettes propres à l'affirmation et à la reproduction d'une identité collective qui s'affichait avec force et stabilité ont été couvertes par ce discours idéologique. Ces représentations ont fini par renforcer, parfois jusqu'à la caricature, un certain nombre de traits. Sur le plan de la composition de la famille, par exemple, on a mis en évidence les « grosses familles » et la « revanche des berceaux ». Le sens de la famille se traduisait par l'Amour avec un grand A. Ce sont ces représentations anciennes qui ont le plus fortement imprégné la mémoire québécoise.

Depuis des siècles, dans l'Occident chrétien, les autorités politiques et religieuses ont renforcé l'institution familiale en ponctuant la vie collective de temps forts et publics. Les seuls moments où les cloches des églises sonnaient pour un individu étaient le baptême, le mariage et le décès. Ils annonçaient à la collectivité la formation, la croissance ou la rupture d'une communauté familiale, un changement soigneusement inscrit dans les registres d'état civil. Chacun de ces moments sanctionnait l'acquisition d'un nouveau statut, d'une nouvelle identité. Il s'accompagnait de rites précis, marquant la modification de la fonction sociale dévolue à chaque âge de la vie. Il rappelait à chacun le modèle de comportement attendu. Autrement dit, chaque individu se voyait confier un rôle, une responsabilité qu'on pourrait associer à ce qui définit socialement un personnage. Cet encadrement assurait la stabilité dans la durée et préconisait une exacte reproduction sociale, garante d'harmonie.

L'écart entre ces modèles et le vécu s'est progressivement creusé. Il y a maintenant plus d'un siècle que la contraception se pratique à grande échelle et que les fils d'habitants ont commencé à devenir des ouvriers et des urbains. Rares sont les familles où plusieurs générations habitent sous le même toit. Et les années 1960 ont vu ces transformations prendre une ampleur considérable, rejoignant chacun dans son quotidien. Au-delà des bouleversements survenus dans la structure de la famille, au-delà aussi des changements dans les comportements, tant à l'égard de la natalité, des types d'union, de la sexualité, du troisième âge que des relations entre générations, c'est finalement la personnalité de la cellule familiale qui préoccupe les sociétés contemporaines. Que reste-t-il en somme du « sens de la famille » ? Quelles valeurs ont été perdues ou préservées ?

Quels engagements méritent d'être tenus ou poursui-
vis? Jusqu'à quel point émerge de ces transformations
une conscience sociale? Quels rapports subsistent avec
l'identité québécoise?

La comparaison des représentations anciennes avec
les comportements actuels montre parfois des ruptures
brutales plutôt qu'une évolution progressive. Elle illustre l'inconfort d'une mémoire collective à la recherche
des connaissances synthétiques nécessaires pour se
comprendre et se rassurer. Cette analyse globale tente de
mieux cerner ce qu'est devenue la famille à la lumière de
ce qu'elle n'est plus. Le rappel de la composition des
familles permet de faire une plus juste distinction entre
les stéréotypes et la réalité, et de décrire les traits spécifiques de la *personne* de la famille : nature, composition,
âge, taille. Le regard sur les âges ou les cycles de la vie fait
ressortir les changements dans la nature des rôles et des
comportements. Il définit les *personnages* proposés en
modèles. Le questionnement sur le « sens de la famille »
conduit vers les éléments d'une conscience sociale. Les
choix sociaux qu'il comporte présument d'engagements
qui traduisent la *personnalité* collective de la famille.

LA COMPOSITION
DE LA FAMILLE

Dans les représentations de la famille canadienne-
française, un stéréotype s'est imposé au-dessus de tous
les autres, celui de la famille nombreuse. Cette évocation
laisse entendre que les « grosses familles », de 10, 15 ou
20 enfants, étaient la règle commune. On en a fait un
comportement collectif caractéristique de la société
traditionnelle, un trait particulier de l'identité québécoise. Les données démographiques relatives à la natalité et à la fécondité permettent de vérifier le bien-fondé
de ces assertions.

La représentation de la famille nombreuse englobait
plusieurs autres facettes identitaires reliées à cette cellule sociale primaire. Le modèle idéal s'enracinait dans
le monde rural, à l'ombre du clocher et dans le respect
des autorités religieuses et politiques. Chacun trouvait
sécurité et bonheur à vivre selon les règles et les valeurs
prônées par l'Église et par l'État. Cette famille québécoise était généralement nucléaire, c'est-à-dire

La famille québécoise dotée de nombreux enfants a été souvent présentée comme la « famille typique » et est devenue un symbole de l'identité québécoise.

(Marc-André Bluteau, *La santé et l'assistance publique au Québec, 1886-1986*, Québec, Ministère de la Santé et des Services sociaux, 1986, p. 84.)

constituée des parents et des enfants. Chaque famille disposait d'une terre, suffisante pour assurer la subsistance de toute la maisonnée, et qui serait un jour transmise à un des enfants, si possible à l'aîné des garçons. Il revenait à un des enfants, en particulier à celui qui héritait de la terre paternelle, de s'occuper des vieux parents jusqu'à leur mort. Le rôle de chacun était bien défini, l'homme dans les champs, la femme dans la maison et les enfants faisant, selon leur sexe, l'apprentissage de la vie auprès de leur père ou de leur mère. Les jeunes filles à 20 ans, les garçons à 25 ans, épousaient un « bon parti », choisi par le père dans le voisinage, et fondaient à leur tour une famille à l'image de celle de leurs parents. Et la roue tournait sans fin, la cellule de base assurant la pérennité de la reproduction sociale et de la collectivité canadienne-française.

Le pourquoi du mariage

« Q. – Comment faut-il servir Dieu dans cet état ?

R. – Le mari et la femme doivent
1. Supporter patiemment les défauts et les humeurs l'un de l'autre.
2. S'assister mutuellement dans leurs besoins.
3. Élever chrétiennement leurs enfants. [...]

Q. – N'y a-t-il point encore d'autres obligations dans le mariage ?

R. – Oui, il y en a d'autres importantes, dont il suffit de s'instruire quand on entre dans cet état.

Q. – Qui sont ceux qui offensent Dieu en se mariant ?

R. – Ce sont 1. Ceux qui se marient contre la juste volonté de leurs parents.
2. Ceux qui ont fait un vœu de ne se point marier, et qui n'ont point dispense de leur vœu.
3. Ceux qui n'ont eu en se mariant que des vues temporelles.
4. Ceux qui négligent de s'instruire des devoirs de cet état.

Q. – N'y a-t-il pas un état plus parfait que celui du Mariage ?

R. – Oui, c'est celui de la Chasteté. »

(*Petit Catéchisme ou Abrégé de la Doctrine chrétienne*, Québec, 1791, pp. 105-106.)

L'image de la famille nombreuse a longtemps été valorisée. L'Église enseignait que les enfants devaient être considérés comme une bénédiction du ciel et que le mariage ne devait être conclu que pour les fins de la procréation, à l'exclusion du plaisir charnel. Dès le XVIIe siècle, l'Église et l'État ont encouragé les mariages précoces et la natalité. En 1670, l'intendant Jean Talon publie une ordonnance pour obliger les jeunes gens à se marier avant d'avoir atteint 20 ans sous peine de perdre le droit de chasse et de pêche. Les prêtres interviennent directement dans la vie du couple pour lui rappeler ses devoirs. Ils insistent sur l'interdiction de prendre des moyens pour «empêcher la famille». La mémoire québécoise garde en outre le souvenir du septième enfant porteur d'un don, du curé qui se charge de l'éducation du 26e enfant ou de l'État qui gratifie les familles de plus de 10 ou 12 enfants d'une prime en argent ou d'une terre. Mais ces évocations manquent de netteté.

En fait, très tôt, on insista sur l'intérêt d'avoir des enfants. À la fin du XVIIIe siècle, le notaire Nicolas-Gaspard Boisseau décrit ainsi la situation : «Les habitants voient naître avec joie des enfants qui dès l'âge de 10 ans emploient déjà leurs faibles mains à l'agriculture, ce qui leur donne en peu de temps une force surprenante et leur fait par conséquent un corps robuste et en état de soutenir à 15 ans les travaux les plus fatigants.» Dès le milieu du XIXe siècle, lors des premières célébrations de la Saint-Jean-Baptiste, l'on rendait hommage à la mère de famille canadienne-française. Près d'un siècle plus tard, en 1936 plus précisément, l'abbé Élie-J. Auclair, reprenant le même éloge, déclarait : «Cette femme sans prestige apparent qui, par esprit de devoir, a dix ou quinze fois enfanté dans la douleur, cette mère canadienne qui, en trois siècles, a trois fois centuplé la population du pays, a droit de figurer au premier rang dans l'échelle des valeurs nationales.» D'autres sons de cloche se sont cependant fait entendre.

À la fin du XIXe siècle, Edmond de Nevers estimait que la société québécoise faisait fausse route en misant sur le travail des enfants à la ferme plutôt que sur l'éducation. À la même époque, à la ville, on commençait à pratiquer le contrôle des naissances. Agissant un peu comme un précurseur, le père Alexandre Dugré déclarait en 1944 : «Une ferme paternelle peut nourrir douze enfants, non les établir.» Il n'était pas très loin de la position de ces adolescentes québécoises qui, en 1986,

L'Église vous surveille !

«Le mariage donne aux époux le droit de s'unir charnellement selon l'ordre de la nature dont Dieu est l'auteur. La nature de l'acte conjugal exige qu'il soit inséminateur, la fin première du mariage étant la procréation et l'éducation des enfants, le mariage ayant pour fin seconde l'épanouissement chrétien de l'amour conjugal. Le devoir des époux est de procréer le nombre d'enfants qu'ils peuvent établir chrétiennement et de vivre dans la chasteté [...] Cette règle n'exclut pas pour les époux le droit de se manifester leur tendresse pourvu que cette manifestation ne les expose ni à une sensualité obsessive ni surtout à la profanation du caractère inséminateur et sacré de l'activité sexuelle plénière. [...] Le droit à la fécondité et le devoir de procréer revêtent un aspect social qui intéresse la patrie et l'Église.»

(Joseph d'Anjou, s.j., « La famille a le droit et le devoir d'être féconde », *Mission et droit de la famille*, s.l., 1959, pp. 79-80.)

La mortalité infantile à Montréal

«Le coefficient de la mortalité infantile qui était, pour la province de Québec, de 209 pour mille en 1915, est decendu à 153 pour mille en 1918 : voilà 56 bons points à donner à nos hygiénistes et à nos œuvres sociales. [...] La mort fait une large moisson d'enfants. Il y a longtemps que les médecins et les spécialistes lamentent cette misère. En 1915, 12,775 petits sont disparus avant d'avoir atteint leur première année, eux qui venaient nous aider. Nous biffons ainsi de la carte de la province une ville française de l'importance de Saint-Hyacinthe. Et si, après cela, nous en prenons notre parti, à notre guise ! Les chiffres n'ont pas beaucoup varié depuis 1910. Les voici : en 1910, 12,883 ; en 1911, 13,780 ; en 1912, 12,353 ; en 1913, 13,295 ; en 1914, 12,775. Six ans, et plus de soixante-dix-huit mille morts chez les enfants de moins d'un an : voilà un des articles du passif de notre race. [...] Cette calamité atteint surtout, et à des époques régulières, les Canadiens français. On croit parfois le contraire. Erreur ! Sans doute, dans les grandes villes, les anglo-canadiens et les étrangers portent leur part du fardeau. À Montréal, sur 2,046 enfants morts de la diarrhée et d'entérite avant leur deuxième année, 1,338 étaient Canadiens français, 578 Canadiens anglais, 130 d'autres origines ; à Québec, sur 476 enfants atteints fatalement des mêmes maladies, 481 étaient Canadiens français, 10 Canadiens anglais, 5 seulement d'autre nationalité. Cela répond à ceux qui haussent les épaules et chargent l'immigration de tout le mal, opinant avec une ignorance désinvolte que ce sont les enfants des autres qui meurent. Dans nos campagnes, les petits morts sont presque tous des nôtres.»

(Édouard Montpetit, « La veillée des berceaux », *Revue trimestrielle canadienne*, août 1918, pp. 116-119.)

déclaraient vouloir moins d'enfants, mieux les éduquer et les élever dans une atmosphère stable (*Relations*, mars 1986). En fait, depuis une centaine d'années, les parents limitent le nombre d'enfants dans la famille.

Le mythe des grandes ou grosses familles ne résiste à une analyse statistique fine qu'avec bien des nuances. Au cours de la première moitié du XVIIIe siècle, le taux de natalité se situe entre 51 et 56,8 pour 1 000 habitants. Selon le démographe Hubert Charbonneau, ce taux n'a rien d'exceptionnel «puisqu'il se retrouve dans certaines régions de la France ancienne». Certes élevé, ce taux s'est maintenu jusqu'au milieu du XIXe siècle alors qu'il naissait en moyenne dans chaque famille huit ou neuf enfants. Mais un nombre effarant d'entre eux mouraient en bas âge. Un sur quatre n'atteignait pas son premier anniversaire et deux sur cinq ne dépassaient pas vingt ans. La descendance finale d'une famille se ramenait le plus souvent à cinq ou six enfants.

Les calculs de fécondité effectués par le groupe de recherche en démographie historique de l'Université de Montréal établissent que, aux XVIIe et XVIIIe siècles, seulement une famille sur trois comptait dix enfants et plus. Les analyses faites sur la population saguenayenne par l'équipe de Gérard Bouchard à Chicoutimi et les travaux en cours d'Hélène Laforce révèlent une grande disparité selon les groupes de population concernés. Les familles nombreuses sont plus fréquentes en milieu agricole. Par contre, les familles des journaliers, ouvriers et artisans comptent deux fois moins d'enfants que celles des agriculteurs. Et la chute est plus rapide à la ville et dans les milieux aisés.

Dès le XVIIIᵉ siècle, les nobles et les grands bourgeois trouvent souvent moyen de réduire la taille de leur famille. Mais la baisse de la fécondité commence à se manifester de façon vraiment sensible au début des années 1870. De 1901 à 1905, le nombre d'enfants chute d'une moyenne de six à quatre, puis se maintient à ce niveau jusqu'en 1960. Depuis, il est tombé à 1,3 enfant par couple, soit une des plus basses moyennes au monde. Certains estiment qu'il faut maintenant compter sur l'arrivée et l'intégration d'immigrants pour assurer la survie à long terme de la collectivité francophone.

La chute des familles nombreuses

	Nombre total de familles	Nombre de familles		Nombre moyen d'enfants par famille
		de 9 enfants et plus	de 8 enfants et plus	
1961	1 103 822	20 587		2,2
1971	1 357 185	10 270		1,9
1981	1 671 535		1 830	1,4
1986	1 751 495		585	1,3

(Bureau de la statistique du Québec, communication aux auteurs, 1987.)

Enfin, contrairement à la croyance populaire, les femmes qui ne vivent pas l'expérience de la maternité ont été plus nombreuses au début du siècle qu'aujourd'hui. On en dénombrait environ 25 pour cent dans les années 1900, alors qu'elles sont aujourd'hui environ 15 pour cent. Il faut dire cependant que les jeunes filles entraient alors par cohortes dans des communautés religieuses.

*

De nos jours, il n'y a plus guère de grosses familles. C'est même la situation inverse qui prédomine. Plusieurs raisons économiques, sociales ou culturelles peuvent intervenir dans l'explication de ce phénomène. Le choix d'avoir ou de ne pas avoir un enfant n'est plus dicté par les discours institutionnels. Il résulte d'une décision individuelle ou de couple. Mais comment expliquer qu'en un siècle les attitudes face au nombre d'enfants soient passées d'un extrême à l'autre ? Certes, les finalités de procréation ont été assujetties à d'autres considérations, comme l'éducation, l'environnement social, le travail, la carrière, le logement, les garderies, les coûts, mais il semble que, par-dessus tout, la réponse se trouve dans la conception même de la vie et de la famille. Les attentes, les valeurs, la signification que lui attribuent les individus pris collectivement guident les choix. Les transformations dans les rôles et les fonctions exercés par chacun ne répondent plus aux mêmes besoins ni aux mêmes souhaits qu'hier.

LES GRANDS MOMENTS DE LA VIE

À chaque âge, son identité ! Une personne, comme une collectivité, peut s'adapter aux circonstances, changer son comportement et, de ce fait, modifier les perceptions qu'on en a. Telle personne ou telle nation, au comportement agressif et rebutant, peut vouloir se faire douce et accueillante, livrer d'elle-même une tout autre image. Il lui arrive même d'adopter cette image et de s'y conformer, de revêtir cet habit qui lui sied bien, de se mettre dans la peau de ce nouveau personnage. Au contact des autres, elle en vient à se façonner une identité nouvelle, plus en accord avec leurs attentes et répondant mieux à l'impression qu'elle veut laisser. Cela fait inévitablement partie de l'apprentissage de la vie en société qui influence et modèle le comportement de chacun.

Dans la société d'hier, l'Église et l'État définissaient la norme sociale et précisaient les comportements acceptés. Ces institutions avaient esquissé les conditions d'existence d'un ordre social qui encadrait la vie et les choix de chacun. Elles disposaient d'un pouvoir d'intervention considérable pour imposer la conformité. Elles profitaient en outre d'une expérience et de traditions multiséculaires dans l'organisation de la vie en société. Celle-ci avait été ritualisée en fonction du quotidien, de l'annuel et de chaque période de la vie. Chacun de ces temps a pris place dans la mémoire collective.

La naissance

Le fameux «Tu enfanteras dans la douleur» de la Bible a fortement et pendant longtemps marqué la représentation de l'accouchement. Cette condamnation à la souffrance illustre la force des préceptes religieux et des tabous qui entouraient l'univers de la naissance, de l'enfantement et de la sexualité au Québec. Elle rappelle l'importance de respecter les règles prescrites et, à bien des égards, ce que furent la vie et les coutumes des Québécoises.

L'historienne Hélène Laforce a montré qu'à l'époque médiévale en France, l'univers de la naissance était féminin. Au début de la Nouvelle-France, les accouchements sont plus fréquemment pratiqués par des sages-femmes que par des chirurgiens. Peu à peu cependant, cet univers passe sous la mainmise des hommes. C'est d'abord le prêtre, qui est souvent requis pour ondoyer les enfants en danger de mort. À défaut du représentant de l'Église, c'est le mari ou le père, voire un oncle, plutôt que la grand-mère ou la sage-femme, qui sont considérés comme aptes à administrer le sacrement du baptême. Il faut attendre les années 1970, la féminisation des professions et une volonté de retour à l'accouchement naturel pour retrouver, notamment avec la revalorisation du rôle de la sage-femme, une reconstitution partielle de cet univers.

Au Québec, l'accouchement a rarement été vu comme une maladie. Il a lieu à la maison plutôt qu'à l'hôpital, mais il est couvert d'un voile de mystères destiné à cacher le passage de la cigogne au voisinage et aux autres enfants de la famille. Dès le milieu du XIXe siècle, surtout en milieu urbain, les médecins se substituent progressivement aux sages-femmes. L'image qui subsiste de ce médecin est celle de l'homme simple, dévoué et généreux, accouchant ses clientes en pleine nuit et se faisant souvent payer en produits de la ferme par les gens pauvres. L'accouchement en milieu hospitalier, lui, ne se généralise que vers la fin des années 1940. Dès lors, la société tente d'humaniser cette intervention médicale.

Ces personnages, sages-femmes et médecins, se sont succédé dans la mémoire collective québécoise et n'ont plus tellement de signification identitaire. En lieu et place, au moins dans un bon nombre de cas, la mère, génératrice de vie et nourricière, a mérité une plus grande considération sociale.

Il faut proscrire la contraception

«Montréal, le 19 mars 1852

Monsieur,

J'apprends que l'on fait circuler, dans la ville et les campagnes, une brochure en anglais intitulée : *Le Compagnon Médical de la Femme Mariée*. C'est l'ouvrage d'une société, à New York, qui emprunte le nom du *Dr. A.M. Mauriceau*.

Dans cette infâme brochure, on s'étudie à montrer que, dans un grand nombre de cas, on peut, on doit même *fœtum destruere* [détruire le fœtus], pour prévenir la grossesse. On y encourage le libertinage, en enseignant au libertin à se préserver de toute maladie vénérienne, et à la prostituée à empêcher la conception. On y favorise l'onanisme, en apprenant aux gens mariés à empêcher la famille. Enfin, il n'est rien de plus infernal que ce livre immoral. Il fait horreur à nos honnêtes protestants, qui le mettent au feu.

Ce qui m'engage à vous donner aujourd'hui l'éveil sur cette production horrible, c'est la crainte bien fondée qu'on ne parvienne à lui donner ici une grande circulation. Car, c'est un fait que le bureau de poste de Montréal en est encombré, et qu'on l'expédie dans les campagnes, à beaucoup de personnes dont on s'est procuré l'adresse, ce qui prouverait assez qu'il y aurait entente quelque part pour la répandre. Un autre fait encore plus alarmant, c'est que chaque malle porte au prétendu Dr Mauriceau grand nombre de lettres, pour lui demander sans doute le grand ouvrage et les remèdes indiqués dans sa brochure, et lui en envoyer le prix. Tel est le monstre que j'ai dû d'abord vous dépeindre, pour que vous puissiez le bien connaître, et dont vous devez maintenant tâcher d'écraser la tête, avant qu'il s'insinue plus avant au sein de nos familles.

Mais ici fourmillent les difficultés. Comment en effet parler de matières aussi délicates ? Comment s'exposer à donner l'idée de tant d'horreurs à des âmes innocentes, qui n'en ont pas même le soupçon ? Comment aussi s'exposer à initier à d'aussi affreux secrets de jeunes gens, qui pourraient bien être tentés d'en abuser ? C'est ce qui me glace d'effroi. D'un autre côté, comment laisser périr des milliers d'âmes à qui ce livre va enseigner à commettre un péché que nulle bonne foi ne saurait excuser ? Car l'enfer est pire que tout cela ; et il n'est que trop certain que les âmes impures y tombent en aussi grand nombre que les flocons de neige dans nos mauvais jours d'hiver. Il nous faut donc à tout prix préserver notre troupeau de cette peste.

[...] Voici l'annonce que vous ferez au prône, et que vous renouvellerez autant de fois que vous le jugerez nécessaire. « Monseigneur l'Évêque de Montréal m'ordonne de vous défendre de recevoir, lire, garder, prêter, pour quelque raison que ce soit, ces livres que colportent en tous lieux ou qu'envoient par la Poste, des gens sans aveu, pour empoisonner le pays de leurs doctrines contraires à la foi ou aux mœurs. Plusieurs de ces livres sont si dangereux, que l'on tombe en les lisant dans un cas réservé, dont l'évêque seul peut absoudre. Vous pouvez juger par là de la grandeur du mal que l'on commet en lisant ces livres corrompus. Mgr l'Évêque prend de là occasion de vous recommander de nouveau de former une bibliothèque paroissiale, qui renferme tous les bons livres dont vous pouvez avoir besoin, pour apprendre à être toujours de bons chrétiens et de bons citoyens. »

[...] Usez de tous les moyens en votre pouvoir pour que toute espèce de brochures, ainsi interdites, vous soient apportées, pour être ensuite mises tout de suite au feu. Il vous sera possible, je crois, de retirer de votre bureau de poste le dit ouvrage, chaque fois qu'il y sera adressé pour quelques-uns de vos paroissiens, en vous faisant, pour cela, donner par eux une autorisation particulière ou générale. Il serait bon de vous entendre avec vos médecins, pour qu'ils nous viennent en aide, dans l'accomplissement de ce devoir qui intéresse la société, comme la religion. Il leur est facile de mettre la main sur ces sortes de livres, quand ils font la visite de leurs malades. Vous ne manquerez pas de faire vous-même la visite de ces livres, chaque fois que vous en aurez l'occasion. »

(Ignace Bourget, évêque de Montréal, lettre circulaire au clergé, *Mandements, lettres pastorales, circulaires et autres documents, publiés dans le Diocèse de Montréal depuis son érection jusqu'à l'année 1869*, Montréal, Chapleau Frères, 1869, tome 2, pp. 196-199.)

Dans la foulée du mythe des grosses familles, la mémoire collective retient l'image de naissances en succession rapprochée. Le discours populaire entretient même l'idée de l'arrivée d'un enfant par année. Comme l'Église, de concert avec l'État, insistait sur les finalités de procréation du mariage, elle intervenait sévèrement contre tout ce qui pouvait représenter un danger pour la morale chrétienne. En Nouvelle-France, la femme qui cachait sa grossesse était passible de mort. Mais il y avait des méthodes connues et acceptées de contraception, comme l'allaitement prolongé de l'enfant, qui durait facilement deux ans, ou encore la continence.

Au milieu du XIXe siècle, on s'initie aux plantes abortives et autres moyens d'avorter. Mais les institutions s'efforcent d'empêcher la diffusion de ces connaissances et en dénoncent l'usage. Encore en 1900, le gouvernement fédéral interdit, sous peine de deux ans de prison, l'annonce et la vente de tout matériel « destiné ou représenté comme servant à prévenir la conception ou à causer l'avortement ou une fausse-couche ».

Il faut attendre la Révolution tranquille pour qu'un petit vent de libération sexuelle se fasse sentir. À la méthode Ogino-Knauss déjà introduite et pratiquée vient s'ajouter la généralisation de la pilule contraceptive. Puis dès 1980, d'autres techniques sont mises à la disposition des femmes : stérilet, diaphragme, spermicides, gels et on commence timidement à donner des cours d'éducation sexuelle aux jeunes dans les écoles. En 1985, en regard de 17 981 hommes qui ont subi une vasectomie, 18 191 femmes ont été « hystérectomisées » et 22 041 ont subi la ligature des trompes. En 1969, la loi « Omnibus » du gouvernement du Canada avait décriminalisé l'avortement thérapeutique, mais l'avortement libre est encore loin d'être un acquis, comme l'indiquent les nombreux procès engagés contre les médecins qui le pratiquent. Aujourd'hui, des groupes idéologiquement opposés s'affrontent, les uns défendant le droit du fœtus à la vie, les autres affirmant le droit des femmes à choisir. À l'inverse de la société d'hier, la rareté des enfants dans celle d'aujourd'hui en fait des êtres encore plus précieux. Des recherches médicales poussées, comme la conception *in vitro*, s'efforcent d'éliminer les problèmes qui entravent la venue d'un enfant.

Garçon ou fille ?

« En faisant jouer une aiguille, on croyait pouvoir déterminer le sexe de l'enfant ; la mère enlevait d'abord ses alliances ; une personne prenait une aiguille avec son aiguillée, qu'elle suspendait, par le fil, au-dessus du poignet de la mère. Si l'aiguille décrivait un cercle, ce serait une fille ; si, par contre, elle oscillait, ce serait un garçon. [...] Plusieurs personnes tentaient de prévoir le sexe du nouveau-né « d'après le portage », c'est-à-dire d'après la manière dont la mère portait. Si la « bosse du ventre » allait vers le haut, ce serait une fille ; vers le bas, ce serait un garçon. »

(Jean-Philippe Gagnon, *Rites et croyances de la naissance à Charlevoix*, Montréal, Leméac, 1978, p. 57.)

Les terribles méfaits du sida sont également en train de vaincre plusieurs tabous entourant la contraception et la vie sexuelle. On reconnaît et on accepte ces réalités. On commence à en parler plus ouvertement. On informe mieux les jeunes des risques que la liberté sexuelle comporte et on préconise des moyens pour qu'ils puissent les contourner. Dans l'ensemble, cette connaissance et ce contrôle des questions sexuelles permettent de planifier l'arrivée de l'enfant et d'éviter les déchirements provoqués par des naissances non désirées ou celles qu'hier on disait illégitimes.

Face à la conception, la liberté de procréation au moment de son choix s'est substituée au devoir. Il s'ensuit une diversité de situations qui rend la question plus sociale que nationale, plus personnelle que collective. Par contre, les sonnettes d'alarme déclenchées par les démographes ont tout pour sensibiliser au problème de la dénatalité, puisque le poids du nombre ramène à la surface la question de la survie à long terme de la collectivité francophone.

On peut se demander par ailleurs si la rareté des enfants a engendré une sensibilité nouvelle, tant à l'égard de leur conception et de leur éducation que des sentiments qu'ils provoquent. Aujourd'hui, on estime que l'amour des parents pour l'enfant s'est développé assez tardivement, vers la fin du XIXe siècle, au moment précisément où les enfants deviennent moins nombreux. L'intensité des relations qui paraît aujourd'hui recherchée semble aller de pair avec une plus grande autonomie de chacun et s'intégrer dans un cheminement de vie plus dense. En somme, à l'exception du libre choix, il paraît difficile de cerner le lieu et la nature des sensibilités collectives dans la volonté de concevoir ou non un enfant.

Il est rare aujourd'hui que des femmes mariées mènent à terme des grossesses non désirées. Mais ce n'était pas le cas il y a quelques décennies, quand les moyens de contraception étaient peu connus. Il arrivait que des jeunes filles se « fassent prendre ». Dans ces cas, la « fille-mère » risquait d'être victime d'une forte réprobation sociale et même d'être reniée par sa propre famille. L'enfant, lui, était souvent abandonné à des organismes de charité qui veillaient à sa survie et à son éducation avant de le placer en adoption.

Dans la foulée des changements sociaux des années 1960, des femmes veulent se libérer de la tutelle de l'Église et de l'État et réclament la plénitude de leurs droits sur leur corps.

(Marie Chicoine *et al., Lâchés lousses; les fêtes populaires au Québec, en Acadie et en Louisiane*, Montréal, VLB éditeur, 1982, p. 218. Collection Louise de Grosbois et Hélène Doyle.)

L'évolution du nombre de naissances illégitimes au Québec traduit un cheminement bien particulier. Elle ne suit pas une ligne continue. On sait, aujourd'hui, qu'il y avait plus de conceptions prénuptiales au XVIIIe siècle qu'au siècle suivant. À l'époque de la Nouvelle-France, les comportements sexuels auraient été plus libres. En 1685, par exemple, l'évêque en vient à cesser la bénédiction des fiançailles parce que les futurs époux avaient tendance à agir comme si leur union prochaine était déjà consacrée. On estime à environ 8 pour cent la proportion des conceptions prénuptiales au début du XVIIIe siècle. En 1736, on dénombre environ 390 enfants issus de père et de mère inconnus et qui sont élevés aux frais du roi. Après 1760, sous l'autorité d'un gouvernement britannique et protestant, l'Église catholique resserre l'encadrement de ses ouailles. Le taux des naissances illégitimes chute et se maintient à moins de 4 pour cent jusqu'aux années 1960. Depuis lors, le taux des naissances dites « illégitimes » est en hausse, atteignant 15,6 pour cent en 1981. Mais la notion a perdu tout son sens. Il est même devenu illégal, depuis 1986, d'utiliser ce terme dans les documents officiels. Des femmes seules ou vivant en union de fait ont simplement décidé de fonder une famille, sans égard aux règles institutionnelles.

Dans la mémoire de l'identité québécoise ressort donc une adaptation à un contexte social, comme le montre l'évolution des attitudes face à la conception en dehors des normes institutionnelles prescrites. Ce qui était marginal hier est maintenant accepté et ce sont les institutions qui ont dû reconnaître et régulariser ces comportements collectifs, fruits d'une tolérance sociale plus grande.

L'imaginaire de la naissance et celui de l'enfance, au Québec, ont également évolué sans rupture profonde. Ils sont passés de la maison à la rue et de la rue à l'école, ainsi que de l'information orale, livrée de façon bien symbolique, au livre et au film explicatifs. Il y a à peine 30 ans, tout l'univers de la naissance faisait partie du monde des tabous. Les informations étaient livrées dans le secret et souvent dans un langage symbolique emberlificoté. On disait de la femme enceinte qu'elle était « en famille », « pleine », « grosse », qu'elle avait « un polichinelle dans le tiroir » ou « un enfant sous le tablier ». Au temps venu, la femme allait « acheter ». L'arrivée d'un enfant était expliquée par le passage du sauvage, du corbeau ou de la cigogne, ou encore comme un cadeau des anges ou une découverte sous les feuilles de choux. Au tournant des années 1960, les « papillons » sont arrivés et ont servi d'illustrations vivantes au phénomène de la procréation. Cependant, il subsiste, à l'égard de la naissance, de nombreux faits qui restent tus, cachés ou difficiles à dire, notamment aux enfants. Le recours si fréquent à des livres ou à des films illustre peut-être le fait que cette histoire de la naissance, fruit d'un acte sexuel, ne se raconte pas aussi facilement qu'on voudrait le croire.

Les souvenirs de la tendre enfance conduisent du refoulement à l'exubérance. La collectivité garde surtout en mémoire les « finesses » des enfants : leurs premiers pas, leurs jeux, leurs histoires, les personnages qu'ils inventent. Elle rappelle les jours heureux de l'innocence, où une bise suffisait pour endiguer un torrent de larmes ou pour enlever la douleur. La période de l'enfance évoque aussi l'époque de la première socialisation. À l'exemple des adultes, et souvent en les imitant, les enfants apprenaient les règles de fonctionnement de la vie en société. Les comptines, rimettes, rondes et danses, jeux de balle, de billes, de corde, de marelle initiaient à l'espace, au calcul, au rythme. Ils développaient l'habileté physique des enfants et la maîtrise de leur corps. Quand ces activités subsistent maintenant, elles se déroulent plutôt en milieu scolaire. Depuis les années 1960, les classes de maternelle, les loisirs organisés et la télévision sont en effet venus s'ajouter aux éléments qui nourrissaient déjà l'imagination de l'enfant.

Jeux d'enfants dans la rue Sous-le-Cap à Québec. Dans la cour, dans la ruelle ou à l'école, rondes, comptines et jeux illustrent l'apprentissage de la vie en société.

(*Picturesque Canada*, Toronto, 1895, p. 38.)

*

L'histoire de la naissance, du premier âge de la vie et celle de son évolution et des comportements qui l'entourent n'ont pas été très différentes au Québec de ce qu'elles étaient ailleurs. Pourtant, cette histoire a forgé l'expérience, la mémoire et l'identité. Au fil des ans, on a assisté à une diminution du rôle et du pouvoir des institutions au profit du libre choix individuel. Cet indice d'une tolérance sociale élargie ne s'accompagne peut-être pas cependant d'une conscience sociale approfondie. Les sensibilités éveillées par la naissance et l'enfance semblent devenues plus intimes et moins collectivement partagées. Les souvenirs de l'enfant-roi d'aujourd'hui seront-ils si différents de ceux d'hier ?

L'union

Dans la mémoire québécoise, le deuxième grand moment de la vie d'une personne est le jour de son mariage. Par l'alliance que les époux contractaient devant l'Église – et par le fait même devant l'État –, ils formaient une nouvelle cellule sociale. Leur union, sanctionnée par des cérémonies publiques, se voyait ainsi investie d'une responsabilité sociale considérable, constituée d'engagements religieux, juridiques, moraux et sociaux. La culture populaire a consigné dans de nombreux proverbes et dictons cette fête de l'union, en même temps que les normes sociales qui présidaient à sa conclusion. On fondait une famille bien plus qu'on ne se mariait ; et c'était pour la vie. On s'efforçait de faire un beau et un bon mariage, car une famille unie était une famille bénie. Mais la jeune fille qui prenait mari prenait aussi pays, dans tous les sens du terme : nom, maison, profession et statut. Elle changeait littéralement d'identité. Malgré l'encadrement institutionnel, social et familial qui pesait sur la formation d'un couple, on ne saurait cependant retenir d'hier ces seules images simplifiées. Il a toujours existé un certain nombre de dérogations. Et, depuis 30 ans, des alliances qui autrefois auraient été mal vues sont devenues courantes.

Dans les normes sociales d'antan, le mariage était hautement respecté. Sacrement religieux, précédé parfois d'une enquête de bonne vie et mœurs et soumis à des règles strictes et publiques, il comportait aussi un engagement social rigoureux, sanctionné par contrat devant notaire. On pouvait se marier pour toutes sortes de raisons, mais il valait mieux que le père soit favorable et qu'il accepte le futur conjoint. Car le choix du conjoint ne se faisait pas au hasard, ni même au hasard de l'amour. Il nouait des liens entre deux familles. Le mari devenait le maître absolu de la nouvelle famille. C'était là le lot de la très grande majorité des personnes. Enfin, comme la longévité était moindre, les remariages étaient aussi nombreux. Encore là fallait-il se conformer à un certain nombre de normes sociales.

Il y avait tout de même un bon nombre de dérogations annonciatrices de tendances qui se manifesteront davantage à compter des années 1960. On ne se mariait pas toujours par amour. On l'a fait aussi pour conserver un permis de chasse dans les années 1670 ou plus

Qu'est-ce que le mariage ?

« Q. : Qu'est-ce que le mariage ?

R. : C'est un sacrement qui donne la grâce pour sanctifier la société de l'homme et de la femme.

Q. : Quels sont les devoirs de maris ?

R. : C'est d'aimer leurs femmes comme leurs propres corps.

Q. : Quelles sont les obligations des femmes mariées ?

R. : C'est d'être soumises en tout à leurs maris, comme au Seigneur.

Q. : Pourquoi ?

R. : Parce que le mari étant le chef de la femme comme Jésus-Christ est le chef de l'Église, elle doit le craindre et le respecter. »

(*Catéchisme de Québec*, 1702.)

L'acceptation des parents

« Monsieur et madame,

Comme mon fils est dans la volonté de épouser mademoiselle vostre fille et quil m'a dit avoir vostre Consentement et comme je say que mademoiselle est unne honneste fille sortie de bonne famille, je luy donne mon Consentement aussy bien que mon mary. Nous somme contemts tout Les deux du choy que mon fils a fét. Mon mari et moy, nous faison bien nos Complimant aussi bien que a mademoiselle vostre fille et suis vostre très humble servante.

Marie angelique Hamel, femme de Jean Morans
Jean Moran
À Ste-Anne, le 2 janvier 1746. »

(*Bulletin des recherches historiques*, vol. 44, 1938, p. 70.)

Le mariage à la gaumine

Au début du XVIIIᵉ siècle se répand en Nouvelle-France un nouveau mode de mariage qui est rejeté aussi bien par l'Église que par l'État. Il s'agit du mariage « à la gaumine », du nom d'un certain Gaumin qui aurait, selon ses croyances, épousé sa maîtresse en présence de deux témoins en se déclarant mari et femme dans une église sans que le prêtre officiant ne le sache. Les jeunes gens profitaient du moment où le prêtre se tournait vers la foule pour prononcer le *Dominus vobiscum*, pour crier qu'ils se prenaient l'un l'autre comme époux et épouse. Le prêtre devenait alors le témoin involontaire de l'échange du consentement. Cette coutume disparaîtra complètement à la fin des années 1810.

La sommation respectueuse

Aux XVIIᵉ et XVIIIᵉ siècles, les fils âgés de plus de 30 ans et les filles de plus de 25 ans qui n'obtenaient pas la permission de leurs parents pour contracter mariage pouvaient le faire après avoir demandé cette permission par écrit trois fois. C'est ce que l'on appelait les « sommations respectueuses ». Pour être valide, la sommation devait être rédigée par un notaire. On pouvait alors légalement contracter mariage malgré l'opposition des parents, sans courir de risque d'être déshérité.

fréquemment encore, en 1940, pour ne pas aller à la guerre. On a épousé des veuves pour profiter d'une terre déjà défrichée. On s'est marié pour avoir des enfants, parfois par obligation, mais aussi, à l'occasion, pour les beaux yeux d'une personne. On a aussi connu les mariages à la « gaumine » qui permettaient à un couple de s'unir sans le consentement explicite des parents, ni même de l'Église. Un individu pouvait aussi recourir à la « sommation respectueuse » pour forcer la volonté de ses parents. Le mariage d'un homme d'âge trop mûr avec une jeune fille d'âge trop tendre risquait d'entraîner un charivari qui perturbait les nuits des nouveaux époux, parfois pendant quelques semaines. Il en était de même quand la période de veuvage avait paru trop courte. On pouvait aussi refuser de se marier, même après s'être engagé et avoir procréé, pour des raisons relevant de la condition sociale.

Les mariages mixtes n'ont pas toujours été bien vus dans la société québécoise. Mais la nature de la mixité a changé selon les circonstances. Au début de la Nouvelle-France, pour accélérer le peuplement de la colonie, on préconise l'union entre Français et Amérindiennes. Par contre, en 1774, l'évêque Jean-Olivier Briand signale que le mariage entre Français et Amérindiennes n'est plus autorisé par le gouvernement. Il prend aussi position contre les mariages entre protestants anglophones et catholiques francophones. Plus récemment, on désigne plutôt par « union mixte » une alliance entre des personnes d'origine ethnique différente.

Malgré quelques comportements en bordure des normes sociales, l'image monolithique de la famille unie, stable, reposant sur la fusion du cœur et de la raison, occupe presque toute la place dans la mémoire collective. Cette représentation correspond mal cependant à l'observation d'expériences de vie et de types d'union devenus courants maintenant au Québec. Les dernières décennies ont vu se multiplier de nouveaux types d'union, ainsi qu'un nouveau partage des rôles. Certaines évaluations statistiques laissent entendre qu'au Québec, dans quelques années, les familles monoparentales et les familles reconstituées formeront ensemble un noyau plus important que les familles « classiques ». Notre histoire révèle cependant que ces nouvelles tendances, maintenant répandues et tolérées, ont eu de nombreux précédents.

Tout un charivari !

« Une autre coutume, nommée charivari, est une source fréquente d'ennuis pour certains habitants du Bas-Canada et une source d'agrément pour d'autres. Quand un jeune homme épouse une veuve, ou une jeune femme un veuf, les habitants du voisinage se rassemblent, et, s'étant procuré des vieilles bouilloires, des trompettes, et tout un assortiment d'autres instruments tapageurs, ils se rendent à la demeure des nouveaux mariés et leur réclament l'amende habituellement extorquée dans les circonstances. [...] La fanfare cacophonique joue la *Marche du Cocu*, et autres airs offensifs et appropriés. [...]

Alors que j'étais à Montréal, durant l'hiver de 1821, une veuve possédant une fortune considérable épousa un jeune homme et, deux ou trois nuits après les noces, on réclama du mari la somme de 100 livres pour encourager la *Société bénévole féminine* dont sa femme était une dame patronesse.

Le troisième soir après les noces, toute une assemblée de leurs amis et connaissances s'emmena devant la maison du couple. Céder à la première demande n'est pas d'usage et au bout de quelques heures les manifestants se retirèrent.

Le lendemain soir, les assiégeants étaient au nombre de 500 et ils se firent sommer de déguerpir de la rue Saint-Paul par l'adjoint du constable en chef, mais refusèrent. Plus tard, ils rencontrèrent le guet dans la rue Saint-François-Xavier et la bagarre commença. Plus nombreux, les manifestants l'emportèrent et le guet dut se retirer en désordre. Ils libérèrent quelques-uns des leurs qui s'étaient fait prendre et se dispersèrent.

Au cours de la quatrième journée, les magistrats, réunis en séance spéciale, émirent une proclamation interdisant une reprise du charivari. Ceci n'empêcha pas une assemblée beaucoup plus considérable de se réunir et des désordres sérieux auraient pu éclater si le mari n'avait capitulé en ouvrant une fenêtre. Le lendemain, la *Société bénévole féminine* s'enrichit d'un montant de 50 livres.

Le charivari avait été constitué surtout de marchands et de professionnels et quelques individus furent appréhendés par la suite. »

(Edward Allen Talbot, *Cinq années de séjour au Canada*, Paris, Bouland, tome 2, 1825, pp. 247-248.)

De 1961 à 1986, la proportion de familles monoparentales s'est accrue de près de 75 pour cent, passant de 8,7 pour cent à 15,1 pour cent. Une famille sur sept est monoparentale. Cette augmentation tient à une diversification des formes de monoparentalité. Au veuvage, qui en était le fondement traditionnel, se sont ajoutés les ruptures d'unions et les choix de célibataires. Au Québec, en 1986, la famille monoparentale est dirigée par une femme dans 82,5 pour cent des cas, et une femme de plus en plus jeune. En 1981, les veuves comptaient pour 38 pour cent, les personnes divorcées pour 26 pour cent, les personnes séparées 23 pour cent et les célibataires 13 pour cent.

Actuellement, environ un tiers de million de Québécois et de Québécoises vivent en union libre. Partenaires de fait, vivant sous le même toit, ces personnes n'ont pas jugé pertinent ou n'ont pas voulu obtenir une reconnaissance officielle de leur union et de leur vie commune. Depuis quelques années par contre, un certain nombre de lois assimilent ces unions de fait à un mariage officiel. Jusqu'aux années 1960, ces unions de fait, nettement plus rares, étaient définies par des expressions péjoratives. On parlait de «concubinage» et de «gens accotés». Ces personnes étaient mises au ban de l'Église et de l'État. On leur interdisait l'inhumation dans un cimetière catholique et, bien sûr, les sacrements. On les privait également de certains droits, comme dans les cas de succession ou de réclamations d'assurance. Il y eut partout des concubinages notoires; et pas seulement chez les gens du peuple.

Le Québec a également connu une vogue de ménages à plusieurs, vie en communes, surtout entre 1966 et 1970. Depuis, il subsiste surtout des ménages de compagnons, c'est-à-dire d'adultes qui, sans lien de parenté, partagent le même logement. On compterait environ 111 000 personnes, dont un bon nombre d'étudiants, qui vivent ce type d'organisation de façon plus ou moins prolongée.

Les mutations modernes des rapports amoureux ont aussi favorisé l'accroissement des unions homosexuelles d'hommes et de femmes. La ville de Montréal compterait à elle seule environ 300 000 homosexuels. Les attitudes à leur égard vont de l'approbation à l'indifférence la plus complète ou à la réprobation sociale. D'une façon générale, les homosexuels tendent à s'affirmer et,

Dangers des mariages mixtes

«Les mariages entre catholiques et protestants sont un premier fléau qui sévit surtout aux États-Unis et dans quelques provinces du Canada. Les conséquences de ces mariages sont ordinairement l'affaiblissement ou la ruine complète de la foi chez la partie catholique et surtout chez les enfants issus de ces mariages. C'est un spectacle navrant! L'Église exige bien de la partie protestante des promesses formelles, verbales et écrites, de laisser élever les enfants dans la religion catholique, mais une fois le mariage contracté – mariage que beaucoup d'hérétiques ne regardent pas comme indissoluble – on ne s'en occupe guère et les pauvres enfants grandissent dans l'indifférence religieuse ou vont au protestantisme. Mettez les parents en garde contre les fréquentations de leurs enfants avec les protestants en vue du mariage; ces relations sont extrêmement dangereuses: il faut les empêcher à tout prix et prévenir le mal. Avec grande raison, l'Église s'oppose de toutes ses forces aux mariages mixtes.»

(Louis-Nazaire Bégin, archevêque de Québec, 1914.)

Gare aux homosexuels !

Sous le Régime français, l'homosexualité était un crime qui valait diverses peines, dont celle de mort. Ainsi, en 1697, le soldat François Judith dit Rencontre est accusé de sodomie, de bestialité. Le tribunal siégeant à Québec le condamne à mort. Selon la sentence prononcée, il doit d'abord être «pris et enlevé des prisons royales de cette ville par l'exécuteur de la haute justice, conduit nu en chemise, une torche ardente au poing devant la principale porte de l'église paroissiale de cette ville et là demander pardon à Dieu, au roi et à la Justice dudit crime, pour ensuite être conduit en la place publique de la basse-ville et y être pendu et étranglé à une potence qui, à cet effet, y sera dressée jusqu'à ce que mort s'en suive. Et être ensuite son corps brûlé avec son procès. Tous ses biens acquis et confisqués au roi.»

Avant de procéder au prononcé du jugement définitif, on soumet souvent le condamné à la question, c'est-à-dire à la torture. Judith dit Rencontre proteste de son innocence. Nouveau verdict: «Absous». Le procès est clos et celui qui s'apprêtait à être pendu retrouve la liberté.

(Extraits des registres du Conseil supérieur de Québec.)

comme tels, ils témoignent publiquement de leur vie et réclament le droit à la reconnaissance de leur statut, à la pratique religieuse, au mariage, à l'amour. L'homosexualité ne date pas d'hier, mais elle a pendant longtemps été sévèrement réprimée. Au XVIIIᵉ siècle, une personne coupable de sodomie était passible d'emprisonnement, des galères et même de mort. Mais la société est devenue plus tolérante et la justice s'est assouplie. Ce fut le cas pour les 60 hommes trouvés dans une maison de la rue Fullum à Montréal en 1867, «cheveux séparés à la féminine, guirlandes de fleurs, chignons, bracelets, manches courtes, poitrines nues, peau fardée, poudrée et aromatisée, tout étant arrangé de façon à ressembler autant que possible à la plus belle moitié de notre espèce».

Les amours de passage et la prostitution, jugées illicites, ont néanmoins souvent bénéficié d'une tolérance suspecte. Dès 1658, le gouverneur de la Nouvelle-France, Voyer d'Argenson, renvoie en France une prostituée enceinte. Dix-huit ans plus tard, un règlement du Conseil souverain défend à «toutes personnes de donner retraite ni favoriser les filles de mauvaise vie, maquereaux et maquerelles sous peine de punition».

L'immigration et surtout l'essor des activités portuaires font de Québec une ville où pullulent les auberges et les hôtels et où fleurit la prostitution au XIXᵉ siècle.

(Archives nationales du Canada, C-127795. Harry Mayerovitch.)

La violence conjugale...
en chanson !

Amour et brutalité font rarement bon ménage, comme en témoigne cette chanson de folklore, peu tendre pour les maris :

Le soir arrivé,
Ils reviennent à leur logis
Tout en furibond
Et menant le Carillon
Disant d'un air fâché :
« Donne-moi à manger,
« Promptement, fais mon lit
« Car j'ai besoin de dormir. »
Comment pouvoir chérir
Un si brutal mari.

(Archives de folklore de l'Université Laval.)

Le cas Aurore Gagnon, survenu à Sainte-Philomène-de-Fortierville à la fin des années 1910, a soulevé l'indignation de la population. À travers cet exemple, une pièce de théâtre, un roman et un film ont dénoncé la violence familiale, et en particulier celle faite aux enfants.

(Bibliothèque municipale de Montréal. Page couverture du roman d'Hubert Pascal dans Victor-Lévy Beaulieu, Manuel de la petite littérature du Québec, Montréal, L'Aurore, 1974, p. 207.)

L'augmentation de la population et de l'activité portuaire favorisent cependant l'expansion de la plus vieille profession du monde. En 1860, la ville de Québec compte une vingtaine de maisons closes et 14 lieux de rendez-vous qui hébergent plus de 200 pensionnaires travaillant en toute quiétude. Des communautés religieuses se donnent cependant pour mission de ramener « les filles perdues » dans le droit chemin. Entre 1850 et 1900, les religieuses du Bon-Pasteur de la vieille capitale recueillent environ 4 000 « prostituées repentantes ». Il y eut des enquêtes célèbres à Montréal au XXe siècle, mais bien peu de choses ont changé. À Québec en 1988, un nombre déterminé d'établissements de sexe est toléré à des conditions très précises. On ne peut faire comme si ces réalités n'existaient pas, hier comme aujourd'hui, au Québec et ailleurs. Il en est de même de la violence familiale.

Des associations de protection des droits et de la qualité de la vie des personnes font connaître, pour mieux les dénoncer, les multiples violences physiques faites aux enfants et aux femmes. Elles incitent à une plus grande vigilance de la part des autorités policières et judiciaires. En 1986, l'État a cru nécessaire d'intervenir pour confirmer aux grands-parents leur droit légal de voir et de recevoir leurs petits-enfants. On ne saurait dire pour autant que la situation soit meilleure ou pire aujourd'hui qu'hier. Que d'enfants abandonnés ou sacrifiés au cours des siècles passés ! Au XIXe siècle, la société admettait que, dès l'âge de 10 ou 12 ans, les enfants puissent travailler de longues heures dans les usines. Que de violences subtiles engendrées aussi par l'autorité absolue du mari ! Mais comment faire le partage entre l'égoïsme, le manque d'amour, l'incompréhension, le défaut d'éducation et la misère sous toutes ses formes ?

*

Cette présentation du mariage et de la vie de famille a insisté davantage sur les phénomènes en marge des vécus collectifs. Il y a à cela deux raisons. On le sait, la famille unie n'a pas d'histoire. Elle s'est contentée de petits ou de grands bonheurs partagés dans l'intimité. Elle a laissé peu de traces ailleurs que dans la mémoire des gens. Mais on ne saurait se satisfaire d'un tel constat. Les plus grands changements sociaux à l'égard de la famille se sont manifestés par un passage de la marginalité à la tolérance et, plus largement encore, par un rejet de

Pour éviter « la chicane », une femme devrait tout accepter !

Extraits d'un sermon d'Antoine Déat, sulpicien, curé de Notre-Dame de Montréal, prononcé le 2 mai 1751 à l'occasion de la fête de la Sainte-Famille.

« Pour éviter la chicane, il [Dieu] voulut que la femme fut soumise à son mary et le regarda désormais comme son supérieur […] et c'est en vertu de cette loy du souverain maitre que la femme doit avoir pour son mary une charité prevenante, charité qui l'oblige a aller au devant de ce qui peut luy faire plaisir, a luy procurer tous les secours qui dépendent d'elle, a luy ceder dans toutes les occasions, a ne s'opposer jamais à ses volontés desquelles ne sont point opposées aux volontés de dieu, a avoir, en un mot, pour luy les memes egards que l'eglise a pour Jésus Christ, car supposée cette charité dont je parle bien loin d'avoir de la peine d'obéir a vos maris, vous trouveres dans cette obéissance de quoy satisfaire votre inclination et la tendresse que vous deves avoir pour eux, ubi amatur non laboratur. En effet, si vous avés pour eux un amour sincere et veritable, vous vous ferés un plaisir de les prevenir, de leur céder, d'entrer dans leurs sentimens, d'avoir en un mot pour eux les memes deferences, les memes egards et la meme condescendance que l'eglise a pour Jésus Christ. […]

Votre charité doit être douce et patiente. Mais c'est, me dires-vous peut être, un mary débauché qui dissipe tout le bien de sa famille au jeu et dans la debauche, qui laisse sa femme dans l'indigence, qui néglige le soin de ses enfans, qui ne paroit dans sa maison que pour y porter le trouble et la desolation. C'est pour vous, mes cheres sœurs, j'en conviens, un juste sujet de douleur et un tel homme est indigne de vivre. Mais vos plaintes, vos impatiences, vos murmures apporteront-ils quelque remede a ce mal ? Trouveres vous dans ces desesperantes inquietudes auxquelles vous vous livres de quoy vous dedommager de la mauvaise conduite d'un mary prodigue et debauché, a quoy vous servira-t-il d'ajouter a ce mal un mal encore plus grand.

Vous craignes la pauvreté et l'indigence. Mais vos emportemens vous mettront ils plus a votre aise ? Mais d'ailleurs y a t il dans le monde des richesses, des biens et des avantages comparables a la paix, a l'union, a la tranquillité, a la concorde qui doit regner dans une famille.

Mais c'est un mary furieux, emporté, qui, a tout moment, vous fait sans sujet ressentir les plus tristes effets de sa colere et de sa fureur. C'est pour vous encore une fois, mes consœurs, une grande croix, je l'avoue. Mais, sans examiner icy si vous ne vous attires pas ces orages par votre mauvaise humeur et par la passion que vous aves de dominer dans votre famille, quoyqu'il en soit, le grand secret d'arreter tout d'un coup ses emportemens cest d'avoir recours a la douceur et la patience. Otes devant ses yeux la matiere de sa colere et il se radoucira. […] Cesser d'etre une femme impérieuse et votre mary peut-être cessera d'etre un homme emporté. »

(Archives du Séminaire de Saint-Sulpice, Montréal, dos. 4, n° 90, cité par Brigitte Caulier, *Les confréries de dévotion à Montréal, XVIIe-XIXe siècle*, thèse de doctorat, Université de Montréal, 1986.)

toutes formes d'intolérance et de violence. Des comportements et des choix qui, hier, étaient condamnés ne le sont plus aujourd'hui. Des attitudes sociales violentes, hier admises, soulèvent aujourd'hui l'opprobre et l'indignation. La société a connu et soutenu un déplacement des sensibilités. Elle aurait décidé collectivement que les droits de chacun à une vie de son choix et à la qualité de la vie étaient inviolables. Les représentations imaginées de la vie de couple et du rôle de chacun des partenaires en constituent une belle illustration.

Pour rêver au futur

Les jeunes filles de la Gaspésie ont imaginé toutes sortes de moyens pour connaître leur avenir amoureux. En voici quelques-uns :

- Prendre un morceau de gâteau de mariés et le mettre sous son oreiller pendant la nuit. Au cours de l'une des trois nuits qui suivent, on rêve à son futur.
- Pour connaître le visage de son futur, comptez neuf étoiles neuf soirs de suite. Le dixième soir, on verra son visage en rêve.

- Les jeunes filles mettent des petits bateaux en papier sur un plat d'eau dans leur chambre, pendant la nuit, et elles rêvent à leur futur conjoint.
- Pour voir en rêve leur futur conjoint, les jeunes filles doivent adresser à la pleine lune, trois soirs de suite, la prière suivante : « Belle lune, jolie lune, fais-moi voir celui qui sera mon mari. »
- Quand la lune est pleine, si l'on adresse à cet astre la prière suivante : « Belle lune, que tu es belle, que tu es claire », on

entend, pendant la nuit, le nom de celui ou celle que l'on épousera. Il faut cependant ne pas parler en se couchant.
- Écrire sept noms de garçons ou de filles sur des morceaux de papier, qu'on place sous son lit, le soir en se couchant. Le nom inscrit sur papier qu'on trouve déroulé au matin désigne celui ou celle que l'on épousera.

(Archives de folklore de l'Université Laval.)

Le partage des rôles

Un des grands changements issus de la modernité concerne la place et le rôle de la femme et de l'homme dans la vie du couple. La mémoire collective retient une image bien définie des rôles joués par chacun des parents dans la société d'autrefois. Coutumes et croyances, renforcées par le discours religieux et la législation, dictent alors des comportements propres à l'un et l'autre sexes.

L'histoire des fréquentations commence avec les amusements d'enfants. À la maison, on effeuillait les marguerites : « Je me marie, je me marie pas, je me fais sœur. » Elle se poursuivait sur les bancs de l'école. Pendant longtemps, en particulier à la campagne, les écoles étaient mixtes. Aujourd'hui, toutes les écoles publiques le sont. Aux premiers regards, aux premiers sourires, aux premières paroles, aux premières invitations succèdent les premiers serrements de main et les premiers baisers échangés à la dérobée. C'est le temps où l'imagination se donne libre cours, où l'espérance des amours éternelles côtoie les fantasmes immédiats. La grande différence entre hier et aujourd'hui tient à l'indépendance relative des jeunes filles et des jeunes hommes envers leurs parents. Ce n'est plus le père qui accepte et choisit le conjoint. Pour le reste, le bar ou la brasserie ont remplacé le perron – de la maison ou de l'église – et l'ami a pris la place du chaperon.

Avant qu'elles ne subissent le choc de la modernité, les collectivités québécoises célébraient la journée du mariage d'une manière uniforme, surchargée de symboles issus des traditions. Pour la jeune épousée, cette journée paraissait si intense qu'elle devait compenser les désagréments de la vie à venir. La mariée est la reine du jour, d'un jour inoubliable. Mais, au lendemain du mariage, cette reine éphémère se mue en reine du foyer. L'amante s'est transformée en maîtresse... de maison. Les époux sont en voie de devenir des parents. Les anciens amoureux deviennent une nouvelle cellule de base de la société. Et la journée du mariage, avec tout son faste public, est là pour rappeler cette réalité.

Elle est préparée avec la plus grande attention. Tout est organisé pour qu'elle s'imprime dans la mémoire des époux, pour leur rappeler leur devoir et leur engagement. Le mariage fait intervenir les deux grandes institutions garantes de l'ordre social : l'entente est juridiquement scellée par un contrat de mariage et l'Église procède à son inscription dans les registres d'état civil ; elle en avait d'ailleurs fait l'annonce publique et officielle auparavant. Et elle couronne le tout par une volée de cloches qui avise toute la communauté de la nouvelle alliance. Parents, amis et invités peuvent témoigner du serment. Ils approuvent l'union en offrant des présents. Ces cadeaux, comme les alliances échangées par les époux, constituent un rappel tangible de leur engagement. Comportant cortège, dons, fleurs, banquet, la

---

Un mariage vers 1825

« Les Canadiens d'origine française se marient toujours à leurs églises paroissiales et généralement entre huit heures du matin et midi. À Montréal, (je crois qu'il en est de même dans les autres parties de la province) les futurs époux sont accompagnés à la cérémonie par un nombreux cortège d'amis. Comme le plus modeste individu a toujours une calèche ou un traîneau, il n'est pas rare de voir dans ces occasions plus de cinquante voitures réunies. On y observe néanmoins le plus grand ordre. La future et le père du futur ouvrent la marche, suivis des parents de ce dernier. Viennent ensuite les parents de la fiancée et, après eux, le futur avec son beau-père qui ferment la marche. On arrive à l'église dans cet ordre et, après la cérémonie nuptiale, le cortège parcourt les principales rues de la ville jusqu'à ce que les chevaux soient excédés de fatigue. Toute la société se rend ensuite à la maison du père de la mariée, pour prendre part à un banquet qui, dans les occasions de cette espèce, est toujours préparé avec le plus grand soin et avec cette recherche gastronomique dans laquelle les cuisiniers français ont acquis une si grande réputation. La soirée se passe dans la joie et les amusements. La danse, la musique, les jeux de cartes durent souvent jusqu'à ce que le jour vienne annoncer qu'il est temps de se séparer. »

(Edward Allen Talbot, *Cinq années de séjour au Canada*, Paris, Bouland, tome 2, 1825, p. 245.)

Légalement, la femme...

Adopté en 1866, le Code civil du Bas-Canada stipulait au sujet de la femme mariée :

« *article 83* : La femme non séparée de corps n'a pas d'autre domicile que celui de son mari.

article 119 : Les enfants qui n'ont pas atteint l'âge de vingt-et-un ans accomplis, pour contracter mariage, doivent obtenir le consentement de leur père et de leur mère ; en cas de dissentiment le consentement du père suffit.

article 174 : Le mari doit protection à sa femme ; la femme obéissance à son mari.

article 175 : La femme est obligée d'habiter avec le mari, et de le suivre partout où il juge à propos de résider. Le mari est obligé de la recevoir et de lui fournir tout ce qui est nécessaire pour les besoins de la vie, selon ses facultés et son état.

article 176 : La femme ne peut ester en jugement sans l'autorisation ou l'assistance de son mari, quand même elle serait non commune ou marchande publique. Celle qui est séparée de biens ne peut le faire non plus si ce n'est dans le cas où il s'agit de simple administration.

article 179 : La femme, si elle est marchande publique, peut, sans l'autorisation de son mari, s'obliger pour ce qui concerne son négoce et, en ce cas, elle oblige aussi son mari, s'il y a communauté entr'eux. Elle ne peut être marchande publique sans cette autorisation expresse ou présumée.

article 184 : La femme ne peut tester sans l'autorisation de son mari.

article 185 : Le mariage ne se dissout que par la mort naturelle de l'un des conjoints ; tant qu'ils vivent l'un et l'autre, il est indissoluble.

article 643 : La femme mariée ne peut accepter valablement une succession sans y être autorisée par son mari ou en justice, suivant les dispositions du chapitre 6 du titre *Du mariage*.

article 986 : Sont incapables de contracter :
– Les mineurs, dans les cas et suivant les dispositions contenues dans ce code ;
– Les interdits ;
– Les femmes mariées, excepté dans les cas spécifiés par la loi ;
– [...] Les personnes aliénées ou souffrant d'une aberration temporaire causée par maladie, accident, ivresse ou autre cause, ou qui à raison de la faiblesse de leur esprit, sont incapables de donner un consentement valable.

article 1292 : Le mari administre seul les biens de la communauté. Il peut les vendre, aliéner et hypothéquer sans le concours de sa femme.
Il peut même seul en disposer par donation ou autre disposition entrevifs, pourvu que ce soit en faveur de personne capable et sans fraude.

article 1294 : Les condamnations pécuniaires encourues par le mari pour crime ou délit, peuvent se poursuivre sur les biens de la communauté. Celles encourues par la femme ne peuvent s'exécuter que sur ses biens et après dissolution de la communauté.

article 1422 : Lorsque les époux ont stipulé, par leur contrat de mariage, qu'ils seront séparés de biens, la femme conserve l'entière administration de ses biens meubles et immeubles et la libre jouissance de ses revenus.

article 1424 : Dans aucun cas, ni à la faveur d'aucune stipulation, la femme (séparée de biens) ne peut aliéner ses immeubles sans le consentement spécial de son mari, ou, à son refus, sans être autorisée par justice.
Toute autorisation générale d'aliéner les immeubles, donnée à la femme, soit par contrat de mariage, soit depuis, est nulle.

article 1425 : Lorsque la femme séparée a laissé la jouissance de ses biens à son mari, celui-ci n'est pas tenu, soit sur la demande que sa femme peut lui faire, soit à la dissolution du mariage, qu'à la représentation des fruits existants, et il n'est point comptable de ceux qui ont été consommés jusqu'alors. »

noce sert de rituel d'entrée dans un nouveau mode de vie, d'intégration à une collectivité sociale. Au lendemain de la noce, tout change. La robe de la mariée sera même transformée, parfois, en robe de baptême. La fête est terminée.

La liturgie du mariage rappelait à la femme son devoir de soumission : «soumise à son mari, comme l'Église l'était au Christ». En vertu de la Coutume de Paris imposée de façon exclusive à compter de 1664, puis du Code civil en vigueur à compter de 1866, la femme, jusqu'en 1915, souffre d'incapacité juridique. Elle «bénéficie» du statut de l'homme : sa nationalité, le choix du domicile, son rang social, son identification professionnelle. Elle renonce même à son nom pour prendre celui de son mari. On a traditionnellement prétendu que la place de la femme est à la maison, où elle élève une famille. En fait, dès 1664, Pierre Boucher précise : «Le travail des femmes consiste dans le soin de leurs ménages, à nourrir et à panser leurs bestiaux.» À la ville comme à la campagne, la ferme ou la boutique de l'artisan sont en effet davantage des exploitations familiales où prévaut la complémentarité des tâches. À compter de 1915, et en bonne partie à cause de l'absence des hommes et de l'effort de guerre demandé aux femmes, on reconnaît à celles-ci une certaine autonomie légale. Depuis, elles se sont affirmées dans tous les

La famille canadienne-française

«Le père n'est pas seulement défricheur et agriculteur ; il est aussi maçon, charpentier, menuisier, forgeron, cordonnier, sellier et, dans les jours d'hiver, tisserand et empailleur de chaises.

La mère, ah ! la mère de ce temps-là, quelques extravagantes d'aujourd'hui la trouveraient bien arriérée. [...] C'est chapeau bas, c'est les larmes aux yeux qu'il faudrait saluer l'aïeule canadienne-française, la première femme et la première épouse du monde. [...]

La mère n'est pas seulement ménagère ; l'été, elle se réserve aussi la garde du jardin et de la basse-cour ; puis elle trouve le temps de courir aux champs, herser, fauciller, rentrer du grain comme les hommes ; le soir, elle répare le linge, elle coud, elle tricote ; l'hiver, elle file, elle tisse, car c'est le beau temps de la petite industrie domestique. Pour se vêtir, la règle et la coutume sont que tout se fasse à la maison.»

(Lionel Groulx, *Notre maître le passé*, Montréal, Éditions internationales Alain Stanké ltée, 1977, coll. Québec 10/10, tome 1, pp. 136-137.)

Une lente évolution

En 1915, le Parlement de la province de Québec adopte une loi modifiant ce qui concerne les héritages : l'épouse obtient le droit d'hériter de son mari mort sans testament ou en l'absence d'héritiers directs au troisième degré.

En 1931, adoption d'une loi permettant à la femme de se constituer «un patrimoine de biens réservés à partir des fruits de son travail personnel».

En 1945, modification de l'article 279 pour permettre à la femme mariée de recevoir les indemnités auxquelles elle aurait droit à titre de dommages et intérêts.

En 1951, elle obtient le droit d'exercer ses droits civils sous son propre nom et non plus sous celui de son mari.

En 1954, à la suite de longues discussions, elle voit son nom enlevé de la liste des personnes incapables civilement.

En 1964, une nouvelle loi reconnaît à la femme une pleine capacité juridique «sous réserve de restrictions qui découleraient du régime matrimonial». Elle devient alors presque un citoyen à part entière. Car il lui faut encore, entre autres, la permission de son mari pour adhérer à un syndicat.

domaines. En 1983, on évaluait à 40,3 pour cent la main-d'œuvre féminine totale. Ces chiffres signifiaient que 32 pour cent de la population féminine avait un emploi. On retrouve les femmes dans des professions de plus en plus diversifiées, mais certains secteurs demeurent majoritairement masculins. Quant à la parité salariale, elle est souvent plus théorique que réelle.

*

Vers la fin des années 1980, les formes de mariage et de vie à deux ont beaucoup changé. Environ les trois quarts des unions au Québec donnent lieu à une cérémonie religieuse conforme aux traditions, et un quart des couples se marient civilement, tandis que les unions de fait constituent vraisemblablement 11 pour cent de tous les nouveaux couples. Au surplus, une bonne proportion de ces unions (33 pour cent pour le Canada en 1986) se terminent par une rupture. Qu'il respecte ou non les formes anciennes, le mariage ne véhicule plus la même signification qu'autrefois, pour les personnes concernées comme pour les collectivités. Il sanctionne religieusement ou civilement une entente, le choix et la volonté de vivre à deux, mais il n'assujettit plus l'autonomie de l'un à l'autorité de l'autre. Chacun peut garder

son nom, ses droits, ses biens et le droit de les transmettre à ses enfants. Il ne confine plus à un rôle, à une
fonction, à un modèle, à une identité de personnage.
L'autonomie qu'il reconnaît et le respect mutuel qu'il
présume préservent l'identité personnelle. On ne saurait croire que cela puisse s'opposer à l'identité collective.

Le troisième âge

Le visage du Québec prend des rides, ce qui ne sera pas
sans influencer son identité. En 1986, alors qu'augmente l'espérance de vie, le nombre de personnes de 65
ans et plus représente près de 10 pour cent de la population québécoise. Ces groupes du troisième âge, jouissant de la force du nombre, ont également pris en main
leurs destinées. À mesure qu'ils ont changé leurs comportements, c'est toute l'image de l'âge mûr qui s'est
modifiée.

Cette troisième grande période de la vie des individus est aussi marquée par des changements majeurs
dans les représentations collectives. Même le vocabulaire qui la désigne a évolué. Hier, on parlait des vieillards
ou des vieux, parfois des rentiers ou des retraités. Ce
groupe est devenu le troisième âge, puis l'âge d'or. C'est
maintenant le bel âge ou la deuxième jeunesse, des
expressions qui traduisent avec éloquence les modifications dans les modes de vie et dans les aspirations.

À l'époque de la Nouvelle-France, l'espérance de vie
d'un enfant à la naissance était de 35,5 ans. La mortalité
précoce atteignait un nouveau-né sur quatre tandis que
les épidémies frappaient de larges groupes d'enfants.

*La diminution du nombre d'enfants
dans les familles a eu pour effet
d'accroître les sensibilités à leur
égard. Ici, un apparat tout à fait
particulier face à la mortalité
infantile.*

(Archives nationales du Québec,
Chicoutimi. Photo SRP de l'Université
Laval.)

Beaucoup de femmes mouraient en couches. La maladie et les accidents emportaient des hommes dans la force de l'âge. De nos jours, l'espérance de vie des hommes atteint 72 ans et celle des femmes, 80 ans. En 1931, l'homme vivait aussi longtemps que la femme ; mais en 1986, on dénombrait 146 femmes de 65 ans et plus pour 100 hommes du même groupe d'âge.

L'augmentation de la longévité, liée à la baisse de la natalité, a profondément modifié la structure démographique du Québec. Elle a encore plus largement influé sur le style de vie des personnes qui composent le bel âge. Assez paradoxalement, ceux que l'on décrit parfois comme des personnes ayant cessé leur vie active font maintenant les enjeux d'un marché commercial extraordinaire. Le recul de l'inéluctable n'a pas pour autant fait disparaître les maladies, les handicaps et les difficultés, mais ce sont là des réalités sur lesquelles on a moins tendance à s'arrêter.

Dans la société rurale traditionnelle québécoise, les parents âgés « se donnaient » souvent à leurs enfants. Ces derniers leur réservaient une part du logis ou construisaient parfois une annexe à la résidence principale. Il existe encore bon nombre de ces maisons ayant deux entrées principales.

(Archives nationales du Québec, Québec, GH 870-85.)

L'âge avancé semble être en voie de devenir un lieu de réalisation des rêves d'enfance, qu'ils se nomment voyages, loisirs ou études. Il serait devenu beaucoup plus agréable de vieillir aujourd'hui qu'hier. À tout le moins, c'est ce que les gens du bel âge et le discours social veulent bien nous faire croire. Mais comme il n'y a pas de sagesse sans un brin de malice...

La mémoire collective garde des images paradoxales de la vieillesse dans les générations qui nous ont précédés. D'un côté, il y a l'image des vieux couples sereins, protégés par leurs enfants et entourés de leurs petits-enfants, se rendant utiles à l'occasion ; de l'autre, cette image de personnes âgées qui survivaient dans l'attente de la mort. Désœuvrement, isolement, pauvreté, déchirement au moment de « casser son ménage », crainte de « se donner », résistance à « entrer dans un foyer » semblent avoir été le lot d'un grand nombre. Les parents faisaient ainsi leurs adieux à la vie active. Ils abandonnaient les responsabilités et le travail. Ils cédaient leur autorité, voire leur autonomie. Ils confiaient à la bonne volonté d'un enfant leur sécurité, leur confort, leurs besoins. Ils renonçaient à leur maison, pour se confiner dans quelques pièces. Ils abandonnaient en d'autres mains le fruit de leur labeur et ne gardaient pour eux que les plus précieux de leurs souvenirs.

Quand on se donnait à ses enfants !

Le 31 mai 1792, Joseph Dansereau et sa femme, Marie-Anne Boisseau, de Verchères, trouvant qu'ils sont devenus vieux, passent devant le notaire P.-C. Duvernay pour la signature du contrat de donation de leur terre à leurs enfants Joseph, Marie et François, ainsi qu'à Jean-Baptiste, moyennant les conditions suivantes : « leurs hardes, linges, meubles, ustensiles de ménage, la moitié de la maison où ils demeurent actuellement, liberté d'aller et de venir dans la maison et comme bon leur semblera et jouir du four [à pain]. En outre, cèdent et abandonnent les dits cédants aux dits cessionnaires une paire de bœufs, trois vaches, quatre mères moutonnes et deux agneaux, deux cochons, une charrue telle quelle, un tombereau, une paire de roues [...] Ce, en outre, à la charge des dits cessionnaires de payer à leurs père et mère de rentes et pension viagères pour chaque année, leur vie durant, la quantité de soixante minots de blé froment sec, net, loyal et marchand dont moitié sera mis en farine et rendue dans

leur grenier, trois cents livres de lard, deux cents livres de bœuf gras, trente livres de suif et le coton pour l'employer, deux minots de sel, une livre et demie de poivre, neuf livres de farine, douze veltes [une velte = 7 ou 8 litres] de rhum, douze veltes de vin, douze cordes de bois de corde bûché en bois de poêle, six dindes grasses, douze poulets, douze douzaines d'œufs, dix livres de saindoux, deux vaches qui ne meurent point*, deux mères moutonnes qui ne meurent point, un cheval attelé à leurs besoins pour les mener ou les faire mener où ils voudront aller, [...] de leur fournir les légumes dont ils auront de besoin ainsi que le tabac pour fumer au dit cédant et le tabac en poudre pour la dite cédante, leur père et mère, à commencer à payer la dite rente et pension viagère à la Saint-Michel prochain, laquelle rente sera payée par quartier et laquelle ledit cessionnaire en payeront chacun le tiers, le tiers de tous les articles ci-dessus et outre sera tenu et obligé les dits cessionnaires d'avoir soin de leurs dits père et

mère tant en santé qu'en maladie, leur procurer tout secours tant spirituel que temporel, d'aller chercher le prêtre et le chirurgien et payés par les dits cessionnaires, de les faire enterrer dans l'église de la paroisse où ils décèderont, un service le corps présent et cent messes basses pour chacun le plus promptement possible après le décès du premier mourant. Excepté pour le bois et la chandelle, la dite rente et pension diminuera de moitié et, après le décès du dernier, la dite rente sera réunie et consolidée au fond et propriété des dits biens ci-dessus abandonnés. En outre, seront tenus et obligés de payer à deux de leurs sœurs la somme de quatre cents francs, ce qui fera quatre cents francs pour chacun des cessionnaires. »

---

* Une vache qui ne meurt point ou une vache immortelle signifiait que ceux qui acceptaient la donation étaient obligés de remplacer la vache qui mourait par une nouvelle.

(Archives nationales du Québec à Montréal, greffe du notaire P.-C. Duvernay, 31 mai 1792.)

La vie des « donnés »

« Dorénavant, le vieillard passe son temps assis dans sa berceuse près du poêle en hiver et, en été, sur la galerie à regarder passer le monde. Il souffre souvent d'être aussi inutile ; il regrette les beaux jours d'activité d'autrefois. Une famille, celle de son fils, l'entoure maintenant. Quand il s'ennuie trop à ne rien faire, il s'occupe à de menus travaux autour de la maison : il scie du bois, il soigne les animaux. Il aime surtout parler du bon vieux temps, car plus il vieillit, plus l'ère ancienne lui paraît douce et charmante. Toute sa pensée s'exprime dans cette phrase caractéristique : « mais, à c't'heure, c'est pas pareil ».

Sa femme abandonne à sa bru les travaux de la maison, sauf peut-être le raccommodage. On la voit désormais assise près de la fenêtre à tricoter, à raccommoder ou à égrener son chapelet. C'est la bru qui règne maintenant dans la cuisine. Mémère s'occupe un peu des enfants, c'est à leur sujet que s'élèvent quelquefois des discussions sur la façon de les vêtir, de les nourrir, de les soigner, de les élever. [...]

C'est ainsi que les vieillards passent agréablement, dans le repos sinon toujours dans la paix, les années qui leur restent à vivre. »

(Sœur Marie-Ursule, *Civilisation traditionnelle des Lavalois*, Québec, PUL, 1951, coll. Archives de folklore, 5-6, p. 131.)

La première maison pour personnes âgées a été fondée à Montréal en 1844 par mère Gamelin, qui voulait ainsi offrir un asile aux « vieilles dames pauvres ». Peu de temps après, les hommes purent, à leur tour, disposer d'« hospices » où terminer leurs vieux jours. Pendant près d'un siècle, des couples âgés furent ainsi séparés, les hommes vivant dans un endroit et les femmes dans un autre. C'est encore un religieux, le père Archange Godbout qui, en 1935, ouvrit une première maison pour recevoir les couples âgés.

Depuis une vingtaine d'années, les personnes âgées expriment leur goût et leur joie de vivre ; elles manifestent un entrain, un besoin de liberté et un sens aigu de l'organisation. Les changements de modes de vie depuis les années 1960 ont sans doute favorisé cette mentalité nouvelle. La diminution de l'espace vital dans les logements a provoqué la recherche et la mise en place de solutions originales. Il est rarement possible, par exemple, de garder ses vieux parents avec soi. Mais, dans une société moderne fortement urbanisée, la sécurité recherchée par les gens du troisième âge résiderait moins dans la qualité d'un logement que dans leur situation financière. Le gouvernement fédéral a commencé à verser des pensions de vieillesse en 1927. Le gouvernement du Québec a mis sur pied, en 1965, un régime de rentes. De plus en plus de personnes disposent de revenus personnels de retraite. Tout cela assure, sinon une sécurité financière, du moins un minimum vital. Il suffirait de quelques économies pour que la retraite signifie le départ d'une vie nouvelle, sous le signe de la liberté. Ce serait, aux dires des uns, « des samedis et des dimanches sept jours par semaine ». D'autres en profitent pour voyager aussi bien au Québec qu'à l'étranger, parfois à des tarifs avantageux. Ils deviennent une clientèle de choix pour le milieu des spectacles. Les universités facilitent leur retour aux études. Une série d'associations, de regroupements et d'organismes se forment pour leur venir en aide et les protéger.

En un sens, ce tableau idyllique n'a rien d'exagéré. Il correspond à l'image que l'on projette actuellement du bel âge. Mais la médaille a un revers, fait de handicaps physiques et mentaux, parfois de dénuement. Les listes d'attente pour entrer dans des logements destinés aux personnes âgées s'allongent. La vie dans un foyer comporte ses désagréments. Moins capables d'assurer leur défense, les personnes âgées sont plus facilement victimes de violence et vivent souvent dans l'incertitude et l'insécurité. Surtout, elles ne trouvent plus à partager leurs souvenirs, leurs joies et leurs expériences avec leurs enfants et petits-enfants. Le drame le plus commun chez les personnes âgées : une mémoire solitaire.

L'évocation de grands-parents retirés de la vie active, assis dans leur berçante au coin du feu et entourés de nombreux petits-enfants, fait désormais partie de la nostalgie des temps révolus. L'image actuellement projetée insiste sur une vie d'action et de loisirs, qui tait le plus souvent les maux de l'âge.

*

En définitive, les modèles propres à chaque âge de la vie familiale ont beaucoup changé. Ils subsistent surtout dans le souvenir, dans quelques règles institutionnelles et dans des valeurs affectives. Les comportements qui, hier, définissaient l'enfant, le couple ou les grands-parents attribuaient à chacun un rôle particulier. À travers cette représentation d'un personnage, ils conféraient à chacun une identité sociale qui, au Québec, avait une signification nationale. Il suffisait de se dire « mère » ou « enfant de » pour décliner toute son identité.

De tels éléments ne suffisent plus à personnifier une identité. Avec le temps, tout ce qui concourait à circonscrire l'identité s'est diversifié : les statuts juridiques, les professions, le partage des tâches, les relations entre personnes et générations, les types d'union. Aux rapports de dépendance, d'autorité ou de filiation s'est substituée l'autonomie des personnes, évolution qui n'est d'ailleurs pas propre au Québec.

LE SENS DE LA FAMILLE

Sur le plan collectif, la personnalité qui chapeaute l'identité pourrait correspondre, dans le cadre de ce thème de la famille, aux valeurs et aux engagements que recouvre l'expression répandue au Québec de « sens de la famille ». Y a-t-il encore un « sens de la famille » au Québec ? Auquel cas, où loge-t-il et de quoi se compose-t-il ? Le sentiment d'appartenance familiale s'est-il estompé ? Les solidarités de parenté sont-elles disparues ?

Les photographies montrant trois ou quatre générations illustrent la fierté de la lignée familiale, la transmission des valeurs et, en particulier, la relation entre grands-parents et enfants. Habituellement, c'est la grand-mère qui tenait le nouveau-né dans ses bras.

(Archives de folklore de l'Université Laval. Collection Solange Deschênes, n° 20, Saint-Jean-Port-Joli, 1907.)

Le fossé entre les générations est-il si différent d'hier ? Le « sens de la famille » et l'importance qu'on lui accorde ont-ils été remplacés, modifiés, simplement atténués ou déplacés ? Sur cette question, l'expérience du présent fournit à la mémoire toutes sortes de données contradictoires et le manque de recul n'a pas laissé au temps la possibilité de faire un tri cohérent et de proposer une nouvelle représentation de ce qu'est devenue la famille.

Les études menées par les sociologues Andrée Fortin et Denys Delâge sur la population ouvrière de Québec en 1983 et 1984 montrent que, si la famille a changé dans sa composition, son importance effective dans le tissu social reste considérable. « La parenté polarise toutes les relations sociales. La famille clan est restée le pôle d'identité en milieu populaire. La communication passe par les femmes, les principaux échanges se tissent à propos des enfants ; la fête et les vacances regroupent la parenté. » On évite cependant les relations trop suivies, sources de commérages. Ce modèle de comportement n'est pas très différent de celui d'autrefois. Il rappelle l'ordre des priorités et la force des solidarités et des liens du sang. Il ne sous-entend pas que l'harmonie soit plus parfaite aujourd'hui qu'hier. Il suffit d'ailleurs de relire le texte des chansons du folklore québécois pour constater que la solidarité des familles d'autrefois n'était pas exempte de tensions, de ruptures et de réconciliations,

Un fils ingrat qui veut s'instruire

« En 1745, le sculpteur Pierre-Noël Levasseur apprend que son fils René-Michel, âgé de 20 ans, vient de s'engager comme apprenti-menuisier chez le maître-menuisier François Filliau Dubois à Montréal. Les relations entre le père et le fils ne semblent pas des meilleures. Dans sa lettre au menuisier Dubois, le sculpteur précise : « Je compte que vous lui donnerez quelques moments pour lire et écrire et dessiner et que vous veillerez sur sa conduite comme s'il vous appartenait afin qu'il fréquente l'Église et les sacrements et qu'il ne hante point les ivrognes et les libertins. S'il a besoin de papier pour écrire et dessiner, je lui en enverrai sitôt que je saurai qu'il demeurera chez vous et que vous me donnerez de bons témoignages de son application. Je vous prie de vous mettre à ma place en cette occasion, de lui parler en père, de lui faire sentir le droit que j'ai de l'oublier pour le punir des déplaisirs qu'il m'a donnés jusqu'à présent. Il me quitte dans le temps que je suis seul et que j'ai besoin d'aide. Il pourrait apprendre avec moi tout ce qu'il peut apprendre ailleurs et quelque chose de plus. Il n'a jamais voulu profiter de mes conseils, non plus que de ceux de sa mère. J'espère que Dieu lui fera la grâce d'être plus sage à l'avenir et qu'il profitera des vôtres et de ceux de votre épouse à qui je prends la liberté de le recommander. Je vous prie de lui cacher les bontés que j'ai encore pour lui et de ne lui faire connaître que du ressentiment pour sa mauvaise conduite à mon égard. »

(*Bulletin des recherches historiques*, vol. 37-38, 1931, pp. 496-499.)

en particulier au temps des Fêtes. Rien n'indique non plus que les ruptures à l'intérieur des familles soient plus fréquentes ou plus profondes aujourd'hui qu'hier. Les jeunes qui gagnaient les chantiers, la ville ou l'étranger rompaient aussi parfois avec un cadre familial devenu, à leur goût, trop contraignant.

Le cercle des relations sociales s'est évidemment beaucoup élargi au XXe siècle, mais la famille et la parenté constituent encore un environnement humain significatif. On y a souvent recours pour parer aux difficultés d'un moment. Les relations entre gens apparentés demeurent un mode de fonctionnement social qui se perpétue aussi bien dans l'espace urbain et le travail que dans les loisirs. Plusieurs formes traditionnelles de relations, au temps des Fêtes par exemple, se sont perpétuées avec, semble-t-il, une égale intensité. En somme, les solidarités qui unissent les membres d'une famille sont plus qu'une survivance ou une abstraction. Leur existence traduit le maintien d'un certain « sens de la famille », c'est-à-dire de valeurs associées aux liens biologiques et affectifs.

La perception de la nature des relations entre les générations est par contre passée d'un pôle à un autre. La mémoire collective a été marquée par l'impression d'échanges soutenus entre les parents et leurs enfants et entre les grands-parents et leurs petits-enfants. Les images actuelles insistent plutôt sur l'individualisme et le fossé entre les générations. L'intensité présumée des échanges, qui hier reliaient entre elles les générations, s'est exprimée dans plusieurs images populaires. L'une des plus fortes montre le grand-père racontant des récits fabuleux aux jeunes de la famille. Une autre image bien connue rappelle la transmission des métiers et des habiletés de père en fils ou de mère en fille. Enfin, la complicité entre les grands-parents et les petits-enfants a été présentée comme un canal privilégié de communication de valeurs et un merveilleux mode d'apprentissage de la vie en société.

La modernité aurait entraîné un véritable renversement de situation. Hier, un commandement de Dieu, qui renforçait une relation d'autorité incontestée, dictait la norme sociale : « Père et mère tu honoreras... » Un slogan mis de l'avant récemment préconisait d'adopter un grand-parent. L'incitation au bon vouloir et à l'affection remplace donc l'obligation. L'échange amical se substitue à la relation d'autorité. Les parents se font

Des jeunes dont le bruit dérange les « vieux »

« Presque tous les garçons de boutique et autres jeunes gens satroupent la nuit pour faire des Tapage, comme Barer les rues avec des Voitures dans les nuits les plus obscures, faire des embaras aux portes des maisons avec des bois, en remplir les loquets d'ordure, faire des fouilles en travers des rues et devant les portes des maisons pour y faire tomber les passans, faire des cris et hurlemens effroyables frappant aux portes des particuliers pour les epouvanter, et tourmenter les malades et insulter les passans.

Ces perturbateurs du repos public ont la jambe si bonne qu'ils évitent les patrouilles. Cependant, si on prononçait contre eux une forte amande dont la moitié au proffit de Ceux qui les arresteraient, je suis persuadé qu'en fortiffiant les patrouilles, on en arresterait beaucoup, cela apporterait une grande tranquillité dans le public. Car ces coureurs de nuit abiment les couvertures des maisons a coup de pierre, et en cassent les vitres pendant la nuit. Le jour, selon la saison, ils chargent les passans

de pierre ou de pelottes de neige dans les rues et à la porte des églises où il n'y a point d'insolences qu'ils ne commettent, s'atrouppant avec les cochers qui jurent et blasphement, et se battent aux portes des églises pendant l'office divin après s'etre enyvrer. »

(Lettre du baron de Longueuil, Montréal, début XVIIIe siècle, Archives nationales, Paris, Archives des colonies, F3, F378, f. 275-275v.)

appeler par leur prénom plutôt que par leur titre de parent. Il faut bien reconnaître cependant que, de tout temps, les anciens ont déploré certains comportements de la jeunesse. Et le Québec n'est pas différent des vieux pays à cet égard. Les plus vieux se sont fréquemment plaints des plus jeunes. Il serait également devenu beaucoup plus difficile de transmettre les savoir-faire ancestraux et d'entretenir des relations étroites de travail et de loisirs. On en impute la responsabilité tout autant aux conditions de travail et d'instruction, aux nouveaux modes d'habiter qu'aux loisirs individualisés par la télévision et le magnétoscope. À cela s'ajoute la question des relations parents-enfants chez les couples séparés. La préoccupation prédominante semble d'assurer à chaque parent biologique son droit à un amour et à une présence réciproques. D'un autre côté, les liens d'amitié paraissent en général se nouer avec facilité lors de la formation de nouvelles entités familiales.

Les relations entre les membres d'une famille ont certes changé, mais peut-être pas autant que cela. Seule une grande mythification a pu faire croire à un passé familial paradisiaque et à une harmonie parfaite. Mais, à travers les changements, les valeurs associées au « sens de la famille » semblent avoir été préservées. La volonté de vivre sa vie, de façon autonome et dans le respect des autres, traduirait une volonté collective et un idéal social largement partagés, qu'il reste bien sûr à atteindre dans bien des cas.

Au Québec, la famille a été élevée au rang de mythe. Et cette amplification de la réalité, fruit de l'imagination collective, non seulement subsiste encore, mais elle est même accentuée par certains comportements. L'appartenance à une lignée familiale remplace, à certains égards, les familles nombreuses ou unies d'hier. Ainsi, le regroupement des familles souches au Québec rassemble quelque 50 000 membres. Chaque année, par centaines et par milliers, des personnes portant le même patronyme ou ayant un même ancêtre se rencontrent pour célébrer un anniversaire ou entretenir l'esprit d'une lignée. Comme ailleurs en Occident, les travaux généalogiques se multiplient. On sait pourtant que, hier comme aujourd'hui, les liens du sang n'entraînent pas nécessairement de rapports affectifs, voire de relations cordiales soutenues. Il y a un net décalage entre la réalité et cette famille imaginée. Il arrive que l'on connaisse mieux une lignée couchée sur papier que les parents vivant à quelques kilomètres. Faut-il croire que plusieurs personnes, sensibles aux transformations qui ont touché la famille, ont recherché dans le passé un refuge sécurisant?

Cette création d'une famille imaginaire correspondrait bien à la fois à ce qui a été observé ailleurs qu'au Québec et à une démarche de mémoire collective. Elle illustrerait un moyen que prennent des collectivités pour apporter une réponse aux problèmes du présent. Elle serait aussi, pour des collectivités québécoises, une façon de préserver certaines valeurs associées au « sens de la famille ». Si la *personnalité* de la famille a évolué, si elle a perdu de sa signification identitaire ancienne, elle n'en subsiste pas moins avec force dans un contexte social plus diversifié, plus tolérant, constitué de comportements, de valeurs, d'engagements et de sensibilités diversement partagés selon la structure de l'union à laquelle chacun appartient.

* * *

Les changements survenus dans la famille au Québec sont encore trop récents pour permettre de dresser un bilan satisfaisant de la situation et de son évolution. Dans les perspectives les plus larges, le discours d'hier sur l'unité de la famille nous paraît aussi exagéré et simplificateur que les conclusions actuelles prétendant à l'éclatement de la famille. Il y a entre le passé et le présent d'évidentes continuités, tant sur le plan de la constitution, du rôle et des comportements que sur celui du sens de la famille.

La spécificité identitaire que représentait la famille d'autrefois pour la collectivité francophone résidait dans le discours idéologique plus que dans les faits. Car cette famille ressemblait à celle qui existait dans les autres pays américains et européens. La question de la famille d'aujourd'hui, dans sa composition, son fonctionnement et sa signification, est plus sociale, plus près des personnes et de leurs sensibilités. La composition de la famille est plus variée maintenant qu'auparavant. Par les nouveaux types d'union et par la façon dont elle assure sa reproduction biologique, la structure même de la famille de l'avenir est mise en danger.

Mais la plus grande transformation réside probablement dans la dilution des rôles personnifiés par la place occupée dans la famille. Le changement culturel est d'autant plus important qu'il s'appuie sur une façon de s'identifier qui avait valeur d'image et dans laquelle chacun pouvait se situer. L'émergence d'autres rôles, d'ordre professionnel par exemple, ou d'autres comportements nettement plus autonomes, aussi bien de la part des enfants que des grands-parents, a changé l'image traditionnelle. Les statuts d'égalité et la responsabilité personnelle ont pris la plus grande place et se sont même imposés à la perception de la personnalité de la famille. Le « sens de la famille » ne peut plus se concevoir sans la reconnaissance préalable de l'autonomie des personnes.

LECTURES COMPLÉMENTAIRES

Charbonneau, Hubert, *La population du Québec. Études rétrospectives*, Montréal, Boréal Express, 1973.

Charbonneau, Hubert, *Vie et mort de nos ancêtres. Étude démographique*, Montréal, PUM, 1975.

Charbonneau, Hubert, *et al.*, *Naissance d'une nation. Les Français établis au Canada au XVIIᵉ siècle*, Montréal, PUM, 1987.

Fortin, Andrée, Denys Delâge *et al.*, *Histoires de familles et réseaux, une exploration*, Rapport de recherche, Université Laval, 1985.

Henripin, Jacques, *La population canadienne au début du XVIIIᵉ siècle. Nuptialité, fécondité, mortalité infantile*, Paris, PUF, 1954.

Henripin, Jacques, *et al.*, *Les enfants qu'on n'a plus au Québec*, Montréal, PUM, 1981.

Laforce, Hélène, *Histoire de la sage-femme au Québec*, Québec, IQRC, 1984.

Langlois, Simon, et François Trudel, *La morphologie sociale en mutation au Québec*, Montréal, ACFAS, 1986.

Mathews, Georges, *Le choc démographique. Le déclin du Québec est-il inévitable?*, Montréal, Boréal Express, 1984.

Recherches sociographiques, XXVIII, 2-3, 1987, numéro spécial : «La famille de la Nouvelle-France à

CHAPITRE CINQUIÈME

L'ENCADREMENT DES GRANDES INSTITUTIONS

L ES GRANDES INSTITUTIONS, celles qui, hier, prescrivaient le devenir des peuples et les comportements admis en société – l'État, l'Église et l'École –, disposaient d'un pouvoir d'autorité communément reconnu et accepté. Leur structure et leur fonctionnement assuraient ce pouvoir, qu'elles n'avaient ni à légitimer ni à justifier. Elles étaient des lieux vivants de mémoire.

À la base de toutes les grandes institutions, on trouve un livre (Bible, catéchisme, code de lois, manuel scolaire), des pratiques (cérémonies religieuses, devoirs et leçons, formulaires et rapports d'activité) ainsi qu'un porte-parole autorisé (prêtre, enseignant, administrateur) dont la parole fait fonction d'autorité et s'applique uniformément à tous. Positif, global et explicatif, le discours de ces institutions, qu'il soit norme, loi, règle ou savoir, explique ce qui est bon pour tous et pour chacun. Assurant la conservation et la transmission des valeurs, il indique ce qu'il faut retenir du passé pour le présent et le futur des collectivités. Il installe ce passé dans le sacré, la mémoire dans le vécu et dans l'action. Ainsi, ce discours fournissait comme un donné absolument inévitable l'identité de *personnage* et de *personnalité* des individus et des collectivités.

Les chercheurs français qui ont le plus approfondi cette question sont l'anthropologue Roger Bastide, en se servant de l'exemple des sociétés africaines, l'ethnologue Françoise Zonabend, en analysant les mémoires propres à divers groupes, et l'historien Pierre Nora, dans son analyse des mémoires de la France. La plupart des chercheurs qui ont suivi les pistes ainsi tracées s'entendent sur un certain nombre de constats. Ce type de rapports entre les institutions et les sociétés a eu cours pendant plusieurs siècles, à la grandeur de l'Occident. Il reposait sur des principes d'autorité et avait comme point d'ancrage le passé national et religieux. Depuis quelques décennies cependant, des changements majeurs ont touché ces grandes institutions ainsi que les systèmes de valeurs et les profils identitaires qu'elles projetaient. L'Église, l'État et l'École ne font plus partie des lieux prioritaires de mémoire et ne fournissent plus le cadre unitaire qui enserrait la conscience de la collectivité. La légitimation par le passé a cédé la place à la légitimation par l'avenir et les rapports d'autorité se sont atténués.

De passéiste, nationale ou religieuse, la mémoire a bifurqué sur le social. D'une part, les diktats sont moins globaux et les comportements moins uniformément partagés. D'autre part, cette mémoire sociale ne s'étend guère au-delà de ce que les individus du groupe connaissent et partagent comme souvenirs. Elle réside dans une expérience personnelle en regard du présent d'abord, puis du passé. Elle s'ancre dans la vie et n'a de consistance que dans le sentiment d'appartenance qui la rend signifiante et en fait une conscience vivante qui guide l'agir. Force est de constater que le Québec a participé de façon très intense à cette évolution occidentale.

L'idéologie dominante au cours des années 1850-1950, fortement teintée par une historiographie clériconationaliste, a misé sur la sauvegarde de la langue, de la foi et des institutions. Elle ne semblait pas avoir eu d'autre choix que de prôner le repli de la société sur elle-même. Pour alimenter cette représentation fondée sur l'identité en péril, elle lui a donné une épaisseur historique constituée par les stéréotypes que l'on connaît bien maintenant. Selon les dires mêmes d'un témoin, il s'agissait de peindre « le peuple non pas tel qu'il est, mais tel qu'on lui propose d'être ». Ces élites bien pensantes et militantes ont voulu édifier une patrie imaginaire, à la morale exemplaire et aux valeurs inébranlables. Elles ont créé une mémoire officielle transmise par chacune des grandes institutions. Compte tenu de leur rôle dans la société québécoise avant 1960, ce projet n'avait rien d'inconcevable ou d'inconvenant. Le passé ainsi aménagé correspondait aux besoins du temps et aux attentes de la société qui a largement souscrit à ces objectifs.

Dès le tournant des années 1960, sous la double poussée des changements sociaux et du renouvellement des problématiques, tout cela a basculé ou a paru déphasé. On a commencé à livrer du passé une image nettement plus nuancée, en même temps que les changements dans les cadres sociaux privaient la construction culturelle ancienne de la majeure partie de ses pertinences. En dressant un bilan de cette production culturelle, sous le titre évocateur d'«Une ambiguïté québécoise : les bonnes élites et le méchant peuple», l'historien Gérard Bouchard montre que la société n'a quand même pas toujours suivi de plein gré ces projets de société. Il insiste sur l'écart entre les objectifs des élites et les comportements populaires. Il signale notamment que les visées conservatrices et les dénonciations ne réduisent en rien l'engouement pour les États-Unis et le mode de vie et les valeurs de ses habitants.

Le contexte de la vie en société sous l'égide des grandes institutions change dramatiquement en quelques années. Le concile Vatican II modifie les rapports entre le clergé et ses fidèles, ainsi que les relations entre les Églises, en plus des formes extérieures de la pratique religieuse. Au même moment, une bonne proportion de catholiques s'éloigne de la pratique régulière des sacrements et s'écarte des valeurs traditionnelles. L'État, lui, paraît sortir d'une grande torpeur. Il réforme, se modernise et se démocratise, rendant plus accessibles à tous les grands services publics comme la santé et l'instruction. Le système d'enseignement est chambardé dans sa structure, son fonctionnement, ses programmes et ses contenus. En même temps, l'essor des télécommunications fait pénétrer le monde entier dans les foyers. Les médias s'emparent d'une bonne partie du pouvoir de définition de l'acceptable. Les genres de vie peuvent maintenant être comparés et les modes de vie s'adaptent aux réalités nouvelles. Le discours d'autorité, axé sur les valeurs traditionnelles, perd de sa résonance. La connaissance du passé trouve asile dans l'action politique active et son renouvellement paraît moins essentiel.

La production savante éclate dans toutes les directions, au gré des goûts changeants, des stratégies économiques, de l'envie de se raconter et d'un élargissement des questionnements. Une vogue de rétromanie déferle sur le Québec et fait découvrir et sacraliser par chacun un passé où le quotidien et le symbolique l'emportent. Ainsi, des membres de la Chambre de commerce de Québec mettent en marche un programme de restauration de Place-Royale à des fins touristiques. On s'intéresse à l'individu ordinaire dans son quotidien. On sent le besoin de se raconter : vie de travailleurs, mémoires de personnalités politiques, récits de voyage, d'une lutte contre la maladie ou d'un séjour en prison. On communique son intimité. Cette réappropriation individuelle de son propre passé se raccroche au présent, tout en s'éloignant de celui des grandes institutions.

L'ambition de rappeler la mémoire de l'encadrement institutionnel dans la longue durée frise l'impossible. Et pourtant, les matériaux ne manquent pas. La grande synthèse du catholicisme québécois au XXe siècle par Jean Hamelin et Nicole Gagnon couvre, à elle seule, près de 800 pages. Des dizaines d'ethnographes ont scruté les faits de la vie dans l'environnement quotidien. Il existe de remarquables biographies de personnalités politiques et religieuses. On est littéralement écrasé sous le poids des rapports publics relatifs aux changements dans l'Église ou dans les grands services de l'État. Archives, artefacts et matériaux divers abondent et, dans certains cas, comme l'histoire des institutions, ils ont été minutieusement traités. Mais dans la perspective d'une mémoire sociale, l'histoire des institutions importe moins que les relations qui se nouent entre les individus et les souvenirs des pratiques et des convictions partagées dans les groupes. Bref, notre propos s'attache moins à l'État, à l'Église ou à l'École qu'à leur présence à la maison, au travail et dans les loisirs, à leur présence dans les comportements et les valeurs, dans les faits et les sensibilités, à leur signification actuelle pour les collectivités québécoises.

Les contextes qui président aux grands changements sociaux et institutionnels deviennent révélateurs d'une mémoire collective en mutation. Ils font ressortir les positions initiatrices des modifications dans les rouages qui concernent de près l'ensemble des collectivités. Ce sont les années 1960 qui fournissent les points de repère les plus utiles à cette reconnaissance de distances et de différences entre le discours et la réalité. Des pôles extrêmes, allant de l'intolérance à l'acceptation, de l'obligation à l'incitation, du prescrit au libre choix, facilitent la mémorisation de ces changements sociaux préparés de longue main.

L'ENCADREMENT DE L'ÉTAT

De la présence de l'État le citoyen ordinaire retient souvent dans le quotidien l'importance démesurée de la « paperasse ». La nécessité de posséder sur soi ou chez soi toutes sortes de documents officialisés n'est ni nouvelle, ni unique, ni même exceptionnelle au Québec. Ici comme ailleurs, tout au long de la vie, il faut pouvoir justifier d'un état, d'un droit, d'une identité. Dès la naissance, le nouveau citoyen fait l'objet d'une déclaration obligatoire d'entrée dans la vie. Naissance, mariage et décès sont consignés dans des registres d'état civil. Entre-temps, un individu aura obtenu une carte d'assurance sociale, une carte d'assurance-maladie, un permis de conduire un véhicule, un certificat d'enregistrement, une preuve d'assurance et, parfois, un permis de chasse, de pêche, de construction, un titre de propriété foncière et quoi d'autre ! Il aura également déposé divers rapports et déclarations, dont celle du revenu annuel, aux paliers fédéral et provincial pour les Québécois. Ces contraintes paperassières, perçues comme des obligations, visent néanmoins à assurer une protection égale pour tous. Elles sont la rançon des droits du citoyen.

Dans cette relation complexe, où la protection des personnes s'accompagne d'obligations, l'État n'a pas toujours agi seul. Encore aujourd'hui, les Québécois relèvent de deux paliers de gouvernement dont les compétences se recoupent sur plusieurs plans. De plus, pendant longtemps, les pouvoirs de l'État et de l'Église furent intimement liés. Plusieurs groupes de pression, aux intérêts plus ou moins particuliers, se font davantage entendre et en viennent à partager une partie de ces pouvoirs. Cependant, qu'il s'agisse de droits politiques, de santé physique, de mieux-être social ou de moralité publique, les droits de l'individu se sont accrus plus considérablement en un siècle que pendant toute la période qui a précédé.

Le partage des droits et devoirs politiques

En deux siècles, l'exercice du pouvoir a changé de mains, passant de celles d'un individu à l'ensemble de la population. Dans les années 1660, le jeune roi de France, Louis XIV, de qui relevait la Nouvelle-France, a pu dire :

Quelques manifestations d'autrefois

1714 : le Conseil supérieur se réunit en assemblée extraordinaire le vendredi 5 octobre : « Vu par le Conseil le réquisitoire du Procureur Général du Roy en datte de ce jour, Contenant qu'ayant eu avis que plusieurs habitants des costes circonvoisines S'estoient attroupez, la Veille de st Barthelemy dernier, partie armée de fuzils, et fait des menaces d'entrer dans la Ville, ainsy attroupez, Si on n'ecoutait leurs remontrances [...] »

(Archives nationales du Québec, Québec, Registre du Conseil supérieur, Plumitif criminel, 1712-1720.)

1759 : le 2 janvier, l'intendant François Bigot réduit la ration de pain des habitants de la ville de Québec à un quart de livre par jour par personne. Plus de 400 femmes vont manifester devant le palais de l'intendant et obtiennent gain de cause : la ration est portée à une demi-livre.

(Henri-Raymond Casgrain, *Journal du marquis de Montcalm durant ses campagnes en Canada de 1758 à 1759*, Collection des manuscrits du maréchal de Lévis, Québec, vol. VII, 1895.)

Une campagne électorale en chanson en 1792

Pour être élus,
Que de cabales et de brigues,
Pour être élus ;
Mais que je vois de gens déçus
C'est bien en vain qui se
          fatiguent
Pour être élus.

Du citoyen
Partout on cherche le suffrage,
Du citoyen
Mais la méthode ne vaut rien ;
Quiconque le met en usage
Souhaite vraiment l'esclavage
Du citoyen.

Avec mépris
Regardons tous ces émissaires,
Avec mépris,
Qui vont de logis en logis.
On leur promet quelques
          salaires,
Mais ils n'auront dans
          ces affaires,
Que du mépris.

À nos dépens
On veut acquitter quelques
          dettes,
À nos dépens,
Ou faire la cour aux marchands.
Et c'est sous ce prétexte honnête
Qu'on cherche à nous tourner
          la tête.
À nos dépens.

(*La Gazette de Québec*, 1792.)

« L'État, c'est Moi. » Son pouvoir était reconnu de droit divin, et donc absolument incontestable, du moins en théorie. À sa mort, son titre, son trône et son autorité revenaient à l'aîné masculin de ses enfants. Ceux qui le représentaient dans l'administration de son royaume ou de ses colonies avaient droit, par délégation, au même respect et jouissaient du prestige de leur nomination. Le gouverneur Buade, comte de Frontenac, qui avait jugé bon de consulter les notables de la colonie en 1672 – ce qu'il avait eu le malheur d'appeler les « états généraux » –, s'était fait sévèrement rabrouer par le roi qui lui rappela la première maxime d'un bon gouvernement absolutiste : « Il est bon que chacun parle pour soi, mais personne au nom des autres. » Les habitants, ou du moins certains notables, furent malgré tout consultés par les autorités, en particulier dans les situations de crise ou de menace militaire, mais cette consultation n'avait rien d'un pouvoir reconnu. Il restait la possibilité de contester, par l'inertie, les pratiques d'esquive ou de détournement, les dénonciations, l'opposition juridique ou de faire appel directement au roi. On ne s'est privé d'aucun de ces moyens. En dernier ressort, on ne craignait pas de descendre dans la rue pour faire savoir bruyamment aux autorités qu'on était en désaccord avec les décisions prises. Mais c'est l'obtention et la généralisation du droit de vote qui ont le plus favorisé la participation des citoyens au pouvoir.

Le droit d'élire des représentants dans une assemblée constituée a été accordé en 1791 par le gouvernement britannique en réponse aux vœux de la population loyaliste, habituée dans les colonies américaines au système de la députation. Il n'était pas accordé à tous, mais « aux personnes qui posséderont individuellement pour leur usage et profit exclusifs des terres [...] et qui rapporteront un revenu annuel de quarante schellings ou plus ». Des exigences semblables, mais un peu moins élevées, donnaient droit de participer à l'élection de représentants dans les bourgs ou les municipalités. De plus, pour avoir qualité d'électeur, il fallait avoir 21 ans révolus, être sujet britannique par naissance, naturalisation ou conquête et ne pas s'être rendu coupable de trahison ou félonie. Ainsi, à cette époque, les femmes et en particulier les veuves qui ont les mêmes qualifications que les hommes ont le droit de voter et elles exercent leur droit.

Comment on votait en 1792

La votation n'a pas lieu en même temps dans toutes les circonscriptions électorales, ce qui a pour conséquence qu'un candidat défait dans une circonscription a le temps de se présenter dans une autre dans l'espoir de se faire élire. Il n'y a qu'un seul bureau de votation par circonscription et il demeure ouvert tant et aussi longtemps qu'il ne s'est pas écoulé une heure sans voteur. La votation peut donc s'échelonner sur plusieurs jours. Dans le cas de circonscriptions qui ont droit à deux représentants à la Chambre d'assemblée, chaque voteur dispose alors de deux votes. Les personnes habilitées à voter doivent se présenter une à une devant l'officier rapporteur, donner leur nom et, au besoin, prêter serment. Chacune déclare ensuite à haute et intelligible voix le nom du candidat auquel elle accorde sa voix. L'officier inscrit dans un registre officiel le nom du voteur et indique par un signe à qui le vote est accordé. Les spectateurs, tout comme les candidats, peuvent suivre l'évolution de la votation et voir si leur favori est en avance ou en retard.

Une autre grande étape dans l'exercice démocratique du droit de vote fut franchie en 1875 par l'adoption par la législature de Québec du principe du vote secret. Il y eut toutefois des opposants qui jugeaient humiliant de devoir voter en secret, car, pour eux, c'était nier l'indépendance des habitants et favoriser la corruption. Pour tout dire, ce nouveau mode de scrutin mit fin en partie à l'intimidation et à la violence à l'égard des plus pauvres et des plus démunis. Jusque-là en effet, le vote était public et des fiers-à-bras n'hésitaient pas à se servir de leurs muscles ou de menaces de représailles pour l'influencer. L'exercice démocratique du droit de vote se consolida quelques années plus tard. En 1876, lors d'une élection fédérale, le clergé catholique prit résolument parti contre les libéraux dont les idées lui paraissaient condamnables. Du haut de la chaire, il dénonça le Parti libéral et, dans certains sermons, les curés laissèrent entendre qu'un vote libéral constituait un péché mortel. Mais les résultats des élections furent contestés dans deux comtés sous prétexte de l'influence indue du clergé, et les tribunaux annulèrent ces élections. Les tensions restèrent vives, mais la leçon avait porté. Dorénavant, la plupart des membres du clergé distingueront le libéralisme idéologique et le libéralisme politique. Ils seront plus prudents dans leurs interventions, se contentant de déclarer que « le ciel est bleu et l'enfer est rouge ». Plus tard, une scission se manifesta entre la population et le clergé quant aux comportements politiques. En 1896, malgré les attaques virulentes du clergé catholique contre le chef libéral Laurier, le Québec vota massivement en sa faveur.

Les « suffragettes ». À l'exemple de la Grande-Bretagne et des États-Unis, des manifestations publiques sont organisées par des mouvements féministes pour réclamer le droit de vote pour les femmes.

(Raymonde Lamothe et al., *Agenda 1978 : notes sur l'histoire des femmes au Québec*, Montréal, Remue-Ménage, 1978, p. 7.)

Un autre gain démocratique important concerne le vote féminin. Après un demi-siècle d'exercice, le droit de vote est enlevé aux femmes en 1849. Il ne sera recouvré, au niveau canadien, qu'en 1917. Au Québec, il fallut encore plus de 20 ans de lutte pour triompher des oppositions regroupées du clergé, des hommes politiques et des élites bien pensantes. Thérèse Casgrain, vice-présidente des Femmes libérales du Canada et épouse du président des Communes, fit inscrire 40 déléguées au congrès du Parti libéral en 1938. Celles-ci mirent au programme la question du suffrage féminin. En 1940, le premier ministre libéral Adélard Godbout donna suite à sa promesse et, malgré une opposition tenace du clergé, accorda enfin le droit de vote aux femmes.

On assiste, par la suite, à un élargissement des catégories d'électeurs. En 1963, l'âge requis pour voter est baissé à 18 ans. Six ans plus tard, les Amérindiens obtiennent le droit de participer aux élections. En 1978, les juges retrouvent la possibilité de se prononcer quant au choix des élus. Et, à l'occasion du référendum de 1980 sur la question de la souveraineté-association du Québec, le droit de vote est étendu aux détenus. Il est maintenant accordé à tout citoyen canadien de 18 ans et plus, domicilié au Québec depuis au moins 12 mois et qui n'est ni interdit ni sous curatelle pour cause d'incapacité mentale.

L'attitude face à l'exercice des droits démocratiques en matière politique a donc changé du tout au tout depuis les débuts de la colonie. Il y a trois siècles, seulement quelques notables avaient, pour tout partage, la possibilité d'être consultés selon le bon désir des autorités. Aujourd'hui, les autorités politiques patronnent des campagnes publicitaires pour inciter les citoyens à se prévaloir de leur droit de vote, tandis que les autorités religieuses en font un devoir à la fois civil et religieux.

L'équilibre des pouvoirs

Une autre façon de faire valoir ses droits, d'un usage commun à tous les temps, consiste à éviter de concentrer les pouvoirs entre les mains des mêmes personnes ou dans les mêmes fonctions. Les plus hautes autorités aussi bien que les simples sujets ont souvent mis en pratique l'adage qui dit : « diviser pour régner ». Le partage des responsabilités entre divers paliers de gouvernement aurait facilité l'usage de ce principe politique.

Contre le droit de vote aux femmes

« Nous ne sommes pas favorables au suffrage politique féminin :

1. Parce qu'il va à l'encontre de l'unité et de la hiérarchie familiale ;

2. Parce que son exercice expose les femmes à toutes les passions et à toutes les aventures de l'électoralisme ;

3. Parce que, en fait, il nous apparaît que la très grande majorité des femmes de la province ne le désire pas ;

4. Parce que les réformes sociales, économiques, hygiéniques, etc., que l'on avance pour préconiser le droit de suffrage chez les femmes, peuvent être aussi bien obtenues grâce à l'influence des organisations féminines, en marge de la politique.

Nous croyons exprimer ici le sentiment commun des évêques de la province. »

(Cardinal Rodrigue Villeneuve, *Semaine religieuse de Québec*, 52ᵉ année, nº 27, 7 mars 1940, p. 419.)

Par un jeu de balancier dans la faveur accordée aux partis, les électeurs eux-mêmes auraient souvent cherché à équilibrer ou à contrebalancer les pouvoirs. Au Québec, l'existence de deux paliers de gouvernement, auxquels on pourrait ajouter les administrations municipales, et l'émergence fréquente d'un tiers parti fédéral ou provincial ont donné lieu à des jeux complexes d'oppositions et d'alliances.

L'exemple vient de haut et de loin. À l'époque de la Nouvelle-France, l'administration royale a un caractère bicéphale. Le gouverneur, un noble, représentant du roi, reçoit tout le prestige dû à la plus haute autorité du pays, mais c'est l'intendant, un roturier, qui, par le contrôle qu'il exerce sur les dépenses publiques, détient les pouvoirs réels de gestion et de développement de la colonie. Et pour éviter les comportements despotiques, l'un et l'autre, de façon indépendante puis conjointement, adressent annuellement au roi un rapport distinct et un rapport commun.

Sous le Régime britannique, les élus du peuple à la Chambre d'assemblée mèneront la charge contre les pouvoirs trop absolus du Conseil exécutif formé de quelques personnes nommées par le roi et regroupées autour du gouverneur général. Trois débats, en particulier, illustrent la démocratisation de l'exercice du pouvoir. Après avoir accepté, en 1801, la loi créant l'«Institution royale» qui plaçait le système d'éducation sous la gouverne anglo-protestante, la Chambre réussit à priver ce système de presque toute son efficacité. Le deuxième débat opposa encore une fois les gens élus et les gens nommés. Par représailles contre un juge qui s'était opposé à ce que les députés vivant loin de Québec reçoivent une indemnité, on empêcha les juges de siéger à titre de députés. Le troisième débat eut encore plus de retentissement. Il porta sur le contrôle des dépenses publiques et s'étira de 1819 à 1847, entrecoupé dans le même élan par les soulèvements de 1837 et 1838. Il se termina par la reconnaissance du droit des élus à décider du montant et de la répartition des dépenses publiques.

Plus récemment enfin, une sorte de jeu d'alternance s'installe entre les partis au pouvoir au Canada et au Québec. «Rouge à Ottawa, bleu à Québec», tel fut pendant quelques décennies le choix des électeurs québécois. De 1948 à 1960, les Québécois gardent au pouvoir un gouvernement provincial qui fait de l'autonomie vis-à-vis d'Ottawa son cheval de bataille. Dans le même temps, ils appuient les libéraux de Mackenzie King puis de Louis Saint-Laurent, reconnus pour leur politique centralisatrice. En 1958, ils donnent leur vote au conservateur John Diefenbaker, pour qui le Canada ne devrait avoir qu'une langue et qu'un drapeau, et ne former qu'une nation. Deux ans plus tard, ils portent au pouvoir au Québec l'équipe libérale du renouveau de Jean Lesage. Le jeu d'équilibre se poursuit à l'intérieur même du Québec. Lors du référendum de 1980, l'enjeu majeur du Parti québécois ne reçoit pas l'appui de la majorité, mais le parti est reporté au pouvoir aux élections suivantes. Enfin, l'appui accordé aux conservateurs de Brian Mulroney en septembre 1984 et aux libéraux de Robert Bourassa en 1985 poursuit le jeu du pendule. Cette fois, c'est «bleu à Ottawa et rouge à Québec».

*

L'évolution du partage des droits et pouvoirs politiques est jalonnée de litiges et d'oppositions derrière lesquels logent des sensibilités collectives. Si l'aboutissement des débats et des conflits en est un bon indicateur, la reconnaissance des droits individuels paraît avoir été au cœur de ces sensibilités. La possibilité de faire valoir ses choix et d'orienter la prise de décision rallie les préoccupations de la majorité.

La recherche de la division des pouvoirs, aussi bien entre les paliers de gouvernement qu'entre les secteurs législatif, administratif et judiciaire, illustrerait également la crainte de pouvoirs trop forts ou trop centralisés. Une histoire systématique des manifestations populaires contre des volontés gouvernementales ou de l'organisation des groupes de pression serait très révélatrice à cet égard. Peut-être pourrait-elle fournir une explication à cette impression que les Québécois votent par sentiment plutôt que par idéologie.

Pour obtenir la faveur populaire, les dirigeants politiques ont adopté plusieurs solutions. Ils ont prôné la participation et prêché la décentralisation. L'attitude de certains hommes politiques a même été jugée comme une pratique «de gouvernement par sondage». À la remorque des groupes de pression et des sondages d'opinion, l'idéologie des partis politiques est fluctuante et rarement mobilisatrice. Elle semble constamment à la recherche des volontés populaires d'où peuvent sourdre des engagements sociaux collectifs.

La démocratisation dans le fonctionnement politique s'est aussi reflétée dans l'évolution des grands services publics organisés et soutenus par l'État, c'est-à-dire par les citoyens. Les contraintes, les obligations et les charges financières peuvent accabler, mais les choix collectifs ont visé à assurer une protection accrue à chaque individu dans tous les domaines de la vie.

DU BIEN-ÊTRE PHYSIQUE AU MIEUX-ÊTRE SOCIAL : LES GRANDS SERVICES PUBLICS

En dehors des cadres individuels et familiaux, la mémoire québécoise ne semble pas très bien alimentée en ce qui a trait aux grands services publics que sont les services de santé, la sécurité sociale et l'éducation morale et sociale. Rarement évoque-t-elle autre chose que des souvenirs personnels et immédiats.

Chaque personne et chaque société a pourtant apporté des réponses particulières à la question existentielle du « comment vivre mieux et plus longtemps ». Dans le contexte québécois, la réponse à cette question révèle une évolution et des attitudes intéressantes. Les sensibilités collectives reflètent le passage d'une perception négative ou fataliste à une reconnaissance de la qualité des interventions médicales, à la libéralisation de l'accès aux services sociaux et, enfin, à un système globalisant, intégrant santé physique et sécurité sociale, axé sur la prévention.

Le domaine de la santé

Pendant deux siècles, la lutte entre la vie et la mort, entre la santé et la maladie semble tellement inégale qu'elle est considérée comme une œuvre de charité. Les communautés religieuses de femmes, secondées par la charité privée et par l'État, assument la responsabilité des soins aux malades et aux défavorisés. Elles répondent, au mieux des connaissances et des circonstances, aux besoins du moment. Souvent, mais pas plus qu'ailleurs à la même époque, la prière devient le dernier recours, l'ultime remède. Malgré tout, la mort fait des ravages chez les nouveau-nés, chez les adolescents et chez les femmes au lendemain des accouchements.

La maladie est présentée parfois comme une épreuve qu'il faut apprendre à subir avec sérénité, comme une marque d'attention du Très-Haut, parfois comme un mal venu de l'extérieur dont il faut se protéger. Les enfants handicapés sont cachés, parce qu'on les considère comme une punition. Pour parer aux épidémies, on impose la quarantaine, on isole, on enferme. Sous le Régime français, on « parfume » hardes, équipages et passagers à la fumée de vinaigre et de goudron. Le « mal de la baie » qui se répand dans les années 1780 entraîne une sanction morale, puisqu'on le juge comme une maladie vénérienne. Il sera traité autant par des médecins-chirurgiens que par des curés, et ces derniers voudront être tenus informés des cas dans leur paroisse. On le présentera aussi comme une épidémie risquant de faire mourir la majorité de la population. Une enquête médicale dénombre alors un peu plus de 5 000 personnes touchées par la maladie, mais elle recense, en fait, non seulement les gens atteints mais aussi ceux qui vivent sous le même toit, y compris les enfants. En réalité, entre un et deux pour cent de la population des agglomérations riveraines du Saint-Laurent, surtout en aval de Québec et près de Montréal, est atteinte par cette maladie. Le principal aboutissement de l'enquête sera une première loi « incorporant les effectifs de la profession médicale » en 1786.

Le deuxième quart du XIXe siècle marque un autre temps fort de la lutte contre la maladie. En 1826, la Loi sur l'acte médical permet de créer deux bureaux d'examinateurs pour décerner des certificats de pratique. De nouvelles épidémies, le choléra en 1832 et le typhus en 1847, accélèrent l'organisation des soins et la structuration de la profession médicale. De plus en plus de médecins vont se former à l'étranger et déjà certains se spécialisent. On crée des écoles de médecine qui rapidement deviennent des lieux d'enseignement universitaire. En 1847, une nouvelle loi réglemente l'appartenance à la profession médicale et la corporation est dès lors bien structurée.

La reconnaissance de ce savoir emprunte deux directions. Les spécialités y deviennent si nombreuses et si poussées que personne ne peut maîtriser la totalité de ce champ des connaissances. Le nombre et la parcellisation des travaux ont surtout laissé des souvenirs partagés par de petits groupes seulement, comme en rend compte *L'histoire des sciences au Québec*. C'est

En 1931, la tuberculose cause un décès par 1 000 habitants. Le gouvernement prend des mesures spéciales pour assurer un meilleur dépistage de cette maladie. Au début des années 1950, un « camion radiologique » facilite cette tâche.

(Marc-André Bluteau, *La santé et l'assistance publique au Québec, 1886-1986*, Québec, Ministère de la Santé et des Services sociaux, 1986, p. 87.)

vraisemblablement sous l'image globalisante et proche du quotidien du médecin de campagne/accoucheur que la mémoire collective a synthétisé les réussites et les réalisations d'hier.

Les efforts de prévention de la maladie ont également laissé des traces durables dans la mémoire. Ils touchaient l'ensemble de la population et ont suscité des tensions opposant science et croyances, raison et sensibilités. Les traditions familiales et les réglementations de l'État fourmillent d'exemples de mesures de prévention. Au plus fort des épidémies, on adopte toutes sortes de moyens pour réduire les risques. Ainsi dès le Régime français, on défend d'accumuler les immondices près des maisons et on oblige à construire des latrines. Durant l'épidémie de choléra de 1832, on crée un bureau de santé pour combattre la malpropreté et le manque d'hygiène. En 1855, sous la pression des associations ouvrières, la législature adopte une loi pour « protéger la vie et la santé des personnes employées dans les manufactures ». En 1861, une loi permet aux municipalités de rendre la vaccination plus générale. En 1885, lors de l'épidémie de variole, le conseil municipal de Montréal décrète la vaccination obligatoire. La résistance est telle qu'il faut mobiliser les forces de l'ordre pour faire appliquer les mesures. En 1901, une refonte de la loi provinciale accorde le droit de rendre la vaccination obligatoire. En 1926, c'est encore aux municipalités que le gouvernement confie la mise en place d'unités sanitaires pour prévenir les maladies infectieuses, dont la tuberculose, et favoriser l'hygiène des enfants.

La sécurité sociale

« Dès lors [1960], le concept de sécurité sociale, qui avait été adopté à Ottawa et qui ne l'était pas encore à Québec, a été apporté par l'action conjuguée des milieux politiques d'Ottawa, qu'ils fussent hommes politiques ou fonctionnaires, et des milieux universitaires québécois. La conjugaison de ces deux forces a préparé le milieu québécois à l'acceptation politique de la sécurité sociale conçue comme un ensemble de mesures plutôt qu'une série de pièces séparées. Je pense qu'on peut dire que ce phénomène s'est produit dans les années cinquante et qu'il a été rendu possible dans les années soixante par l'adoption de toutes ces nouvelles politiques et de ces nouvelles façons d'aborder les problèmes de sécurité sociale. »

(Paul Gérin-Lajoie, entrevue du 30 août 1984, Archives de la Régie des rentes du Québec.)

Une maladie à déclarer

Extrait de la Loi pour prévenir les maladies vénériennes, sanctionnée le 20 mars 1940, à Québec : « **3.** Tout médecin, tout surintendant médical d'un hôpital, tout chef d'une institution publique ou d'un lieu de détention est tenu d'adresser au directeur, sur la formule prescrite, dans un délai de quarante-huit heures, un rapport de chaque cas de maladie vénérienne qu'il a sous son contrôle ou sa garde. Le patient doit être désigné par un numéro avec la mention de son âge, de son sexe et du nom de la municipalité où il réside.

4. Tout médecin doit adresser au directeur, dans un délai de vingt jours, un rapport donnant le nom et l'adresse de tout patient qui, susceptible de propager une maladie vénérienne, refuse, néglige ou cesse de suivre régulièrement le traitement requis, à moins d'avoir reçu avis écrit d'un autre médecin que ce patient suit un tel traitement.

5. Quand le directeur est informé qu'une personne résidant dans la province est infectée d'une maladie vénérienne, refuse, néglige ou cesse de suivre le traitement requis et est susceptible de propager l'infection, il peut :

1) charger un de ses officiers médicaux ou tout autre médecin de faire enquête et examiner cette personne ;

2) si cette personne est reconnue infectée et jugée susceptible de propager l'infection, prendre les mesures voulues pour qu'elle reçoive le traitement requis, ou procéder, s'il le juge nécessaire, à son isolement dans un hôpital, une prison ou autre lieu de détention aussi longtemps qu'il le faudra pour que cette personne reçoive le traitement requis et ne soit plus susceptible de propager l'infection.

6. Lorsqu'une personne est appréhendée ou incarcérée pour un délit sexuel ou comme prostituée, racoleuse ou vagabonde, le médecin de la prison ou autre lieu de détention est tenu de procéder immédiatement à l'examen de cette personne pour constater si elle est atteinte d'une maladie vénérienne.

Si l'examen démontre que cette personne est atteinte d'une maladie vénérienne, le médecin de la prison ou autre lieu de détention doit, dans les quarante-huit heures, adresser un rapport au directeur et ce dernier donne alors les directives nécessaires pour le traitement et, s'il y a lieu, ordonne l'isolement de cette personne. »

(*Statuts refondus de la province de Québec*, Québec, Imprimeur de la Reine, 1941.)

Par suite de la crise économique des années 1930, le gouvernement doit prendre cette responsabilité à son compte et généraliser les mesures de prévention. Enfin, en 1940, l'État rend obligatoire la déclaration des maladies vénériennes afin d'en limiter la propagation. On protesta avec vigueur contre la chloration et la fluoration de l'eau. Plus récemment, on s'éleva contre la saturation des salles d'urgence et les délais dans l'obtention des soins. Enfin, comme dans tous les pays qui favorisent la sophistication des soins, une médecine populaire parallèle se développe et vient, chez un certain nombre de personnes, contrebalancer la spécialisation du savoir et permettre une réappropriation du corps.

Les mesures de prévention débouchent dans les années 1960 sur une conception globalisante : il ne s'agit plus de soigner la maladie, mais de « soigner la santé ». La première étape de la mise en application de cette philosophie adopte la voie de la rationalisation. Il faut faciliter l'accès aux soins, réduire les coûts, normaliser la pratique et accentuer la prévention en standardisant les milieux de travail et de vie, l'alimentation, l'hygiène, l'exercice physique et la consommation des médicaments. Des initiatives jusque-là éparses sont regroupées en un ensemble de mesures sous le concept de sécurité sociale. Cette harmonisation donne naissance aux programmes d'assurance-hospitalisation en 1961 et d'assurance-maladie en 1970. Elle est complétée par une série de lois particulières : régime des rentes en 1965, accidents du travail en 1966, assistance médicale en 1966, aide sociale en 1969, affaires sociales et bien-être en 1970. En 1971, la Loi sur les services de santé et les services sociaux fusionne ces initiatives. Elle combine santé et société, soins et prévention, et s'appuie sur trois principes : accès généralisé et gratuit, rationalisation de la structure d'intervention et actions préventives dans les milieux de vie et de travail.

Les années 1970 à 1980 ramènent à l'avant-plan des sensibilités traditionnelles. Malgré la reconnaissance de la qualité des services, on en déplore le coût, la déshumanisation et des interventions trop poussées. Les médecines douces gagnent en popularité. Les tentatives de réinsertion de la sage-femme dans les services de santé traduisent l'importance de ces réactions affectives. Une volonté d'humanisation des interventions se substitue à l'atmosphère froide et aseptisée des services. On note enfin un glissement certain vers l'éducation sociale en matière de santé. On insiste sur l'importance des choix individuels et de la conscience sociale : choix entre la bonne chère et le régime alimentaire équilibré, entre l'ambiance de fête accentuée par l'alcool et la cigarette et le comportement axé sur le jogging dans la nature et sur une vie réglée. Science et santé, raison et sensibilités recherchent un terrain commun.

La sécurité sociale

Au Québec comme ailleurs, on s'est rapidement rendu compte que la santé publique repose en bonne partie sur les conditions de vie en société. Un programme de soins ne peut avoir d'efficacité durable qu'une fois réglés les problèmes d'hygiène, de salubrité des logements, de malnutrition, d'insuffisance de revenus. Passant de l'Église à l'État, la sécurité sociale, de charité qu'elle était, est devenue un droit et a éveillé des réactions contradictoires.

Loi établissant le service de l'assistance publique de Québec, 1921

« Attendu qu'il est dans l'intérêt public d'établir un service d'assistance publique provinciale pour assister les malades indigents qui sont recueillis, hospitalisés ou détenus dans des institutions d'assistance publique [...]

16. L'aide accordée par le gouvernement ne peut, dans aucun cas, dépasser le tiers du coût total de l'entretien des indigents recueillis par une institution d'assistance publique. [...]

23. Quiconque, dans le but, ou de s'en débarrasser soi-même, ou d'en débarrasser un autre, ou de le faire admettre dans une institution d'assistance publique, laisse ou abandonne dans un endroit quelconque un indigent, sans donner par écrit à une personne compétente pour recevoir cette déclaration, ses noms, prénoms, qualités, occupation et domicile, et pareillement ceux de la personne ainsi laissée ou abandonnée, est passible d'une amende de cent piastres et, à défaut de paiement de cette amende, d'un emprisonnement de six mois dans la prison commune du district où l'offense a été commise. »

(*Statuts refondus de la province de Québec*, Québec, Imprimeur du Roi, 1921.)

La frontière entre les pauvres et les miséreux d'une part et les gueux et les paresseux d'autre part a toujours été approximative et fluctuante. À l'époque de la Nouvelle-France comme au Moyen Âge, pauvres et brigands risquent l'emprisonnement dans les hôpitaux généraux où on leur apprend un métier et les vertus du travail. Le premier Bureau des pauvres à Québec en 1681 fait pratiquement office de centre de placement. À une époque plus récente, la dichotomie se poursuit entre la personne honteuse de percevoir un chèque d'aide sociale et celle qui s'empresse d'«aller le boire».

Jusqu'au XXe siècle, l'État prend de bien timides mesures envers les miséreux et les nécessiteux. Ces mesures visent d'ailleurs plus à protéger la société que le pauvre dans la société. Le plus souvent, l'État se contente de subventionner des établissements religieux qui se vouent à diverses formes de charité collective. La première intervention directe se fait par la Loi de l'assistance publique en 1921. Depuis lors, l'aide sociale en est venue à couvrir presque toutes les formes de handicaps.

La Loi de l'assistance publique de 1921 est donc à la fois un aboutissement et un départ. Elle structure un nouveau mode d'intervention de l'État qui finit par contrôler tout le champ de l'aide sociale. La loi prévoyait la participation financière, par tiers, du gouvernement, des municipalités et des institutions. Elle fut assez mal reçue, car on l'a alors vue comme une tentative de mainmise sur les institutions privées. L'augmentation fulgurante des coûts de ces services et des besoins issus de la crise économique des années 1930 a forcé l'État à prendre en charge tout le système d'aide sociale et fit taire les oppositions. D'autres catégories de nécessiteux s'ajoutèrent bientôt à la liste des gens soutenus par l'État: les orphelins, les ouvriers accidentés au travail en 1931, les veuves dans le besoin, appelées «mères nécessiteuses», en 1937, et, avec le gouvernement fédéral, les aveugles en 1937, les chômeurs en 1941 et les invalides en 1955.

Même si l'on commence alors à veiller au bien-être de catégories plus larges de la société (lois fédérales des pensions de vieillesse en 1927 et des allocations familiales en 1944, loi provinciale sur le crédit aux agriculteurs en 1936), les vieilles réticences d'inspiration morale se maintiennent. L'assistance aux mères nécessiteuses, par exemple, a exclu pendant quelque temps les mères

Au Québec, ce sont surtout les institutions religieuses, assistées par l'État, qui ont subvenu aux besoins des personnes en difficulté. Outre les malades et les pauvres, elles se sont en particulier occupées des enfants abandonnés, orphelins ou de naissance illégitime.

(Archives des Sœurs de la Providence, «L'heure du dîner à la Salle d'asile du Sacré-Cœur, printemps 1943».)

Pensions de vieillesse : quelques dates

1926 : Le Parlement du Canada adopte une loi des pensions de vieillesse : pension de 25,00 $ par mois maximum à toute personne indigente de 70 ans et plus, dont le revenu annuel est inférieur à 125,00 $. Les provinces sont invitées à payer la moitié du coût des pensions.

1931 : La part du gouvernement fédéral dans le versement des pensions de vieillesse passe aux trois quarts.

1940 : La commission royale Rowell-Sirois recommande que le gouvernement fédéral établisse un régime d'assurance-vieillesse obligatoire, ainsi qu'un régime d'assurance pour survivants.

1947 : Le montant maximum de la pension est porté à 30,00 $ par mois.

1949 : Le montant passe à 40,00 $ par mois.

1951 : Le Parlement du Canada adopte la Loi de sécurité de la vieillesse. Cette loi entre en vigueur en janvier 1952. La pension devient universelle pour toute personne âgée de 70 ans et plus. Quant à celles qui ont entre 65 et 69 ans, la preuve de besoin demeure.

1964 : Le montant mensuel passe à 75,00 $.

1966 : La pension devient universelle à compter de 65 ans.

1979 : Le montant mensuel versé est de 179,02 $. La prestation est indexée trimestriellement selon l'indice des prix à la consommation.

1984 : Le montant maximum versé est 272,00 $. Pour ceux qui ont droit au supplément de revenu garanti, un autre montant s'ajoute.

célibataires et les femmes divorcées. Aujourd'hui, l'aide sociale distingue les bénéficiaires selon les tranches d'âge et leurs capacités de travailler, etc.

Dans les années 1950, toutes ces interventions éparses sont réunies sous le concept globalisant de sécurité sociale mis en application au début des années 1960. C'est l'époque de la lutte contre la pauvreté et de la « société juste ». L'État veut cesser de parer aux urgences et planifier ses interventions. Il se libère d'une partie des préjugés sociaux, constatant par exemple que la pénurie d'emplois peut être la source principale du chômage. Reconnaissant du reste que la vie en société produit ses propres misères, il s'efforce de limiter les situations de dépendance sociale en tentant d'assurer à chacun des conditions de vie acceptables. La politique sociale se déploie sur trois fronts : santé, sécurité du revenu et adaptation sociale. Les vieilles notions d'indigent et de charité publique ont fait place à celles de droits des citoyens et de justice sociale.

La primauté accordée au champ du social dans l'intervention étatique québécoise depuis quelques décennies n'est ni unique ni exceptionnelle. Elle s'inspire d'autres réalisations gouvernementales nord-américaines, les devançant parfois en certains secteurs. Aussi la mémoire collective garde-t-elle trace d'une politique sociale assez généreuse, tout en estimant souvent qu'elle coûte fort cher. L'État a récemment œuvré à réduire l'importance de ses interventions et à resserrer ses contrôles. Les réactions collectives ont montré qu'en ce domaine les sensibilités restent exacerbées et que l'équilibre ou la justice sociale demeure un idéal.

La primauté du social a entraîné un élargissement du champ des interventions dans d'autres directions majeures, comme la morale sociale, les besoins collectifs et les droits des individus. On assiste à une interpénétration de plus en plus soutenue des domaines politique et social.

La notion de moralité publique a beaucoup évolué. À ce chapitre, sous le Régime français, l'État s'assurait, conjointement avec l'Église, que les gens soient de bonnes mœurs. Il punissait d'amende, d'exposition publique ou d'ablation de la langue les personnes coupables de blasphème. Il fallait détenir un certificat de

Tu ne blasphémeras point

« XXXVI. Il est défendu très expressément à tous sujets du roi de quelque qualité et condition qu'ils soient de blasphémer, jurer et détester le saint nom de Dieu, ni proférer aucunes paroles contre l'honneur de la très sacrée Vierge sa mère et des saints, et que tous ceux qui se trouvent convaincus d'avoir juré et blasphémé le nom de Dieu, de sa très sainte Mère et des saints, seront condamnés pour la première fois en une amende pécuniaire, selon leurs biens, la grandeur et énormité du serment et blasphème, les deux tiers applicables à l'hôpital des lieux et, où il n'y aura d'hôpital, aux églises, et l'autre tiers aux dénonciateurs ; et si ceux qui auront été ainsi punis retombent à faire lesdits serments, ils seront pour la seconde, tierce et quatrième fois condamnés en amende, double, triple et quadruple ; pour la cinquième fois, seront mis au carcan aux jours de fêtes, de dimanches ou autres et y demeureront depuis huit heures du matin jusqu'à une heure après-midi, et seront sujets à toutes les injures et opprobres et en outre condamnés en une grosse amende ; et, pour la sixième fois, seront menés et conduits au pilori et auront la lèvre de dessous coupée ; et si, par obstination et mauvaise conduite invétérée, ils continuent après toutes ces peines à proférer lesdits juriments et blasphèmes, ils auront la langue coupée tout juste, afin qu'à l'avenir ils n'en puissent plus proférer, et en cas que ceux qui se trouveraient convaincus n'aient pas de quoi payer lesdites amendes, ils tiendront prison pendant un mois au pain et à l'eau ou plus longtemps, ainsi que les juges le trouveront à propos, selon la qualité et l'énormité des blasphèmes. »

(Conseil supérieur de Québec de la Nouvelle-France, règlements généraux pour la police, du 11 mai 1676, reproduit dans *Arrêts et règlements du Conseil supérieur de Québec et ordonnances et jugements des intendants du Canada*, Québec, 1855, pp. 71-72.)

bonnes mœurs pour accéder à un poste dans l'administration publique. À Montréal, dans les années 1950, de grandes enquêtes visent à réduire la prostitution. Depuis quelques années, la lutte contre la pornographie écrite ou visuelle s'est intensifiée.

La société actuelle reconnaît et accepte l'existence de certains comportements jugés hier inadmissibles. Elle est devenue beaucoup plus tolérante envers les choix de mode de vie. Elle ne souhaite plus l'immixtion de l'État dans l'intimité des personnes. Les droits de chacun ne semblent plus limités que par le respect dû aux autres. Il est donc possible de pratiquer le naturisme et le nudisme, à la condition que ce soit à l'abri des yeux du public, dans des endroits clos et affectés à ces usages. On estime inacceptable qu'hommes et femmes ne puissent fréquenter les mêmes débits de boisson. En 1988, la Ville de Québec accepte l'existence d'un nombre limité d'«établissements de sexe» à la condition qu'ils soient distants d'au moins 100 mètres de tout établissement scolaire pour jeunes et adolescents. La prostitution reste prohibée, mais, signe d'une conscience sociale plus éveillée, depuis 1985 le client est reconnu aussi coupable que la personne qui se prostitue.

Des moyens de remédier à la misère sociale sont également devenus des stratégies d'avenir. Les incitations à l'éducation prolongée ou au recyclage, la multiplication des garderies, voire la contribution financière accrue à la naissance d'un troisième enfant, résultent de choix et de projets de société.

Sur le plan politique, on assiste également à un effort d'épuration des mœurs. En 1977, le Parti québécois fait adopter un projet de loi concernant le financement des partis politiques. Les contributions financières des compagnies, associations et personnes morales sont déclarées illégales. Le montant maximal des contributions est fixé à 3 000 dollars. En tout, on prêche la «transparence», gage d'honnêteté. Le social en vient tellement à primer sur le politique que de grandes questions liées aux droits les plus fondamentaux des individus, comme la peine de mort ou l'avortement, font l'objet d'un vote libre.

La responsabilité individuelle dans le respect dû aux autres a pénétré tous les milieux, même privés. Un des grands enjeux de la société québécoise des années 1980 a été de combattre la violence, en particulier celle faite aux femmes et aux enfants. Les sensibilités collectives traduisent donc l'émergence d'une nouvelle morale sociale axée davantage sur le respect des droits de l'humain.

Les droits de la personne

Depuis un quart de siècle, sous le chapeau d'une politique sociale parfois contestée, les gouvernements du Québec et du Canada ont reconnu et élargi les droits des citoyens. Les débats de fond auxquels ont donné lieu ces prises de position ont rarement mis en cause les principes initiateurs fondés sur les droits de l'humain. Dans une foule de domaines, les droits reconnus à l'individu ont reçu la sanction populaire.

Charte québécoise des droits et libertés de la personne... en bref

« Considérant que tout être humain possède des droits et libertés intrinsèques, destinés à assurer sa protection et son épanouissement ;

Considérant que tous les êtres humains sont égaux en valeur et en dignité et ont droit à une égale protection de la loi ;

Considérant que le respect de la dignité de l'être humain et la reconnaissance des droits et libertés dont il est titulaire constituent le fondement de la justice et de la paix ;

Considérant que les droits et libertés de la personne humaine sont inséparables des droits et libertés d'autrui et du bien-être général ;

Considérant qu'il y a lieu d'affirmer solennellement dans une Charte les droits et libertés fondamentaux de la personne afin que ceux-ci soient garantis par la volonté collective et mieux protégés contre toute violation ;

À ces causes, Sa Majesté, de l'avis et du consentement de l'Assemblée nationale du Québec, décrète ce qui suit :

PARTIE 1 – Les droits et libertés de la personne

Chapitre 1 – Libertés et droits fondamentaux

1. Tout être humain a droit à la vie, ainsi qu'à la sûreté, à l'intégrité et à la liberté de sa personne.

Il possède également la personnalité juridique.

2. Tout être humain dont la vie est en péril a droit au secours.

Toute personne doit porter secours à celui dont la vie est en péril, personnellement ou en obtenant du secours, en lui apportant l'aide physique nécessaire et immédiate, à moins d'un risque pour elle ou pour les tiers ou d'un autre motif raisonnable.

3. Toute personne est titulaire des libertés fondamentales telles la liberté de conscience, la liberté de religion, la liberté d'opinion, la liberté d'expression, la liberté de réunion pacifique et la liberté d'association.

4. Toute personne a droit à la sauvegarde de sa dignité, de son honneur et de sa réputation.

5. Toute personne a droit au respect de sa vie privée.

6. Toute personne a droit à la jouissance paisible et à la libre disposition de ses biens, sauf dans la mesure prévue par la loi.

7. La demeure est inviolable.

8. Nul ne peut pénétrer chez autrui ni y prendre quoi que ce soit sans son consentement exprès ou tacite.

9. Chacun a droit au respect du secret professionnel.

Toute personne tenue par la loi au secret professionnel et tout prêtre ou autre ministre du culte ne peuvent, même en justice, divulguer les renseignements confidentiels qui leur ont été révélés en raison de leur état ou profession, à moins qu'ils n'y soient autorisés par celui qui leur a fait ces confidences ou par une disposition expresse de la loi.

Le tribunal doit, d'office, assurer le respect du secret professionnel.

9.1. Les libertés et droits fondamentaux s'exercent dans le respect des valeurs démocratiques, de l'ordre public et du bien-être général des citoyens du Québec.

La loi peut, à cet égard, en fixer la portée et en aménager l'exercice.

Chapitre 1.1 – Droit à l'égalité dans la reconnaissance et l'exercice des droits et libertés

10. Toute personne a droit à la reconnaissance et à l'exercice, en pleine dignité, des droits et libertés de la personne, sans distinction, exclusion ou préférence fondée sur la race, la couleur, le sexe, la grossesse, l'orientation sexuelle, l'état civil, l'âge sauf dans la mesure prévue par la loi, la religion, les convictions politiques, la langue, l'origine ethnique ou nationale, la condition sociale, l'handicap ou l'utilisation d'un moyen pour pallier ce handicap. [...]

15. Nul ne peut, par discrimination, empêcher autrui d'avoir accès aux moyens de transport ou lieux publics, tels les établissements commerciaux, hôtels, restaurants, théâtres, cinémas, parcs, terrains de camping ou de caravaning, et d'y obtenir les biens et services qui y sont disponibles.

16. Nul ne peut exercer de discrimination dans l'embauche, l'apprentissage, la durée de la période de probation, la formation professionnelle, la promotion, la mutation, le déplacement, la mise à pied, la suspension, le renvoi ou les conditions de travail d'une personne ainsi que dans l'établissement de catégories ou de classification d'emploi.

17. Nul ne peut exercer de discrimination dans l'admission, la jouissance d'avantages, la suspension ou l'expulsion d'une personne d'une association d'employeurs ou de salariés ou de toute corporation professionnelle ou association de personnes exerçant la même profession. [...]

19. Tout employeur doit, sans discrimination, accorder un traitement ou un salaire égal aux membres de son personnel qui accomplissent un travail équivalent au même endroit.

Il n'y a pas de discrimination si une différence de traitement ou de salaire est fondée sur l'expérience, l'ancienneté, la durée du service, l'évaluation au mérite, la quantité de production ou le temps supplémentaire, si ces critères sont communs à tous les membres du personnel.

20. Une distinction, exclusion ou préférence fondée sur les aptitudes ou qualités requises par un emploi, ou justifiées par le caractère charitable, philanthropique, religieux, politique ou éducatif d'une institution sans but lucratif ou qui est vouée exclusivement au bien-être d'un groupe ethnique est réputée non discriminatoire. [...]

Chapitre IV – Droits économiques et sociaux

39. Tout enfant a droit à la protection, à la sécurité et à l'attention de ses parents ou des personnes qui en tiennent lieu.

40. Toute personne a droit, dans la mesure et suivant les normes prévues par la loi, à l'instruction publique gratuite.

41. Les parents ou les personnes qui en tiennent lieu ont le droit d'exiger que, dans les établissements d'enseignement publics, leurs enfants reçoivent un enseignement religieux ou moral conforme à leurs convictions, dans le cadre des programmes prévus par la loi.

42. Les parents ou les personnes qui en tiennent lieu ont le droit de choisir pour leurs enfants des établissements d'enseignement

privés, pourvu que ces établissements se conforment aux normes prescrites ou approuvées en vertu de la loi.

43. Les personnes appartenant à des minorités ethniques ont le droit de maintenir et de faire progresser leur propre vie culturelle avec les autres membres de leur groupe.

44. Toute personne a droit à l'information, dans la mesure prévue par la loi.

45. Toute personne dans le besoin a droit, pour elle et sa famille, à des mesures d'assistance financière et à des mesures sociales, prévues par la loi, susceptibles de lui assurer un niveau de vie décent.

46. Toute personne qui travaille a droit, conformément à la loi, à des conditions de travail justes et raisonnables et qui respectent sa santé, sa sécurité et son intégrité physique.

47. Les époux ont, dans le mariage, les mêmes droits, obligations et responsabilités.

Ils assurent ensemble la direction morale et matérielle de la famille et l'éducation de leurs enfants communs.

48. Toute personne âgée ou toute personne handicapée a droit d'être protégée contre toute forme d'exploitation.

Toute personne a aussi droit à la protection et à la sécurité que doivent lui apporter sa famille ou les personnes qui en tiennent lieu. »

(Commission des droits de la personne, Québec, Éditeur officiel, 1987.)

Charte canadienne des droits et libertés… en bref

« Attendu que le Canada est fondé sur des principes qui reconnaissent la suprématie de Dieu et la primauté du droit :

Garantie des droits et libertés

1. La Charte canadienne des droits et libertés garantit les droits et libertés qui y sont énoncés. Ils ne peuvent être restreints que par une règle de droit, dans des limites qui soient raisonnables et dont la justification puisse se démontrer dans le cadre d'une société libre et démocratique.

Libertés fondamentales

2. Chacun a les libertés fondamentales suivantes :

a) liberté de conscience et de religion ;

b) liberté de pensée, de croyance, d'opinion et d'expression, y compris la liberté de presse et des autres moyens de communication ;

c) liberté de réunion pacifique ;

d) liberté d'association.

Droits démocratiques

3. Tout citoyen canadien a droit de vote et est éligible aux élections législatives fédérales ou provinciales. […]

Liberté de circulation et d'établissement

6. (1) Tout citoyen canadien a le droit de demeurer au Canada, d'y entrer ou d'en sortir. […]

Garanties juridiques

7. Chacun a droit à la vie, à la liberté et à la sécurité de sa personne ; il ne peut être porté atteinte à ce droit qu'en conformité avec les principes de justice fondamentale.

8. Chacun a droit à la protection contre les fouilles, les perquisitions ou les saisies abusives.

9. Chacun a droit à la protection contre la détention ou l'emprisonnement arbitraires.

10. Chacun a le droit, en cas d'arrestation ou de détention :

a) d'être informé dans les plus brefs délais des motifs de son arrestation ou de sa détention ;

b) d'avoir recours sans délai à l'assistance d'un avocat et d'être informé de ce droit ;

c) de faire contrôler, par *habeas corpus*, la légalité de sa détention et d'obtenir, le cas échéant, sa libération.

11. Tout inculpé a le droit :

a) d'être informé sans délai anormal de l'infraction précise qu'on lui reproche ;

b) d'être jugé dans un délai raisonnable ;

c) de ne pas être contraint de témoigner contre lui-même dans toute poursuite intentée contre lui pour l'infraction qu'on lui reproche ;

d) d'être présumé innocent tant qu'il n'est pas déclaré coupable, conformément à la loi, par un tribunal indépendant et impartial, à l'issue d'un procès public et équitable ;

e) de ne pas être privé sans juste cause d'une mise en liberté assortie d'un cautionnement raisonnable. […]

12. Chacun a droit à la protection contre tous traitements ou peines cruels et inusités.[…]

Droits à l'égalité

15. (1) La loi ne fait acception de personne et s'applique également à tous, et tous ont droit à la même protection et au même bénéfice de la loi, indépendamment de toute discrimination, notamment des discriminations fondées sur la race, l'origine nationale ou ethnique, la couleur, la religion, le sexe, l'âge ou les déficiences mentales ou physiques. […]

Langues officielles du Canada

16. (1) Le français et l'anglais sont les langues officielles du Canada ; ils ont un statut et des droits et privilèges égaux quant à l'usage dans les institutions du Parlement et du gouvernement du Canada. […]

(3) La présente charte ne limite pas le pouvoir du Parlement et des législatures de favoriser la progression vers l'égalité de statut ou d'usage du français et de l'anglais. […]

20. (1) Le public a, au Canada, droit à l'emploi du français ou de l'anglais pour communiquer avec le siège ou l'administration centrale des institutions du Parlement ou du gouvernement du Canada ou pour en recevoir les services ; il a le même droit à l'égard de tout autre bureau de ces institutions là où, selon le cas :

a) l'emploi du français ou de l'anglais fait l'objet d'une demande importante ;

b) l'emploi du français et de l'anglais se justifie par la vocation du bureau. […]

Droits à l'instruction dans la langue de la minorité

23. (1) Les citoyens canadiens :

a) dont la première langue apprise et encore comprise est celle de la minorité francophone ou anglophone de la province où ils résident,

b) qui ont reçu leur instruction, au niveau primaire, en français ou en anglais au Canada et qui résident dans une province où la langue dans laquelle ils ont reçu cette instruction est celle de la minorité francophone ou anglophone de la province, ont, dans l'un ou l'autre cas, le droit d'y faire instruire leurs enfants, aux niveaux primaire et secondaire, dans cette langue.

(2) Les citoyens canadiens dont un enfant a reçu ou reçoit son instruction, au niveau primaire ou secondaire, en français ou en anglais au Canada ont le droit de faire instruire tous leurs enfants, aux niveaux primaire et secondaire, dans la langue de cette instruction.

(3) Le droit reconnu aux citoyens canadiens par les paragraphes (1) et (2) de faire instruire leurs enfants, aux niveaux primaire et secondaire, dans la langue de la minorité francophone ou anglophone d'une province :

a) s'exerce partout dans la province où le nombre des enfants des citoyens qui ont ce droit est suffisant pour justifier à leur endroit la prestation, sur les fonds publics, de l'instruction dans la langue de la minorité ;

b) comprend, lorsque le nombre de ces enfants le justifie, le droit de les faire instruire dans des établissements d'enseignement de la minorité linguistique financés sur les fonds publics. [...]

Dispositions générales
25. Le fait que la présente charte garantit certains droits et libertés ne porte pas atteinte aux droits et libertés – ancestraux, issus de traités ou autres – des peuples autochtones du Canada, notamment :

a) aux droits et libertés reconnus par la Proclamation royale du 7 octobre 1763 ;

b) aux droits et libertés acquis par règlement de revendications territoriales. [...]

27. Toute interprétation de la présente charte doit concorder avec l'objectif de promouvoir le maintien et la valorisation du patrimoine multiculturel des Canadiens.
28. Indépendamment des autres dispositions de la présente charte, les droits et libertés qui y sont mentionnés sont garantis également aux personnes des deux sexes. [...]

Application de la charte
33. (1) Le Parlement ou la législature d'une province peut adopter une loi où il est expressément déclaré que celle-ci ou une de ses dispositions a effet indépendamment d'une disposition donnée de l'article 2 ou des articles 7 à 15 de la présente charte. »

(*Charte canadienne des droits et libertés*, Partie I, Loi constitutionnelle de 1982, Annexe B, *Loi de 1982 sur le Canada*, R.U., chap. 11.)

L'historien Richard Jones estime que « nous assistons au développement d'un nouveau sens civique dont l'importance semble devoir s'accroître à l'avenir ». L'État a parfois même volontairement limité ses droits et ses pouvoirs et incité les citoyens à prendre une part plus active aux décisions de l'administration publique. Cette expérience d'un passé récent a toutes les chances d'imprégner la mémoire de demain.

Par des lois fondamentales ou sectorielles, toutes les catégories de personnes disposent, s'il en est besoin, de mesures de protection et d'exercice de leurs droits. Embrassant ce mouvement social, indépendamment d'une chronologie linéaire, l'adoption, en 1975, de la Charte québécoise des droits et libertés de la personne ressort comme la pierre d'assise de ce mouvement social et collectif. À compter de 1982, une commission de sept membres vouée à la protection de ces droits s'inspire du contenu de la charte canadienne enchâssée dans la constitution et s'intéresse d'abord aux droits fondamentaux : liberté de conscience et de religion, liberté de pensée, de croyance, d'opinion et d'expression, liberté enfin de réunion et d'association. Dans un deuxième temps, cette charte rappelle les droits démocratiques des citoyens, la liberté de circulation et d'établissement. Puis elle synthétise les garanties juridiques rappelant les droits du citoyen face à l'appareil judiciaire. Elle s'arrête enfin à l'égalité des personnes et aux droits linguistiques. Les chartes canadienne et québécoise garantissent les droits primordiaux des individus, mais de façon différente. La charte canadienne, inspirée de la déclaration américaine des droits et libertés, fait référence à Dieu ; la charte québécoise, influencée par les principes civiques français, est essentiellement laïque.

D'autres lois, à portée presque aussi générale, s'inspirent des mêmes principes centrés sur les droits de l'être humain. En novembre 1968, le gouvernement du Québec adopte un projet de loi créant un protecteur du citoyen (ombudsman). Sept pays étrangers et deux provinces canadiennes possédaient déjà une institution semblable. Le protecteur du citoyen a pour tâche principale de faciliter les relations entre le citoyen et une administration gouvernementale de plus en plus complexe. Il reçoit les plaintes des administrés et protège leurs droits contre les embarras et les injustices que pourrait créer une administration bureaucratique anonyme. En 1971, l'Assemblée nationale crée l'Office de la protection du consommateur ; il donne suite aux plaintes qui lui sont adressées et, surtout, mène une œuvre d'information et d'éducation qui lui vaut une large reconnaissance publique. La mise sur pied d'une cour des petites créances et la loi de 1982 d'accès à l'information et à la protection des renseignements personnels assurent à chacun une équité plus grande. La création, en 1973, du Conseil du statut de la femme vise aussi à contrer des inégalités séculaires en matière de statut, d'emploi et de chances face à la vie. Le Régime des rentes, destiné certes à emplir les caisses de l'État mais aussi à procurer un revenu à chaque contribuable au moment de la retraite, les mesures visant à assurer la sécurité du revenu, ainsi que les codes de déontologie en matière de recherche sur des personnes protègent la qualité de vie du citoyen. À cela s'ajoutent quantité de programmes particuliers dans les domaines suivants : santé, environnement, éducation, logement, soins dentaires, assurances, personnes âgées, étudiants, jeunes assistés sociaux, délinquants, détenus, gens hospitalisés, déficients mentaux, etc.

Le Conseil du statut de la femme

« Le Conseil du statut de la femme (CSF) est un organisme rattaché au Conseil exécutif, et constitué en vertu du projet de loi 63 (L.Q., 1973, c. 7), adopté par l'Assemblée nationale le 6 juillet 1973. Son mandat est d'aviser le ministre responsable sur toute question relative à l'égalité et au respect des droits et du statut de la femme. Le Conseil doit communiquer au ministre les constatations qu'il a faites et les conclusions auxquelles il arrive, faire les recommandations qu'il juge appropriées et s'assurer qu'on y donne suite. Il doit aussi saisir le ministre de tout problème ou de toute question qu'il juge de nature à nécessiter une étude ou une action de la part du gouvernement. Parallèlement à ces devoirs, le Conseil informe le public sur toute question individuelle ou collective concernant l'égalité ou le respect des droits et du statut de la femme. Pour être en mesure de remplir sa tâche de façon adéquate, le Conseil est habilité à entreprendre des études et des recherches, et à recevoir et entendre les suggestions des citoyens et des groupes.

Le Conseil du statut de la femme a établi son objectif général comme étant celui de promouvoir l'égalité des chances dans tous les secteurs, pour permettre à la femme d'exercer son droit à l'autonomie et d'assumer ses responsabilités. »

(*Annuaire du Québec*, édition 1977-1978, p. 475.)

Dans tous ces champs essentiels on constate une participation accrue du citoyen et souvent une prise en charge importante par des bénévoles. Même si l'État continue d'intervenir directement dans plusieurs de ces domaines, il lui a souvent suffi d'établir une loi cadre énonçant les droits des individus et régissant les rapports entre les personnes.

*

Les grandes institutions, État, Église ou École, paraissent définir et imposer un cadre de vie et les orientations d'une société. Dans une société faible en nombre et particularisée comme celle du Québec, leur rôle devient absolument primordial. Elles exercent un pouvoir de contrôle, établissent des normes à respecter, proposent des projets collectifs à caractère économique, social ou culturel. Elles contribuent puissamment en somme à définir la vie en société d'aujourd'hui et de demain.

Les initiatives et les interventions de l'État sont souvent perçues comme des gestes de pouvoir. Elles imposent, à partir d'un niveau supérieur et apparemment extérieur à soi, des obligations et des contraintes essentielles pour la protection et la qualité de vie des personnes. La raison d'État prime alors. Il y a cependant entre l'État et la société des échanges plus étroits et plus intenses que ne le laissent voir les contenus législatifs ou les rouages administratifs. Le jeu de la démocratie favorise la reconnaissance par les autorités politiques des volontés populaires ou collectives. À travers des débats et grâce à des exemples empruntés ailleurs, les sentiments et les attachements majoritaires finissent par s'imposer à l'État, il est vrai non sans tâtonnements, tensions ou détours, mais la force des collectivités paraît d'autant plus grande qu'elle s'inscrit dans la durée.

Depuis un siècle, au Québec comme dans la plupart des autres pays occidentaux, on a assisté à un développement considérable de l'appareil étatique. Mais la nature de ses interventions et décisions a paru de plus en plus influencée par les collectivités de base : comités de citoyens, associations professionnelles, syndicales ou autres, groupes de pression, comités-conseil. L'interaction constante entre l'État et la société à travers divers mécanismes de consultation ou modes d'expression rend l'action de l'un indissociable de la volonté de l'autre.

La panoplie de lois, règlements, mesures et pratiques administratives adoptés par un gouvernement ressemble à un survêtement qui protège et enserre une collectivité. L'habit finit par tellement coller à la peau qu'il dessine la silhouette d'un *personnage* et le distingue des autres. En matière de santé et de sécurité sociale, par exemple, ce vêtement est moins ample et confortable que celui de la Suède, mais il est moins serré et étroit que celui des États-Unis. Différences et ressemblances définissent, ici comme chez les individus, une identité propre.

En prenant en compte la diversité des composantes de la société, l'État élargit les fondements de sa représentativité et la *personne* du Québécois. L'octroi du droit de vote aux femmes d'abord, puis à de plus jeunes adultes, aux Amérindiens, aux ethnies et aux détenus illustre bien ce fait. Il en est de même de l'ensemble de la législation couvrant les droits des travailleurs, des jeunes, des locataires, des étudiants, des malades, des chômeurs, des pauvres, des parents, des enfants... Enfin, les chartes, offices et conseils protègent les droits fondamentaux des personnes vivant sur le territoire québécois. De façon générale ou par des législations sectorielles, tous les Québécois sont encadrés, protégés et définis par l'État.

Lieu par excellence de l'établissement des règles de vie en société, l'État définit également le *personnage* du Québécois. Il précise à chacun ses droits et ses devoirs envers l'autre. Depuis un quart de siècle, cette identité s'est profondément transformée. Quels qu'aient été les

L'État-providence

« Le Québec ne peut pas se passer de l'État. Celui-ci n'a peut-être pas à être aussi tentaculaire qu'actuellement, mais on ne saurait, non plus, le supprimer d'un trait de plume. Ni verser dans le simplisme et croire qu'on puisse réussir à le gérer «comme l'entreprise privée». [...]

L'État, contrairement à une entreprise, ne peut se permettre de mettre fin à des activités qui ne lui rapportent rien sans que la société en souffre. L'État ne pourrait décider, par exemple, que la Justice est trop coûteuse et qu'il faut laisser à d'autres le soin de s'en occuper. »

(Pierre Vennat, *La Presse*, 19 juillet 1988.)

objectifs particuliers et prioritaires des partis politiques qui se sont succédé au pouvoir, leur bilan est chargé de mesures sociales. Et il ne fait aucun doute que ces législations traduisent des attentes populaires et reflètent des intérêts majoritaires au Québec.

Mais l'État reflète-t-il vraiment la *personnalité* du Québécois ? Pour ce, il faut des projets collectifs, explicites ou implicites, issus d'un très large consensus et d'un engagement concret et durable. On ne saurait taire que, du point de vue strictement politique, l'élection du Parti québécois en 1976 a peut-être été le fruit et le soutien d'un projet nationaliste enthousiaste et engagé. La réponse négative donnée au référendum de 1980 et la défaite électorale de ce parti en 1984 en ont pourtant révélé les limites.

Au-delà de la politique, il y a *le* politique, émanation plus ou moins directe des volontés et des sensibilités populaires. La très grande quantité de mesures sociales qui touchent certains secteurs de la société, certains comportements et certains droits de la personne ne pourrait-elle pas illustrer une autre forme d'engagement, peut-être moins conscient, mais, par contre, nettement plus profond ? À l'instar de sociétés voisines, la reconnaissance des droits de l'individu procéderait d'un choix collectif. Pourrait-on croire que le passage, somme toute rapide, du prescrit d'autorité vers la tolérance à l'égard des choix individuels, illustre, dans les faits et les sensibilités, un engagement implicite, un projet collectif où l'identité est en voie de se redéfinir ? La rupture des années 1960 paraît ainsi accentuer le déplacement des lieux de la mémoire collective du national vers le social. L'affirmation des droits de la personne serait, à l'instar de ce qui se passe dans le domaine de la santé, une recherche de la réappropriation de soi : son corps, son esprit, son destin, son identité.

L'ENCADREMENT RELIGIEUX

Pendant trois siècles et demi, le Québécois authentique fut catholique pratiquant. L'Église a été présentée comme le rempart de l'identité québécoise, comme l'institution ayant le plus contribué à préserver la nation canadienne-française des dangers de l'anglicisation et du protestantisme. Il y a bien eu à l'occasion quelques récalcitrants,

Le Canadien français idéal : Français et catholique

« Catholique, il le serait, au premier chef, pour les valeurs essentielles de sa foi ; mais encore – et je le dis, en dépit des crispations possibles de beaucoup de clercs – parce qu'un Canadien français catholique se relie plus que tout autre aux traditions profondes et authentiques de sa race. Il serait celui qui aurait absorbé, incarné la portion la plus parfaite de l'héritage historique. Et voilà pour lui conférer, dans le monde, dans la mosaïque des peuples, une figure originale. »

(Lionel Groulx, *Les chemins de l'avenir*, Montréal, Fides, 1976, pp. 136-137.)

mais, jusqu'aux années 1960, 90 pour cent de la population francophone suit fidèlement les préceptes de l'Église de Rome : la religion définit, en très grande partie, la *personne*, le *personnage* et la *personnalité* du Québécois. Il n'y a de vrais Québécois, dans leur *personne*, que les catholiques pratiquants. La religion façonne, dans ses comportements, ses pratiques religieuses et ses dévotions un *personnage* dont les gestes sont conformes aux règles édictées. Enfin, par les convictions qui supportent ces gestes, par les engagements qu'elle oblige et par l'immortalité qu'elle propose, l'Église catholique définit la *personnalité* du Québécois.

L'Église catholique au Québec a connu une évolution semblable à celle des autres grandes institutions du monde occidental. Elle transcende les frontières et les siècles. Elle s'appuie sur le passé, l'autorité et le sacré. Elle a donc joué un rôle prépondérant dans l'histoire du Québec. Mais, depuis quelques décennies, l'Église a cessé d'être un lieu de mémoire privilégié. L'encadrement religieux ou, plus justement, les sensibilités religieuses ont connu une évolution qui, à certains égards, ressemble à celle de l'État. Les rapports de l'institution avec ses fidèles ont radicalement changé. Maintenant, l'Église se veut à l'écoute des gens, à leur service, attentive à leurs besoins, plus ouverte et plus tolérante, au moins dans ses pratiques. Contrairement à l'État, elle n'a pas modifié ses valeurs fondamentales. Il a paru à plusieurs plus facile de s'en éloigner que de tenter d'apporter des changements ou de modeler l'institution selon leurs vues.

Comme pour l'État, il n'est aucunement dans notre intention de faire l'histoire de cette institution. Ce qui compte dans la perspective des mémoires, ce n'est pas tant les grands faits qui ont marqué l'évolution de l'Église catholique au Québec que la façon dont la religion a été vécue, ressentie, partagée. Il est encore moins facile pour la religion que pour l'État de rejoindre les sensibilités profondes. Peut-on croire que les convictions ont pratiquement changé du tout au tout, du jour au lendemain, au tournant des années 1960 et qu'il n'y avait pas, profondément enfouis dans le cœur et l'esprit des gens, les germes de cette distanciation ? Nul ne saurait en déduire quoi que ce soit de crédible. Il faut donc s'en remettre à la façon dont les valeurs religieuses se sont incarnées dans la vie des gens, à la présence de la religion dans les pratiques, les dévotions et les comportements de l'individu. La reconnaissance des lieux et des manifestations concrètes de l'exercice religieux l'emporte sur les grandes dates de la vie religieuse, car celle-ci est présente à tous les moments, à tous les âges et dans toutes les circonstances de la vie. Il faut ensuite procéder, mais en prenant garde à son caractère marginalisateur, à l'examen des luttes et des oppositions, examen qui aide à préciser des positions qui n'ont pas fait l'unanimité. Enfin, il faut se demander comment a évolué la religion depuis 1960 et quelle place occupent les valeurs morales actuelles dans la représentation du Québécois.

Les présences de la religion

Comme institution, l'Église est partout présente et visible. Il suffit d'un peu d'attention pour repérer des marques de sa participation à la vie québécoise. Églises, presbytères et maisons de communautés religieuses, lieux de pèlerinage, cimetières et croix de chemin, auxquels on pourrait ajouter la plupart des écoles et des hôpitaux, rappellent cette contribution. Dans bon nombre d'aires domestiques, on voit encore à l'extérieur une grotte, une statue, un calvaire. On se souvient des statues, de la croix noire de tempérance, des images pieuses et des multiples objets de piété qui décoraient l'intérieur. De concert avec l'État, l'Église est intervenue en force dans le secteur de l'éducation et a eu son mot à dire dans les orientations économiques. Elle a assumé pendant longtemps la responsabilité de grands services publics. Elle a souvent été l'instigatrice des programmes sociaux. Sur le plan culturel, elle a défini ce qui était bon pour la population et ce qui ne l'était pas, notamment par l'enseignement du *Petit Catéchisme*.

Un des traits les plus vivaces de la mémoire collective québécoise consiste justement dans l'assimilation des réponses du *Petit Catéchisme*. Les Québécois d'un certain âge ont ainsi l'impression d'avoir tous été formés dans le même moule, exactement de la même manière. En effet, ils ont pu apprendre à l'école, dans leurs cours d'histoire, que dès le Régime français on « marchait » au catéchisme. Ce livre de base de la conscience religieuse établissait les principes et les règles de vie de tout bon catholique. Chacun devait se conformer à son enseignement. Pourtant, les recherches de spécialistes en sciences religieuses montrent que le catéchisme officiel du diocèse de Québec a connu près de 200 éditions, que l'on peut regrouper en sept productions bien distinctes, chacune rendant désuète la précédente.

C'est le deuxième évêque de Québec, Jean-Baptiste de La Croix de Chevrières de Saint-Vallier, qui a donné à la Nouvelle-France son premier catéchisme. En 1702, pour assurer l'uniformité de l'enseignement, il publie un catéchisme qui devient le seul autorisé dans la colonie. En 1777, l'évêque Jean-Olivier Briand veut assurer une formation religieuse de base pour toutes ses ouailles. La domination par une métropole britannique et protestante n'est pas absente de ses préoccupations. Il publie un grand et un petit catéchisme. Ce dernier, tout comme le précédent, procède par questions et réponses pour simplifier l'apprentissage par le plus grand nombre, en particulier « par les jeunes enfants et les personnes les plus grossières ». En 1815, monseigneur Joseph-Octave Plessis diffuse un nouveau catéchisme qu'il veut « adapté aux circonstances du troupeau ». Entendons : qui serve d'appui à l'affirmation de l'identité culturelle canadienne-française. L'autre grande étape, 1853, est le fruit d'une conciliation entre plusieurs évêques. Par contre, on ne réussit pas à s'entendre sur une traduction anglaise et on continue d'utiliser pour les catholiques anglophones un catéchisme conçu en Irlande. En 1888, les évêques francophones font un compromis forcé par les circonstances : devant les difficultés d'écrire un texte qui convienne à tous, on décide de traduire le catéchisme de Baltimore. Cette décision constituait une rupture majeure avec la tradition issue de la Nouvelle-France et qui s'était perpétuée jusque-là. En 1951, un nouveau catéchisme reflète un premier pas d'adaptation à la modernité. Il comporte 16 illustrations réalisées par des artistes québécois et il sera utilisé jusqu'en 1960. De nos jours, on enseigne plutôt la catéchèse à partir d'ouvrages abondamment illustrés.

Ces variantes pourtant notables n'ont pas été retenues dans la mémoire collective. Les rappels portent davantage sur les manifestations concrètes de la vie religieuse qui s'incarnaient dans les gestes, les costumes, les pensées, tant dans le quotidien que lors des grands événements de la vie. Ils ont surtout trait à la période qui a précédé le concile Vatican II.

Chacun des grands événements de la vie était sanctionné par une cérémonie et un rituel qu'accompagnait le son des cloches et où l'on portait un vêtement d'apparat. D'autres occasions étaient également marquées par le fait de porter un costume spécial ou des insignes du passage à une autre étape de la vie, comme

Pour uniformiser l'enseignement du catéchisme

« L'obligation indispensable qu'ont tous les Pasteurs d'instruire leur peuple, et celle qu'ont tous les Fidèles d'apprendre les vérités nécessaires au salut, nous pressaient depuis longtemps de faire un Catéchisme à l'usage de ce Diocèse. [...]

Nous souhaitons de voir une manière uniforme d'enseigner la Doctrine Chrétienne dans tout notre Diocèse, d'autant que l'uniformité des expressions est une marque sensible de l'unité de la Foi et des sentiments. Nous vous mandons de vous attacher uniquement à ce Catéchisme, et nous vous défendons de vous servir en public d'aucun autre. »

(Jean-Baptiste de La Croix de Chevrières de Saint-Vallier, « *Mandement pour la publication du catéchisme* », *Mandements, lettres pastorales et circulaires des évêques de Québec*, Québec, Chancellerie de l'Archevêché, 1887, vol. 1, p. 886.)

lors de la première communion, de la confirmation et de la communion solennelle. Plusieurs Québécois et Québécoises – croisés, enfants de chœur ou enfants de Marie – ont ainsi affiché l'intensité de la présence religieuse dans leur vie par le port d'un costume particulier.

En dehors de ces moments privilégiés, l'Église restait présente. Avant 1960, rares étaient les personnes qui ne portaient pas sur elles une médaille, un scapulaire ou un chapelet, parfois un *agnus dei*. La prière quotidienne était une règle commune. Au lever, on offrait sa journée ; au coucher, on remerciait et on demandait protection pour soi, sa famille et ses amis. Le soir, le chapelet était récité en famille, à genoux devant la croix. Avant et après chaque repas, on demandait au Seigneur de bénir la table et on le remerciait de la nourriture disponible. À l'école, la classe débutait et se terminait par la prière. Certains rites familiaux correspondaient aussi à des fêtes religieuses et semblaient transposer dans la famille des pouvoirs et des valeurs religieuses, comme la bénédiction paternelle le premier jour de l'année. Le décor des maisons et des salles publiques rappelait la présence de la religion à tous les instants de la vie. Statuettes,

Une foi omniprésente

« Les Français sont en général bien plus portés vers les choses religieuses et la prière que les Anglais et les Hollandais. Sur ce voilier-ci (lac Champlain) [...] comme au fort Saint-Frédéric, toute la garnison se rassemblait matin et soir pour la prière. C'est une chose comique d'entendre un homme dire sa prière en latin, une langue qu'il ne comprend pas, et ne même pas savoir lui-même ce qu'il dit en priant. »

(Pehr Kalm, dans Jacques Rousseau et Guy Béthune, *Voyage de Pehr Kalm au Canada en 1749*, Montréal, Pierre Tisseyre, 1977, p. 169.)

« On les voyait nos pères en tout temps, et en toutes occasions, démontrer leur foi et leur piété. Leur fidélité au précepte dominical malgré l'éloignement des églises, leur souci d'observer les jours de fête, leur assistance aux Rogations, leurs messes recommandées pour les biens de la terre, leur prière en famille, leur dévotion aux croix du chemin, leurs exercices publics du mois de Marie, leurs signes de croix avant de trancher le pain de ménage, de tirer l'eau du puits, de commencer les semences, et tant d'autres traits tenaient sans cesse leurs regards élevés vers le ciel, pendant que leur mains travaillaient durement leur sol. »

(Lettre pastorale collective des évêques de la province de Québec sur le problème rural au regard de la Doctrine sociale de l'Église, 1937, reproduite dans *Mandements, lettres pastorales et circulaires des évêques de Québec*, Québec, Chancellerie de l'Archevêché, vol. 15, 1940, p. 294.)

La bénédiction paternelle

« Qui de nous n'a conservé le souvenir de cette délicieuse scène de famille, la bénédiction du nouvel an ou mieux du jour de l'An, comme on dit si bien dans nos campagnes ? [...] Il y a dans cette pratique générale de nos familles chrétiennes quelque chose de relevé, quelque chose de grand, de sublime, même je dirais qui entraîne, qui domine, quelque chose qui agit fortement sur l'imagination. [...]

Voyez cette famille entière, depuis le grand garçon de 20 à 25 ans jusqu'à la fillette de cinq à six ans, à genoux aux pieds d'un père ou d'une mère – quand le père hélas ! n'est plus là ! – et recevant le front courbé, avec respect, cette bénédiction qu'ils regardent comme un gage assuré de bonheur, sans laquelle ils craindraient presque d'entrer dans l'année nouvelle. D'autres fois, piété plus remarquable encore, c'est le père, c'est la mère déjà avancés en âge, venant avec toute la famille implorer de l'aïeul la faveur de sa bénédiction et lui présenter en même temps, les hommages respectueux des têtes grisonnantes ou même grises déjà se courber, dans l'attitude de la plus absolue déférence, sous la main tremblante d'un vieillard à cheveux blancs, le priant de bénir et parfois même jusqu'à trois générations issues de son sang, rassemblées autour de lui en cet heureux jour de fête. »

(Charles-Édouard Mailhot, *Les Bois-Francs*, Arthabaska, tome 1, 1914, pp. 124-126.)

images pieuses, calendriers à représentations pieuses et autres souvenirs évoquaient constamment l'œil omniprésent du Seigneur, même au plus profond des pensées. L'Église pouvait encore dicter les bonnes lectures, celles qui meublent adéquatement l'esprit. Tout cela s'est traduit en une aspiration à l'intérieur des familles : donner un fils ou une fille à l'Église et au Seigneur, si possible un missionnaire. Quoi d'étonnant qu'une présence quotidienne de cette qualité et de cette force ait façonné une mentalité collective !

Omniprésente dans le quotidien, la religion catholique rappelle souvent à chacun une série de règles ou d'obligations à observer rigoureusement, sous peine parfois de péché mortel et sous menace de l'enfer. Il fallait suivre exactement les prescriptions dont le curé se faisait le gardien vigilant. Ainsi devait-on être à jeun depuis minuit la journée de la communion. Les femmes devaient non seulement porter une tenue décente, mais encore se coiffer pour pénétrer dans l'église. Un rituel précis accompagnait chaque événement et chaque geste à caractère religieux. Et l'application qu'en faisaient les curés était rarement reconnue pour sa souplesse.

Les plus fortes contraintes visaient le respect du dimanche et des fêtes d'obligation. Il fallait assister à la messe, consacrer le reste de la journée au Seigneur et éviter tout travail manuel. À l'époque de la Nouvelle-France, on comptait 37 fêtes d'obligation en plus des 52 dimanches. Les jours de pénitence n'étaient pas moins nombreux : 57 jours de jeûne dans l'année dont les 40 jours consécutifs du Carême, pendant lesquels il fallait s'abstenir de viande, ne prendre qu'un repas le midi et une légère collation le soir. Les vendredis (jour de la mort du Christ) et les samedis (veille du repos dominical) étaient des jours d'abstinence. Ainsi, il était défendu de manger de la viande pendant plus de 150 jours de l'année et encore fallait-il, durant le Carême et le temps de l'Avent, ajouter quotidiennement quelques sacrifices personnels.

Les curés veillaient avec beaucoup de soin au respect des obligations religieuses. Ils ne manquaient d'ailleurs pas de moyens pour le faire. L'enseignement de l'Église s'appuyait sur les mystères de la foi, l'irréfutabilité du dogme et l'assurance du salut éternel pour ceux qui s'y conformeraient dans leur cœur et dans leur comportement. Les sacrements n'étaient pas administrés à la légère. Les curés s'assuraient que toutes les conditions préalables avaient été remplies. Les commandements de Dieu et de l'Église devaient être connus et respectés. Enfin, les fidèles devaient pratiquer la vertu. Les sermons du dimanche et les retraites annuelles venaient renforcer la foi ou les pratiques chancelantes. En cas de défaillance, le prêtre pouvait accorder le pardon dans le secret du confessionnal à celui qui montrait un repentir sincère. Dans les cas graves, le prêtre pouvait toujours menacer des foudres de l'autorité et refuser les sacrements, même publiquement. Dans des cas extrêmes, les craintes de dénonciation publique en chaire corrigeaient plus d'un manquement aux règles de l'Église ou à la morale. En général, cependant, le curé, pasteur de sa paroisse, veillait sur ses ouailles et sur leur âme avec toute la compassion, mais avec toute l'autorité dont il était investi.

En plus des règles religieuses obligatoires, l'Église recommandait fortement aux fidèles d'intensifier leur foi en s'adonnant à des pratiques libres de dévotion personnelle ou collective. Elle cherchait à fortifier leurs sentiments d'appartenance en les incitant à se joindre à d'autres fidèles dans certaines célébrations collectives.

La bonne sainte Anne !

« Comme Dieu a toujours choisi quelques églises spécialement entre les autres, où par l'intercession de la sainte Vierge, des Anges et des Saints, il ouvre largement le sein de ses miséricordes, et fait quantité de miracles, qu'il n'opère pas ailleurs ordinairement, il semble aussi qu'il y a voulu choisir en nos jours l'église de Sainte-Anne-du-Petit-Cap, pour en faire un asile favorable, et un refuge assuré aux chrétiens de ce nouveau monde, et qu'il a mis entre les mains de sainte Anne un trésor de grâces et de bénédictions, qu'elle départ libéralement à ceux qui la réclament dévotement en ce lieu. C'est assurément pour cette même fin qu'il a imprimé dans les cœurs une dévotion singulière et une confiance extraordinaire en la protection de cette grande sainte : ce qui fait que tous les peuples y recourent dans tous leurs besoins, et qu'ils en reçoivent des secours singuliers, très signalés et très extraordinaires, comme nous le voyons dans les merveilles qui s'y sont opérées depuis six ans. »

(Thomas Morel, prêtre desservant de la côte de Beaupré de 1661 à 1668, dans *Relations des Jésuites*, Québec, A. Côté, tome 3, 1856, pp. 29-32.)

La basilique de l'oratoire Saint-Joseph, sur le mont Royal, a attiré des foules de croyants pour honorer un petit frère modeste, le frère André, sanctifié par ses œuvres et par la population. Le 13 octobre 1960, des milliers de personnes s'y sont regroupées pour célébrer l'anniversaire de Fatima.

(Le Grand Héritage: L'Église catholique et la Société, Québec, Musée du Québec, 1984, p. 167.)

Les pèlerinages ont constitué, au Québec comme ailleurs, une façon privilégiée de raviver les croyances dans les pouvoirs particuliers d'intercession de certains saints auprès de l'autorité suprême. Le Québec a compté plusieurs grands lieux de pèlerinage. Dès le début de la Nouvelle-France, sainte Anne, patronne des menuisiers et des marins et amie des Amérindiens, attire chaque année à Sainte-Anne-du-Petit-Cap des centaines de pèlerins. À la fin du XIXe siècle, des prêtres entreprenants créent un sanctuaire à Cap-de-la-Madeleine, près de Trois-Rivières. Un prêtre thaumaturge et une statue miraculeuse rendent le lieu fort populaire. À peu près à la même époque, monseigneur Calixte Marquis achète à Rome tout le contenu d'une chapelle privée en voie de désaffectation. En 1895, il construit à Saint-Célestin de Nicolet une petite chapelle pour loger ces reliques. Les pèlerinages y commencent en 1898. En 1928, une nouvelle tour des Martyrs, plus vaste, est érigée. Elle en vient à abriter plus de 5 000 reliques diverses. Après Vatican II cependant, la tour est délaissée; elle est démolie en 1970. Au XXe siècle, la métropole québécoise louange un humble religieux – le frère André – dont la

modestie était exemplaire. Par ses avis utiles pour sur-
monter les difficultés de la vie et son dévouement sans
borne, voire par des miracles reconnus au moins par la
ferveur populaire, il s'est attiré la sympathie et l'amour
des foules. À lui seul, ce religieux sans prétention a réussi
à faire construire sur le mont Royal un oratoire, puis une
basilique, dédiés à saint Joseph.

Plusieurs autres dévotions à caractère local ont contribué à alimenter le sentiment religieux. Les processions de la fête du Sacré-Cœur à Québec et les sermons
du père Eugène Lelièvre ont attiré des milliers de fidèles
en plus d'être diffusés à la radio. Il existait également
une multitude de petits lieux de culte populaire dans les
paroisses ou les régions. Chapelles de procession, croix
de chemin, statues, grottes regroupaient une fois le mois
ou une fois l'an des paroissiens ou des familles venus y
réaffirmer une intention particulière ou accomplir un
vœu.

Si les croix de chemin rappellent la présence de la religion, certains visiteurs non catholiques ont déploré le fait que leur conducteur de calèche s'arrête devant chacune d'elles pour la saluer. «Il saute en bas de son cheval, écrit Thomas Anburey le 16 novembre 1776, se met à genoux et récite une longue prière, quelle que soit la rigueur de la saison. »

(Archives de folklore de l'Université Laval.)

L'Église a également instauré des pratiques régulières de rassemblement à l'intention des fidèles. Elle a créé
plusieurs confréries pour les hommes, les femmes ou les
enfants. Elle a incité les personnes pieuses à entrer dans
la confrérie de la Sainte-Famille et les écoliers dans celle
du Scapulaire pour «faire une bonne mort». Elle a mis
sur pied des sociétés de tempérance et de bienfaisance.
Elle a invité fortement les fidèles à assister à la messe
quotidienne et aux vêpres du dimanche et a tout mis en
œuvre pour que chacun puisse faire une meilleure vie et,
avec d'autres, gagner son ciel sur terre.

La Fête-Dieu à Natashquan

«Les chemins étaient tous bali-
sés de petits sapins. Le reposoir
était exposé sur le pignon d'une
maison. Les maisons étaient dé-
corées avec des petits pavillons et
beaucoup de fleurs des champs.
On accrochait un grand miroir,
le plus grand qu'on avait, qui
reflétait les couleurs des fleurs et
des pavillons. Des petits enfants
en blanc, habillés en anges, avec
des ailes en papier, jetaient des
fleurs devant le saint sacrement.
Les Indiens (Montagnais) formaient une arche, avec une croix
de sapin au-dessus. Des portraits
de saints, saint Joseph, sainte
Anne, la Sainte Vierge, Notre-
Dame-du-Perpétuel-Secours,
saint Antoine, etc., étaient accrochés sur les arches, avoisinant le
reposoir. Les femmes sortaient
leurs plus beaux tapis crochetés
et même des catalognes et les
étendaient sur le terrain du
reposoir. Un harmonium était
aussi transporté près du reposoir
pour accompagner les chantres,
dehors, en plein air. »

(Archives de folklore de l'Université Laval,
coll. Carmen Roy, 1957.)

Les croix de chemin

« Durant tout mon voyage à travers le Canada, j'ai rencontré des croix dressées ici et là sur la grand-route. Elles ont une hauteur de deux à trois toises et sont d'une largeur en proportion ; bien des gens disent qu'elles marquent la limite entre les paroisses, mais il y a plus de croix que de frontières ; du côté qui fait face au chemin, on a découpé un profond renfoncement où l'on a placé soit Notre-Seigneur en Croix, soit la Vierge Marie qui tient dans ses bras Notre Sauveur enfant ; on a placé une vitre devant la cavité pour que le vent et la pluie ne puissent rien détériorer. Tout Français qui passe devant un calvaire fait le signe de la Croix et se découvre. [...] En certains endroits, on a ajouté tous les instruments qui, d'après ce que l'on croit, ont dû être utilisés pour crucifier Notre Sauveur ; parfois même on a placé au sommet le coq de Pierre. »

(Pehr Kalm, dans Jacques Rousseau et Guy Béthune, *Voyage de Pehr Kalm au Canada en 1749*, Montréal, Pierre Tisseyre, 1977, p. 430.)

L'œuvre de la Sainte-Enfance a été popularisée dans les écoles par l'«achat» de petits Chinois ou de petits Noirs, matérialisé par la remise d'un carton sur lequel on inscrivait le prénom que l'on donnait à son protégé. Cette œuvre «procure le baptême à une multitude de petits enfants qui s'en vont peupler le ciel. Elle sauve la vie à un grand nombre de petits innocents abandonnés par leurs parents. Souvent elle les rachète à prix d'argent ; elle les nourrit et les élève dans ses écoles.»

(Archives de folklore de l'Université Laval. Fonds Larouche-Villeneuve.)

La religion, dans ses convictions profondes comme dans ses déviations superstitieuses, repose sur l'intangible et l'insondable. Elle habite l'imaginaire d'une collectivité, ce qui lui procure une force incomparable dans l'expression d'une identité. Le message de l'imaginaire religieux fut particulièrement clair. Normatif, il distinguait le bon du mauvais. À la transgression correspondait la punition ; à l'obéissance, la récompense. La légende du diable beau danseur fut probablement la plus connue et la plus répandue des pièces du folklore québécois. En un mot, le diable, sous l'apparence d'un bel étranger, invite la fille de la maison à danser. Elle est envoûtée. Une âme pure (un tout jeune enfant, la vieille grand-mère disant son chapelet ou le curé) reconnaît le diable. Puis le curé, par le pouvoir de la croix, éloigne Satan. Mais celui-ci laisse toujours une trace indélébile de son passage. L'interprétation est simple : on a transgressé l'interdit du curé en organisant une danse ; l'étranger est dangereux, il faut s'en méfier ; le curé détient le pouvoir dans la société ; la jeune fille qui succombe le moindrement à la tentation en reste marquée pour la vie. Une belle histoire, facile à comprendre, aussi dense que bien codée, était ainsi projetée dans l'inconscient des personnes. Elle devait servir de leçon de vie, de guide instinctif des comportements.

Le curé était secondé par plusieurs auxiliaires. Chaque moment de la vie était ainsi assujetti à une protection vigilante. L'ange gardien, par exemple, déjouait les pièges tendus par le diable pour faire tomber les bonnes

La Confrérie de la Sainte-Famille

«Le dessein et la fin de cette dévotion est d'honorer la sainte Famille de Jésus, Marie et Joseph, et les saints Anges et de régler les ménages chrétiens sur l'exemple de cette sainte Famille, qui doit être le modèle de toutes les autres; de sanctifier les mariages et les familles; d'en exclure le péché, particulièrement celui de l'impureté, cette peste des mariages qui est la source de tant de maux et qui peuple la terre et les enfers d'enfants de Satan, qui blasphémeront toute l'éternité, leur Créateur; d'y établir les vertus chrétiennes, particulièrement la chasteté, l'humilité, la douceur, la charité, l'union des cœurs, la patience dans les tribulations et la vraie dévotion; et par ce moyen de peupler la terre et le ciel d'enfants de Dieu qui loueront et béniront éternellement leur Père céleste. C'est ce que procureront les bons et saints mariages, suivant ce que nous enseigne Notre-Seigneur, qu'un bon arbre ne peut produire de mauvais fruits. C'est à cela que doivent tendre et contribuer toutes les âmes dévotes à la sainte Famille, comme le moyen le plus efficace pour la faire honorer. »

(François de Montmorency-Laval, 1664, dans Joseph-Papin Archambault, *La dévotion à la sainte Famille*, Montréal, L'Œuvre des tracts, n° 270, décembre 1941, p. 7.)

âmes. Le décor quotidien était peuplé de statues, que l'on pouvait mettre en pénitence (tourner face au mur) quand les réponses espérées tardaient trop. Croyances et dictons accompagnaient les gestes de tous les jours. Que de promesses associées aux pèlerinages, aux processions, aux neuvaines! Que de saints à vocation particulière (saint Antoine pour retrouver un objet perdu; saint Christophe pour protéger des accidents de la route; sainte Barbe pour les maux de gorge; saint Jude pour les causes désespérées…)! La protection de la religion s'étendait à tous, à tout moment, dans toutes les occasions.

L'histoire de la majorité des Québécois s'est longtemps déroulée à l'ombre du clocher et leur vie sous le signe de la bénédiction. Tout geste de la vie était porteur de sens en vue de l'objectif ultime, gagner son ciel. On a tout béni : les humains, les bicyclettes, les bateaux, les

L'eau de Pâques, que l'on doit cueillir dans une rivière, un lac ou un ruisseau avant le lever du soleil le jour de la résurrection du Christ, protégerait contre la foudre, le feu et autres calamités.

(J.-Edmond Massicotte, *Almanach Rolland*, Montréal, J.-B. Rolland, 1927, p. 106.)

L'évêque de Gaspé, monseigneur Paul Bernier, préside, en 1960, à la bénédiction des barques des pêcheurs à Newport.

(Archives de folklore de l'Université Laval. Fonds Benoît Lacroix, n° 5.)

Croyances et dictons de source religieuse

Très nombreux, les croyances et dictons de source religieuse font référence aux pouvoirs de la croix, des cierges bénits, des statues, etc. Nous en présentons quelques-uns en relation avec les rameaux.

– Pour les rameaux à faire bénir le dimanche de la Passion, il fallait couper les branches avant le lever du soleil, ou pendant le Sanctus ou lors de l'élévation de la grand-messe.

– Mettre des rameaux bénits dans une voiture ou une automobile pour ne pas avoir d'accident.

– Brûler une branche de rameau pour éloigner une tempête.

– Introduire un rameau bénit dans de la pâte à pain pour la mieux faire lever.

– Placer un morceau de rameau bénit dans les filets pour avoir une meilleure pêche.

(Denise Rodrigue, *Le cycle de Pâques au Québec et dans l'Ouest de la France*, Québec, PUL, 1983, coll. Archives de folklore, 24.)

automobiles, les maisons, les lits. Cependant, malgré des prescriptions religieuses rigoureuses, des pratiques populaires légèrement délinquantes se sont perpétuées. Porte-bonheur, fétiches et talismans accompagnaient les médailles et le chapelet. On attribuait régulièrement au curé des pouvoirs qui frisaient la petite sorcellerie, comme celui d'arrêter le feu ou le sang et d'éloigner le diable. Il n'est pas toujours facile de distinguer religion et superstition, miracle et légende dans ces pratiques souvent entremêlées.

Il est absolument indéniable cependant que, pendant plus de trois siècles, la religion catholique au Québec a emporté les convictions de la majorité des personnes. Et ces convictions se sont incarnées dans la vie de tous les jours, se sont exprimées dans des pratiques fidèlement respectées et dans des dévotions auxquelles les collectivités ont pleinement adhéré et participé. Cette quasi-unanimité de pratiques et de convictions s'est cependant heurtée à quelques oppositions notables.

Menaces et oppositions

C'est à travers les dénonciations et les luttes menées par le clergé lui-même qu'il est possible de cerner ce qui menaçait l'identité du Québécois. L'Église du Québec tente de protéger les fidèles contre tout opposant de l'extérieur, combat celui de l'intérieur et lutte de tous ses pouvoirs contre le mal qui réussit à s'infiltrer dans les cœurs.

Cinq traits caractéristiques de la religion des Québécois

« Notre religion est :

a) *souvent négative* : les défenses, les avertissements, les campagnes négatives y occupent une place assez importante. Songeons à l'éducation de la plupart de nos gens sur les questions de sexe : moralement parlant, cette éducation est surtout négative. On pourrait appliquer cette considération à l'idée que les gens se font de l'Église. Elle est pour eux la vraie religion qu'ont reniée les protestants et que combattent les communistes.

b) *fortement individualiste* : examinons le style de nos prières ; mesurons la place respective occupée par le souci du salut individuel et le développement du Corps Mystique dans la vie religieuse du Canadien français moyen ; relisons les cantiques qu'on a appris au peuple à chanter et à désirer ; recensons les innombrables « je suis », « que je suis », « moi qui », « moi que », qui jalonnent nos prières favorites et nos méditations intimes aux grands moments de ferveur, v.g. après la réception de la Sainte Communion. Nous serons surpris de constater la forte mesure

de moitrinarisme larmoyant et subjectif, d'origine janséniste ou romantique, qui inonde la piété religieuse de notre peuple. [...]

c) *souvent utilitaire et intéressée* : une religion subjective, ne gravitant plus autour de son vrai centre, est exposée à bien d'autres déviations. Elle est conduite, entre autres, à devenir une religion utilitaire et intéressée. Les gens sont catholiques pour éviter la damnation éternelle ; ils vont à confesse pour libérer leur conscience. Ils prient pour demander des faveurs. Ils pratiquent la religion, parce que, dans un milieu sociologiquement catholique, cela évite bien des ennuis et aide même à réussir dans plusieurs secteurs professionnels. [...]

d) *souvent sentimentale* : cette fausse imagerie sulpicienne, cette écrasante architecture baroque, ces cantiques à l'eau de rose qui horripilaient un Durtal découvrant soudain les splendeurs de l'art et de la spiritualité bénédictine, ne les retrouverais-je pas aussi dans nos églises canadiennes, dans nos livres de prières familiaux, dans nos cérémonies populaires ? Depuis une dizaine

d'années, d'incontestables progrès ont été accomplis dans ce domaine. [...]

e) *routinière* : le lecteur qui aurait résisté à l'analyse poursuivie jusqu'à date concédera au moins que notre religion est parfois routinière. Cela est un trait assez commun dans les pays sociologiquement catholiques. La preuve de ce fait est facile à établir. On n'a qu'à comparer le comportement de nos gens lorsqu'ils vivent dans un cadre culturel bien établi (v.g. collège, paroisse rurale, famille) et lorsqu'ils échappent à ce cadre. Nos collégiens habitués à la messe quotidienne continuent-ils cette pratique une fois rendus à l'université et dans la vie ? Nos ruraux émigrés dans les villes ne versent-ils pas souvent avec frénésie dans une émancipation morale et religieuse qui ferait rougir leurs parents restés à la campagne ? »

(Claude Ryan, *Revue eucharistique du clergé*, janvier 1955, cité dans Jean Hamelin, *Histoire du catholicisme québécois. Le XXe siècle*, tome 2 : *De 1940 à nos jours*, Montréal, Boréal Express, 1984, pp. 219-220.)

Jusqu'aux années 1960, l'une des plus grandes batailles de l'Église catholique au Québec a été menée contre la présence des autres religions. À l'époque de la Nouvelle-France, le danger vient des religions réformées : huguenots, protestants, calvinistes et luthériens, tous englobés sous le terme de protestants. Plusieurs des principaux responsables de la colonie étaient de religion protestante : Roberval, les frères de Caen, Samuel de Champlain lui-même, fondateur de Québec, qui aurait été baptisé au temple protestant, ainsi que les principaux financiers de l'entreprise coloniale. En 1627, par la charte de la Compagnie des Cent-Associés, le roi de

France impose de façon exclusive la « religion catholique, apostolique et romaine ». La « naturalisation française » n'est accordée qu'aux Amérindiens convertis au catholicisme. Il en ira de même plus tard pour les étrangers faits prisonniers et qui se sont établis au Canada. Tout au long du Régime français cependant, des protestants sont venus dans la colonie, d'autant que le principal port d'embarquement, La Rochelle, était un fief huguenot. Ainsi, le régiment de Carignan-Salières comptait de nombreux Suisses soupçonnés d'être huguenots. Les quelques centaines d'entre eux qui restèrent dans la colonie en 1668 durent entrer dans la confrérie du Rosaire et, du coup, faire profession de foi catholique. Les évêques de la colonie ont lutté contre la présence de protestants. Ils ont surveillé leurs faits et gestes, leur ont imposé des limites, leur ont défendu la pratique de certains métiers, ont empêché la célébration de leur culte. Ces protestants, isolés, sont parfois repartis en France, mais plus généralement ils se sont intégrés à la majorité catholique.

Après la conquête britannique de 1760, la situation est devenue encore plus délicate. Le clergé catholique a dû composer avec les autorités politiques protestantes et prêcher la soumission à l'autorité civile pour mieux assurer la liberté d'exercice de la religion catholique. Par contre, il a lutté contre la présence protestante quand elle se faisait trop envahissante. Il s'est surtout acharné contre les mariages mixtes. Cette situation a duré pendant presque deux siècles. Le roman de Lionel Groulx, *L'appel de la race*, publié en 1922, illustre particulièrement l'intolérance de l'Église catholique à l'égard des protestants. Il résume la position de l'Église catholique du Québec, tout en révélant ses plus grandes faiblesses et les plus dangereuses failles de son système de protection de l'identité. Il montre que le mariage d'un Canadien français catholique avec une Anglaise protestante conduit à la perte de la langue, de la religion et de l'identité pour les enfants.

Par contre, les volontés de l'Église n'ont pas toujours été parfaitement respectées. Lors de l'invasion américaine de 1775-1776, l'évêque de Québec Jean-Olivier Briand décide de priver des sacrements ceux qui prendront les armes ou qui afficheront trop de sympathie pour la cause des insurgés américains. Cette menace ne produit pas l'effet escompté. Les gens des vallées du Richelieu et de la Chaudière ainsi qu'un certain nombre de riverains du Saint-Laurent collaborent en trop grand nombre avec les Américains au goût du clergé et des autorités civiles. On verra même, à Champlain, un mourant refuser les derniers sacrements et dire au prêtre : « Va-t'en, tu pues l'Anglais ! » Bien des patriotes eurent à peu près la même attitude lors des soulèvements de 1837-1838. La menace de privation de la sépulture ecclésiastique n'empêcha pas la prise d'armes. C'est en 1987 seulement qu'un patriote célèbre, le docteur Jean-Olivier Chénier, mort les armes à la main, sera en quelque sorte réhabilité. Ses cendres seront alors transférées dans un cimetière catholique.

Au cours de la seconde moitié du XIXe siècle, l'Église s'attaque au libéralisme et suscite chez ses opposants une coalition qui dégénère en anticléricalisme. Des associations comme l'Institut canadien, des journaux et des revues se font un certain plaisir de dénoncer la mainmise du clergé sur l'éducation. On attribue l'ignorance des Québécois à l'attitude du clergé. Joseph Doutre, Arthur Buies et quelques autres incarnent cette opposition à une présence jugée outrancière. Les évêques répliquent en interdisant la lecture et la possession de quelques revues et journaux sous peine de péché mortel. Les membres de l'Institut canadien sont, à leur tour, interdits de sépulture ecclésiastique. La menace d'excommunication plane continuellement sur la moindre opposition ouverte.

Dans les années 1930, il y eut une nouvelle poussée d'anticléricalisme et un journal disparut à la suite de déclarations du cardinal Rodrigue Villeneuve. En 1934, le roman de Jean-Charles Harvey, *Les demi-civilisés*, est condamné et interdit de possession, de vente, de publication, de traduction et aussi, certainement, de lecture. La censure ecclésiastique s'appliquera aussi plus tard à certains films jugés dangereux pour les bonnes mœurs.

Après le libéralisme : le socialisme et le communisme ! L'Église a été particulièrement sensible aux doctrines philosophiques qui touchaient les valeurs ou les croyances et qui exerçaient un certain attrait comme stratégie sociale ou politique. Même si elles ne regroupent que quelques adeptes au Québec, l'Église les dénonce et les combat vivement, notamment dans leur présence politique. Dans les années 1930, elle juge dangereux le Crédit social et la CCF (Cooperative Commonwealth Federation), entraînant à sa suite le vote de nombreux croyants.

Dans la décennie 1940, la lutte porte cette fois sur les communistes. Encore une fois, l'État vient prêter main-forte à l'Église. Pour le premier ministre Maurice Duplessis, «c'est le combat de tout un peuple qui désire protéger et conserver ses traditions religieuses et nationales les plus chères». En 1946, il se déchaîne contre les témoins de Jéhovah. Ceux-ci avaient distribué dans tout le pays une brochure où ils déclaraient: «La haine ardente du Québec pour Dieu, pour Christ, et pour la liberté est un sujet de honte pour tout le Canada.» La police procède à de nombreuses arrestations. Le propriétaire d'un restaurant qui avait fourni un grand nombre de cautionnements se voit retirer le droit de vendre des boissons alcooliques. Finalement, un mouvement s'organise pour dénoncer le despotisme de telles interventions. Le 12 décembre 1946, une assemblée adopte une résolution demandant «d'appliquer les lois de la province sans faire de distinction entre les races, les langues et les religions».

Sur le plan des comportements individuels et sociaux, l'autorité religieuse demandait le respect des dix commandements de Dieu et des sept commandements de l'Église. Elle invitait en particulier les fidèles à s'éloigner des sept péchés capitaux. La multiplication des dénonciations et des croisades laisse croire que la lutte fut particulièrement difficile sur deux plans: la consommation d'alcool et la luxure. Au XVIIe siècle, considérant que la consommation de boissons alcooliques retardait la conversion des Amérindiens, l'Église en a défendu la vente, sous peine d'excommunication. Au siècle dernier, elle a demandé un plus fort contrôle sur la vente des alcools et mis sur pied des associations et des croisades de tempérance. Au début des années 1920, lorsque le gouvernement Taschereau crée la Commission des liqueurs, des membres du clergé dénoncent cette mesure comme étant d'inspiration maçonnique. L'Église s'élève avec une égale fermeté contre les comportements non conformes à son enseignement en matière sexuelle. Dès le Régime français, elle présente les coureurs de bois comme des exemples d'immoralité à cause de leur fréquentation des Amérindiennes et de leur éloignement de la pratique des sacrements. Aux femmes elle prêche constamment la décence dans le vêtement, les paroles, les gestes et les attitudes. Au XIXe siècle, elle s'efforce de réduire les rencontres sociales entre les sexes, qu'elles soient de loisirs ou sportives. Elle s'oppose en particulier à la danse à cause du danger que représentait

Et la mode...

«Je range parmi les violations du sens commun la coutume qu'ont prise les jeunes filles et les femmes, de porter des sous-vêtements insuffisants à les protéger contre les rigueurs de notre climat. Car l'on passe ici de la manie de l'exhibition à une sorte de manie suicidaire. Nos communautés de femmes se demandent avec angoisse, au commencement de chaque année, si les mères ont complètement perdu l'instinct maternel, quand arrivent les jeunes filles, jusque du fond de nos campagnes, avec une garde-robe qui suffirait à peine sous les tropiques. Que vaudra demain la santé de celles-ci, qui devront à leur tour donner la vie?»

(Georges Courchesne, évêque de Rimouski, Circulaire au clergé no 12, 15 avril 1930.)

le rapprochement des corps et elle suggère de la remplacer par le jeu de cartes. Bien peu d'activités, en somme, échappent à l'emprise de l'Église au Québec avant les années 1960.

L'intolérance face aux pratiques non sanctionnées par l'Église de Rome ne s'éteint à peu près complètement qu'après le concile Vatican II. Le discours œcuménique de la plus haute autorité catholique vient à bout des dernières résistances. Dès lors, les esprits et les comportements démontrent plus de tolérance, voire de sympathie. Les responsabilités personnelles y sont plus reconnues.

À proscrire !

«**459.1.** Les catholiques ne peuvent assister licitement aux concerts des hérétiques si à cause du local ces concerts revêtent un caractère religieux, ou si le revenu en doit profiter à l'hérésie, ou si de quelque autre manière leur présence peut servir la cause de l'erreur. Ils doivent se tenir éloignés des jeux publics et des représentations théâtrales organisés pour le bénéfice d'œuvres de confession non catholique, et même ne pas craindre de détourner, avec prudence, de leurs organisations les non-catholiques.

2. On ne peut admettre dans la Société Saint-Vincent de Paul, même comme membres honoraires, des non-catholiques.

461.1. Chose bonne en soi, même utile, le théâtre est souvent travesti en spectacle où la religion et ses saintes pratiques sont parodiées, ses ministres ridiculisés, où le vice est exalté ; d'où grave danger pour la foi ou incitation à la licence des mœurs. Sous la forme du cinéma, le théâtre, dans les mêmes conditions, est encore plus funeste parce qu'il est plus répandu, qu'un plus grand nombre peuvent le fréquenter, qu'il a lieu dans l'obscurité. Les pasteurs ont le devoir de protéger les fidèles contre ce fléau, et les fidèles eux-mêmes celui d'exiger une censure efficace et de s'abstenir d'assister aux représentations dénoncées comme dangereuses. [...]

462.2. Sous peine de péché grave, il est défendu aux fidèles de danser ou de laisser leurs enfants ou leurs serviteurs danser les danses qui sont lascives soit en elles-mêmes, comme le tango, le fox-trot, et autres, soit dans la manière de les exécuter, comme il arrive communément aujourd'hui pour la valse, la polka et d'autres danses anciennes. Et comme il s'agit ici de protéger contre un danger général, la loi oblige même dans un cas particulier où le danger n'existe point.

464. La promiscuité des sexes dans les bureaux, les ateliers, les pensions, offre de graves dangers pour la morale chrétienne ; et les mêmes dangers existent quand il s'agit de baignade, de patinage, de glissade, d'exercice de ski, de promenades en raquettes ou en automobile, d'excursions, de pique-niques. Les curés feront tout leur possible pour empêcher une telle promiscuité, ou pour au moins obtenir qu'une sérieuse surveillance éloigne les dangers.

470. [...] Les enfants doivent être retenus de fréquenter les plages où les bains se prennent d'une manière immodeste ; il est inconvenant et dangereux que la natation soit enseignée par des hommes aux personnes de sexe féminin [...]

471. Les propriétaires de maisonnettes, chalets, loges pour touristes le long des grandes routes, doivent se souvenir de leur responsabilité en ce qui concerne l'admission des couples non mariés, qui trouvent parfois en ces abris une invitation au désordre. Les confesseurs ne sauraient absoudre les loueurs de cabines qui refuseraient de se soucier des exigences de la morale. »

(*Discipline diocésaine*, Québec, L'Action catholique, 1937, pp. 197-203.)

Le garçonnisme

« Il arrive parfois qu'une femme se costume en homme, parce que, d'une part, elle n'a point lieu d'en prévoir aucun scandale et que, d'autre part, elle croit avoir un motif raisonnable de se le permettre ; ainsi accoutrée, par exemple, elle fait une excursion dans le bois avec les membres de sa famille. Qui pourrait l'accuser de pécher ?

Cependant la règle demeure la règle. L'inversion des vêtements ne doit guère s'accomplir que par exception. Prenons garde aux conséquences prochaines, prenons garde encore aux conséquences lointaines. Avec l'habitude du costume masculin, la femme perdrait de sa dignité, elle se masculiniserait ; entre elle et l'homme s'établirait une facile camaraderie, qui pourrait avoir sur les mœurs des effets désastreux.

À chaque sexe son habillement. Tenons à la tradition chrétienne. »

(Cyrille Labrecque, dans *La Semaine religieuse de Québec*, 25 mars 1937.)

Pour un bon nombre de Québécois et de Québécoises, le concile Vatican II change profondément le sens de la vie. Mais l'adaptation n'est pas facile. Dans le discours populaire, on estime ne plus reconnaître la religion catholique et ne plus se reconnaître en elle. On comprend mal. On se demande où cela conduit. Plusieurs regrettent les cérémonies anciennes, la messe en latin. On ne sait plus que faire des objets pieux que l'on portait sur soi ou qui décoraient la maison. On a du mal à s'adapter à la nouvelle liturgie. La prière cesse d'être une simple récitation de mémoire. L'hommage chanté succède au discours sur le péché. Une absolution générale et publique remplace, du moins en partie, les secrets du confessionnal. Le prêtre s'adresse directement aux fidèles. Il dit la messe face au peuple et dans sa langue. Il invite à méditer les paroles de l'Évangile. L'obligation de la messe du dimanche peut être respectée en y assistant le samedi. De nouveaux officiants laïques distribuent la communion, que l'on peut d'ailleurs recevoir dans la main. Ils se font les ministres de nouvelles formes de participation par le chant, le baiser de la paix, la poignée de main ou la chaîne d'amitié. Les formes externes de la religion se sont transformées : l'Évangile prime sur le péché, le sens et le discours de la religion sont mis à la portée de tout le monde.

À l'interrogation que suscitent les transformations dans la pratique religieuse succède le choix d'adhérer avec plus d'intensité ou de s'éloigner. En l'espace de 20 ans, la proportion de catholiques pratiquants chute de 90 à 30 pour cent. Une nouvelle catéchèse remplace le *Petit Catéchisme*. Elle ne se donne plus qu'à l'école ou à l'église. L'enseignement religieux dans les familles cesse ou presque. Des pratiques formellement contraignantes, comme le jeûne ou l'abstinence, sont pratiquement éliminées. On range au placard missel, médailles et scapulaires. Le recrutement des religieux ne réussit pas à combler les nombreux départs. Indice d'une morale assouplie, on accorde les sacrements à des gens qui ne respectent pas les règles établies. Le clergé se rapproche des gens ordinaires, ne serait-ce qu'en troquant la soutane ou le costume religieux pour des vêtements civils, et la vie au presbytère ou au couvent pour la vie en appartement. On assiste à l'augmentation des missionnaires laïques. Les membres des ordres religieux catholiques intensifient leur engagement social et politique.

Le modèle de la vie de sainteté prend figure humaine. Pour un bon nombre de Québécois, la qualité et l'intensité des pratiques font place à la quantité et à l'indifférence, tandis que d'autres substituent à la religion une morale sociale et une éthique personnelle.

Dans certains cas, ce nouveau courant de liberté débouche sur des ruptures. Depuis quelques années cependant, on assiste à une recrudescence de la pratique, notamment chez les adolescents, et à une participation accrue à des mouvements religieux nouveaux, dans leur forme ou dans leurs croyances. Sectes américaines ou orientales, Églises du renouveau ou du retour aux sources, mouvements charismatiques ou simplement adeptes d'une vérité, les groupements religieux de toutes sortes et de toutes tendances prolifèrent. La carte religieuse du Québec, qui affiche plus de 800 groupements, est devenue aussi complexe que celle des communautés culturelles.

*

La pratique religieuse au Québec n'a plus la même fonction qu'hier dans l'expression de l'identité. La religion catholique rejoint une portion plus limitée de la population et, surtout, elle la rejoint très inégalement. Il n'y a plus *un* catholique, mais *des* catholiques. Les uns observent fidèlement toutes les directives, ayant intériorisé de façon consciente les préceptes religieux. Il leur arrive de participer en nombre à des manifestations religieuses, chantant la charité humaine et le partage. D'autres pratiquent régulièrement, mais sans respecter toutes les directives, notamment celles qui ont trait à la sexualité ou à la contraception. Un certain nombre tiennent à maintenir leur appartenance, mais suivent peu les pratiques recommandées. Il y a ceux enfin qui, même dans une situation marginale par rapport aux règles de la religion – homosexuels, concubins, divorcés ou remariés civilement –, veulent avoir plus facilement accès aux services de l'Église.

Davantage respectueux de la liberté des personnes, le discours de l'Église est passé de l'intransigeance à une certaine tolérance à l'égard des choix de vie et des autres mouvements religieux. Il semble avoir définitivement quitté le champ national et s'attacher surtout à la condition sociale des personnes. Les religieux ont intensifié, avec d'autres, leur engagement social.

Enfin, les sensibilités religieuses ont beaucoup changé au Québec depuis quelques décennies. Les convictions ne se sont pas toujours atténuées, mais elles se sont déplacées. La religion du voisin ne regarde que lui-même. Ce principe, non sans relation avec les droits de la personne reconnus par l'État, semble rallier la faveur d'une majorité de la population. La personnalité collective du Québécois ne pourrait donc se définir que sur la base du respect de la liberté de chacun dans ses convictions et ses pratiques religieuses.

L'ENCADREMENT SCOLAIRE

Par les connaissances auxquelles elle initie et par les valeurs qu'elle transmet, l'École façonne les adultes de demain. Instruction et éducation, étroitement imbriquées, forgent les convictions, les sensibilités et les comportements sociaux des collectivités. En raison de son importance, l'Église et l'État, les anglophones et les francophones, les catholiques et les protestants se sont disputé l'autorité sur le système scolaire.

Les Québécois partagent des souvenirs scolaires différents selon leur âge car, là aussi, les années 1960 ont été marquées par des changements majeurs dans la conception et l'organisation de l'apprentissage scolaire. On y trouve, d'un côté, une certaine nostalgie de l'école d'antan, du personnage modèle de la maîtresse d'école et de l'éducation reçue. Mais les personnes plus âgées se reconnaissent difficilement dans les nouveaux programmes, les stratégies pédagogiques et même dans le contenu de certaines matières.

Tout au long de l'histoire de l'éducation au Québec, l'une des priorités, en même temps que l'une des plus grandes difficultés en matière de conception et d'organisation de l'apprentissage scolaire, semble avoir été de rejoindre les intérêts des collectivités. Entre l'instruction et l'éducation, entre les connaissances théoriques classiques et les savoirs concrets ou techniques, entre la formation des esprits et l'acquisition de connaissances pratiques, entre la spécialisation et l'aptitude à généraliser, entre les programmes et les matières enseignées, entre l'enseignant et l'élève, les rapports d'harmonisation semblent constamment à négocier.

Par les clientèles qu'elle dessert, l'école identifie la *personne* du Québécois, celle qui compte le plus pour le devenir de la collectivité. Par les programmes mis en place et le contenu des enseignements, elle définit en quelque sorte le *personnage* idéal de cette collectivité. Enfin, par les finalités que l'État, l'Église ou la société lui donnent, le système scolaire et ses extensions médiatiques permettent de discerner certaines des aspirations et des sensibilités des Québécois, en somme, une partie de leur *personnalité*.

L'accès à l'instruction

Aujourd'hui, l'instruction est obligatoire. D'ailleurs seule une mince frange de la société ne la considère pas comme une nécessité culturelle, sociale ou économique. Mais l'accès au savoir n'a pas toujours été perçu comme un bien essentiel aux individus et aux collectivités.

Il fut un temps au Québec où l'instruction constituait un luxe réservé à une petite élite et un risque moral et social pour les autres. Au milieu du XIXe siècle, près de la moitié de la population utilisait encore pour toute signature une marque en forme de croix. La volonté, le besoin et peut-être le goût de s'instruire s'imposèrent très tard. Cela explique pourquoi la mise en place d'un système d'enseignement se fit lentement.

Au XVIIIe siècle, l'enseignement est presque essentiellement tourné vers la formation religieuse. Seules quelques petites écoles primaires et secondaires assurent un savoir minimal : lire, écrire et compter. Dans les campagnes, à peine 20 pour cent de la population, mais autant les femmes que les hommes, savent signer leur nom. Sous le Régime britannique, la conception d'un système d'éducation s'inscrit dans un contexte de lutte de pouvoir entre l'Église catholique et le pouvoir politique protestant. En 1801, l'État tente de supplanter l'Église en créant l'« Institution royale ». En 1824, l'établissement de 24 écoles s'avère un bilan bien mince. L'École des fabriques instaurée alors permet la création de 48 nouvelles écoles en quatre ans. La loi de 1829 a pour résultat que, deux ans plus tard, on peut dénombrer 1 074 écoles. Dans les années 1840, la situation paraît catastrophique. Selon des données gouvernementales, moins de 5 pour cent des jeunes de 5 à 14 ans fréquentent l'école. La grande charte scolaire de 1845-1846 vient remédier à la situation. Elle conçoit deux systèmes parallèles, l'un pour les protestants et l'autre pour les catholiques, conception qui survit encore actuellement. En plus, elle impose une taxe scolaire, que les enfants fréquentent ou non l'école. Pour éviter de payer la taxe, on incendie des écoles rurales : c'est ce qu'on a appelé la guerre des Éteignoirs. Malgré ces oppositions, la fréquentation scolaire enregistre des hausses significatives en l'espace de quelques décennies. Entre 1844 et 1866, le nombre d'écoles passe de 804 à 3 589 et celui des élèves de 4 935 à 178 961. Le nombre d'étudiants des niveaux secondaire et supérieur augmente constamment. La loi de 1869 répartit la taxe scolaire sur la base des valeurs immobilières des contribuables. Le résultat fut que l'on consacrait 1,80 $ par jour pour les protestants et 0,84 $ pour les catholiques. En 1874, le budget de l'éducation accapare 75 pour cent du budget total de l'État.

La guerre des Éteignoirs

« À la fin de l'année 1847, se déclenchèrent les élections générales. [...] Seuls cinq ou six candidats soutenus par les éteignoirs réussirent péniblement à se faire élire.

Battus partout sur le terrain légal, les éteignoirs commencèrent à recourir à la violence. Les charivaris se multipliaient, les représailles éclataient. Les milieux mixtes et irlandais étaient particulièrement troublés. À Valcartier, Sainte-Catherine, Saint-Raymond, Saint-Basile, Saint-Sylvestre, Saint-Gilles, Saint-Jean-Chrysostome, dans la région de Québec, Saint-Jérôme, le comté des Deux-Montagnes, dans celle de Montréal, Ormstown, Hemmingford, Dundee, dans les Cantons de l'Est, la résistance était particulièrement vive. On incendia des écoles à Hemmingford et à Dundee. En milieux canadiens français, on s'agitait particulièrement dans la région de Nicolet. Dans celle

de Québec, un député allait même jusqu'à organiser des démonstrations tapageuses à Beaumont et à Saint-Henri. Dans le district de Montréal, Lanoraie et Berthier faisaient les frais des nouvelles dans les journaux. À l'Île Bizard, les paroissiens ameutés contre le curé, menacèrent d'incendier le presbytère et de briser les portes de l'église paroissiale. Mgr Bourget accourut, retira le curé, lança l'interdit sur la paroisse. Dans les comtés de Nicolet et d'Yamaska, les éteignoirs atteignirent une célébrité tapageuse. À Saint-Grégoire, Sainte-Monique, Nicolet, les émeutiers incendièrent les propriétés des commissaires et des secrétaires-trésoriers. À Saint-Michel d'Yamaska, le député du comté se mit à la tête des *Brûlots* pour incendier l'école.

Peu nombreux en somme, mais extrêmement bruyants, les éteignoirs semblaient devoir paralyser la vie scolaire. Le surintendant était débordé. Il lui

aurait fallu être partout à la fois. Impuissant, il réclama l'aide de personnes de bonne volonté. Le clergé, au risque de se faire de grands ennemis, n'hésita pas à se lancer dans la lutte et parvint à calmer quelque peu les esprits. Les magistrats poursuivirent les émeutiers les plus notoires. [...] Les brûlots de Saint-Grégoire, traduits devant les tribunaux, réussissaient à se faire acquitter et à se faire ovationner par la foule. Ne se sentant pas suffisamment protégés et soutenus, commissaires et visiteurs n'agissaient plus qu'avec une extrême circonspection. On n'osait plus imposer la cotisation, se bornant assez souvent à maintenir le régime des contributions volontaires de 1845. »

(Gérard Filteau et Lionel Allard, *Un siècle au service de l'éducation 1851-1951. L'inspectorat des écoles dans la province de Québec*, Québec, Ministère des Communications, Service des impressions de régie, s.d.)

La lente marche vers l'instruction obligatoire

1881: «Répandre l'instruction primaire, la faire pénétrer dans nos campagnes les plus reculées, vaincre la résistance ou l'indifférence des parents à proclamer l'obligation de la fréquentation des écoles dans certaines conditions, voilà quel est le premier devoir de nos législateurs. Et pour cela il faut faire deux choses indispensables: augmenter le nombre des écoles, car dans les campagnes, elles sont généralement trop éloignées, et frapper d'incapacité politique les jeunes gens qui, dans un certain nombre d'années, arriveront à l'âge de la majorité sans savoir lire ou écrire.»

(Honoré Mercier, député de Saint-Hyacinthe à l'Assemblée législative de la province de Québec, 1881, cité dans Louis-Philippe Audet, « La querelle de l'Instruction obligatoire », *Les cahiers des dix*, n° 24, 1959, pp. 133-134.)

1901: Tancrède Boucher de Grosbois, député de Shefford, présente un projet de loi obligeant sous peine d'amende les parents ou tuteurs « d'envoyer les enfants, de 8 à 13 ans, aux écoles de leur municipalité, au moins pendant seize semaines durant l'année scolaire ». Projet rejeté par 55 voix contre 7.

Louis-Philippe Audet, *Histoire de l'enseignement au Québec*, Montréal, Holt, Rinehart and Winston, 2 vol., 1971, p. 135.

1912: À la suite d'une recommandation en ce sens du Comité protestant du Conseil de l'Instruction publique, J.T. Finnie, député de Saint-Laurent, présente un projet de loi pour rendre l'école obligatoire aux enfants protestants et ce, sous peine d'amende et d'emprisonnement.

Le projet fut rejeté par 62 voix contre 6.

1918-1919: Campagne en faveur de l'instruction obligatoire. Le sénateur Raoul Dandurand ainsi qu'une centaine d'autres personnalités présentent, le 18 janvier 1919, une requête à Paul Bruchési, évêque du diocèse de Montréal, réclamant l'instruction obligatoire: «Monseigneur, Les Soussignés constatent: qu'une trop forte proportion d'enfants de sept à quatorze ans abandonne l'école avant d'avoir acquis une instruction suffisante; qu'à peu près 50 % de ces enfants cessent de fréquenter l'école après la 4ᵉ année et plusieurs ne font même pas cette 4ᵉ année; que ceux-là dans les villes qui ne font pas leur 5ᵉ année ne sont pas en état d'être reçus dans les écoles techniques, que les fils de cultivateurs qui ne font que trois ou quatre années de classe et qui se livrent ensuite aux travaux de la terre, retombent en grand nombre après quelques années dans la catégorie des illettrés; que trop d'enfants courent encore la rue sans aucun contrôle et finissent par échouer devant les tribunaux; que cet état de choses continue malgré le louable effort fait jusqu'ici...»

1920: Louis-Nazaire Bégin, évêque de Québec, se prononce contre l'ingérence de l'État dans le domaine de l'éducation:

«Parce que c'est l'ignorance qui a sauvé autrefois notre peuple de l'assimilation, on s'obstine encore à vouloir nous y conserver comme des cornichons dans le vinaigre. On ose dire publiquement qu'il suffit à un

Canadien français de savoir son catéchisme et les éléments de calculs.»

(*Le Pays*, 25 septembre 1920.)

1929: Le pape Pie XI publie l'encyclique sur l'éducation chrétienne de la jeunesse, où l'on peut lire: « L'État peut exiger, et dès lors faire en sorte que tous les citoyens aient la connaissance nécessaire de leurs devoirs civiques et nationaux, puis un certain degré de culture intellectuelle, morale et physique, qui, vu les conditions de notre temps, est vraiment requis par le bien commun. Toutefois, il est clair que, dans toutes ces manières de promouvoir l'éducation et l'instruction publique et privée, l'État doit respecter les droits innés de l'Église et de la famille sur l'éducation chrétienne et observer, en outre, la justice distributive. Est donc injuste et illicite tout monopole de l'éducation et de l'enseignement qui oblige physiquement ou moralement les familles à envoyer leurs enfants dans les écoles de l'État contrairement aux obligations de la conscience chrétienne ou même à leurs préférences légitimes. »

(Audet, *loc. cit.*, pp. 147-148.)

1935: Nouvelle campagne en faveur de l'instruction obligatoire.

1941: Le Département de l'Instruction publique institue une enquête sur la scolarité obligatoire.

1943: Adoption du projet de loi 7 (George VI, c. 13) établissant la fréquentation scolaire obligatoire.

À la fin du siècle s'amorce le grand débat sur l'instruction obligatoire. Mais les projets de loi successifs sont constamment rejetés et ce, dans une proportion de 10 contre un. Même après que le Vatican eut admis le principe de l'instruction obligatoire, il n'en fut pas tenu compte au Québec. La loi qui rendra l'instruction obligatoire jusqu'à l'âge de 14 ans ne sera finalement adoptée qu'en 1943. À cette époque, la situation n'est guère brillante. Seulement 46 pour cent des élèves atteignent la 7ᵉ année, 17 pour cent la 9ᵉ et 2 pour cent la 12ᵉ année.

Cette conception de l'éducation fait à la femme une place à part. Sa formation est définie par ce que les religieux appellent la nature de la femme et son rôle social. Il faut en faire une bonne chrétienne, l'initier au travail de la maison, ne pas pousser l'enseignement de la grammaire et lui refuser l'apprentissage du latin et des sciences. On ira jusqu'à dire, en 1923, qu'elle ne doit pas se passionner pour des questions au-dessus de sa portée. Ainsi, les écoles ménagères, particulièrement actives entre 1910 et 1938, visent à développer les vertus chrétiennes et l'autorité du père. Cette conception d'une « femme de maison dépareillée » s'atténuera cependant avec l'instruction obligatoire.

Le Comité catholique et l'instruction obligatoire

Lors de la réunion du 17 décembre 1942, le Comité catholique du Conseil de l'Instruction publique adopte sur division le projet de loi établissant l'instruction obligatoire. Le procès-verbal résume ainsi les propos tenus par le cardinal Rodrigue Villeneuve : « Il expose que l'attitude présente de la plus grande partie de l'épiscopat n'est pas un blâme pour le passé. Il reconnaît que l'enseignement donné jusqu'au début du siècle par la plupart de nos professeurs de philosophie sociale contestait à l'État le droit d'imposer l'instruction obligatoire, qui avait le tort du reste, en plusieurs pays d'Europe, de faire corps avec tout un ensemble de réformes inspirées par l'esprit révolutionnaire et mises en avant par des francs-maçons notoires.

[...] Son Éminence reconnaît qu'autrefois Elle a eu des hésitations en face de la thèse du droit des pouvoirs publics d'imposer l'instruction obligatoire. Maintenant, la doctrine catholique est nette et ferme sur le point jadis discuté, et il n'y a plus lieu d'éprouver le moindre scrupule pour la question de droit. La question d'opportunité toutefois demeure, c'est une matière libre. Chacun peut en juger à son gré, selon ses propres observations.

Or les enquêtes paraissent révéler qu'il y a, parmi nous, une multitude d'enfants qui sont actuellement privés du bienfait de l'instruction pour diverses causes : pauvreté, négligence ou insouciance des parents, besoins de la famille ou autres. La loi d'obligation scolaire ne réglera

certes point tous ces problèmes : personne n'a la naïveté d'y voir une panacée ; mais la loi projetée, avec d'ailleurs tous les tempéraments qu'elle comporte, fournira l'occasion d'étudier le mal plus à fond et d'intervenir par les moyens les mieux appropriés. »

Ont voté contre le projet de loi : Mᵍʳ Comtois, évêque de Trois-Rivières ; Mᵍʳ Alfred Langlois, évêque de Valleyfield ; Mᵍʳ Arthur Douville, évêque de Saint-Hyacinthe ; Mᵍʳ Belleau, vicaire apostolique de la Baie-James ; sir Mathias Thellier et l'honorable H.-A. Fortier.

(Louis-Philippe Audet, « La querelle de l'Instruction obligatoire », *Les cahiers des dix*, nᵒ 24, 1959, pp. 149-150.)

Tout ce que doit savoir une fille

« L'immense majorité des fillettes de l'école primaire devra, plus tard, assumer la lourde mission de fonder un foyer. Il faut leur donner très tôt une haute idée du rôle qui leur incombe de continuer l'histoire familiale du Canada français.

Qu'elles apprennent, dès la « petite école », qu'il n'est rien de plus beau ni de plus difficile que de devenir une femme de maison dépareillée.[...]

La femme de maison dépareillée est avant tout femme de cœur et de tête, avide de culture, éprise de tout ce qui élève et grandit. Ce serait rapetisser mesquinement son rôle que de le ramener aux seules besognes matérielles de la tenue de maison, de la cuisine ou de la couture. Dans le foyer, la femme est beaucoup plus qu'une ménagère. Elle est d'abord épouse et mère, selon la belle appellation romaine : mater familias ; elle est aussi intendante du foyer, maîtresse de maison, ou magistra domus, comme se plaisaient à la désigner avec respect les Romains de la grande époque. [...] Les écoles qui veulent former des femmes de maison ont fort à faire pour abattre les préjugés en cours. Elles doivent constamment corriger les opinions toutes faites sur les travaux du foyer. La réhabilitation des activités domestiques est véritablement une œuvre de portée sociale et nationale. Une œuvre difficile mais passionnante. [...]

Devenir une bonne cuisinière n'est pas une tâche facile. Il faut y consacrer des années d'étude et de travail. La seule connaissance des lois et des principes d'une bonne alimentation ne suffit pas. Il faut un entraînement poussé, des exercices multiples, des expériences presque aussi méticuleuses que les recherches de laboratoire. Durant leurs quatre années d'école ménagère régionale, les élèves consacrent près de 1 500 heures à l'entraînement culinaire ! Et ce n'est qu'une initiation. [...]

Comme on le voit, les écoles qui assument la mission de préparer des femmes de maison dépareillées pour nos foyers canadiens abordent tous les problèmes de la vie réelle. Ce sont vraiment des écoles où se donne l'éducation réaliste que nos temps réclament. »

(Albert Tessier, *Femmes de maison dépareillées*, Montréal, Fides, 1942, pp. 21-27.)

La prospérité de l'après-guerre, la croissance démographique, les besoins de connaissance engendrés par la technologie et l'affirmation sociale de la place de la femme ont fait passer la population scolaire de 728 000 en 1945 à 1 300 000 en 1960. Surtout, le niveau de scolarisation s'est élevé considérablement. La création de l'Université du Québec et de ses constituantes régionales en 1968 a favorisé l'accès à l'enseignement universitaire, dont la clientèle double en dix ans.

Les programmes d'éducation à domicile ou de formation continue donnent l'impression qu'il est devenu extrêmement facile de s'instruire. On peut rester chez soi, assis devant un écran de télévision, et disposer d'une impressionnante banque de savoirs à la portée de la main. Depuis que l'éducation est devenue une priorité des gouvernements et un besoin ressenti par une large tranche de la population, on s'est préoccupé de rejoindre les utilisateurs potentiels directement dans leur foyer. On a imaginé toutes sortes de formules qui, en général, ont suivi les progrès de la technologie.

Dès 1929, l'Union catholique des cultivateurs préparait des cours spéciaux à l'intention de ses membres. Différents instituts, dont le premier fut celui d'Oka, ont organisé des cours sous forme d'articles dans les journaux. En 1944, la Faculté des sciences sociales de l'Université Laval a préparé des cours de coopération par correspondance donnés par le Service extérieur d'éducation sociale. À compter des années 1950-1960, les médias électroniques déploient une stratégie éducative de vulgarisation scientifique. Radio-Collège commence à diffuser en 1941 et continue jusqu'en 1956. À la radio, l'émission *Fémina*, diffusée à raison d'un quart d'heure par jour à compter de 1953, renseigne sur l'économie et la diététique. Deux ans plus tard, l'émission *Point de mire* animée par René Lévesque est reçue comme un cours de sciences politiques, de sociologie et de géographie. Fernand Séguin a connu la célébrité avec ses émissions de vulgarisation scientifique. En 1969, le gouvernement crée Radio-Québec et réserve près de 20 pour cent du temps d'antenne à des émissions scolaires. Au même moment apparaissent les médias communautaires. En 1972, l'Université du Québec crée Télé-université qui facilite par des interventions hors campus et à distance l'accès à un enseignement universitaire pour de nombreux adultes qui autrement en seraient privés. La Loi sur les bibliothèques adoptée en 1959 favorise aussi une autre forme d'accès au savoir à domicile. Le Québec compte près de 4 000 bibliothèques, dont 80 pour cent en milieu scolaire et plus de 300 bibliothèques paroissiales. Enfin, des émissions télévisées pour enfants, *La boîte à surprise*, *Maman Fonfon*, *Les Oraliens*, *Passe-Partout*, *Bobino*, *La ribouldingue*, *Félix et Ciboulette*, *Le village éducatif*, comptent parmi les plus grandes réalisations d'enseignement à domicile.

L'instruction n'est plus un luxe ni un privilège réservés à une certaine élite. Depuis le milieu du XIXe siècle, la tendance générale la plus progressive prône l'extension de l'éducation à tous les groupes de la société. Mais cette incitation a rencontré des résistances, si bien que le Québec n'a pas réussi à combler complètement son retard sur les collectivités voisines. Aujourd'hui, l'une des préoccupations majeures a trait au décrochage d'étudiants d'un niveau à un autre, du secondaire au cégep et du cégep à l'université. Malgré de grandes réformes, des facilités d'accès accrues et la réduction des exigences scolaires, le système universitaire québécois ne produit, en proportion, guère plus de diplômés qu'ailleurs. Mais il y a pire : la proportion de personnes à faible niveau d'instruction se maintient. La situation par rapport à 1950, où le quart de la population était analphabète, a apparemment beaucoup changé. Mais, au-delà des impressions, persistent les mêmes réalités sociales et les mêmes problèmes. Certes, de plus en plus de gens retournent à l'école : adultes, personnes âgées, anciens « dropout ». De plus en plus de programmes sont offerts et de plus en plus de groupes organisés favorisent le retour à l'école. Les conditions d'accès ont été facilitées, en particulier pour les jeunes, les allophones, les femmes, les groupes défavorisés. En fait, on se serait adapté aux nouveaux besoins de la société moderne. Mais tous ces efforts ne traduisent-ils pas justement un problème ? Les données statistiques disponibles varient selon les bases de définition adoptées. Des estimations chiffrent par 300 000 le nombre d'analphabètes et par 700 000 ceux qui savent à peine lire, écrire et calculer. D'autres experts estiment cependant qu'une instruction minimale doit permettre de prendre la parole et de comprendre adéquatement son environnement. Considérant comme insuffisante une instruction de moins de neuf ans de scolarité, c'est à un million et demi qu'ils évaluent le nombre de défavorisés dans le domaine de l'éducation au Québec. Et, sur le plan social et culturel, tout s'enchaîne en un cercle vicieux : faible instruction, faible revenu, défavorisé, et vice-versa.

L'accès à l'instruction sous toutes ses formes a été facilité et libéralisé. Pourtant, une portion significative de personnes refusent d'entrer dans le système. Les raisons de rejet peuvent être nombreuses et complexes : à côté de l'attrait de revenus immédiats, la nature même des programmes et des enseignements a pu rebuter ceux pour qui le savoir n'est pas associé à la qualité de la vie.

Former un citoyen

L'orientation des programmes et le contenu des enseignements indiquent finalement quelle sorte de citoyens le système scolaire souhaite former. Là semble résider la difficulté majeure des relations entre le système et ceux qui doivent y participer. Les questions se posent en regard des programmes, entre spécialisation et compréhension générale, entre savoir et savoir-faire, dont le dosage paraît délicat à établir. La relation pédagogique quotidienne ne semble pas plus simple. Les dilemmes s'expriment ici en matière de rapports de maître à élève,

Les manuels d'autrefois

« Les manuels scolaires n'étaient pas nombreux à la fin du siècle dernier. Le petit catéchisme de la Province de Québec occupait la place principale et devait être appris par cœur, sans manquer un mot, avant d'être admis à *marcher au catéchisme* pour la première communion. Le « Devoir du Chrétien » était le livre de lecture qui servait pour habituer les élèves à parler franc et à bien lire. Il contenait des récits et des propos édifiants. On s'entraînait à lire l'écriture à la main dans un cahier appelé « le manuscrit ». Je revois encore, dans mon pupitre, le *Psautier de David*, une grammaire française, une histoire sainte, une histoire du Canada, un manuel d'arithmétique et une petite géographie. Chaque élève avait son cahier d'application où il devait écrire au propre, à la plume, mais non sans s'être exercé longuement la main avec un crayon à mine ou un crayon d'ardoise. Les élèves avaient une petite ardoise encadrée sur laquelle ils s'entraînaient à prendre les dictées et à inscrire les brouillons de rédaction ou de calcul. »

(Vénérande Douville-Veillet, *Souvenirs d'une institutrice de petite école de rang*, Trois-Rivières, Éditions du Bien Public, 1973, pp. 10-11.)

ou d'apprenant à guide. Ils se ramènent aux principes premiers et supérieurs de l'enseignement et oscillent entre livrer des connaissances ou en favoriser la découverte, former une personnalité ou donner les moyens de l'épanouir, l'éduquer ou l'instruire.

Des débuts de la Nouvelle-France jusqu'à la création d'un ministère de l'Éducation en 1964, les objectifs de formation dans le système scolaire ont peu varié. Il fallait former les esprits à l'« art de bien penser ». La tradition classique, devenue un patrimoine national à préserver, résidait dans la culture des génies latin et français. Encore aujourd'hui, la conception des programmes de formation au Québec est unique par rapport à ce qui existe dans les autres programmes d'enseignement au Canada et aux États-Unis. Ces programmes ont laissé des traces vivaces dans la mémoire québécoise.

La plupart des Québécois ont gardé en mémoire des souvenirs bien précis de leur période de fréquentation de la petite école : souvenirs de leçons à apprendre, de devoirs à faire, d'attention et d'application particulières dans certaines matières, comme l'écriture ou les fractions. Souvenirs des dictées. Souvenirs aussi de professeurs ou de maîtresses, religieux ou laïques, de leurs qualités et de leurs défauts. Souvenirs de la visite du curé pour la leçon de catéchisme ou pour la remise des bulletins. Souvenirs

Les élèves, habillées de façon identique et accompagnées par les religieuses, pratiquent une religion uniformisée.

(Classe de deuxième année, 1962. Collection privée.)

impérissables de l'ambiance créée durant la préparation de la visite de « monsieur l'inspecteur ». Souvenirs de la distribution des prix, des récréations, mais aussi des pénitences et de quelques tours pendables. Rappel du costume d'école, de la cloche, de la prière du début et de la fin des classes, des livres dont il fallait prendre grand soin, des cahiers de devoir décorés d'anges ou d'étoiles. Rappel de la route à parcourir beau temps mauvais temps pour se rendre à l'école. Rappel de la grande bâtisse froide et astiquée. Rappel plus vague et plus lointain de la petite école de campagne. Rappel plus vivace, pour les pensionnaires, du dortoir et du réfectoire. Il semble que la vie rigoureusement disciplinée ait finalement laissé bien plus de nostalgie que de mauvais souvenirs. L'épreuve a été surmontée.

Cette école, qui habite notre mémoire, correspond à un temps précis de l'histoire du Québec. Depuis, bien des choses ont changé: les leçons, les matières, les programmes, les enseignants, les méthodes, les moyens et les équipements. Cette école d'antan n'a d'ailleurs pas toujours été là comme on se l'imagine ou comme on se la rappelle. Avant 1800 n'existent que quelques écoles dans les villes. À la campagne, c'est le plus souvent le curé – et parfois un maître d'école donnant des leçons privées – qui prend charge de l'éducation. Car il s'agit bien plus d'éducation que d'instruction et, encore, surtout d'éducation religieuse ou morale. Une fois apprises par cœur les prières en latin et comprises les leçons de catéchisme, on enseigne d'autres matières. Les enfants apprennent quelques rudiments de lecture et d'écriture complétés par le calcul pour les garçons et par les bonnes manières et les tâches ménagères pour les filles. À cette époque, la quantité de connaissances ne suffit pas à rendre une personne cultivée. De l'avis des autorités, avec le savoir, il fallait transmettre des convictions, de l'enthousiasme et une volonté d'agir.

La petite école en 1875

« Règlements pour les écoles de la Municipalité de St. Henri de Lauzon, imposés par les commissaires soussignés pour eux et leurs successeurs en office.

1. La durée des classes, pour l'École-Modèle, depuis le premier mai jusqu'au premier octobre, sera de six heures par jour; celle du matin commencera à 8 $\frac{1}{2}$ heures et finira à 11 $\frac{1}{2}$ heures, et celle de l'après-midi commencera à 1 heure et finira à 4 heures. Depuis le premier octobre jusqu'au premier mai, il n'y aura que cinq heures et demie de classe par jour: celle du matin commencera à 8 $\frac{1}{2}$ heures et finira à 11 $\frac{1}{2}$ heures et celle de l'après-midi commencera à 1 heure et finira à 3 $\frac{1}{2}$ heures.

La durée des classes, pour les Écoles Élémentaires, sera de 5 heures, en été comme en hiver. Le matin, l'école commencera à 9 heures et finira à 11 $\frac{1}{2}$ heures. L'après-midi, elle commencera à 1 heure et finira à 3 $\frac{1}{2}$ heures.

Il est permis néanmoins aux Instituteurs et Institutrices de ne faire qu'une école en hiver, depuis 9 $\frac{1}{2}$ heures A.M. jusqu'à 2 $\frac{1}{2}$ heures P.M. pourvu qu'ils donnent un peu de repos aux écoliers à midi, et cela, pour la commodité des parents des enfants et quand il fera mauvais temps.

2. Chaque école devra toujours commencer par le *Veni Creator* et finir par le *Sub tuum*.

3. Le samedi de chaque semaine sera jour de congé; mais s'il se trouvait une fête d'obligation dans la semaine, elle prendra la place du congé.

4. Les vacances seront depuis le jour de la Circoncision jusqu'à celui de l'Épiphanie inclusivement, et depuis le quinze août jusqu'au quinze septembre.

5. Il n'y aura pas d'école le mercredi des Cendres, le jour des Morts et celui du Sacré-Cœur, le Jeudi et Vendredi Saints, et pendant les exercices des Quarante-Heures.

6. Il est cependant défendu aux Instituteurs et Institutrices de donner des congés sans la permission des Commissaires d'école, et s'il leur est permis de le faire pour de graves raisons, ils seront tenus d'en tenir compte et de remettre ces jours d'école perdus, les jours de congé.

7. Il ne sera pas donné de noms ni de surnoms aux écoliers et écolières pendant, ni hors de l'école.

8. Tout écolier ou écolière refusant d'obéir à son maître ou à sa maîtresse et de se soumettre à la punition qui lui aura été imposée, sera envoyé au Commissaire le plus près qui en décidera.

9. Il est expressément recommandé aux Instituteurs et Institutrices de voir à ce que leur chambre ou maison d'école soit tenue très proprement et bien aérée, et que les enfants soient proprement et décemment vêtus.

10. Les Instituteurs et Institutrices devront nécessairement tenir un journal quotidien du nombre d'enfants qui fréquentent leur école et en envoyer une copie aux Commissaires d'école au moins quinze jours avant l'examen de chaque semestre.

11. Les examens auront lieu vers la fin de décembre et de juin de chaque année. Les Instituteurs et Institutrices doivent non seulement être prêts à rencontrer ces examens, mais à toute autre visite qu'il plaira aux Commissaires et aux visiteurs de faire durant l'année.

12. Les branches d'instruction que doivent enseigner les Instituteurs et Institutrices de cette municipalité dans leur école respective sont la lecture française et latine, l'écriture, l'arithmétique, les éléments de la grammaire française, ceux de la géographie, l'art épistolaire, de plus le catéchisme et les prières tous les jours de la semaine aux enfants qui se préparent à faire leur première communion dans l'année.

Il sera enseigné de plus dans l'École-Modèle les grammaires française et anglaise par principes et d'une manière analytique, la géographie avec l'usage des cartes et des globes, les rudiments de l'histoire, ceux de l'art épistolaire, l'arithmétique dans toutes ses parties, la tenue des livres en parties simples et doubles et le calcul mental.

13. Les Instituteurs et Institutrices doivent être l'exemple de l'arrondissement où ils font l'école par leur modestie, leur décence, leur réserve dans leurs paroles et actions, et par leur assiduité à fréquenter les sacrements.

14. Ils doivent s'efforcer de gagner l'estime des parents des enfants dont ils sont chargés et vivre en bonne intelligence avec les gens de l'arrondissement.

15. Ils doivent s'appliquer à connaître le caractère de chaque enfant, afin d'employer au besoin la sévérité ou la douceur suivant que le demande leur caractère respectif.

16. Ne jamais punir les enfants sans être bien assurés qu'ils le méritent, car quand ils savent se faire aimer des enfants, ils peuvent toujours leur faire faire ce qu'ils désirent.

17. Faire garder le silence et tenir le bon ordre pendant l'école, sans quoi ils ne réussiront pas à les instruire avec avantage, et ne point en laisser sortir plus d'un à la fois pendant l'école.

18. Tâcher de donner de l'émulation aux enfants en leur donnant chaque semaine des places suivant leur mérite, mais sans préférence. Il serait bon de tenir une liste des fautes et des progrès des enfants pendant la semaine.

19. Faire attention que les enfants, en lisant, gardent un ton naturel, qu'ils articulent bien les mots; les faire répéter jusqu'à ce qu'ils prononcent bien; les faire arrêter aux points et aux virgules.

20. Porter attention à ce que les petits garçons ne chicanent point les petites filles avant ou après l'école, et faire sortir ces dernières avant les petits garçons.

21. Punir sévèrement les mauvaises paroles, les jurements et les mauvaises actions contre la pureté.

22. Inspirer aux enfants de bons sentiments de piété, la bonne tenue dans l'église, le respect envers leurs parents, la politesse et l'honnêteté.

23. S'assurer si ceux qui ont fait leur première communion sont assidus à aller à confesse.

24. Punir sévèrement ceux qui rapporteront ce qui se passe à l'école ou chez leurs parents.

25. Aucun parent ne devra aller porter des plaintes aux Instituteurs et Institutrices pendant les écoles et en aucun autre temps, en présence des enfants.

26. Chaque école aura une copie imprimée du présent règlement auquel il sera référé au besoin.

Fait et imposé sous notre seing, ce jourd'hui, le 2 janvier 1875.»

(Archives nationales du Québec, Québec, Éducation, C.G., n° 835, 1882.)

Dans ce contexte, les savoirs spécialisés n'ont pas toujours obtenu la meilleure cote d'appréciation au Québec. On a fait grand état de l'enseignement de l'hydrographie et de l'École d'arts et métiers de Saint-Joachim au XVIIe siècle. Mais si ces deux secteurs correspondaient à une nécessité vitale, l'apprentissage se faisait surtout par la fréquentation de personnes compétentes dans la pratique du métier. Le premier établissement spécialisé fut le Montreal Mechanics' Institute en 1828. En 1869, le gouvernement fonde le Conseil des arts et manufactures destiné à desservir surtout les Canadiens français. À la même époque, d'autres institutions voient le jour, l'École polytechnique en 1874, les écoles ménagères en 1882, les collèges industriels et les académies commerciales.

Présence de la religion et du prêtre dans les écoles

« **1**. Instruction morale et religieuse. – L'enseignement de la religion doit tenir le premier rang parmi les matières au programme des études, et se donner ponctuellement dans toutes les écoles.

Les élèves qui se préparent à faire leur première communion seront l'objet d'une attention spéciale, en ce qui concerne l'enseignement du catéchisme. Au besoin, on les dispensera d'une partie des exercices de la classe.

La religion n'est pas seulement l'objet d'un enseignement qui se donne à des heures réglementaires ; elle est aussi un élément de formation morale et religieuse, et doit être vécue à toute heure du jour. L'atmosphère de l'école doit être religieuse. On doit trouver l'idée religieuse et morale dans l'explication des matières du programme, dans les rapports des élèves entre eux, dans les réflexions du maître, dans la manière d'appliquer la discipline, et jusque dans l'ameublement de la classe.

Par ces moyens, la religion doit pénétrer l'âme pour devenir évocatrice de pensées, régulatrice de sentiments et principe d'action.

Il est du devoir des maîtres de suivre les avis du curé en ce qui regarde la conduite morale et religieuse de tous les élèves. »

(Règlements du Comité catholique du Conseil de l'Instruction publique de la province de Québec, Québec, 1922, p. 55.)

« **545**. 1. Les hommes ne peuvent enseigner aux filles sans une réelle nécessité et de très précieuses précautions touchant la moralité, ni à des religieuses, dans les écoles supérieures, sans une concession spéciale de l'Ordinaire. [...]

548. 1. Le clergé a le droit et le devoir de visiter les écoles. Cette visite, indispensable au bon fonctionnement de l'enseignement du catéchisme, est obligatoire chez nous et le curé doit la mettre au nombre des fonctions régulières du saint ministère.

2. La visite des écoles fournit au pasteur l'avantage de contrôler, de diriger, d'encourager l'enseignement doctrinal ; de garder contact avec maîtres et élèves et de se tenir au courant ; de se rendre compte des progrès accomplis dans les études en général ; de combler à temps les lacunes dans l'enseignement du catéchisme ; de prouver l'intérêt que le clergé porte à l'instruction publique. »

(Discipline diocésaine, Québec, L'Action catholique, 1937, pp. 235-237.)

Cours technique et culture

« L'instruction et la formation technique sont réellement les armes avec lesquelles nous triompherons sur le terrain industriel. La preuve de cet avancé est faite par la belle réputation de ces institutions auprès des maîtres de l'industrie, qui viennent aujourd'hui solliciter jusque dans leurs murs les jeunes gradués, pour les induire à se diriger de leur côté. »

(Technique, éditorial, mars 1929, p. 2.)

Entre 1900 et 1950, les enseignements se structurent davantage pour répondre plus directement aux besoins. L'Église y joue un rôle prépondérant. En 1911, elle fonde l'École sociale populaire pour former des militants en milieu de travail. Les programmes de formation technique ne fleuriront pas avant les années 1920, bien longtemps après l'amorce du développement de la vie urbaine et de l'industrialisation. La crise des années 1930 intensifie le mouvement. De nouveaux enseignements visent à remédier aux problèmes des agriculteurs et des ouvriers. En 1948, les gouvernements veillent à assurer la formation des gens en chômage.

En 1961, dans tous les établissements du Québec, 175 000 personnes suivent des cours du soir, des cours d'été ou des cours aux adultes. L'enseignement technique et industriel donné le soir réunit 18 000 élèves et 1 700 enseignants dans 70 programmes différents. On crée en plus des écoles spéciales : de réforme pour les délinquants, d'arts et métiers, de sourds-muets et d'handicapés légers. Ces modes particuliers d'enseignement sont organisés pour compenser les insuffisances du système scolaire régulier et ils s'adressent surtout aux travailleurs adultes des milieux industriels. À compter des années 1960, ces modes d'apprentissage s'institutionnalisent. Donnés dans des écoles plutôt que sur les lieux de travail, ils visent des objectifs planifiés et s'éloignent des préoccupations des ouvriers et des techniciens. Leur caractère théorique n'a pas toujours su combler les attentes. On se plaît à raconter cette histoire de la religieuse enseignant à un bûcheron que, pour couper un arbre, il fallait tracer une ligne invisible à partir du point A, aligné sur le point B et, en parallèle, se rendre aux points C et D. Cet exemple fait bien ressortir la différence entre deux conceptions du système d'éducation.

La lutte en faveur de l'enseignement technique fut suivie de celle, encore actuelle, entre l'enseignement religieux et l'enseignement moral. Il s'agit d'une autre facette particulièrement significative, par son caractère prospectif, de la formation des Québécois. Jusque dans les années 1960, de la première année du primaire jusqu'à l'université inclusivement, les cours débutent par une prière. C'était à la fois une façon de former une personne, de donner un sens au travail quotidien et à la vie, de façonner une identité.

Dans la suite des réformes de Vatican II et sous la double pression des gens qui s'écartent de la religion et des nouveaux Québécois qui partagent d'autres croyances, l'enseignement religieux obligatoire dans les écoles catholiques est remis en question. En 1974, le gouvernement instaure, par règlement, un régime permettant d'être exempté de cet enseignement. Environ 10 pour cent des parents se prévalent des mesures d'exemption, qui prennent rapidement une allure vexatoire : pour être exempté, il fallait des démarches supplémentaires auxquelles se prêtaient un petit nombre de personnes seulement. La revendication de ce droit avait pour effet de marginaliser les enfants par rapport à leur groupe. La situation est corrigée en 1983 par l'instauration d'un régime généralisé d'option entre l'enseignement religieux et l'enseignement moral. Depuis lors, le nombre d'enfants inscrits aux cours de morale augmente sans cesse. La situation diffère entre les niveaux primaire et secondaire. Au primaire, comme seul l'enseignement religieux prépare à recevoir les

L'École sociale populaire

« Les œuvres sociales ont besoin d'une élite. L'École Sociale Populaire la formera pour organiser ensuite, avec son concours, des institutions économiques et sociales, des groupements professionnels catholiques. [...] Nos ouvriers sont sincèrement bons et fils dévoués de l'Église. Il importe de former, chez eux, la mentalité professionnelle ouvrière, si nous ne voulons pas les laisser en proie à l'anticléricalisme de certains démagogues, qui prétendent avoir le monopole du dévouement à leurs intérêts. »

(Lettre de Paul Bruchési, archevêque de Montréal, aux membres de l'École sociale populaire, citée dans *L'École Sociale Populaire*, n° 1 spécial, Montréal, 1911, pp. 5-6.)

sacrements, une modeste minorité (8 pour cent en 1987) opte pour les cours de morale. Au niveau secondaire, par contre, cette proportion dépasse les 20 pour cent et continue à progresser.

Les orientations et le contenu du programme d'enseignement moral dessinent un nouveau profil de la personnalité du Québécois de demain. *Arrimages*, une jeune revue savante en didactique de l'éducation morale, esquisse les principales dimensions de cet enseignement. Le programme est centré sur la connaissance et le respect de soi et d'autrui. Il tend à développer trois ordres d'habiletés : émotionnelles, communicatrices et intellectuelles. L'enfant apprend à voir et à prévoir en lui et chez l'autre la culpabilité, la peur, la colère, l'amitié, la jalousie et la timidité. Les cours initient le jeune à la communication de ses droits, besoins, intérêts et désirs, pour en venir à mieux négocier des compromis. Sur le plan intellectuel, ils incitent à observer, juger, décider et agir. Ces enseignements traduisent en somme en programme de formation l'apprentissage des droits de l'humain. Ils présentent la complexité de la vie de relation et insistent sur ses composantes affectives. Faits et sensibilités se combinent pour favoriser un choix libre et respectueux des autres.

À l'instar de l'Église et de l'État, le système scolaire a fait place aux nouvelles réalités sociales. Les individus ne sont plus faits au même moule. Les jeunes commencent très tôt à choisir une concentration qui les dirige vers une spécialisation. On a conçu la multiplicité des cours et des programmes offerts comme une réponse à des besoins variés. Maintenant, par contre, on commence à revenir à une formation fondamentale.

On a cru que la réforme des années 1960 réglerait en bonne partie ces problèmes de contenu. En s'attaquant aux principes de base et aux objectifs primordiaux en matière d'éducation, il semblait possible de rétablir un nouvel équilibre entre les attentes de la société et les souhaits de son élite.

En même temps que s'amorcent, en 1960, des changements dans les domaines politique, religieux et culturel, le système scolaire québécois est profondément modifié. Le 24 mars 1961, le gouvernement crée une Commission royale d'enquête sur l'enseignement. Celle-ci dispose d'un mandat très large pour étudier l'organisation et le financement de l'enseignement à tous les niveaux. Après cinq ans de recherche et de consultation, la Commission dépose un projet de réforme, le rapport Parent, visant la modernisation, la systématisation et la démocratisation des institutions scolaires.

Avec le slogan « Qui s'instruit s'enrichit », le ministre de l'Éducation Paul Gérin-Lajoie donne le ton à une conception nouvelle et entreprend la mise en application des propositions du rapport Parent. Dès lors, les valeurs religieuses et nationales sont mises sur une voie d'évitement. Des objectifs moins nobles sont légitimés : s'enrichir, gravir les échelons de la société, acquérir la maîtrise d'un métier ou d'une discipline. Ces finalités et ces moyens nouveaux auraient pu influer directement

---

La grande réforme scolaire... en bref

Le 19 mars 1963, le projet de loi 60 (Bill 60) créant le ministère de l'Éducation reçoit la sanction royale. Il modifie profondément tout le système scolaire. Les changements qu'il apporte seront complétés par l'adoption de diverses autres mesures et le tout peut se résumer ainsi :

a) les lieux :
– régionalisation au niveau secondaire ;
– création des écoles polyvalentes qui rassemblent sous le même toit l'enseignement général et professionnel ;
– disparition des écoles de métier et des instituts familiaux ;
– création des collèges d'enseignement général et professionnel (cégeps) et disparition des collèges classiques et des écoles normales ;
– création du réseau de l'Université du Québec.

b) le personnel :
– la formation des maîtres est confiée aux universités ;

– le niveau de scolarité du corps enseignant est haussé ;
– amélioration du statut professionnel par la création d'un système de bourses pour la formation universitaire du personnel enseignant.

c) la vie étudiante :
– création d'un régime de prêts et bourses pour les étudiants de niveaux collégial et universitaire ;
– le rapport Parent recommande pour les filles une éducation identique à celle des garçons.

d) les études :
– unification des réseaux et établissement d'une séquence de quatre niveaux distincts ayant chacun une durée déterminée ;
– abandon de la première du premier cycle à l'université ;
– suppression des filières élitistes avec la cohabitation des secteurs professionnel et général.

e) les méthodes d'enseignement :

– individualisation de l'enseignement ;
– apprendre à l'élève à penser, à acquérir lui-même sa formation, en rendant le savoir accessible.

f) les manuels :
– l'édition scolaire se laïcise ;
– apparition ou généralisation de guides de l'enseignant et de cahiers d'exercices pour les élèves ;
– on parle maintenant d'ensembles pédagogiques ;
– gratuité des manuels jusqu'en 11e année.

g) relations parents-école : droit de vote aux élections scolaires à tous les parents d'un enfant de moins de 18 ans.

h) transport scolaire :
le transport par autobus scolaire devient une réalité pour beaucoup d'élèves.

(Diane Morin, Rapport de recherche pour le projet d'exposition *Mémoires*, Québec, Musée de la civilisation, 1987.)

sur la *personnalité* du Québécois. Une majorité de personnes s'y sont adaptées avec le temps. Mais l'instruction n'a pas plus donné une éducation que la surspécialisation n'a livré les clefs de la connaissance et de la compréhension de l'humain.

*

Même si l'instruction apparaît aujourd'hui comme une nécessité absolue, il subsiste entre le système scolaire et les attentes sociales des décalages importants. Bien peu de personnes en situation de responsabilité prendraient le risque de proposer l'abolition de la vieille loi rendant l'instruction obligatoire. Au moment où l'instruction, à tous les niveaux, est devenue accessible à toutes les catégories de la société, au moment où les programmes de formation se multiplient, on déplore le nombre de décrocheurs, d'analphabètes et de spécialistes dépourvus de culture générale. Une analyse rapide laisserait croire que la modernisation de l'enseignement n'a pas donné les résultats attendus. À long terme cependant, une importante proportion de Québécois en a tiré profit.

Le système scolaire a du reste perdu son monopole dans la formation du citoyen. L'école de la vie, celle du voisinage, des loisirs, des voyages, de la télévision jouent un rôle de plus en plus grand dans la configuration des profils socioculturels de demain. Tous les produits de consommation culturelle de masse contribuent à diffuser des connaissances, à forger des opinions, à proposer des comportements et des valeurs. Les finalités données au système d'éducation, qu'elles aient été hier dans l'art de bien penser ou plus récemment dans l'espoir de s'enrichir, n'ont pas rallié l'ensemble de la société. Le culte de la compétence ne s'est pas davantage imposé. Mais on ne saurait contester l'élévation généralisée du niveau d'instruction.

De toutes les images qui peuplent la mémoire québécoise, l'impression identitaire la plus forte se concentre encore sur la personne de la maîtresse d'école ou de l'enseignant, sur la personne qui, en somme, a permis à une autre de se découvrir des compétences, un engouement et un lieu d'engagement. C'est cela qui a le plus marqué les adultes en formation, ce qui semble nourrir les évocations les plus agréables et appeler les plus grandes redevances personnelles. Ceux qui, dans la relation pédagogique, ont su résoudre ou expliquer les dilemmes de la vie, ont laissé des souvenirs impérissables dans l'esprit des gens. Cette relation constitue un lieu inégalé pour permettre à l'étudiant d'apprendre à s'approprier l'humain.

* * *

Les grandes institutions, l'État, l'Église, l'École, ont profondément marqué l'identité québécoise. Hier, elles ont joué un rôle vital dans le destin de la collectivité francophone. Elles ont assumé des initiatives qui ont construit une réalité et projeté du Québec une image différente de celle des collectivités voisines. Plus religieuse, jamais suffisamment indépendante et autonome, en plus d'être attachée à l'éducation classique qui avait formé ses élites, la collectivité québécoise a conservé plusieurs traits de spécificité hérités du passé. L'État a pris, dans les secteurs économique, social ou culturel, des initiatives propres aux responsabilités dévolues à un pays. L'Église a longtemps emporté les convictions profondes et guidé les comportements de la très grande majorité des catholiques. L'institution scolaire n'est encore identique à aucune autre. Par leur simple présence et par l'importance qu'on leur a accordée, ces institutions ont occupé une place considérable dans la construction de la représentation des Québécois.

L'évolution différenciée de ces institutions n'est pas moins remarquable. De tout temps et jusqu'aux dernières décennies, l'Église a livré un discours d'autorité communément accepté. Ce n'est plus le cas. À l'inverse, il y a déjà près de deux siècles que l'État a reconnu certains pouvoirs au peuple et aux élus du peuple. Ses législations fondamentales rappellent maintenant le respect dû à chacun, la liberté de croyance et d'expression. Quant à l'École, elle n'a atteint les masses que depuis le milieu du XIXe siècle; elle doit maintenant disputer aux médias la formation du citoyen.

Sur le plan des *personnes*, l'Église ne regroupe plus qu'environ 30 pour cent de pratiquants dont, il est vrai, la pratique paraît plus convaincue et plus intense. Par contre, plusieurs autres mouvements d'inspiration religieuse ou morale ont une existence reconnue. Depuis quelques décennies, l'État a manifesté une sollicitude prononcée à l'égard de chacune des composantes de la société, qu'il s'est efforcé – démocratie et élections obligent – de rejoindre dans ses besoins et ses aspirations. Enfin, si le système scolaire affiche à son crédit un rattrapage certain, il continue de subir des pertes de clientèle importantes et son rôle, en regard d'autres producteurs culturels, s'est atténué.

Le *personnage* du Québécois, dans ses valeurs comme dans ses comportements, ne présente plus les caractères d'homogénéité que les institutions définissaient autrefois. Les comportements tolérés chez les catholiques, les adhésions à des religions ou à des mouvements particuliers, l'intensité de la pratique, voire l'imaginaire des croyances, révèlent une abondante diversité d'images. L'État a multiplié ses interventions dans toutes les directions et à l'égard de tous les groupes qui semblaient défavorisés par une répartition trop inégale des moyens d'assurer la qualité de la vie. Il a cherché à préciser les règles supérieures encadrant les droits de chacun. L'École a développé de très nombreuses spécialisations et l'instruction a favorisé chez un plus grand nombre de personnes l'art de bien penser ou la possibilité de s'enrichir.

Les engagements ou les attachements qui forgent la *personnalité* d'une collectivité se sont, à certains égards, individualisés, intériorisés et fragmentés. Le discours d'autorité a largement été remplacé par l'attention portée aux personnes. Les grandes figures institutionnelles d'autrefois, personnalités politiques ou religieuses, professionnels ou éducateurs dévoués, et les attributs de leur pouvoir – habit, livre, tribune ou chaire – n'occuperaient plus que les marges floues d'un instantané qui fixerait l'identité sur une pellicule photographique. Un autre définisseur de culture se serait imposé à côté et peut-être au-dessus d'eux : les médias. L'ensemble montrerait une foule bigarrée, des réalisations disparates, des regroupements éparpillés un peu partout le long d'une voie principale. Au cœur, comme en transparence, un parcours vers quoi convergent les collectivités et les institutions. Foule anonyme, d'où sourdent des tensions et des oppositions entre les groupes, certes ; individus et groupes dont la route reste parsemée de nombreux obstacles, sans doute ; personnes handicapées ou défavorisées qui se reposent sur les institutions ! Mais un cheminement commun et une aspiration partagée les réunissent : les droits de l'être humain.

Le XXe siècle au Québec, c'est celui de la reconnaissance, puis de l'affirmation des droits de chaque individu. Le cheminement de chacune des grandes institutions est jalonné de multiples prises de position et réalisations qui ressortent comme la trame essentielle de cette évolution. Si une certaine unanimité s'est lentement élaborée dans la conscience québécoise, c'est autour de la primauté des questions sociales, de la volonté de réduire les injustices et les inégalités. Et les sensibilités populaires, parfois demeurées à l'état implicite, ont dirigé le sens de cette évolution. Au-delà des objectifs de rationalisation et de spécialisation restaient l'humain et la qualité de ses relations avec les autres.

Cette évolution n'est pas propre au Québec. On la retrouve partout ailleurs, à des degrés et avec des particularités variables. Mais, au Québec, elle repose sur des bases différentes, elle s'est déroulée à un rythme extraordinaire. Sa configuration d'ensemble, son aboutissement, son parcours ainsi que la liberté et la facilité avec lesquelles ces aspirations collectives ont pu être formalisées et institutionnalisées nous paraissent uniques et distinctives.

Cette vue de recul situe la collectivité québécoise dans la durée. Comme aboutissement, elle retient moins l'individualisme qu'une volonté de reconnaissance des droits de chacun. Elle donne sens et direction à une identité en mouvement et en construction. Elle révèle une conception de soi, une façon de se représenter, une mémoire collective qui s'apparente à un imaginaire de remplacement tourné vers l'avenir, les autres et l'ailleurs. Elle affiche une identité nourrie d'expériences diversifiées qui convergent dans des choix de société.

LECTURES COMPLÉMENTAIRES

Audet, Louis-Philippe, *Histoire de l'enseignement au Québec*, Montréal, Holt, Rinehart and Winston, 2 vol., 1971.

Audet, Louis-Philippe, *Bilan de la réforme scolaire au Québec, 1959-1969*, Montréal, PUM, 1969.

Bluteau, Marc-André, *La santé et l'assistance publique au Québec, 1886-1986*, Québec, Ministère de la Santé et des Services sociaux, 1986.

Boglioni, Pierre, et Benoît Lacroix (dir.), *Les pèlerinages au Québec*, Québec, PUL, Travaux du laboratoire d'histoire religieuse de l'Université Laval, 1981.

Brodeur, Raymond, et Jean-Paul Rouleau (dir.), *Une inconnue de l'histoire de la culture. La production des catéchismes en Amérique française*, Québec, Éditions Anne Sigier, 1986.

Charland, Jean-Pierre, *L'enseignement spécialisé au Québec, 1867 à 1982*, Québec, IQRC, 1982.

Cliche, Marie-Aimée, *Les pratiques de dévotion en Nouvelle-France. Comportements populaires et encadrement ecclésial dans le gouvernement de Québec*, Québec, PUL, 1988.

Dorion, Jacques, *Les écoles de rang au Québec*, Montréal, Éditions de l'Homme, 1979.

Dupont, Antonin, *Les relations entre l'Église et l'État sous Louis-Alexandre Taschereau, 1920-1936*, Montréal, Guérin, 1972.

Fahmy-Eid, Nadia, et Micheline Dumont, *Maîtresses de maison, maîtresses d'école. Femmes, familles et éducation dans l'histoire*, Montréal, Boréal Express, 1983.

Hamelin, Jean, et Nicole Gagnon, *Histoire du catholicisme québécois. Tome 1 : Le XXᵉ siècle, 1898-1940*, Montréal, Boréal Express, 1984.

Hamelin, Jean, *Histoire du catholicisme québécois. Tome 2 : Le XXᵉ siècle, de 1940 à nos jours*, Montréal, Boréal Express, 1984.

Lacroix, Benoît, et Jean Simard, *Religion populaire, religion de clercs?*, Québec, IQRC, 1984.

Leblond, Sylvio, *Médecine et médecins d'autrefois. Pratiques traditionnelles et portraits québécois*, Québec, PUL, 1986.

Lessard, Pierre, *Les petites images dévotes. Leur utilisation traditionnelle au Québec*, Québec, PUL, 1981.

Musée du Québec, *Le grand héritage. L'Église catholique et la société du Québec*, Québec, 1984.

Pontaut, Alain, *Santé et sécurité. Un bilan du régime québécois de santé et de sécurité du travail*, Montréal, Boréal Express, 1985.

Simard, Jean, *et al.*, *Un patrimoine méprisé. La religion populaire des Québécois*, Montréal, Hurtubise HMH, Cahiers du Québec, coll. Ethnologie, 1979.

Thivierge, Nicole, *Écoles ménagères et instituts familiaux. Un modèle féminin traditionnel*, Québec, IQRC, 1982.

Tremblay, Arthur, *Le rapport Parent, dix ans après. La démocratisation de l'enseignement*, Québec, Éditeur officiel, 1985.

Villedieu, Yannick, *Demain la santé*, Sillery, Éditions Le Magazine Québec Science, 1976.

CHAPITRE SIXIÈME

LES SAVOIR-FAIRE TECHNIQUES ET CULTURELS

L ES HABILETÉS DU CORPS ET DE L'ESPRIT donnent l'impression de concerner deux mondes et deux types de
compétence. Mais elles ont longtemps été liées et elles
évoluent dans un arrière-plan historique identique.
Dans ce regard sur la construction et l'évolution de
l'identité québécoise, elles ont beaucoup en commun.

Le traitement simultané des savoir-faire techniques
et culturels permet d'éviter les distinctions réductrices
entre culture savante et populaire, ou matérielle et
spirituelle. Il inscrit ces deux formes d'expression d'une
culture dans un contexte global plus large. Il rejoint des
similitudes fondamentales dans leur nature, leur évolution et le discours qu'elles ont engendrés. Dans chacun
de ces domaines, les compétences requises sont spécialisées et ne sont pas interchangeables. Même si certains
débordements vers des pratiques proches se rencontrent à l'occasion, les gens de métier et les créateurs
restent en général compartimentés les uns par rapport
aux autres. Cordonnier, charpentier, maçon, tailleur ou
forgeron ne peuvent pas plus être confondus entre eux
qu'un romancier avec un chansonnier, un homme de
théâtre, un poète, un peintre, un sculpteur, un essayiste.

Un autre point d'attache commun aux productions
culturelles et techniques réside dans le discours
idéologique qui les a encadrées. Depuis le milieu du XIXe
siècle, les membres des élites religieuses, politiques et
professionnelles ont formulé sur la qualité des œuvres
un jugement qui reposait finalement sur leur conformité
à l'idéologie dominante. Sur cette base, ils ont décrété ce
qui était bon ou mauvais, ont valorisé certaines productions et en ont rejeté d'autres. Ils ont imposé un
point de vue auquel la majorité des producteurs ont dû
sacrifier. Ils ont créé et façonné des impressions si fortes
qu'elles ont contribué à définir l'image du Québécois
d'hier. Ainsi, l'étude des savoir-faire techniques et culturels conduit plus vers l'histoire d'une représentation

que d'une réalité. L'idée qu'on s'en est faite et les jugements que l'on a portés sur eux sont finalement devenus plus importants que la réalité elle-même.

À son tour, la production scientifique demeure compartimentée, spécialisée et, parfois, teintée par les idéologies. Elle s'est prioritairement attachée à la production et aux producteurs. Elle a dégagé les modes d'expression novateurs dans le temps, en particulier dans leur évolution formelle, s'arrêtant à la structure, au style ou à la sémiologie de l'œuvre. Elle s'est penchée sur la nature de la production par l'analyse de contenu, faisant ressortir les influences reçues et les thèmes traités, mais sans déborder les frontières des secteurs particuliers de production.

Nous disposons d'une quantité importante de matériaux. Les travaux en ethnographie sur les artisans et les technologies ont touché plusieurs secteurs dits de culture matérielle. Les grands corpus constitués, comme le *Dictionnaire des œuvres littéraires du Québec*, livrent une description précise et détaillée d'un autre grand secteur de la production intellectuelle. Enfin, plusieurs ouvrages spécialisés portent sur les divers champs de la création artistique. Mais ces recherches sont rarement reliées entre elles. Les mouvements qui se dessinent dans un secteur ne sont pas suffisamment mis en relation avec les évolutions que l'on discerne ailleurs. Les périodisations dégagées sont courtes, souvent liées à des personnes plus qu'à des mouvements et se chevauchent d'une observation à une autre. La présentation des contextes de production demeure le plus souvent immédiate, liée à la biographie du créateur, de l'artisan ou de l'artiste.

Ce type d'études scientifiques sert d'instrument de référence essentiel à des travaux spécialisés, mais il rejoint surtout un public déjà averti. Les productions culturelles ont généralement laissé dans la mémoire collective quelques noms éparpillés au fil des souvenirs de lectures scolaires. Elles rappellent des innovations et des ruptures, l'impression de quelques périodes charnières, un peu floues et, parfois, un peu artificielles. Dans un cas, l'industrialisation aurait marqué la fin de l'artisanat, tandis que la Révolution tranquille aurait pour sa part favorisé l'essor des arts sous toutes leurs formes. Sans avoir été négligée, la perspective historique est surtout comblée par la richesse des matériaux livrés à la connaissance. Mais le contexte historique de la réalisation de ces œuvres techniques ou culturelles, un contexte qui permet d'établir un rapport global avec l'identité québécoise, demeure à reconstruire.

Les perceptions des productions techniques et culturelles reposent sur un cadre idéologique élaboré dans les années 1840 et qui a persisté jusqu'au-delà de la seconde moitié du XXe siècle. C'est en particulier *L'histoire du Canada*, publiée par François-Xavier Garneau en 1845, qui a fourni les concepts de référence utilisés dans l'appréciation des réalisations techniques et artistiques. Cette idéologie a mythifié la Nouvelle-France, pour mieux prôner l'idéal d'une société catholique, française et conservatrice, se nourrissant du passé. Sa construction fut d'autant plus systématique qu'elle visait à réparer les suites d'un échec, à lutter pour la survie même de la collectivité canadienne-française et à contrer les progrès d'une première modernité, marquée par l'ouverture à la liberté de pensée ainsi qu'à la culture et à la technologie venues d'ailleurs.

Les éléments majeurs de cette idéologie ont eu pour noms : repli sur soi, autosuffisance, génie de la race et transmission familiale des métiers. On a survalorisé les œuvres du terroir et de l'artisan pour combattre les méfaits de la ville et de l'industrialisation naissante. Les plus modernes des artistes et des écrivains qui s'inspiraient de la France libérale furent les plus mal vus et les plus décriés. Ils empêchaient la reconnaissance du génie de la race. Ceux qui incitaient à s'emparer du commerce et de l'industrie ou à s'inspirer des valeurs libérales ont le plus souvent été dénigrés. Les appréciations scientifiques ont eu du mal à se détacher de ces jugements dont les fondements idéologiques ont persisté jusque dans les années 1960.

Les représentations idylliques des réalités techniques ou culturelles viennent ensuite montrer comment les productions concrètes s'éloignent progressivement du mythe qui les définit. Dès le milieu du XIXe siècle, les nouveautés technologiques et culturelles venues de France, de la Grande-Bretagne ou des États-Unis sont bien vivaces au Québec. Les perceptions paradoxales du retard du Québec et du repli sur soi en regard du génie de la race résident dans le discours plus que dans la réalité. Mais, rappelons-le, le discours, lui, est plus fort que le réel dans la construction d'un imaginaire.

Enfin, nous voulons étudier les survivances et les transformations de ces mythes et de ces réalités après les années 1960. Les représentations anciennes se retrouvent encore de nos jours dans un bon nombre de stratégies publicitaires, par exemple à l'égard des petites et moyennes entreprises ou du succès des hommes d'affaires sur les marchés mondiaux. La persistance de ces éléments dans les sensibilités a-t-elle son pendant dans la réalité?

Ici, le mode d'analyse s'inspire directement des éléments constitutifs de la mémoire collective. À propos de deux façons primordiales pour une culture de s'exprimer, c'est-à-dire les habiletés manuelles et les habiletés intellectuelles, il compare les rapports entre les mythes et les réalités. À partir de lieux témoins riches et diversifiés, il observe comment un imaginaire s'est construit, maintenu et affirmé, puis transformé.

LES SAVOIR-FAIRE TECHNIQUES

Le mythe du génie de la race s'appuie sur de nombreux témoignages remontant à l'époque du Régime français. On a fait valoir le contexte du mercantilisme et les volontés d'autarcie et d'autosuffisance que l'intendant Jean Talon a réussi à traduire dans des initiatives concrètes – ce qui lui a valu la célébrité dans notre histoire. La Nouvelle-France n'avait donc pas besoin des autres. Dans le même élan, les témoignages des autorités de la colonie vantant l'habileté manuelle et les capacités d'adaptation des «Canadiens» ont connu une gloire durable. L'intendant Gilles Hocquart écrit en 1731 que la nécessité les a rendus industrieux de génération en génération. «Les habitants de la campagne, ajoute-t-il, manient tous adroitement la hache. Ils font eux-mêmes la plupart de leurs outils et des ustensiles de labourage, bâtissent leurs maisons, et leurs granges, plusieurs sont tisserands, font de grosses toiles et des étoffes qu'ils appellent droguets, dont ils se servent pour se vêtir eux et leurs familles.» On a fait de semblables témoignages une des assises du mythe de l'habileté et de l'ingéniosité des membres de la collectivité francophone.

Des pieds à la tête...

Dans ses instructions à l'intendant Jean Talon, datées du 27 mars 1665, le roi de France Louis XIV précise: «Il observera que l'un des plus grands besoins du Canada est d'y établir des manufactures et d'y attirer des artisans pour les choses qui sont nécessaires à la vie; car jusques ici il a fallu porter en ce pays-là des draps pour habiller les habitants, et même des souliers pour les chausser, soit qu'étant obligés de cultiver la terre pour leur subsistance et celle de leurs familles, ils en aient fait leur seule et leur plus importante occupation, soit par le peu de zèle et d'industrie de ceux qui les ont gouvernés jusqu'à présent.»

(*Rapports de l'archiviste de la province de Québec, 1930-1931, p. 9.*)

Le 2 novembre 1671, l'intendant Talon peut écrire aux autorités royales: «J'ai fait faire cette année de la laine qu'ont portée les brebis que Sa Majesté a fait passer ici, du droguet, du bouragan, de l'étamine, et de la serge de seigneur. On travaille des cuirs du pays près du tiers de la chaussure et présentement j'ai des productions du Canada de quoi me vêtir des pieds à la tête; rien en cela ne me paraît plus impossible et j'espère qu'en peu de temps le pays ne désirera rien de l'ancienne France que très peu de chose du nécessaire à son usage, s'il est bien administré.»

(*Ibid.*, p. 160.)

Les représentations mythiques

Les habiletés techniques, l'adaptation au pays, l'autosuffisance familiale et nationale, la transmission des métiers de père en fils ont donné naissance au mythe du génie de la race. On l'a retrouvé partout: dans l'image de l'habitant autosuffisant, dans la construction des maisons, dans la fabrication des meubles et des outils, plus tard dans le discours sur les «patenteux» et dans l'art populaire. On l'a vu chez l'artisan et l'artisane qui savaient tout faire de leurs mains. On l'a retracé chez le maître de métier, propriétaire de ses outils, œuvrant dans un atelier attenant à sa maison, choisissant et apprêtant lui-même son matériau, fabriquant intégralement une pièce ou un produit et suivant sa production auprès de chacun de ses clients. On l'a relevé plus récemment dans les «hobbies» dont l'importance est confirmée par le folklore. L'adage «mille métiers, mille misères» rappelle ces occupations et ces habiletés multiples des «Jack of all trades». Reconnus comme gens industrieux et inventifs, les patenteux et les bricoleurs rivalisaient d'adresse et d'ingéniosité. Leur production portait la marque de l'unique, de l'authentique, du «Québécois».

Une deuxième grande représentation conférait à ce profil le pouvoir de la durée, par la transmission des métiers de père en fils. À l'unité et à l'authenticité elle ajoutait la stabilité et la pérennité, fruit d'une exacte reproduction sociale. Médecin, notaire, cordonnier, tailleur de pierre de père en fils. Quelques cas de transmission directe d'habileté manuelle ou professionnelle ont laissé croire qu'il s'agissait là d'une pratique sociale généralisée, bien ancrée au Québec. Une telle représentation renforçait le poids de la tradition dans les idéologies. Elle véhiculait des valeurs de stabilité familiale, sociale, voire morale. Elle figeait les groupes sociaux. Elle consolidait l'image d'une société fermée, repliée sur elle-même. Elle faisait le pendant de la transmission de la terre paternelle en milieu rural.

Ces représentations mythiques qui ont perduré jusqu'à l'ouverture de cette décennie correspondent assez mal aux observations de la réalité et aux résultats des recherches actuelles. Elles s'inscrivent dans l'idéologie de la conservation, devenue celle de la sauvegarde, qui a mobilisé les Canadiens français entre 1840 et 1960. Les ténors de cette idéologie avaient nom Marius Barbeau, Félix-Antoine Savard, Luc Lacourcière, Gérard Morisset. Pour sauvegarder l'« âme du peuple », ils ont insisté sur ce modèle de référence nostalgique, sacralisant les souvenirs d'enfance et les remémorations des temps anciens.

La prise de distance face à ces représentations s'est faite bien lentement. En 1979, l'ethnologue Jean-Claude Dupont, dans *L'artisan forgeron*, établit une première distance, en considérant cette production comme des survivances. Jean Simard réfute à son tour les critères de sélection des œuvres des « patenteux ». Jusque-là aussi, le portrait que l'on dressait de l'artisan était essentiellement moral. À compter des années 1980, il sera davantage axé sur les compétences techniques. À la même époque, un *Livre vert sur la culture* commence à en prôner la diffusion tout autant que la sauvegarde. Au moment où une vogue de rétromanie incite une grande partie de la population à acquérir des pièces artisanales pour leur signification identitaire, celles-ci correspondent de moins en moins au modèle et au cadre qui définissent leur valeur.

Les faits contre les mythes

Si les représentations de la production technologique traditionnelle résistent difficilement à une lecture critique serrée, elles subissent des assauts encore plus dévastateurs lorsqu'elles sont confrontées à la réalité. Elles se révèlent des fabrications d'allure mythique, comparables à celle des «grosses familles». La société québécoise préindustrielle était beaucoup plus mobile, complexe et ouverte aux apports extérieurs que ne le laisse entendre le schéma identitaire d'hier. Les emprunts à l'étranger ont, de tout temps, été considérables, ce qui contredit tant le mythe du repli sur soi que celui de la stricte authenticité. Les autres représentations idylliques, qu'elles touchent l'ingéniosité, la qualité des productions ou la transmission du métier, résistent tout aussi difficilement à une analyse sérieuse.

Tout au long du Régime français, on fait venir de France les tissus, les instruments aratoires, une bonne partie des outils, les fusils, les couverts de table, la boisson, beaucoup de meubles, sans compter des couvertures anglaises, de la porcelaine de Chine, du sucre et du café des Antilles, des bâtiments britanniques... L'une des gloires créées de la technologie québécoise, l'autarcie vestimentaire, cadre mal avec le fait qu'en 1710 les religieuses de l'Hôpital Général de Québec retiennent les services d'un Anglais pour leur apprendre certaines techniques de tissage. Pour se chauffer, on importe fréquemment des poêles de Hollande. C'est de là également que vient le meilleur fromage, au dire des jésuites. Au XVIIIᵉ siècle, pour la culture du lin et du chanvre, pour la construction des navires ou pour la fabrication du fer, on fait venir des ouvriers de France et on en envoie quelques-uns d'ici en mission de formation en Nouvelle-Angleterre. C'est le problème de la compétence de la main-d'œuvre qui inquiétait le plus les autorités de la colonie face à son développement industriel et technologique. Dès le XVIIᵉ siècle, des ouvriers du cuir se sont mis au service d'hommes d'affaires qui ne connaissaient rien au métier. Ces artisans travaillaient selon un principe de division des tâches et avec les outils de l'entrepreneur. Ils ne pouvaient évidemment se targuer d'avoir une clientèle attachée à leur production.

Au XIXᵉ siècle, la majorité des entrepreneurs et des ouvriers de la construction navale sont des Irlandais. Des spécialistes venus d'Angleterre conçoivent et construisent les premiers grands ponts et le réseau des

Lord Durham et la supériorité des Britanniques

«Le cultivateur d'Angleterre a emporté avec lui l'expérience et les méthodes d'agriculture les plus perfectionnées du monde. Il s'établit dans les cantons voisins des seigneuries, il défricha des terres neuves d'après des procédés nouveaux, il soutint une concurrence victorieuse contre la routine de l'habitant. Souvent même il prit la ferme que le Canadien avait abandonnée et, par son ingéniosité supérieure, trouva des sources de revenus là où son prédécesseur s'était appauvri. [...]

Les Français étaient forcés de reconnaître la supériorité et l'esprit d'entreprise des Anglais. Ils ne pouvaient se cacher leur succès à tout ce qu'ils touchaient ni leur progrès de chaque jour. Ils regardèrent leurs rivaux avec alarme, avec jalousie, enfin avec haine. Les Anglais le leur rendirent par une morgue qui ressembla bientôt à de la phobie. Les Français se plaignirent de l'arrogance et de l'injustice des Anglais ; les Anglais reprochaient aux Français les défauts d'un peuple faible et vaincu, les accusaient de bassesse et de perfidie. [...]

Les Anglais détiennent déjà l'immense partie des propriétés ; ils ont pour eux la supériorité de l'intelligence ; ils ont la certitude que la colonisation du pays va donner la majorité à leur nombre ; ils appartiennent à la race qui détient le gouvernement impérial et qui domine sur le continent américain. »

(Lord Durham, 1839, cité par Marcel-Pierre Hamel, *Le rapport Durham*, Québec, Éditions du Québec, 1948, pp. 86-89.)

chemins de fer. La mécanisation importée par les capitalistes britanniques vient également d'Angleterre ou des États-Unis. L'espace domestique est tôt envahi par des produits ou des modèles anglais et américains ou occidentaux : poêle, mobilier, vêtements, chaussures, chapeaux, voitures de transport, équipements de cuisine, etc. Les recherches archéologiques montrent, par exemple, que l'environnement domestique a considérablement changé, alors que les produits et ustensiles de cuisine se sont multipliés par 10, puis par 20. On trouve aussi de plus en plus de produits manufacturés. L'authenticité québécoise des produits, même quand elle repose sur leur lieu de production ou de consommation, ne s'inspire donc pas exclusivement des habiletés techniques développées sur le territoire.

Le démarrage des échanges économiques sert également d'indicateur de l'évolution des savoir-faire techniques. Des historiens de Montréal, sous la direction de Louis Michel, ont montré l'amorce de l'implantation d'une économie de marché dès la fin du XVIIIᵉ siècle.

Même quand l'entreprise reste familiale et artisanale, les techniques de production changent rapidement. Les outils de l'artisan, qu'il soit cordonnier, serrurier, armurier, se diversifient. Les cordonniers se mécanisent, les menuisiers se font ébénistes. Le système d'échange s'intensifie. La clientèle des marchands qui importent leurs produits de l'extérieur s'étend considérablement au détriment de la production artisanale. La production va de plus en plus loger dans des entreprises.

L'interprétation des chercheurs sur le démarrage économique, celui de l'industrialisation ou du travail en manufacture, varie selon les angles d'observation. Albert Faucher constate que l'industrie manufacturière ne se développe vraiment que dans la deuxième décennie du XXᵉ siècle, sans doute avec la Première Guerre mondiale. D'autres la font remonter au milieu du siècle précédent, alors que l'introduction de la machine à vapeur favorise une mécanisation de plus en plus poussée. Il s'ensuit une production accrue, une division plus grande du travail et une diminution des exigences de la qualification professionnelle. On peut enfin la retrouver dans des entreprises comme la construction navale et l'exploitation du bois ou du fer qui, dès le XVIIIᵉ siècle, font appel à des dizaines, sinon à des centaines d'employés.

Dans la perspective des mémoires, il importe moins de rappeler dans le détail les grandes phases de cette industrialisation que de signaler les changements survenus dans l'organisation de la production et, partant, ses significations pour les individus et pour l'identité québécoise. À compter des années 1820, la montée des industries rurales annonce l'industrialisation. Au milieu du XIXᵉ siècle, de plus en plus d'artisans se transforment en ouvriers d'usine. La première vague s'active dans les raffineries de sucre, les meuneries, les fonderies, les scieries et les usines de chaussures. Avant la fin du siècle, les secteurs du vêtement, du textile, du matériel roulant, des salaisons et du tabac sont à leur tour touchés.

Le nombre d'ouvriers réunis dans ces entreprises et la production s'accroissent sans cesse. En 1873, la fabrique de meubles Drum de Québec emploie 200 ouvriers et fabrique 1 000 chaises par semaine. Le recensement de 1871 révèle qu'à Montréal, 17 entreprises réunissent 78 pour cent de l'effectif de la chaussure (4 040 cordonniers) et assument 81,5 pour cent de la production, à raison de près de 1 000 paires par jour. À Québec en 1900, 9 000 personnes travaillent dans 225 manufactures, dont certaines ont plus de 200 ouvriers. Dès avant 1867, les relevés de l'archéologue Marcel Moussette montrent que le Québec comptait 54 fabricants d'appareils de chauffage, dont 34 britanniques, tandis que l'importation de poêles d'Écosse, d'Angleterre et des États-Unis se poursuivait. Jean de Bonville a calculé qu'en 1881 la main-d'œuvre ouvrière à Montréal constituait 38,9 pour cent de toute la main-d'œuvre du Québec. À cette proportion il faudrait ajouter les milliers de personnes travaillant dans les secteurs de la construction navale, de la cordonnerie et bientôt du textile et de la pâte et papier dans la région de Québec. À Montréal en 1881, 1 326 entreprises emploient 32 132 ouvriers, dont 201 de plus de 100 ouvriers. En fait, de 1881 à 1891, près de 70 pour cent des travailleurs manufacturiers sont concentrés dans des fabriques de plus de 100 ouvriers. Le nombre important de grèves

Établissements qui emploient le plus grand nombre de travailleurs à Montréal, en 1891

Nombre	Type d'établissement	Nombre de travailleurs
2	matériel roulant	2 521
2	raffineries de sucre	1 075
2	laminoirs	686
1	lumière électrique	256
5	fabrication de caoutchouc	892
1	fabrication de collets de papier	150
2	filatures de laine	289
1	fabrication de gaz	140
2	fabrication de soie	249
9	préparation du tabac	1 063
1	manufacture de prélart	98
6	verreries	543
1	cartoucherie	90
26	fabriques de cigares	1 822
4	moulins à farine	231
5	matériel à couvrir	281
2	fabrication de papier à tenture	110
5	briqueteries et tuileries	319
5	fonderies et pièces et ajustage de cuivre	248
8	brasseries	327

(Jean de Bonville, *Jean-Baptiste Gagnepetit. Les travailleurs montréalais à la fin du XIXᵉ siècle*, Montréal, L'Aurore, 1975, pp. 37-38.)

montre à quel point les secteurs de la production ont été touchés par l'industrialisation. Dans cette économie de marché, ouverte aux innovations, préoccupée d'efficacité et de rentabilité, sensible aux attentes d'une clientèle anonyme, la production artisanale a survécu misérablement, surtout de réparations des produits manufacturés.

Une des manifestations les plus visibles de l'économie de marché et du déclin de certaines productions artisanales réside dans l'organisation de la vente des produits manufacturés. Pour écouler une partie de la production de biens de consommation, on ne compte plus exclusivement sur la population urbaine. On pénètre le marché rural. S'organise alors la vente par correspondance : à partir des années 1860, les plus grandes entreprises commerciales (les compagnies Eaton, Dupuis, Sears, Légaré et autres) commencent à offrir leurs produits par catalogues dont elles publient et distribuent au Québec des milliers d'exemplaires. L'abondance de la ville envahit les campagnes et les petites villes éloignées. Toute une gamme de nouveaux produits, considérés de la dernière mode et offerts au plus bas prix possible, deviennent facilement accessibles. On y trouve de tout, ou presque : vêtements féminins et masculins, sous-vêtements, chapeaux, chaussures de toute taille, pour les enfants aussi bien que pour les adultes. Les outils de ferme et de jardinage et même des harnais de chevaux y sont offerts, de même que tout le mobilier et les accessoires d'intérieur. Dès 1901, on y trouve même des appareils de photographie, des montres, des horloges, des bijoux, des livres et des disques. Dès ce moment-là aussi, on donne une sorte de garantie, précisant que « l'argent serait remboursé si le produit ne donnait pas satisfaction ».

La vente par catalogue a des effets considérables sur les plans économique et culturel. L'achat de produits manufacturés nuit d'abord à la fabrication artisanale. Les grands magasins peuvent vendre à meilleur prix des articles d'aussi bonne qualité que ceux fabriqués par les artisans. Ils offrent aussi toute une gamme de nouveaux produits encore peu répandus. Enfin, ils ont l'avantage de pouvoir offrir des produits à la mode dans les plus grandes capitales mondiales et chez les gens les mieux nantis.

Peu de brevets québécois

«Sur un total de plus d'un million d'inventions brevetées au Canada de 1824 à 1979, il n'y a que 2 % de brevets attribués aux Québécois.»

(Léon Weinigel, «Le brevet d'invention», *Commerce*, novembre 1979, p. 45.)

Industrieux les Québécois ? Peut-être ! Mais les aptitudes et les pratiques artisanales ou domestiques ont encore une fois laissé dans la mémoire collective plus de souvenirs que de témoignages précis. Leurs «patentes» étaient difficilement transposables ailleurs, ou bien ils n'ont pas éprouvé le besoin de les diffuser. Encore en 1986, le gouvernement ne délivre, au Canada, que 6 brevets d'invention par 100 000 habitants, par comparaison à 34 au Japon, 28 en Suisse, 16 aux États-Unis, 15 en France et 14 en Allemagne.

On comprend mal pourquoi toute cette effervescence dans le monde du travail n'a pas entraîné la disparition du mythe de la transmission des métiers de père en fils. L'ethnologue Jean-Claude Dupont, qui pourtant cautionne le caractère familial du métier, n'a repéré chez les forgerons une transmission de père en fils que dans une minorité de cas. Du reste, elle dure au maximum un siècle, le plus souvent deux générations seulement. À la quatrième génération, seuls 3 pour cent des descendants pratiquent le métier de l'aïeul. Chez les cordonniers, un sur cinq a repris le métier de son père et plusieurs l'ont abandonné par la suite. Des dizaines de métiers ont également disparu. On peut certes relever un certain nombre de cas de transmission de métier, mais ces exemples ne concernent qu'une minorité d'artisans. Ils se comparent à l'imaginaire de la transmission des terres: les «vieux informateurs à qui l'on demande si, normalement, les fils d'habitants devenaient des habitants sont unanimes; c'était par accident si un fils d'habitant ne s'installait pas sur une terre». Or la population urbaine double à tous les 20 ans, on se plaint que les campagnes se vident; de fait le nombre de terres en exploitation diminue tandis que le contrôle des naissances commence à peine.

Ces représentations mythiques font partie d'un discours idéologique élitiste fort répandu entre 1850 et 1950 et il serait intéressant de mieux connaître les fondements de son acceptation si générale. Le scénario suivant paraît vraisemblable. Quand un homme de métier ou de profession arrive à l'âge d'abandonner la vie active, il cherche parmi ses proches un jeune qui pourra le remplacer. Il n'est pas rare que ce soit un gendre ou un neveu plutôt qu'un fils. Ainsi l'esprit familial est sauvegardé. Cette déviation pouvait s'accepter, car on restait dans la famille. Les parents en retiraient une égale satisfaction. Ils avaient trimé dur, ils avaient fait leur devoir, ils avaient réussi. Par leur labeur et leur dévouement, ils avaient fait quelque chose qui méritait de durer. La reprise du métier par un fils, un gendre ou un neveu devenait une marque tangible de reconnaissance. Par contre, la tendance des parents à favoriser une amélioration du statut de leurs enfants paraît avoir été encore plus forte.

Le rejet de l'industrialisation

Depuis le milieu du XIXe siècle, il y eut au Québec des apôtres de l'industrialisation ou, plus largement, de la modernisation de l'économie et de la société. Mais leur discours ne fut pas entendu et ne réussit pas à se traduire dans des prises de position institutionnelles et des actions progressistes avant le milieu du XXe siècle.

Dans les années 1840-1850, Étienne Parent, ancien directeur du journal *Le Canadien*, à l'époque greffier du Conseil exécutif du Canada-Uni, prononce devant les membres de l'Institut canadien quelques conférences-chocs où il insiste sur la nécessité pour les Canadiens

---

On méprise l'industrie

« Je vais vous demander en vous sollicitant d'ennoblir la carrière de l'industrie, en la couronnant de l'auréole nationale ; et cela dans un but national : car de là je veux tirer un moyen puissant de conserver et d'étendre notre nationalité. Je viens vous supplier d'honorer l'industrie ; de l'honorer non plus de bouche, mais par des actes, mais par une conduite tout opposée à celle que nous avons suivie jusqu'à présent, et qui explique l'état arriéré où notre race se trouve dans son propre pays. [...]

Disons-le, on méprise l'industrie. S'il en était autrement, verrions-nous tous les jours nos industriels aisés s'épuiser pour faire de leurs enfants des hommes de profession médiocres, au lieu de les mettre dans leurs ateliers ou dans leurs comptoirs, et d'en faire d'excellents artisans ou industriels ? Verrions-nous ceux d'une classe plus élevée préférer voir leurs enfants végéter dans des professions auxquelles leurs talents particuliers ne les appellent pas, ou, ce qui est pis encore, leur préparer une vie oisive, inutile à eux et à leur pays, au lieu de les mettre dans la voie de quelque honnête et utile industrie ? Et qu'arrive-t-il de ce fol engouement pour les professions libérales ? C'est que ces professions sont encombrées de sujets, et que la division infinie de la clientèle fait perdre aux professions savantes la considération dont elles devraient jouir. Ainsi l'on manque le but qu'on avait en s'y portant en foule. [...]

Le préjugé qui ravalait le travail des mains et l'industrie en général [...] est plus qu'absurde, il est contre nature ; et dans le Bas-Canada, il est suicide. Il est contre nature, parce qu'il nous fait renier nos pères, qui étaient tous des industriels ; il est suicide, parce qu'il tend à nous affaiblir comme peuple et à préparer notre race à l'asservissement sous une autre race.

L'industriel est le noble de l'Amérique ; et ses titres valent mieux et dureront plus longtemps que ceux des nobles du vieux monde. Les revers ni les révolutions ne les détruiront. »

(Étienne Parent, « L'industrie considérée comme moyen de conserver notre nationalité », conférence prononcée à l'Institut canadien de Montréal, le 22 janvier 1846, reproduite dans Roger-J. Bédard, *L'essor économique du Québec*, Montréal, Beauchemin, 1969, pp. 17-31.)

français de s'intéresser à l'industrie, au commerce et aux finances. Il y voit un «moyen de conserver notre nationalité». Sa participation à un groupe reconnu comme libéral et anticlérical lui enlève toute crédibilité auprès de l'élite bien pensante. Son intervention ne rejoint pas les masses et ne change ni la réalité ni le discours majoritaire. Au tournant du XXᵉ siècle, l'avocat et économiste Errol Bouchette multiplie les interventions et insiste sur la possibilité et l'importance pour les Canadiens français d'améliorer leurs performances économiques. Comparant leur situation avec les initiatives des Canadiens anglais et donnant l'exemple de l'Allemagne et de la Hongrie, il incite le gouvernement à adopter des lois fondamentales en matière d'éducation et de prêts à l'industrie pour favoriser l'essor des entreprises. Bouchette fait également figure d'avant-gardiste qui prêche dans le désert.

Un peuple de petits rentiers !

«À la vue des sociétés de construction et de prêt qui surgissent partout en ce moment, nous regrettions, il y a quelques jours, qu'on ne formât pas de pareilles associations pour le progrès de l'industrie. [...]

Puisque les grands capitaux nous manquent, unissons-nous pour les produire. Faisons des louis avec des sous et des millions avec des piastres. Que l'établissement des manufactures, qui doit profiter à tout le monde, soit le résultat du patriotisme de tout le monde.

Outre les profits directs que les actionnaires retireraient d'une pareille société, ils auraient une part considérable dans le progrès et la prospérité du pays qui en résulteraient. Ce qui enrichit un pays enrichit chaque homme en particulier.»

(Laurent-Olivier David, *L'Opinion publique*, 4 septembre 1873.)

À la même époque, le théologien Louis-Adolphe Paquet rappelle l'idéologie du discours dominant: «Notre mission est moins de manier des capitaux que de remuer des idées; elle consiste moins à allumer le feu des usines qu'à entretenir et faire rayonner au loin le foyer lumineux de la religion et de la pensée.» Selon lui, il est inutile de vouloir lutter contre le pouvoir économique américain et anglophone. Il faut se réaliser ailleurs. Quoi de plus normal alors que les élites religieuses, qui veillent au devenir de la collectivité canadienne-française depuis 1760, proposent un discours de renoncement et d'élévation de l'esprit.

Emparons-nous de l'industrie

« Un peuple n'accomplit de grandes choses qu'en autant qu'il est armé pour faire respecter ses idées. L'arme par excellence d'un peuple, la condition fondamentale de son existence et de son progrès, c'est la supériorité économique. [...]

À la devise de Duvernay *Emparons-nous du sol*, ajoutons cette autre devise qui en est le corollaire *Emparons-nous de l'industrie* ! À quoi bon, en effet, étendre au loin nos défrichements si nous permettons aux étrangers de venir sur nos brisées recueillir le prix de nos efforts. Soyons colons pour conquérir, pionniers industriels pour conserver notre conquête.

À ces idées générales vient s'en ajouter une autre qui s'applique plus spécialement à l'ouvrier industriel. Le défricheur, le colon, l'agriculteur ont certes une rude tâche à accomplir. Mais par la nature même de leur travail, ils conservent leur identité et leur indépendance. Ils ne risquent de les perdre que plus tard dans le cas où ils finiraient par souffrir avec tout le corps social d'un mauvais système économique. Il n'en est pas de même de l'ouvrier des fabriques, sous le système qui prévaut dans la plupart des pays. Plus il peine, plus il devient dépendant. Il subit une espèce d'esclavage dont les classes ouvrières ont conscience et dont ils cherchent vainement à s'affranchir. Lorsque l'ère industrielle s'ouvrira véritablement pour nous, ne serait-il pas possible de faire en sorte que nos compatriotes en profitent sans subir en même temps cette triste condition. »

(Errol Bouchette, *Emparons-nous de l'industrie*, Ottawa, Imprimerie générale, 1901.)

« À côté du sillon, nos usines ont grandi. Nous avons fait de merveilleux progrès. Nous sommes devenus une nation productrice qui compte, et qui prend place au sein des préoccupations politiques et économiques du monde contemporain. L'heure de l'idée est donc venue pour nous. De notre existence matérielle assurée doit naître une vie intellectuelle plus intense. On disait autrefois : *Emparons-nous du sol* ; on a écrit hier : *Emparons-nous de l'industrie* ; disons à notre tour : *Emparons-nous de la science et de l'art.* »

(Édouard Montpetit, « Indépendance économique des Canadiens français », *L'Action française*, 1921, cité dans Roger-J. Bédard, *L'essor économique du Québec*, Montréal, Beauchemin, 1969, p. 34.)

Les conditions économiques des travailleurs auraient requis un appui institutionnel ferme. Mais c'est tout le contraire qui se produit, car la ville est perçue comme une « mangeuse d'âmes ». Les ouvriers commencent à se regrouper en syndicats dès la fin du XIXᵉ siècle. Ils luttent contre les salaires trop bas, la durée excessive de la journée de travail, en particulier pour les femmes et les enfants, la sévérité arbitraire des contremaîtres et les conditions d'hygiène lamentables. Dans les deux dernières décennies du XIXᵉ siècle, 112 syndicats sont formés. Entre 1875 et 1887, 48 grèves ont lieu dans des entreprises montréalaises pour protester contre les conditions de travail. Les succès sont bien mitigés. La moitié des grèves ne donne aucun résultat positif, tandis que le quart se termine par le congédiement d'une partie des travailleurs. À l'occasion un contremaître est changé, quelques allégements de travail sont apportés. Par une loi de 1885, on réussit à faire passer la journée de travail de 12 heures et demie à 12 heures.

De l'atelier à la compagnie

« La compagnie, être fictif qui n'a ni âme ni cœur, qui ne connaît d'autres lois que les lois humaines, qui n'a d'autres soucis que d'augmenter le dividende de ses actionnaires, ne voit généralement dans l'ouvrier, qu'une machine, qu'un outil, dont le travail doit produire tant, et si, par suite des conditions du marché, le travail de l'ouvrier ne rend pas suffisamment pour que l'actionnaire puisse toucher son dividende, la compagnie ferme ses portes, et l'ouvrier qu'elle a engagé mourra de faim. »

(*L'Étendard*, Québec, 8 avril 1886.)

Soyez soumis à vos patrons !

« Règle générale : ne prêtez pas l'oreille aux discours séditieux, laissez ces vains déclamateurs du droit de l'ouvrier parler dans le vide ; et après avoir pesé toutes vos réclamations dans la balance d'une réflexion calme, après vous être assuré de l'appui de Dieu par une prière désintéressée, soumettez au jugement et à la charité de vos patrons un droit que vous regardez comme légitimement possédé. La réponse ne vous sera pas toujours favorable ; mais, baisez la main de Dieu qui vous éprouve ; jamais, non jamais, ne levez un bras rebelle. »

(Henri Defoy, prêtre, *Le patron et l'ouvrier*, Québec, Léger Brousseau, 1892, p. 9.)

Les élites politiques et religieuses appuient les patrons presque inconditionnellement. Tout au plus s'élèvent-elles contre les compagnies anonymes. Les leaders syndicaux sont dénoncés comme des agitateurs et des meneurs insensés. Les autorités prêchent la soumission. Elles incitent l'ouvrier à respecter la signature qu'il a apposée au bas de son contrat d'engagement. Lutter pour la justice sociale devient une lutte contre la religion. Ceux qui font la grève sont décrits comme des paresseux. Si les ouvriers sont pauvres, ce n'est pas à cause du salaire qu'ils reçoivent, mais à cause de l'alcool et de la paresse. En 1885, monseigneur Elzéar-Alexandre Taschereau obtient du Saint-Office un décret contre les Chevaliers du travail, les frappant d'interdit et défendant aux catholiques d'adhérer à ce syndicat international, sous peine de péché grave. À la fin du siècle, une commission d'enquête canadienne révèle les abus à corriger sur tous les plans.

À compter des années 1920, les ouvriers et les syndicats réussissent à recevoir quelques appuis de la part de membres importants du clergé. Une certaine réconciliation devient possible par l'affirmation des appartenances religieuses du mouvement, notamment par la formation en 1921 de la Confédération des travailleurs catholiques du Canada. Des aumôniers de

L'enfer des villes

« À la campagne, tout est riant, tout est verdoyant, tout est gracieux ; le soleil a plus de rayons, les astres plus de beauté, la nature plus de sourires, et au milieu même des orages, quand partout ailleurs, l'horizon est sombre, quand le ciel est couvert d'épais nuages, il reste toujours quelque part au-dessus de la campagne une petite échancrure par où le soleil perce, comme une fenêtre du paradis. [...]

Regardez nos villes, messieurs, avec leurs princières demeures, leurs monuments grandioses, leurs immenses édifices, leurs larges avenues, leurs bruits, leurs discordes, leur agitation, leurs misères, leurs richesses, leur commerce, leurs incertitudes, leur agiotage, leurs catastrophes financières, leur fièvre de spéculation, leurs jeux de bourse, croyez-vous que le bonheur les habite ? Que la sécurité y règne ? Que la police nous y met à l'abri de tout danger ? Détrompez-vous ; derrière les rideaux de soie coulent plus de larmes en un jour que vous en compteriez dans toute une année ! Les sourires de l'homme d'affaires cachent parfois son anxiété ; le miel sur les lèvres d'un citadin cèle trop souvent serré l'amertume de son cœur. C'est là, au centre des grandes cités qu'habitent les sombres désespoirs, les cuisants remords, les troubles, les agitations, les insomnies que l'homme des champs ne connaît pas encore heureusement en ce pays. Le suicide, cette faiblesse maladive des cœurs lâches et des cerveaux détraqués, est le produit de l'excitation fébrile des villes. »

(Charles Thibault, avocat, dans L.L., *Biographie de Charles Thibault, Écr. suivie de son discours prononcé aux fêtes des noces d'or de la Saint-Jean-Baptiste, à Montréal, le 27 juin 1884, sur la Croix, l'Épée et la Charrue ou les trois symboles du peuple Canadien*, Québec, Léger Brousseau, 1884, pp. 99-101.)

syndicats et des défenseurs d'une pensée sociale, comme le père Joseph-Papin Archambault, dirigent le mouvement. Mais l'Église comme corps institutionnel reste sur la défensive face aux luttes pour l'amélioration de la condition ouvrière. En 1949, tandis que les syndicats catholiques se plaignent du peu d'appui qu'ils reçoivent, l'épiscopat, par la voix de monseigneur Georges Courchesne, évêque de Rimouski, considère les aumôniers comme de jeunes intrigants qui ont l'audace de se vanter de leur impudence. À l'occasion de la grève de l'amiante en 1949, probablement la plus dure qu'ait connue le Québec, l'intervention policière et légaliste du gouvernement force l'Église à prendre position. Elle a préféré prôner la charité plutôt que la justice. Mais le renversement des positions arrive à maturité. Au printemps de 1950, les 25 archevêques et évêques du Québec signent une lettre pastorale collective sur « le problème ouvrier et la doctrine sociale de l'Église », dans laquelle ils se prononcent en faveur de la syndicalisation.

Un appui épiscopal aux grévistes de l'amiante

« La classe ouvrière est victime d'une conspiration qui veut son écrasement et, quand il y a conspiration pour écraser la classe ouvrière, c'est le devoir de l'Église d'intervenir. Nous voulons la paix sociale, mais nous ne voulons pas l'écrasement de la classe ouvrière. Nous nous attachons plus à l'homme qu'au capital. Voilà pourquoi le clergé a décidé d'intervenir. Il veut faire respecter la justice et la charité et il désire que l'on cesse d'accorder plus d'attention aux intérêts d'argent qu'à l'élément humain. »

(Joseph Charbonneau, archevêque de Montréal, sermon du 1er mai 1949.)

Femmes et enfants au travail à Montréal

« Dans quelques fabriques de coton, dans lesquelles des enfants n'ayant pas plus de neuf ans sont employés, le travail se continue fréquemment de six heures et demie du matin à midi et de midi et quarante-cinq minutes à sept heures et demie du soir, soit treize heures de travail, avec un repos de trois quarts d'heure seulement et une séance non interrompue de sept heures. »

(Augustus Toplady Freed, commissaire, *Rapport de la Commission royale sur les relations du travail avec le capital au Canada*, Ottawa, tome 1, 1889, p. 37.)

« En 1891, 2 253 adolescents de moins de seize ans travaillent à Montréal. Ils forment 6,3 % de la main-d'œuvre. Les femmes occupent une proportion de 26,7 %. On exploite le travail des enfants dans la chaussure (288), la reliure factures de cigares (101) et les fonderies (123). À Hochelaga, les filatures mobilisent 239 enfants. Dans *The City Below the Hill*, Ames révèle que les femmes comptent pour 20 % de la main-d'œuvre et les enfants, pour 3 %, en 1896. Dans les sections du quartier où sont localisées les manufactures de chemises, la proportion grimpe à 75 %. Dans la section des manufactures de cigares, à 37 %. Malgré ces chiffres élevés, Ames se console en constatant que la proportion de femmes et d'enfants dans la main-d'œuvre totale est inférieure à celle qu'on observe en Europe. »

(Jean de Bonville, *Jean-Baptiste Gagnepetit. Les travailleurs montréalais à la fin du XIXe siècle*, Montréal, L'Aurore, 1975, pp. 54-55.)

Les évêques et le monde ouvrier

« 99. Pour remplir le rôle qui leur revient dans l'économie nationale, pour promouvoir leurs intérêts professionnels, pour faire valoir leurs légitimes revendications économiques et sociales, les travailleurs doivent s'unir dans de solides organisations professionnelles. [...]

108. Un syndicat est donc pleinement dans son rôle quand il revendique un juste salaire, quand il demande des mesures de sécurité sociale contre les risques de maladie, le danger de chômage et l'indigence du vieil âge, quand il réclame des conditions de travail qui n'épuisent pas prématurément les forces physiques des travailleurs et ne ruinent pas leur âme, et quand il prend les moyens justes d'obtenir ces améliorations. [...]

160. La vie ouvrière ne saurait être saine sans un profond respect pour l'autorité civile, respect indispensable et chez ceux qui exercent cette autorité et chez ceux qui doivent s'y soumettre. Comme la société civile est voulue par Dieu et ne peut exister sans une autorité, cette autorité est aussi voulue par Dieu et a Dieu pour origine. »

(*Le problème ouvrier en regard de la doctrine sociale de l'Église*, lettre pastorale collective des archevêques et évêques de la province civile de Québec, 14 février 1950, dans *Mandements, Lettres pastorales, circulaires et autres documents publiés dans le diocèse de Montréal depuis son érection*, Montréal, tome 20, 1952, pp. 524-560.)

Une absolution conditionnelle

« Archevêché de Québec,
5 avril 1887.

Monsieur,

En septembre 1884, le Saint-Siège consulté par moi sur la société des *Chevaliers du Travail*, l'a condamnée sous peine de péché grave, et a recommandé aux évêques d'en détourner leurs diocésains, comme je l'ai fait dans ma circulaire du 2 février 1885.

À la suite de représentations faites par Nos Seigneurs les évêques des États-Unis, le Saint-Siège a suspendu jusqu'à nouvel ordre l'effet de cette sentence.

En conséquence, j'autorise les confesseurs de ce diocèse à absoudre les chevaliers du travail aux conditions suivantes, qu'il est de votre devoir strict de leur expliquer et faire observer :

1° Qu'ils s'accusent et se repentent sincèrement du péché grave dont ils se sont rendus coupables en n'obéissant pas au décret de septembre 1884 ;

2° Qu'ils soient prêts à abandonner cette société aussitôt que le Saint-Siège l'ordonnera ;

3° Qu'ils promettent sincèrement et explicitement d'éviter absolument tout ce qui peut favoriser les sociétés maçonniques et autres qui sont condamnées, ou blesser les lois de la justice, de la charité ou de l'État.

4° Qu'ils s'abstiennent de toute promesse et de tout serment par lequel ils s'obligeraient à obéir aveuglément à tous les ordres des directeurs de la société ou à garder un secret absolu même vis-à-vis des autorités légitimes.

En faveur de ces pénitents seulement et en vertu d'un indult, je prolonge le temps de la communion pascale jusqu'à la fête de l'Ascension inclusivement. »

(Elzéar-Alexandre Taschereau, archevêque de Québec, mandement au sujet des sociétés de travailleurs, 14 mai 1880, dans H. Têtu et C.O. Gagnon, *Mandements, lettres pastorales et circulaires des évêques de Québec. Nouvelle série*, Québec, Imprimerie générale A. Côté et Cⁱᵉ, tome 2, pp. 613-614.)

La «boîte à lunch» aurait pu se tailler un coin dans la mémoire collective québécoise si le sort des ouvriers avait été un peu plus enviable. Les initiatives économiques majeures sont surtout venues des Britanniques qui possédaient le capital. Le Québec économique de la seconde moitié du XIXᵉ siècle est britannique. Les apports scientifiques et les emprunts technologiques sont également britanniques et américains. Si les ouvriers avaient reçu l'appui des institutions, obtenu plus de succès dans les grèves qu'ils ont soutenues et déniché des postes de responsabilité, peut-être auraient-ils pu se glorifier de ce passé. Mais, jusqu'en 1950, leur simple présence contrecarrait l'idéologie en place.

L'industrialisation du Québec a bouleversé l'organisation de la production, les conditions de travail et la vie économique. Dorénavant, la consommation commande la production. Il faut produire plus, plus vite, au moindre coût, pour une clientèle anonyme et un marché urbain étendu. Le travailleur en usine a remplacé l'artisan; la mécanique et l'électronique, la force du bras. Le travail à la chaîne s'est substitué aux techniques traditionnelles. De nouveaux matériaux, de nouveaux métiers, de nouvelles techniques de production, une nouvelle organisation du travail sont apparus. Le savoir-faire technique semble avoir changé du tout au tout dans sa nature. Il y a pourtant des persistances et des permanences, dans la réalité comme dans le discours.

Au plus près du vécu des personnes, dans leur quotidien, voire dans leur intimité, faits et sensibilités se conjuguent autour de l'atelier de bricolage. Le nombre de ceux qui, par utilité, pour leur plaisir ou pour celui des petits enfants, travaillent le bois, la mécanique, l'électricité ou l'électronique, est évidemment impossible à chiffrer. On prétend qu'ils rafistolent tout ce qui se brise ou fonctionne mal, à la maison comme au bureau.

Deux annonces télévisées, par des compagnies de grande envergure, ont exploité cette perception. L'une rappelle avec humour aux téléspectateurs que, pour tout problème d'électricité, de chauffage ou de tuyauterie, il est préférable de faire appel à des experts. La seconde, une annonce d'un fabricant de bière, vante les mérites des «petits débrouillards».

À une plus grande échelle, les innovations québécoises ont été facilement vues comme des inventions, perpétuant les sensibilités qui s'apparentent

La réussite financière, commerciale ou industrielle est devenue un nouvel objet de fierté pour les Québécois. Parmi les modèles, au premier rang figure Alphonse Desjardins, le fondateur des caisses populaires Desjardins.

(Archives de l'Université Laval. Fonds du Mouvement Desjardins.)

au génie de la race. Les hommes d'affaires à la tête de puissantes compagnies sont devenus les nouveaux porteurs de l'identité québécoise à l'étranger. On les présente comme de nouveaux missionnaires, s'efforçant de soulager les misères du Tiers-Monde. Ils mettent à la disposition de dizaines de pays une technologie de pointe nord-américaine, acquise dans des domaines de compétence reconnus, mais exemptée de l'impérialisme américain. L'engouement des Québécois pour les réalisations de prestige paraît indiscutable. Il s'exprime devant la montée du toit du Stade olympique de Montréal, le contrat de construction des rames du métro de New York, la réalisation de barrages ou d'installations hydroélectriques en Chine, en Afrique, en Amérique du Sud, les exploits des avions-citernes de Canadair, la vente des réacteurs Candu, etc. On s'enorgueillit de ce que les coupoles de support des pattes du LEM, la première pièce d'un véhicule habité qui a touché la lune, aient été québécoises. En somme, le mythe de l'ingéniosité trouve encore des lieux pertinents à son expression et des assises à sa survie.

De quelques inventions québécoises mondialement connues

« La souffleuse à neige et le camion vidangeur d'Arthur Sicard ; le chasse-neige ultra rapide de Ronaldo Boissonneau ; la tronçonneuse forestière de J.-P. Tanguay ; la sableuse à haute précision de Maurice Liard, également inventeur du pédalo pliable ; les procédés très économiques pour la machinerie industrielle de la pulpe et du bois par Georges Bilotis, pour les industries Forano Ltée ; la machine à peser et à envelopper le beurre de H. Blanchette ; la machine rotative à l'extrusion-soufflage d'articles plastiques par Gustave Côté ; la moto-neige par les frères Landry, avant que celle-ci soit mise au point par Bombardier ; le signal automatique de chemin de fer inventé par le Révérend E. J. Divine ; le rein artificiel par le docteur Walter Gordon Murray ; le train d'atterrissage pour avion par Léo Vadeboncœur ; la pompe à incendie par Pierre Thibault ; la boîte à œufs adoptée dans le monde entier par Arthur Cormier ; le cœur artificiel par Jean L. Tremblay ; la reproduction photographique agrandie par Charles Bernier ; la brosse à dents électrique par le Dr. F. de Maniette ; le revêtement plastifié pour plancher par Horace Boivin ; le mesureur d'hormones par Jacques Genest. »

(Léon Weinigel, « Le brevet d'invention », *Commerce*, novembre 1979, pp. 45-46.)

De nombreuses compagnies québécoises œuvrent un peu partout dans le monde. Du marché local, elles se tournent vers celui du Canada, des États-Unis, de l'Europe, puis de l'Asie et de l'Afrique et exportent leurs produits et leur technologie. De grandes entreprises québécoises ont des usines ou des bureaux dans plus de 50 pays sur les cinq continents. Le chiffre d'affaires de plusieurs d'entre elles dépasse les 500 millions de dollars par année. Elles participent aux réalisations les plus phénoménales comme aux productions les plus communes. On exporte des fours à pain québécois en URSS. Le dérailleur de bicyclette le plus vendu est fabriqué au Québec. Les tronçonneuses, des remontées mécaniques et des télésièges ont des souches québécoises.

Les domaines de compétence les plus reconnus dans la production québécoise relèvent encore de l'adaptation à la nature: papier et emballage, construction domiciliaire, bois ouvré et traité, mobilier, cuir, fabrication de moyens de transport – métro, autobus, wagons, motoneiges, moteurs –, traitement des eaux usées et des déchets industriels, contrôle des feux de forêt par l'aéronautique, jusqu'à la gestion de projets. On a su utiliser l'eau pour produire de l'électricité. On connaît mieux que nulle part au monde l'effet du gel, le traitement et la canalisation des eaux. On a appris à se déplacer sur la neige à haute vitesse. Depuis les travaux de Marie-Victorin sur la flore, on a pensé à l'exploitation et à l'usage de la tourbe. Durant la Deuxième Guerre mondiale, on a multiplié le recyclage de produits. On a réussi à obtenir des animaux de ferme de race « canadienne », le cheval, la vache noire et la poule « chanteclerc ». On a « inventé » le blé Marquis résistant au froid, au vent et à la rouille. Aujourd'hui, les recherches sur la biomasse et la biotechnologie sont à la fine pointe.

Le frère Marie-Victorin (1885-1944), né Conrad Kirouac, fut un botaniste internationalement reconnu. Il est devenu une figure légendaire au Québec.

(L.-P. Audet, *Histoire de l'enseignement au Québec*, Montréal, Holt, Rinehart and Winston, vol. 2, 1971, p. 281.)

Dans plusieurs cas, les inventions résultent d'emprunts ou d'adaptations de produits, mais, sous leur nouvelle forme ou dans leurs nouveaux usages, elles connaissent de retentissants succès de popularité ou de vente. Le tracteur à chenillettes, par exemple, a été adapté à l'hiver québécois avant même que Bombardier ne fasse breveter et ne produise en série la motoneige. Si le savoir-faire québécois participe d'un savoir-faire mondial, il n'en conserve pas moins des traits spécifiques et des racines profondément liées au territoire.

Les retombées de ce savoir ne sont pas toujours immédiates. Les inventeurs et les scientifiques se sentiraient en bonne compagnie avec les artistes et les créateurs des années 1950, quand il leur fallait être reconnus d'abord à l'étranger. L'inventeur Jean Saint-Germain a conçu le biberon en plastique souple qui permet à un bébé de boire sans avaler d'air. Son brevet a été acheté par un Américain, tout comme celui qu'il détenait sur un moteur rotatif. Ce sont les Japonais qui ont acquis celui qui permet d'augmenter la vitesse de pointe des hélicoptères. Déjà, dans les années 1850, Charles-Jean-Baptiste Dion était plus connu à Paris qu'à Québec. C'est en France qu'il a réussi à faire accepter son nouveau frein de chemin de fer. D'autres Québécois sont allés s'installer à l'étranger et, dans leur pays d'adoption, ont inventé des « merveilles », comme le Franco-Américain Garant, au début de la Deuxième Guerre mondiale, aux États-Unis, qui a mis au point une mitrailleuse qui porte son nom. Tout aussi classique est le cas de ce monsieur Johnston qui, à l'occasion des premiers grands carnavals d'hiver à Montréal dans les années 1880, a fabriqué un breuvage à base de bœuf et qui ne réussit pas à populariser son « invention ». Il va donc s'installer en Grande-Bretagne, donne un nouveau nom (Bovril) à son produit, qui est maintenant en vente un peu partout et a déjà fait l'objet au Québec d'une annonce télévisée répétée et bien connue.

Entre le bricolage maison et la multinationale, une autre activité de production technologique est significative dans la mémoire québécoise : les PME, petites et moyennes entreprises dont le Québec a fait une spécialité. Il existe un magazine *PME* et plusieurs autres journaux d'affaires leur consacrent une place de choix. Un peu plus de 250 000 personnes travaillent en 1987 dans les 14 847 petites et moyennes entreprises québécoises du seul secteur manufacturier, proportionnellement plus que partout ailleurs. Elles œuvrent dans tous les domaines, alliant le plus souvent l'utilisation de matériaux séculaires à des techniques d'avant-garde. Dans les PME comme dans les grandes entreprises, le savoir-faire est lié de près à l'utilisation des ressources de la nature et à la satisfaction des besoins primaires.

Ces PME, qui constituent un des creusets les plus dynamiques de l'organisation économique au Québec, ont récupéré à leur profit et dans leur publicité le discours idéologique traditionnel. On y associe le passé,

Symbole de la réussite technologique québécoise, l'autoneige Bombardier a subi de multiples transformations. Le modèle de 1940 était équipé d'un moteur V-8 Ford et pouvait transporter sept passagers.

(*L'Action catholique*, 29 octobre 1940, p. 16.)

le présent et le futur. L'avenir s'appuie sur les traditions. On vante leur caractère familial et, chaque fois que cela est possible, on fait référence à l'héritage transmis par le père. Le discours de la transmission et de l'ingéniosité s'y maintient bien vivace. On se présente comme «les as du développement», «des campus industriels», «des cuvées de grand cru», «les héritiers des bonnes recettes d'hommes d'affaires», «des chefs-d'œuvreux» à la conquête des marchés. Le caractère familial ou local de fonctionnement est mis de l'avant. Le patron n'a qu'à demander; il est inutile de donner des ordres. Le client est reçu et traité comme un membre de la famille. On insiste sur la concertation et sur l'esprit de famille.

Le discours que l'on tient sur les PME est significatif des sensibilités québécoises, mais il déforme souvent les faits. Plusieurs établissements se sont transformés en géants d'entreprises, pourvus de multiples succursales. La production locale atteint les marchés mondiaux. L'emprunt et l'adaptation de technologies internationales y ont pris plus d'importance que les innovations. La grande majorité de ces entreprises ont moins de 30 ans d'existence et sont sans rapport avec l'activité du

Les PME au Québec

«On constate en 1985 que les PME de 6 industries (aliments, habillement, bois, meubles et articles d'ameublement, imprimerie-édition et industries connexes, produits métalliques) dominent le secteur manufacturier avec 64,3 % des employés, 62,4 % des salaires à la production, 60,8 % de la valeur des expéditions manufacturières et 58,9 % de la valeur ajoutée. Cette situation correspond sensiblement à celle qui prévalait en 1984.

En 1984, on compte au Québec quelque 285 000 travailleurs dont l'âge se situe entre 15 et 24 ans. Même s'ils représentent 13 % du total des employés, ils constituent 18,1 % des travailleurs des PME et seulement 9,6 % des employés des grandes entreprises. En somme, on constate que plus les entreprises sont petites plus la proportion des emplois occupés par les jeunes s'accroît.

En 1984, les PME québécoises (toutes catégories) emploient quelque 305 300 femmes, soit un peu plus du tiers (34,7 %) du total des employés des PME. La proportion des femmes dans les grandes entreprises est légèrement supérieure, soit 34,9 %, alors que pour toutes les entreprises, 34,8 % des emplois, soit quelque 762 500 emplois, sont occupés par des femmes.»

(Les PME au Québec. État de la situation. Rapport au ministre délégué aux PME, 1987, Québec, Ministère de l'Industrie et du Commerce, 1987, pp. 238-243.)

Les Québécois sont invités à mettre leur ingéniosité au service de la collectivité en créant des entreprises. Image de la réussite à l'américaine : le gros cigare, le col roulé, le veston sport...

(Archives nationales du Canada, C-104321. Collection Couthuran.)

père. De plus en plus de femmes s'y sont taillé une place enviable. Malgré l'esprit de famille, la concurrence n'y est pas moins vive qu'ailleurs.

Cette célébration de la PME comme une gloire nationale repose sans doute sur des valeurs correspondant aux mentalités collectives et s'inscrivant dans un temps long adapté au contexte du présent. Une région comme la Beauce a fait de ces qualités morales la marque de commerce de son dynamisme économique. Cette publicité, fortement inspirée des valeurs et des sensibilités traditionnelles, devient source de rentabilité. Elle est une façon de s'exprimer, d'être fier, de se réaliser comme collectivité et d'affirmer son appartenance et les sentiments qui l'animent. Elle a une grande signification identitaire, même si elle s'appuie sur une appartenance régionale.

Il convient d'observer une dernière facette de la production technologique, caractérisée par ses aspects actuels, futurs et résolument internationaux, pour en vérifier la signification en regard de l'identité québécoise. Il s'agit de voir, à partir du cas témoin de la micro-informatique, jusqu'à quel point l'internationalisation d'un savoir-faire influence les fondements et les significations d'une identité culturelle.

L'informatique a envahi le quotidien, elle préfigure l'avenir et personne n'y échappe. Au Québec, en 1987, plus d'un ménage sur sept possède un micro-ordinateur personnel. Certains veulent ainsi faciliter et accélérer leur travail, donner à leur mémoire des extensions difficiles à imaginer, s'adapter à la mode du jour, prévoir demain. De toute façon, elle sollicite la personne comme la collectivité. L'informatique ne laisse pas indifférent. Elle révolutionne notre temps. Elle nous confronte, individuellement et collectivement, à une facette technique de la culture.

La production informatique, à la fois québécoise et internationale, connaît un essor fulgurant. Il existait au Québec, en mai 1986, 248 entreprises répertoriées de fabricants de logiciels qui avaient moins de 5 ans d'existence. Deux secteurs se sont particulièrement développés : la gestion administrative et les systèmes d'apprentissage scolaire. Dans l'un et l'autre cas cependant, la production a souvent un caractère international, fondé sur les exigences technologiques. Emprunts, adaptations et exportations de logiciels se côtoient constamment, même si la production québécoise,

souvent de grande qualité, reste parfois largement mé-
connue. Pour évaluer l'influence de cette invasion
technologique sur l'identité, on pourrait la comparer à
la construction de navires aux XVIIIe et XIXe siècles ou
à l'introduction de l'automobile au XXe siècle. Le caractère mondial de ces productions ne nie pas l'identité.
Leur simple présence contribue à la description du
personnage qu'est le Québécois, aussi bien dans ses
différences que dans ses ressemblances. Par la nature des
choix et la diffusion des modèles, elle traduit des goûts,
des inégalités sociales, des forces et des faiblesses dans
une collectivité. L'insertion d'un savoir-faire mondial
ne semble pas réducteur de l'identité, quoiqu'elle y
ajoute bien peu. Même si elle engendre des aspirations
collectives, elle ne suscite pas plus de sentiments d'appartenance que de rejet, à moins de se référer à une
production locale. À l'inverse, la projection du savoir-
faire technique québécois sur la scène mondiale, même
quand il est fondé sur des emprunts, suscite et développe une sensibilité et un imaginaire puissant et profondément identitaire. Elle fournit des assises à la
survivance des mythes anciens.

*

Le rapport des savoir-faire techniques à l'identité québécoise a été particulièrement évident dans le discours
idéologique qui l'a exprimé avant les années 1960. Ce
discours a défini la *personnalité* du Québécois, en établissant le cadre, les valeurs et les normes acceptés. Il a
fixé un but et précisé un idéal à atteindre. L'artisan, ou
l'image qu'on en a construite et diffusée, est devenu un
participant actif et engagé dans la réalisation du destin
collectif. En fait, ce discours célébrait davantage des
qualités morales que des réalisations technologiques
concrètes. Il identifiait également un *personnage*, ingé-
nieux dans la réalisation d'un travail fait avec amour,
attentif aux besoins des autres et enrichi d'une expérience familiale séculaire. Il insistait sur la fierté à retirer
des petites satisfactions quotidiennes, du travail mené à
bonne fin ainsi que du maintien et de la transmission
des traditions.

D'hier à demain, les savoir-faire ont beaucoup
changé, mais il en reste actuellement, dans les habiletés
comme dans les sensibilités, des traces bien visibles. La
lutte pour la modernisation a succédé au combat contre

la modernité. Elle a transposé et adapté certaines représentations imaginaires qui l'accompagnaient, tandis que d'autres sont plus ou moins tombées en désuétude. Cela incite à réévaluer ce passé.

L'empreinte la plus consistante et la plus tangible réside dans les moyens développés pour réduire les contraintes imposées par la nature. Encore aujourd'hui, les plus grandes réalisations québécoises portent la marque de cette adaptation à un environnement physique. Par contre, la nature des habiletés qui se sont ainsi perpétuées ou renouvelées ne s'est pas profondément ancrée dans la mémoire collective. Elle est demeurée à un niveau implicite, davantage vécu que perçu. Si, hier, il pouvait être englobé dans le mythe du génie de la race, ce discours, érodé par le temps et balayé par le vent de la Révolution tranquille, n'est plus de mise aujourd'hui. Les seuls endroits où subsistent des traces dans les sensibilités sont des cas ponctuels, comme la motoneige ou l'hydro-électricité sur le plan international, ou les PME à l'échelle québécoise.

Les sensibilités, elles, demeurent accrochées aux valeurs de l'humain, qu'elles concernent les personnages affichant des réussites à l'étranger ou les entrepreneurs à la tête de PME. Plus un mythe qu'une réalité, plus une sensibilité qu'un trait spécifique, l'ingéniosité et l'esprit de famille persistent dans l'imagination et la représentation de soi comme un esprit, une volonté, une véritable marque de commerce identitaire. Toutefois, discours et réalité ne sont pas toujours concordants. Des représentations paradoxales cohabitent harmonieusement: les innovations et les emprunts, le dynamisme et la tradition, la famille et l'« entrepreneurship ». Le mythe du repli sur soi, lui, n'a pas résisté. L'affaiblissement du discours institutionnel, ou de sa crédibilité auprès des collectivités, en a eu raison. Cela a rendu plus facile la reconnaissance des emprunts technologiques. Il est devenu possible d'assumer ses redevances envers les autres, sans se déprécier ou se sentir déprécié.

Les choix pour demain sont multiples. À l'égard du présent, ils mettent en cause le rapport des savoir-faire mondiaux avec l'identité québécoise. Touchant la *personne* et le *personnage* du Québécois, l'insertion de la technologie internationale influence à un certain degré sa nature et la perception que l'on peut en avoir.

Toutefois, la percée du savoir-faire québécois sur les marchés mondiaux semble renforcer les sentiments d'appartenance collective et, partant, la *personnalité* du Québécois. Elle prend une place significative dans ses propres représentations, sans compter les spécificités qui rendent sa production et son savoir intéressants pour les autres. À l'égard du passé, ces choix passent par la reconnaissance des efforts de modernisation et de la technologie venue d'ailleurs, en particulier de la Grande-Bretagne et des États-Unis. Ils ne sauraient méconnaître non plus le sort et les luttes de milliers d'ouvriers, de toute provenance, dans les manufactures, les usines ou les grandes entreprises depuis le milieu du XIXe siècle. Ils incitent à une vérification plus systématique de l'arrimage entre le discours et la réalité. Ils obligent à tenir compte, au premier chef, des représentations collectives qui se sont perpétuées jusqu'à aujourd'hui, car elles expriment des sensibilités québécoises durables.

LES SAVOIR-FAIRE CULTURELS

Si le discours institutionnel a grandement façonné l'image des savoir-faire techniques au Québec, au moins jusque dans les années 1970, on peut aisément deviner le poids de son influence dans le champ des productions culturelles, lieu privilégié de l'expression des idées et des valeurs. Les productions artistiques n'ont pas à être transposées du domaine technique vers une signification morale, car elles portent en elles-mêmes leur propre sens et leurs propres valeurs.

Les écrivains, les artistes et les créateurs « disent » une culture. Ils la reflètent et ils l'expriment de mille et une façons, dans sa réalité comme dans ses aspirations. On leur reconnaît, en particulier, des sensibilités qui en font souvent des visionnaires, des précurseurs. Ils produisent un imaginaire culturel à travers lequel des collectivités se reconnaissent et à partir duquel elles peuvent décider d'agir. L'écologiste Pierre Dansereau écrivait en 1974 : « Il faut pouvoir s'imaginer pour se connaître. » Ce constat rappelle l'importance des créateurs dans le présent et pour l'avenir. Les premiers membres de l'Institut canadien, fondé en 1844, considéraient « la culture des lettres et la civilisation comme une seule et même chose ». En 1960, le frère Untel déclare à son tour que ses textes « sont des actions ».

Au surplus, la communication artistique ne connaît pas de frontières et éclate en une multitude de langages. Chacun des grands domaines d'expression, comme l'essai, le roman, la poésie, le théâtre, la musique, la chanson, le cinéma, se décompose à son tour en une multitude de genres (comique, tragique, réaliste, psychologique, social), eux-mêmes traversés par plusieurs courants, de la vogue du terroir au surréalisme. Souvent, à la puissance de l'écrit, les artistes ajoutent la force de l'expression corporelle. D'autres créateurs s'expriment davantage par la forme visuelle (peinture, architecture, sculpture) ou plus récemment par le «vidéoclip». Ainsi, Aline Gélinas écrivait à propos du théâtre : «Ce que disent les auteurs, comment ils le disent, la façon dont leurs textes sont portés à la scène, la voix, l'accent, le corps des comédiens font un portrait exact et constamment renouvelé du peuple qui le fait naître. Le théâtre parle au nom de la collectivité», comme toute autre forme d'expression artistique, pourrait-on ajouter. Que ce soit par l'oral, l'écrit, le geste ou le visuel, tout sert à l'artiste à exprimer son «credo», un credo qu'il cherche à faire partager.

Enfin, rien ne semble échapper aux préoccupations des créateurs. Les thèmes qu'ils traitent et les sujets qu'ils abordent touchent l'ensemble des facettes de l'humain. Les modes de vie, les rapports entre les personnes, l'amour autant que la violence, les grands paysages autant que les déchirements intérieurs, les courses folles comme les passions intimes, même les silences retiennent leur attention. Ils expriment l'identité vécue ou souhaitée sous toutes ses formes.

Malgré leur nombre et leur qualité, les recherches ont à peine réussi à entamer la connaissance de cette incommensurable richesse. La mémoire collective retient, ici et là, quelques noms de créateurs, quelques personnages, certains courants ou certaines modes, l'impression qu'une longue série d'innovations a marqué ces dernières décennies. Mais si l'on voulait dresser une liste de ces créateurs et de ces créations, il faudrait plusieurs volumes. Du passé plus lointain, la mémoire collective a retenu peu d'impressions ; comme s'il y avait eu peu de réalisations de qualité. De fait, il a fallu bien du temps avant qu'une partie d'entre elles soient reconnues à l'étranger autrement qu'à travers quelques individus.

Cette synthèse vise à faire ressortir les temps forts qui caractérisent les contextes historiques dans lesquels s'est exprimée l'identité québécoise. Elle s'appuie surtout sur les discours idéologiques qui s'affrontent et qui président au jugement porté sur la production. Elle dégage les simultanéités qui lient entre elles les diverses innovations artistiques. Elle retrace l'importance des emprunts et des apports étrangers, montrant l'ouverture de la culture depuis le milieu du XIXᵉ siècle. Car, même si les fondements identitaires et culturels de cette production sont souvent centrés sur la nation canadienne-française, ils la dépassent par les sources qui les inspirent et par les sujets traités.

La constitution d'une idéologie de référence

Dans les années 1830-1840 prend corps au Québec une idéologie de référence orientée sur la sauvegarde de la nation canadienne-française et de ses valeurs traditionnelles. L'identité menacée devient l'une des principales représentations collectives. Elle fait suite à une longue série d'événements défavorables à la collectivité francophone. D'un côté, la Conquête de 1760, l'arrivée de Britanniques et l'instauration des institutions du conquérant, l'installation massive de Loyalistes dans la décennie 1780 et les invasions américaines de 1775 et 1812 font ressortir la fragilité de la composante francophone en Amérique du Nord. De façon plus immédiate, l'accroissement incessant de la population de souche britannique menace de renverser la majorité ethnique canadienne-française, comme c'est alors le cas dans la ville de Québec. C'est aussi l'époque où l'évaluation peu flatteuse de lord Durham décrit les Canadiens français comme un peuple sans histoire. D'un autre côté, la France vit en 1789 une révolution qui la coupe de ses principes d'autorité et de religion. La France du XIXᵉ siècle ne constitue plus un modèle à suivre pour l'élite religieuse et intellectuelle de la collectivité canadienne-française. L'idéologie de référence qui se formule dans les années 1840 se tourne alors vers l'histoire de la Nouvelle-France. C'est l'époque où l'on érige les premiers monuments aux héros, où la lutte active pour la survivance entraîne la création de groupes comme la Société Saint-Jean-Baptiste, où se multiplient les formes de discours patriotiques. Tout cela aboutit à la prise d'armes par des patriotes dans les années 1837 et 1838.

Peuple sans histoire

«On ne peut guère concevoir nationalité plus dépourvue de tout ce qui peut vivifier et élever un peuple que les descendants des Français dans le Bas-Canada, du fait qu'ils ont gardé leur langue et leurs coutumes particulières. C'est un peuple sans histoire et sans littérature. La littérature anglaise est d'une langue qui n'est pas la leur ; la seule littérature qui leur est familière est celle d'une nation dont ils sont séparés par quatre-vingts ans de domination étrangère, davantage par les transformations que la Révolution et ses suites ont opérées dans tout l'état politique, moral et social de la France. Toutefois, c'est de cette nation, dont les séparent l'histoire récente, les mœurs et la mentalité, que les Canadiens français reçoivent toute leur instruction et jouissent des plaisirs que donnent les livres. C'est de cette littérature entièrement étrangère, qui traite d'événements, d'idées et de mœurs tout à fait inintelligibles pour eux, qu'ils doivent dépendre. La plupart de leurs journaux sont écrits par des Français de France. Ces derniers sont venus chercher fortune au pays ou bien les chefs des partis les y ont attirés pour suppléer au manque de talents littéraires disponibles dans la presse politique. De la même manière, leur nationalité joue contre eux pour les priver des joies et de l'influence civilisatrice des arts. Bien que descendants du peuple qui goûte le plus l'art dramatique et qui l'a cultivé avec le plus de succès, et qui habite un continent où presque chaque ville, grande ou petite, possède un théâtre anglais, la population française du Bas-Canada, séparée de tout peuple qui parle sa langue, ne peut subventionner un théâtre national. En vérité, je serais étonné si, dans les circonstances, les plus réfléchis des Canadiens français entretenaient à présent l'espoir de conserver leur nationalité. Quelques efforts qu'ils fassent, il est évident que l'assimilation aux usages anglais est déjà commencée. La langue anglaise gagne du terrain comme la langue des riches et de ceux qui distribuent les emplois aux travailleurs. »

(Lord Durham, *Rapport*, traduit par Marcel-Pierre Hamel et cité dans Guy Bouthillier et Jean Meynaud, *Le choc des langues au Québec, 1760-1970*, Sillery, PUQ, 1972, pp. 156-157.)

La survivance, selon François-Xavier Garneau

«Quoique peu riches et peu favorisés de leurs métropoles, les Canadiens ont montré qu'ils conservent quelque chose de l'illustre nation dont ils tirent leur origine. Depuis la conquête, sans se laisser distraire par les déclamations des philosophes ou des rhéteurs sur les droits de l'homme et les autres thèses qui amusent le peuple des grandes villes, ils ont fondé leur politique sur leur propre conservation, la seule base d'une politique recevable par un peuple. Ils n'étaient pas assez nombreux pour prétendre ouvrir une voie nouvelle aux sociétés, ou se mettre à la tête d'un mouvement quelconque à travers le monde. Ils se sont resserrés en eux-mêmes, ils ont rallié tous leurs enfants autour d'eux, et ont toujours craint de perdre un usage, une pensée, un préjugé de leurs pères, malgré les sarcasmes de leurs voisins. Le résultat, c'est que jusqu'à ce jour, ils ont conservé leur religion, leur langue et un pied à terre à l'Angleterre dans l'Amérique du Nord. Ce résultat, quoique funeste en apparence aux États-Unis, n'a pas eu les mauvaises suites qu'on devait en appréhender. Le drapeau anglais qui flotte sur la citadelle de Québec a obligé la république d'être grave, de se conduire avec prudence et de ne s'élever que par degrés. La conséquence, disons-nous, c'est que la république des États-Unis est devenue grande et puissante.

Aujourd'hui, les Canadiens forment un peuple de cultivateurs dans un climat rude et sévère. Ils n'ont pas, en cette qualité, les manières élégantes et fastueuses des populations méridionales ; mais ils ont de la gravité, du caractère et de la persévérance. Ils l'ont fait voir depuis qu'ils sont en Amérique, et nous sommes convaincus que ceux qui liront leur histoire de bonne foi, avoueront qu'ils se sont montrés dignes des deux grandes nations aux destinées desquelles leur sort s'est trouvé ou se trouve encore lié. »

(François-Xavier Garneau, *Histoire du Canada*, Québec, tome 3, 1859, pp. 359-360.)

Cette idéologie conduit finalement à la rédaction d'une première histoire nationale par François-Xavier Garneau. Dès lors, estime Laurent Mailhot, une conception unitaire de l'activité intellectuelle et politique (nationale), à la fois élitiste, nostalgique et programmatique, sert de prototype et de modèle. Malgré quelques oppositions, elle s'impose avec force jusqu'au milieu du XXᵉ siècle.

L'Église catholique a joué un rôle primordial dans la définition de cette idéologie. Au lendemain de la Conquête, elle s'est posée en défenderesse de la religion et en protectrice de la collectivité canadienne-française. À compter de 1792, l'élection de députés à une assemblée législative amène l'Église à partager ses pouvoirs et à diminuer ses interventions. Dès lors, les chefs politiques assument de plus en plus la responsabilité des destinées de la collectivité. Ils s'éloignent d'ailleurs des préoccupations religieuses, allant jusqu'à prôner la séparation de l'Église et de l'État dans la déclaration d'Indépendance de 1838. Dans ce contexte, les évêques se plaignent de plus en plus fréquemment de la diminution de la ferveur religieuse, de la perte des valeurs traditionnelles et du non-respect de leurs directives.

Ainsi, les rébellions de 1837 et de 1838 se font contre leur volonté. La défaite par les armes entraîne à sa suite l'échec de la stratégie politique et la perte de ses dirigeants. En 1840, l'Église catholique devient pratiquement la seule élite intellectuelle détenant une force suffisante pour prendre la relève. Elle s'oppose à l'union des deux Canadas. Elle explique l'échec par le fait qu'elle n'a pas été écoutée ni suivie. Dorénavant, et pendant environ un siècle, elle préside aux destinées de la collectivité.

L'historien Jean-Paul Bernard conclut que ces années constituent le plus grand tournant dans l'histoire du Québec, parce qu'elles fondent l'orientation cléricale du siècle suivant; d'où la nature et la force du discours idéologique qui se façonne alors. Après de multiples événements défavorables, la collectivité canadienne-française vient de subir un échec cuisant et elle se sent de plus en plus menacée. La voie du salut proposée à la collectivité, par un clergé qui regroupe la majorité des gens capables de relever les défis, ne pouvait qu'être fortement empreinte de valeurs religieuses et tournée vers un passé sécurisant. Ce passé, déjà en partie mythifié, offrait des garanties d'avenir.

Des précédents

En 1845, dans son *Histoire du Canada*, F.-X. Garneau énonce des prises de position restées orales ou exprimées dans des gestes administratifs et consignées dans quelques fonds d'archives. Il étend à tout le passé, et en privilégiant la Nouvelle-France, une représentation de l'identité canadienne-française.

La première pièce de théâtre jouée à Québec en 1639 met en scène un infidèle poursuivi par deux démons qui le précipitent dans un enfer vomissant des flammes. De nombreuses conversions d'Amérindiens s'ensuivirent, selon la *Relation des Jésuites* de 1640. Sous la gouverne de Buade de Frontenac, on joue à Québec Corneille, Racine et Molière. Mais l'intention de présenter le *Tartuffe* de Molière en 1694 déchaîne les foudres de l'évêque. Il émet un mandement contre les « comédies, bals, danses, mascarades et autres spectacles dangereux » et empêche de monter *Tartuffe*.

Dans le domaine littéraire, à côté des œuvres de religieux comme les *Relations des Jésuites*, *L'histoire de Montréal* du sulpicien Dollier de Casson en 1672 ou la grande *Histoire et description générale de la Nouvelle-France...* du père Pierre-François-Xavier Charlevoix en 1744, les récits du baron de Lahontan soulèvent l'ire des autorités. Ses histoires et ses commentaires sont controversés et l'auteur est décrié, persécuté, exilé.

Pour sa part, le domaine des arts est tout à fait dominé par le clergé. Les œuvres religieuses surpassent en nombre et en qualité les œuvres profanes. Ici encore, des religieux, comme le frère Luc, le plus célèbre peintre de la Nouvelle-France, dirigent une production qui s'inspire directement des réalisations françaises. L'époque est au mimétisme.

La vie culturelle ne s'est pas éteinte avec l'arrivée des Britanniques. En 1815, relate John E. Hare, Joseph-Octave Plessis, évêque de Québec, « rappelle avec nostalgie les mœurs d'autrefois: les fidèles étaient plus dociles et encore à l'abri des effrayants progrès qu'ont faits, dans leurs esprits, les principes de liberté et de démocratie, propagés par notre nouvelle constitution [1791], par l'exemple de la révolution française ». Au grand désarroi du clergé, poursuit l'auteur, les Québécois profitent des spectacles de théâtre donnés en anglais, où se jouent plus de farces que de grands classiques. Il faut tout de même sacrifier aux volontés des autorités religieuses, déformer les pièces pour enlever les personnages féminins et éviter le mélange des sexes afin d'écarter les menaces de censure de l'Église. En 1825 s'ouvre le Théâtre Royal à Montréal qui permet au public, qui prend goût au théâtre anglais, d'assister aux meilleures pièces de ce répertoire. *La Gazette de Québec* explique les succès mitigés d'un grand comédien français par son style déclamatoire et affecté, peu en rapport avec les sensibilités du public de théâtre. La poésie romantique se répand au Québec au moment même où elle triomphe en France dans les années 1830. Elle est à saveur patriotique et plusieurs auteurs connaissent un destin difficile. Joseph-Guillaume Barthe est incarcéré en 1839 pour avoir rendu hommage aux exilés politiques. La peinture et la sculpture continuent de puiser leur inspiration à l'étranger, autant en France qu'en Angleterre. C'est au début de cette période finalement que la défaite militaire de 1760 est transformée en victoire morale et est considérée comme un bienfait de la Providence.

Le modèle idéologique

L'*Histoire du Canada* de F.-X. Garneau renforce le courant patriotique et donne un cadre aux orientations futures de la production culturelle. Commencée dans l'angoisse d'une disparition collective que seule peut éloigner la fidélité aux traditions ancestrales, l'influence de cette œuvre, sorte de monument de légitime fierté, détermine les orientations de l'histoire canadienne-française jusqu'au milieu du XXᵉ siècle, selon René Dionne. Garneau et ses successeurs, pour la plupart des religieux, prônent les gloires passées et le recours aux thèmes de l'histoire et du folklore québécois. L'abbé Henri-Raymond Casgrain puis monseigneur Camille Roy se posent en maîtres à penser et tracent les voies d'une littérature et d'une expression culturelle nationales. La survie de la collectivité passe par la protection de la foi, des institutions et de la langue. La fidélité à la France, à la religion et aux autorités paraît indispensable. Tous les intellectuels et penseurs de l'époque « formés dans le même moule traditionnel du collège classique » se doivent de respecter les normes ainsi définies.

Le critique littéraire Guildo Rousseau rappelle les voix et les messages de ce nationalisme, résolument anti-américain. Il faut surtout, selon Laurent Olivier David, éviter de se laisser « emporter par le tourbillon

Caractéristiques de la littérature québécoise

«Si, comme cela est incontestable, la littérature est le reflet des mœurs, du caractère, des aptitudes, du génie de la nation, si elle garde aussi l'empreinte des lieux d'où elle surgit, des divers aspects de la nature, des sites, des perspectives, des horizons, la nôtre sera grave, méditative, spiritualiste, religieuse, évangélisatrice comme nos missionnaires, généreuse comme nos martyrs, énergique et persévérante comme nos pionniers d'autrefois; et en même temps elle sera largement découpée, comme nos vastes fleuves, nos larges horizons, notre grandiose nature, mystérieuse comme les échos de nos immenses et impénétrables forêts, comme les éclairs de nos aurores boréales, mélancolique comme nos pâles soirs d'automne enveloppés d'ombres vaporeuses – comme l'azur profond, un peu sévère, de notre ciel –, chaste et pure comme le manteau virginal de nos longs hivers.

Mais surtout elle sera essentiellement croyante, religieuse; telle sera sa forme caractéristique, son expression; sinon elle ne vivra pas, elle se tuera elle-même. [...]

Ainsi sa voie est tracée d'avance: elle sera le miroir fidèle de notre petit peuple, dans les diverses phases de son existence, avec sa foi ardente, ses nobles aspirations, ses élans d'enthousiasme, ses traits d'héroïsme, sa généreuse passion de dévouement. Elle n'aura point ce cachet de réalisme moderne, manifestation de la pensée impie, matérialiste; mais elle n'en aura que plus de vie, de spontanéité, d'originalité, d'action. [...]

Heureusement que, jusqu'à ce jour, notre littérature a compris sa mission, celle de favoriser les saines doctrines, de faire aimer le bien, admirer le beau, connaître le vrai, de moraliser le peuple en ouvrant son âme à tous les nobles sentiments, en murmurant à son oreille, avec les noms chers à ses souvenirs, les actions qui les ont rendus dignes de vivre, en couronnant leurs vertus de son auréole, en montrant du doigt les sentiers qui mènent à l'immortalité. »

(Henri-Raymond Casgrain, « Le Mouvement littéraire en Canada », *Le Foyer canadien*, n° 4, 1866, pp. 25-27, cité par René Dionne, « Qu'est-ce qu'un Québécois? », *Le Québécois et sa littérature*, Sherbrooke, Éditions Naaman, 1984, pp. 38-39.)

qui entraîne tous les peuples de cette partie du monde à la poursuite du bien-être matériel». Libérés des préoccupations commerciales et industrielles, les Canadiens fançais pourront créer une identité propre en se tournant vers la culture de leurs facultés intellectuelles. Cette mission assurerait l'originalité ethnique et leur vaudrait de briller d'un vif éclat dans l'avenir. Il s'agit de faire contrepoids au positivisme et au matérialisme angloaméricain en imposant des valeurs plus élevées, d'ordre moral et intellectuel. Ce discours idéologique qui met de l'avant la religion, les traditions, la ruralité, la famille et le respect des autorités eut une influence déterminante sur la production culturelle québécoise durant tout le siècle suivant.

Discours de sauvegarde et de conservation, cette conception de la société et de ce qui est bon pour elle entraîne le rejet des sources d'inspiration extérieures et pratiquement de toutes les formes de modernité. Artistes, créateurs et penseurs doivent se soumettre et prôner la conformité au modèle présenté, au risque de se faire marginaliser ou d'entreprendre des luttes insensées. Plusieurs se soumirent.

La voie de la supériorité

« N'est-il pas permis de croire que les Français du Canada ont la mission de répandre les idées parmi les autres habitants du nouveau-monde, trop enclins au matérialisme, trop attachés aux biens purement terrestres ? Qui peut en douter ?

Mais pour que le peuple canadien-français puisse remplir cette glorieuse mission, il doit rester ce que la Providence a voulu qu'il fût : catholique et français. Il doit garder sa foi et sa langue dans toute leur pureté. S'il gardait sa langue et perdait sa foi, il deviendrait ce qu'est devenu le peuple français : un peuple déchu de son ancienne grandeur, un peuple sans influence et sans prestige. Si, d'un autre, il conservait sa foi, tout en renonçant à sa langue, il se confondrait avec les peuples qui l'entourent et serait bientôt absorbé par eux. Les individus pourraient toujours se sauver, mais la mission que la Providence semble avoir confiée aux Canadiens-français, comme peuple distinct, serait faussée. »

(Jules-Paul Tardivel, « La langue française au Canada », *Revue canadienne*, Montréal, vol. 1, n° 17, 1881, pp. 259-267.)

« Convaincus, par autosuggestion, que notre idéalisme atavique devait nous tenir au-dessus des biens de ce monde, induits par notre éducation même à mépriser les nations commerciales, nous avons vécu en marge des réalités de la matière, laissant nos voisins, concrets et pratiques, entrer dans notre maison et s'y installer en maîtres. »

(Jean-Charles Harvey, *Marcel Faure*, Montmagny, Imprimerie de Montmagny, 1922, p. 16.)

Un siècle de productions conformes ou insoumises

Une fois défini, le modèle de référence influence la nature de la production et encore plus les appréciations qu'on en fait. Plusieurs chercheurs estiment dès lors qu'il faudrait rouvrir le dossier des productions culturelles pour les réévaluer à l'aune de l'art davantage qu'à celui de leur sens moral. Il semble tout de même que soumis et contestataires aient produit des œuvres qui méritent d'être reconnues. Le chantier ouvert de ces réévaluations esthétiques reste immense, mais, dans la perspective de la construction d'une identité culturelle, le discours relatif à la nature des productions, tant celles que l'on rejette que celles que l'on valorise, a finalement une signification primordiale.

Alors que le Québec s'industrialise et s'urbanise, le modèle de référence prolonge le rêve d'un État catholique, francophone, rural et moral. La poésie, le roman, l'histoire, la littérature et la critique littéraire se donnent une vocation nationale tournée vers l'exaltation bucolique du monde rural. La production écrite puise beaucoup à la littérature orale, tout en la déformant sans vergogne parfois. Après quelques romans d'aventure, la mode du terroir s'impose et perdure pendant un siècle. Les romanciers se conforment à la pensée du groupe politique et religieux dominant. En poésie, Louis Fréchette et Octave Crémazie se font les chantres de la petite patrie francophone et de l'enracinement. Trois œuvres, exaltant de façon différente la relation à la terre et les qualités des Canadiens français, dominent ce siècle de production: *Maria Chapdelaine* de Louis Hémon, publiée en 1916, *Menaud, maître-draveur* de Félix-Antoine Savard en 1937 et *Les engagés du Grand Portage* de Léo-Paul Desrosiers en 1938. Ces romans visent à former, éduquer, consolider les valeurs et à faire briller la nationalité. À côté de ces belles réussites, d'autres travaux mériteraient d'être mieux connus tandis que, au dire du critique littéraire Robert Vigneault, «des œuvres médiocres, mais pieuses, ont été surévaluées».

La majeure partie des premières productions d'art restent également marquées par la dominante religieuse. Au milieu du XIXe siècle, sous l'égide de prêtres, les artistes vont de plus en plus souvent se perfectionner en Europe. Les plus grands, le sculpteur François Baillairgé et le peintre Antoine Plamondon, poursuivent des études en France sous l'aile protectrice du clergé qui, par des contacts influents, facilite la diffusion de leurs œuvres de préférence à celles de concurrents. Leur production rencontre mieux les critères académiques. La vogue est aux thèmes du terroir et aux paysages, tandis que les tableaux d'histoire sont particulièrement choyés.

À compter de 1937, à l'instigation de monseigneur Camille Roy qui considère la chanson comme un excellent moyen de cultiver et conserver l'esprit français, l'abbé Charles-Émile Gadbois publie une série de sept cahiers de *La bonne chanson* qui reprennent et renforcent les thèmes moralisateurs inspirés du terroir. On estime que de 1937 à 1955 il s'est diffusé quelque 100 millions d'exemplaires de ces 500 chansons. En 1945, «Les Amis de la Bonne Chanson» comptent 12 000 membres. L'abbé Gadbois investit tous ses profits dans la fondation du poste radiophonique CJMS, dont les lettres d'appel incluent la devise du Québec *Je Me Souviens*. Peut-être voulait-il ainsi contrebalancer les succès de popularité de chansons souvent contestataires comme celles de La Bolduc.

Le modèle proposé par le clergé n'est cependant pas toujours suivi avec l'exactitude souhaitée. Les nombreuses dénonciations dont le théâtre, le roman étranger ou les essayistes font l'objet, sous prétexte de modernité, de futilité ou de croyances erronées, montrent l'existence de contestations formelles. L'Église offre un idéal à admirer et un exemple à suivre. Elle n'hésite pas à écarter des textes qu'elle juge malsains ou dangereux, qu'ils viennent de Victor Hugo, de Lamartine ou de Baudelaire. Considérés comme des « empoisonneurs publics », Balzac, Flaubert, Sand et Zola sont rigoureusement censurés. Seule s'en délecte une petite élite intellectuelle, pratiquant un journalisme de combat et d'idées.

Périodiquement, certains personnages font, par leurs écrits, des éclats dans la petite communauté intellectuelle québécoise. En fondant *Le Fantasque* en 1837, Napoléon Aubin annonce : « Je n'obéis ni ne commande à personne, je vais où je veux, je fais ce qui me plaît, je vis comme je peux et je meurs quand il faut. » Après diverses interruptions par suite de l'intervention de la police, son journal disparaît en 1849. Entre 1846 et 1848, Étienne Parent donne une série de conférences devant l'Institut canadien de Montréal sur l'industrie, le commerce et le sort de la classe ouvrière. *La Lanterne*, d'un Arthur Buies décrit comme un iconoclaste impénitent et un « mangeur de curé », s'attire les foudres du clergé. En 1886, l'archevêque de Québec dénonce ce « pamphlet, amas confus de blasphèmes et d'attaques contre l'Église catholique, sa hiérarchie, ses œuvres, son enseignement, ses institutions ». Edmond de Nevers, gagné à l'idée de progrès, propose comme consigne : « Soyons fiers et nous serons forts. » C'est de son refuge en France qu'il dénonce les hommes d'État, la médiocrité de l'enseignement et l'anémie intellectuelle généralisée. Dans le même sillage, au début du XXᵉ siècle, des essayistes comme Jules Fournier et Olivar Asselin critiquent la société conformiste et décadente, mais ils ne sont guère entendus. Fournier est même emprisonné quelque temps pour libelle. Sous le pseudonyme de Jean-Baptiste Gagnepetit, le journaliste français de religion juive Jules Helbronner, qui prend fait et cause pour les ouvriers, n'est pas plus écouté. À ces contestataires on préfère, et de beaucoup, l'œuvre hautement nationaliste et éminemment religieuse de l'abbé Lionel Groulx, devenu le plus grand des historiens de la nation canadienne-française en raffinant le modèle de F.-X. Garneau dont il élargit les assises scientifiques.

Sus à Charles Darwin !

« Avec l'orang-outang, les évolutionnistes descendent plus bas. Ils descendent jusqu'aux marsupiaux, jusqu'aux oiseaux, jusqu'aux reptiles ; plus bas encore, jusqu'aux poissons, jusqu'aux vers, jusqu'aux limaçons, jusqu'aux éponges ; plus bas, plus bas encore ; jusqu'à l'herbe des champs, jusqu'à la matière brute, jusqu'à la fange, à l'ordure, à la boue ! Eh bien ! qu'ils sympathisent fraternellement avec la boue ! »

(François-Xavier Burque, prêtre, « Le premier et le plus profond des savants : Adam, notre premier père », *Le Naturaliste canadien*, vol. 5, nᵒ 8, 1876, pp. 146-157.)

Les dangers du théâtre moderne

« Je ne puis m'empêcher de vous dire avec quel profond chagrin je verrais se réaliser le projet d'établir un théâtre permanent à Québec. Je le regarderais comme un fléau au point de vue moral et matériel ; on accoutumerait ainsi notre peuple à une jouissance dont il ne pourrait plus se passer ; on lui créerait un besoin de luxe, de vie factice, un surcroît de dépenses inutiles ; on lui ferait abandonner bien vite des réunions intimes du foyer, où chacun se repose des fatigues du jour sans danger pour les mœurs, sans détriment pour la bourse, et où les liens sacrés de la famille ne font que se resserrer pour le plus grand bonheur de tous.

L'Église catholique regarde avec raison le théâtre moderne en général comme plein de dangers, et elle met les fidèles en garde même contre les pièces considérés par un certain public comme inoffensives.

Jugez alors de mes justes craintes quand j'apprends que, pour reconstituer la nouvelle compagnie, on se propose d'employer certains acteurs et actrices qui ont poussé l'ignorance ou le manque absolu de sens moral jusqu'à jouer et répéter dans notre ville de Québec des pièces absolument mauvaises. »

(Cardinal Louis-Nazaire Bégin, lettre au sujet du théâtre, *Semaine religieuse de Québec*, vol. VII, n° 23, 2 février 1895, pp. 265-266.)

Les productions artistiques et scientifiques sont en butte au même discours idéologique. En 1839, le déjà célèbre peintre Antoine Plamondon se fait refuser « un chemin de croix » parce que certaines stations ne concordent pas avec les représentations traditionnelles acceptées par l'Église. L'évêque n'hésite pas à juger et parfois à condamner des œuvres présumées trop suggestives. Sur le plan scientifique, la théorie de Charles Darwin sur l'évolution des espèces, publiée en 1859, engendre un débat qui ne s'éteint pas avant les années 1920. Le clergé la dénonce avec d'autant plus de virulence qu'une encyclique papale la réfute en 1886. L'attitude du clergé à l'égard des sciences exaspère les penseurs libéraux. Ces derniers dénoncent la formation classique qui favorise la constitution de forts groupes de notaires, de médecins, d'avocats et de prêtres. Ils demandent des ingénieurs et des industriels. L'Université McGill crée, dès 1857, un programme de formation en génie d'une durée de quatre ans. Ce n'est qu'en 1871, sous l'instigation du gouvernement et après d'interminables tergiversations, que débutera à l'Université Laval l'enseignement de cours – et non d'un programme – de chimie, de physique et de mécanique appliquée à l'agriculture. Encore les cours viseront-ils davantage à informer et à vulgariser qu'à former des spécialistes.

Le théâtre continue de susciter de la part de l'Église une hostilité d'autant plus forte que sa vitalité est remarquable. À compter des années 1840, le théâtre connaît une grande vogue. On forme des troupes, on en fait venir de France, on écrit des pièces où la farce, le vaudeville, le classique et la satire se côtoient. Malgré les dénonciations de l'évêque, le public remplit la salle de l'Académie de musique de Montréal pendant les trois premiers jours de la tournée de la divine Sarah Bernhardt, à la veille de la Noël de 1880. La grande comédienne reviendra d'ailleurs effectuer six autres tournées au Québec. Au début du XXᵉ siècle, deux grandes troupes professionnelles locales, le National et le Théâtre des Nouveautés, offrent du théâtre de répertoire. Le second ferme ses portes en 1908, par suite de l'interdiction faite par l'évêque aux catholiques d'assister à une pièce mise à l'affiche pendant la semaine sainte. Boudée par une clientèle soumise, la troupe fut mise en faillite. On estime que seulement une pièce sur 10 pouvait échapper à la censure et être présentée au public. Ce sont pourtant les représentations populaires qui, dans les années 1920, amorcèrent un renouveau dans l'expression culturelle québécoise.

Les années 1930 : l'émergence du social

Dans les années 1920-1930, des réalités et des tendances majeures changent. La nécessité de s'expatrier aux États-Unis s'estompe, tandis que des contingents de population touchés par la guerre trouvent refuge au Québec. Dorénavant, la ville retient plus de gens que la campagne. Les préoccupations et les sensibilités se déplacent dans les mêmes directions. Les modifications dans les déplacements de population, les efforts pour apprivoiser collectivement le mode de vie urbain ainsi que les nouveaux moyens d'information produisent un éclatement, puis la reconnaissance de nouvelles façons de vivre.

Dans la mémoire collective québécoise, l'impression de renouveau culturel paraît tout empreinte de la Révolution tranquille des années 1960. De fait, le discours et le modèle nouveaux qui s'instaurent à cette époque récupèrent et revalorisent l'action de précurseurs. En les élevant à un niveau supérieur, ils donnent leurs lettres de créance à des initiatives culturelles antérieures, caractérisées par leurs dimensions contemporaines, populaires, frondeuses et délinquantes. En fait, une formidable lame de fond traverse le Québec des années 1930, mais les effets véritables ne sont mis en valeur qu'une génération plus tard.

Le contexte qui préside à ces transformations est souvent difficile. La crise économique, puis la guerre, malgré l'ouverture et les années de prospérité qu'elle engendre, deviennent prétexte à l'expression des souffrances du temps. Très tôt également, un régime politique conservateur et des comportements répressifs sur les plans moral et religieux accentuent l'impression des artistes d'être enfermés dans un carcan. Dès les années 1930, on commence cependant à dire tout haut ce que l'on pense, fait et veut. L'ouverture au monde au lendemain de la Deuxième Guerre mondiale, l'essor des moyens de communication – la télévision apparaît en 1952 – et les succès des artistes québécois à l'étranger valent une reconnaissance accrue à ces tendances culturelles, fruit de la misère urbaine et de la conscience sociale.

L'émergence et les succès d'auditoire des spectacles populaires dans tout l'éventail des modes d'expression culturelle donnent à ces initiatives la force d'un courant de pensée. Ces spectacles – théâtre, joutes sportives, cinéma, bazars – jouissent d'une impressionnante popularité. Ils poursuivent une tradition de comédie de vaudeville et de burlesque qui se perpétuait depuis longtemps. John E. Hare a compté qu'entre 1760 et 1845 la moitié des programmes de théâtre présente une comédie, une veine que des auteurs québécois avaient eux-mêmes exploitée dès la fin du XVIIIᵉ siècle. Entre 1921 et 1950, la pièce *Aurore l'enfant martyre* est jouée plus de 5 000 fois avant de donner lieu, en 1952, à un film à succès. Le mélodrame d'Henri Deyglun, *La mère abandonnée*, joué sur scène en 1926 et publié en 1929, est diffusé à la radio en 1936 puis adapté au cinéma en 1953. La pièce boulevardière et mélodramatique *Cocktail*, jouée en 1935, comporte déjà des allusions aux problèmes de race et d'idéologie. La fondation des Compagnons de Saint-Laurent en 1937, avec comme animateur un religieux, le père Émile Legault, montre l'importance des nouvelles tendances. C'est dans cette lignée que se situent les succès de Gratien Gélinas avec *Les fridolinades* en 1944 et *Tit-Coq* en 1948, où, sous la forme d'une satire sociale, il présente des personnages de joyeuse misère qui seront popularisés à la radio et à la télévision. Les stations radiophoniques – CKAC, créée en 1922, puis Radio-Canada, en 1936 – jouent un rôle capital dans la mise en valeur de ces productions culturelles.

La chanson populaire, aussi un spectacle, participe de près à ce mouvement. La Bolduc connaît de grands succès à compter de 1929. Robert Saint-Amour décrit ainsi le phénomène: «Décriée par les intellectuels de son temps pour sa perception simpliste de la société,

La Deuxième Guerre mondiale entraîne, sur le plan artistique, deux effets complémentaires: la cessation des grandes tournées de troupes théâtrales européennes et l'émergence de troupes locales. Les productions québécoises se centrent sur les problèmes du temps et s'ouvrent au monde. Gratien Gélinas, avec ses Fridolinades, *met en scène des personnages typiquement québécois, dont le plus célèbre fut Tit-Coq.*

(Gratien Gélinas, *Les fridolinades 1945-1946*, Montréal, Éd. Quinze, 1980, p. 118.)

rejetée par la bourgeoisie francophone à cause de sa supposée vulgarité, répudiée par les puristes qui lui reprochent son langage populaire, sévèrement critiquée du haut de la chaire pour la prétendue immoralité de ses chansons ou de ses spectacles, la Bolduc en arrive malgré tout, sans instruction ni connaissance des règles de l'art, à créer un texte qui devient d'abord une prise de conscience individuelle et qu'elle offre ensuite au public comme un miroir dans lequel il peut à son tour se percevoir.» Ses textes dénoncent la misère des petites gens. Ils constituent une prise en charge du réel et des difficultés de la vie en cette période de crise. Même si elle vend plus de disques que qui que ce soit à cette époque, son apport ne sera reconnu que 20 ans plus tard, au moment où les créations québécoises remportent des succès à l'étranger et valorisent le portrait social et intime du Québécois.

La ville

[...] La ville était en moi comme j'étais en elle!
Essor de blocs! élans d'étages! tourbillon
De murailles qui font chavirer la prunelle!
Murs crevés d'yeux, poreux comme un gâteau de miel
Où grouille l'homme-abeille au labeur sans relâche!
Car sous l'ascension des vitres, jusqu'au ciel,
Je devinais aussi la fièvre sur la tâche:
Les pas entrelacés, les doigts industrieux,
Et les lampes, et l'eau qui coule promenée
En arabesques, et dans les fils mystérieux
Le mot rapide et bref volant aux destinées!

    Je marchais, je ne savais rien,
      Hors que vivre est une œuvre ardente,
    Et les tramways aériens,
      Déchirant la ville stridente

Enroulaient leurs anneaux aux balcons des maisons!
Les trains crevaient la gare à manteau de fumée,
Des trains happaient les rails qui vont aux horizons,
Cependant que sous terre, en leurs courses rythmées
D'autres allaient et revenaient incessamment,
Navettes déroulant le long fil du voyage!
Une géométrie immense en mouvement
Opposait dans mes yeux de fulgurants sillages;
Et de partout – malgré l'angle oblique, malgré
La masse qui retient, la courbe qui paresse –
Toujours, jusqu'à pâlir dans les derniers degrés,
La ligne allait au ciel comme un Titan se dresse!

(Robert Choquette, *Metropolitan Museum*, Montréal, Herald Press, 1931.)

Sans travail

[...] Nos députés sont assemblés
Afin de pouvoir discuter
Alors au lieu de nous aider
Ils ne font que se chamailler.

    refrain

    Mais dans tout ça le plus affreux
    Ce sont les chers p'tits malheureux
    Pas d'argent pour les faire soigner
    On finit par les enterrer

Après pour se réconcilier
Y [les députés] s'en vont prendre un bon dîner
Tandis que nous les travaillants
On serre la ceinture de temps à temps
Quand on se plaint à ces messieurs
Y vous disent que ça va aller mieux
Que bientôt nous pourrons donner
À nos enfants du pain à manger.

(Marie Travers dite La Bolduc, citée par Robert Saint-Amour, « La chanson québécoise »,
Le Québécois et sa littérature, Sherbrooke, Éditions Naaman, 1984, p. 343.)

Les demi-civilisés à l'Index

« Le roman *Les demi-civilisés*, de Jean-Charles Harvey, tombe sous le canon 1399, 3°, du Code de Droit Canonique. Conséquemment, ce livre est prohibé par le droit commun de l'Église. Nous le déclarons tel et le condamnons aussi de Notre propre autorité archiépiscopale. Il est donc défendu, sous peine de faute grave, de le publier, de le lire, de le garder, de le vendre, de le traduire ou de le communiquer aux autres. (Canon 1398, 1.)

    Québec, le 25 avril 1934
        J.-M. Rodrigue,
        Card. Villeneuve, o.m.i.
        Archevêque de Québec. »

(*La Semaine religieuse de Québec*, 1934, p. 531.)

Dans le monde de la poésie, Alfred DesRochers rompt avec le message traditionnel. Le poète-paysan, comme il se voyait à ses débuts, après ses recueils de 1928 et de 1929 (*L'offrande aux vierges folles* et *À l'ombre de l'Orford*), prend ses distances par rapport à l'Église et au modèle qu'elle propose. Tout comme Robert Choquette (*Metropolitan Museum* en 1931 et *Poésies nouvelles* en 1933), il rejette le régionalisme et le ruralisme et prône l'américanité. C'est également dès 1933 que Jean Narrache, au pseudonyme significatif, exploite la langue populaire, comme elle se parle. Il annonce le « joual » avant le nom. Saint-Denys Garneau, lui, s'affranchissant des contraintes académiques, explore l'être intime, l'ennui imprégné de solitude et de désespoir qui conduit finalement à la mort. Ignoré ou mal reçu, il deviendra 20 ans plus tard le plus étudié des poètes. Dans les années 1950, on redécouvre également toute la modernité du grand poète Émile Nelligan.

La littérature suit une évolution similaire. Elle rompt avec les récits triomphalistes et agriculturistes. Jean-Charles Harvey, avec *Les demi-civilisés* en 1934, fait figure de proue. Il acquiert, du fait de sa proscription par l'Église, une renommée immédiate, ce qui déjà est fortement révélateur des sensibilités populaires. Puis Roger Lemelin, avec *Au pied de la pente douce* en 1944 et

Les Plouffe en 1948, et Gabrielle Roy, avec *Bonheur d'occasion* en 1945, décrivent le quotidien et l'urbain. Le roman de Germaine Guèvremont, *Le Survenant*, publié en 1945 et plus tard porté à la télévision, rompt avec les romans du terroir. Il raconte une vie aventureuse et instable. La popularité des romans de l'espion *IXE-13* dont la parution commence en 1947 confirme les nouvelles tendances. En s'intéressant à l'actuel, à l'urbain, à la personne humaine dans un environnement social et à ses sentiments, la littérature a pris le virage de la modernité.

Dans le domaine des essais, la mémoire collective retient surtout le cri du cœur des jeunes artistes cosignataires du manifeste *Refus global* en 1948. Enfermés dans un carcan politique, religieux et moral, ressentant l'impact de l'urbanisation, de l'industrialisation, de la crise et de la guerre, ils proposent de tout balayer,

---

Extraits du *Refus global*

«Les frontières de nos rêves ne sont plus les mêmes. [...]

La honte du servage sans espoir fait place à la fierté d'une liberté possible à conquérir de haute lutte.

Au diable le goupillon et la tuque ! Mille fois ils extorquèrent ce qu'ils donnèrent jadis. [...]

Le règne de la peur multiforme est terminé. [...]

Du règne de la peur soustrayante nous passons à celui de l'angoisse. [...]

À ce règne de l'angoisse toute-puissante succède celui de la nausée. [...]

Rompre définitivement avec toutes les habitudes de la société, se désolidariser de son esprit utilitaire. Refus d'être strictement au-dessous de nos possibilités psychiques. Refus de fermer les yeux sur les vices, les duperies perpétrées sous le couvert du savoir, du service rendu, de la reconnaissance due. Refus d'un cantonnement dans la seule

bourgade plastique, place fortifiée mais trop facile d'évitement. Refus de se taire – faites de nous ce qu'il vous plaira mais vous devez nous entendre – refus de la gloire, des honneurs (le premier consenti) ; stigmates de la nuisance, de l'inconscience, de la servilité. Refus de servir, d'être utilisables pour de telles fins. Refus de toute INTENTION, arme néfaste de la RAISON. À bas toutes deux, au second rang ! Place à la magie ! Place aux mystères objectifs !

Place à l'amour !

Place aux nécessités !

Au refus global nous opposons la responsabilité entière. [...]

Nous prenons allègrement l'entière responsabilité de demain. [...]

Fini l'assassinat massif du présent et du futur à coup redoublé du passé. [...]

À nous le risque total dans le refus global. [...]

La fortune est à nous si nous rabattons nos visières, bouchons nos oreilles, remontons nos bottes et hardiment frayons dans le tas, à gauche à droite.

Nous préférons être cyniques spontanément, sans malice. [...]

Là, le succès éclate ! [...]

Un magnifique devoir nous incombe aussi : conserver le précieux trésor qui nous échoit. Lui aussi est dans la lignée de l'histoire. [...]

Ce trésor est la réserve poétique, le renouvellement émotif où puiseront les siècles à venir. [...]

Que ceux tentés par l'aventure se joignent à nous. »

(*Refus global*, Montréal, Les Éditions Anatole Brochu, 1972, pp. 9-24 ; cité par Daniel Latouche et Diane Poliquin-Bourassa, *Le manuel de la parole. Manifestes québécois*, tome 2, 1900-1959, Montréal, Boréal Express, 1978, pp. 275-281.)

Les intentions de *Cité libre*

«Notre génération vient de se livrer pendant dix ans, avec enthousiasme, à toutes espèces d'explorations. [...] [Elle a] revisé l'enseignement qu'elle recevait. Elle s'est rebiffée plus que les précédentes contre la discipline des manuels. Elle n'admet plus d'emblée les cadres trois fois centenaires qu'on lui impose. Et le souci de remettre en question, de pousser plus loin, de repenser, de refaire, la travaille beaucoup plus qu'il n'a préoccupé nos aînés.

Qu'on observe seulement comme elle se porte d'instinct, cette génération, contre les systèmes acceptés; comme elle réagit au nationalisme de ses maîtres; comme elle proteste contre certaines méthodes en vigueur dans l'enseignement et contre l'influence de notre tradition culturelle. Mais cette révolution dans la culture, dont elle rêvait au sortir de la guerre, tourne un peu court, en 1950, devant une réaction toute-puissante. Les manuels de philosophie n'ont pas changé; nos artistes et nos écrivains peinent pour vivre et souvent se conforment; nos journaux sont remplis d'âneries; nous sommes toujours menacés par un dogmatisme dur à vaincre, qui n'a rien de chrétien ni de vivant. [...]

Mais, nous l'avouons sans peine, le choc de nos rêves et de cette réalité fait de nous tous des insatisfaits. [...]

De même, nous semble-t-il, l'effort tout entier de notre génération peut porter à faux, s'égarer sur des routes divergentes, à moins que nous ne tentions au plus tôt un rassemblement plus rationnel. Bien pis, les plus graves divisions commencent déjà à s'établir entre divers groupes de militants parce que cet effort de pensée n'a pas encore été accompli.

C'est donc à cela, d'abord, que notre équipe veut travailler: situer les problèmes; préciser nos objectifs d'action. [...] Non, l'équipe de *Cité libre* ne compte pas de maître en son sein. Mais cela ne nous est pas nouveau; nous sommes une génération sans maîtres. Nous en prenons notre parti, confiants que nos lecteurs finiront par en faire autant.»

(Gérard Pelletier, «*Cité libre* confesse ses intentions», *Cité libre*, vol. 1, n° 2, février 1951, pp. 3-7.)

de repartir à zéro, de construire une société nouvelle. Le manifeste eut peu de répercussions en son temps. Il ne fut redécouvert qu'après les succès du peintre Paul-Émile Borduas, revenu de l'étranger. D'ailleurs, il avait eu de nombreux prédécesseurs. En 1936, le jésuite Rodolphe Dubé, mieux connu sous son nom de plume François Hertel, louant l'audace des jeunes artistes, publie un *Plaidoyer en faveur de l'art abstrait*. En 1941, des anciens de l'École du meuble se regroupent sous le nom des Indépendants. Dans *Le Devoir* du 28 mai, ils proclament leur rupture: «Nous ne voulons pas que nos noms et nos œuvres, même modestes, servent à maintenir le prestige de principes d'enseignement périmés, qui font illusion au public et compromettent dans ce pays l'avenir des jeunes artistes.» À 52 ans, en 1956, le peintre Jean-Paul Lemieux, professeur à l'École des beaux-arts depuis 15 ans et reconnu dans le monde, se tourne vers les perspectives plastiques, délaissant les paysages pittoresques. Avec Borduas, il donne à l'art une reconnaissance comparable à celle qu'a obtenue Félix Leclerc dans la chanson. Cette démonstration des artistes trouvera écho chez les intellectuels.

Les créateurs d'art participent à la même évolution. Les sculptures « populistes » de Saint-Jean-Port-Joli deviennent à la mode en 1927. La Société d'art contemporain et le Salon des métiers d'art sont créés en 1939. Une première galerie d'art s'installe à Montréal en 1934. En 1941, Marie-Alain Couturier, un dominicain qui enseigne à l'École du meuble, donne deux conférences retentissantes à l'Université de Montréal sur *Le divorce entre les artistes et le public*, où il dénonce la glorification des valeurs passées. C'est le groupe connu sous le nom des Automatistes qui, en révolte contre l'École des beaux-arts de Montréal, mène la lutte entre 1946 et 1948. Les arts plastiques et abstraits s'imposent. Le peintre Alfred Pellan, avec *La chute des mythes* en 1947, annonce le manifeste *Refus global* de l'année suivante. Les sculpteurs se présentent en polémistes contestataires et font leur propre révolution tranquille. Par l'évolution de la forme et de la structure, l'architecture devient fonctionnaliste et internationaliste. Le mélange des formes et des matériaux annonce une voie nouvelle.

Dans le même temps, les sciences humaines se structurent et se définissent des méthodes de vérification plus rigoureuses. Philosophie, histoire, géographie, folklore et littérature deviennent des disciplines autonomes, développent leurs propres exigences scientifiques. On assiste surtout à l'émergence de tout le champ des sciences sociales, en particulier sous l'initiative du dominicain Georges-Henri Lévesque. La fondation de l'Université de Montréal en 1920 et celle des Écoles des beaux-arts, à Québec en 1921 et à Montréal en 1922, traduisent le courant de la modernité. L'Europe et les États-Unis deviennent, pour les artistes et les chercheurs, des lieux de ressourcement de plus en plus fréquentés.

*

Dans presque tous les domaines de l'expression et du savoir-faire culturels, les grands artistes précurseurs de la Révolution tranquille eurent leurs propres précurseurs. Les transformations que ces initiateurs ont amorcées dans les années 1930 étaient en rupture avec le discours idéologique dominant. Si elles ont souvent remporté d'éclatants succès de foule, elles ne furent pourtant reconnues en général qu'une génération plus tard.

Toutefois, la présence de membres du clergé dans ces mouvements en indique déjà l'importance. Émile Legault dans le théâtre en 1937, François Hertel et M.-A. Couturier dans les arts en 1940, C.-E. Gadbois dans la chanson et à la radio, G.-H. Lévesque dans les sciences sociales, sans compter les aumôniers d'associations syndicales et culturelles montrent nettement les assauts que subit l'ancien discours idéologique.

Ces productions culturelles à saveur de modernité, centrées sur la forme, la spécialisation, le social, l'urbain et l'humain, gagnent en dignité et en reconnaissance dans les années 1950. Alfred Pellan en arts plastiques, Lemieux, Riopelle et Borduas en peinture, Leclerc dans la chanson, DesRochers et Choquette en poésie, Hubert Aquin, Lemelin, Roy et Guèvremont en littérature, Gélinas dans le théâtre, connaissent succès et renom à partir de cette époque.

La popularité de ces modes d'expression a d'ailleurs résisté à l'usure du temps, même si les thèmes, les sujets et les performances se sont rajeunis. Les variétés, que ce soit au théâtre ou à la télévision, attirent encore des foules considérables. Dans les décennies 1960 et 1970, les boîtes à chanson remportent des succès fulgurants. Les chanteurs et chanteuses populaires atteignent rapidement le statut de vedettes internationales. L'un des plus grands auteurs actuels, le prolifique Michel Tremblay, a adopté la « parlure » populaire et emprunté ses thèmes à la vie urbaine, quotidienne, faisant ressortir les joies et les misères sociales tout autant que les sentiments des personnes. En proportion de sa population, le Québec compte le nombre le plus élevé au monde de théâtres d'été où les pièces comiques, comédies de boulevard et vaudevilles constituent l'essentiel du répertoire. Enfin, pour plusieurs, la sculpture qui se fait à Saint-Jean-Port-Joli reste la plus intéressante des productions. On ne saurait sous-estimer l'importance des sensibilités populaires dans cette évolution.

Ce panorama des productions culturelles n'a rien du palmarès. Il a pris à témoin certains créateurs et certaines œuvres pour mieux faire ressortir le contexte historique expliquant l'évolution des savoir-faire culturels québécois. Il a montré l'émergence des préoccupations sociales, qui se retrouvent d'ailleurs dans les programmes de partis politiques, comme dans les propositions syndicales et les initiatives pour venir en aide aux personnes défavorisées. Il a tiré profit de la comparaison de l'évolution d'un secteur par rapport à un autre qui montrait des simultanéités et des similitudes éclairantes. Il a à peine signalé les changements dans les thèmes à l'étude, chaque œuvre portant sa propre originalité et ses propres qualités. Ce refus du palmarès est également tout indiqué dans l'observation de la production contemporaine.

LA PRODUCTION QUÉBÉCOISE CONTEMPORAINE

Après la guerre, la production québécoise devient plus présente au monde. À compter des années 1950, les échanges se sont continuellement intensifiés. Au début des années 1960, la production a décuplé, s'est diversifiée et taillé une place enviable sur le marché occidental de la culture. Dans des perspectives identitaires, ces rapports à la production mondiale sont scrutés avec attention, afin d'en dégager des similitudes et des filiations et peut-être des traits d'originalité. Dans ce miroir de la collectivité, comment coexistent identité et internationalisation ?

Trois secteurs témoins seulement seront examinés. Le premier porte sur la présence dans le monde des divers domaines de la production culturelle québécoise. Le deuxième insiste sur l'image identitaire projetée, en utilisant le seul exemple de la chanson. Enfin, un bref regard sur le monde des communications permettra d'évaluer l'envahissement de notre culture par les productions étrangères.

Présence dans le monde

Il y a quelques décennies, les artistes québécois n'étaient souvent reconnus ici qu'après leur baptême à l'étranger. L'exemple le plus typique est certainement celui de Félix Leclerc que le Québec francophone découvre après qu'il eut connu la gloire à Paris entre 1950 et 1953. Parti pour trois semaines, il y est resté trois ans. Un destin semblable attendait d'autres créateurs. Tout d'abord les plus connus, les peintres Lemieux, Pellan et Borduas. C'est l'époque des Fernand Séguin, vedette de la vulgarisation scientifique, des Norman McLaren, auteur de cinéma d'animation à qui Hollywood décerne un Oscar pour son film *Les Voisins* en 1952, des Anne Hébert, romancière et poétesse, qui va s'installer à Paris en 1954. Ces exemples révèlent aux Québécois les talents de chez eux. Ces artistes ouvrent une brèche dont d'autres après eux profitèrent largement pour se faire un nom sur la scène locale et internationale.

Dans les années 1970, la tendance change. Non seulement les artistes sont d'abord reconnus au Québec, mais la nature de leur production attire parfois les regards du monde entier, en raison de leur qualité et de leur originalité. La collection CIL, constituée de 40 tableaux canadiens et québécois, voit le jour en 1962. Dans les domaines de la chanson, du cinéma, de la musique, de la littérature, du théâtre, de la danse et des arts visuels, des vedettes québécoises sont reconnues pour la qualité de leur production et de leur performance. Les Daniel Lavoie, Fabienne Thibault, Diane Dufresne, Céline Dion et peut-être encore davantage l'artiste-créateur Luc Plamondon avec *Starmania* prennent la relève des Félix Leclerc et Raymond Lévesque, à la suite des Gilles Vigneault, Claude Léveillée, Jean-Pierre Ferland et Robert Charlebois. Plus de 125 récompenses, dont plusieurs distinctions internationales obtenues à Berlin, Rome, Melbourne, New York et Venise, couronnent l'œuvre du cinéma d'animation de Norman McLaren, tandis que Frédéric Back connaît lui aussi une célébrité mondiale. L'Orchestre symphonique de Montréal reçoit les plus grands honneurs en France et au Japon ; en 1987, il se produisait dans 15 des plus grandes villes de 8 pays d'Europe. Le poète Gaston Miron, dont les œuvres ont été traduites en plusieurs langues, est connu en Europe comme aux États-Unis. Des romans d'Anne Hébert sont traduits en plus de 10 langues, dont l'espagnol, le finlandais, l'italien, l'allemand, le japonais, le portugais, le chinois, le tchèque et l'anglais. Les pièces de Michel Tremblay sont jouées dans plusieurs pays. Robert Lepage mérite plus d'une distinction en France et aux États-Unis. En matière de danse, « on nous dit à la fine pointe de l'avant-garde en Amérique du Nord ». Notre littérature enfantine, sous support écrit ou informatisé, est diffusée à travers la francophonie. Grâce à des réalisations de calibre international, ces productions culturelles projettent une image renouvelée de la création au Québec et de ses spécificités.

En s'ouvrant au marché international, la production québécoise s'est inscrite dans de grands courants et a su intégrer dans la production locale des savoir-faire venus d'ailleurs. Ludmilla Chiriaef, arrivée en 1952, commence à enseigner la danse et sa troupe est à l'origine de la formation des Grands Ballets canadiens en 1958. Max Stern en arts, Alice Parizeau en littérature, Arthur Lamothe dans le cinéma, William Notman dans la photographie, Naïm Kattan dans la critique littéraire enrichissent la culture québécoise. La production québécoise a adopté, dans sa forme comme dans son sujet, des caractéristiques qui débordent le cadre national. Elle s'est ouverte aux modes d'expression et aux tendances qu'on retrouve à l'étranger, parfois en les amplifiant. Dans tous les domaines, on assiste à la constitution de lieux expérimentaux. Les prises de position deviennent plus engagées. Elles choquent, attirent sur elles de nouvelles condamnations par les pouvoirs en place. Dans ce renouveau, les femmes ne sont plus une voix, elles ont la parole. Les modes d'expression se spécialisent et se compartimentent, souvent d'ailleurs de façon paradoxale, par le mélange des genres et des formes, de la matière et de la manière, de la technologie et de l'humain, du corps et de l'esprit, des sens et des sensibilités. Les thèmes sont traités de façon multidisciplinaire en mariant les formes, les matériaux et les genres. Le contexte vient enrichir le contenu. Le spectacle devient tableau, le tableau devient spectacle. Couleur, luminosité et transparence enrichissent l'expression de la réalité et des sensibilités.

L'insertion de cette production québécoise dans les courants mondiaux constitue évidemment une reconnaissance de qualité, mais également un apport teinté d'originalité. Au titre des innovations les plus remarquées, la Ligue nationale d'improvisation a renouvelé une approche théâtrale connue. Le Cirque du soleil donne à un spectacle populaire une dimension culturelle insoupçonnée. Les jeux sur la langue parlée, qu'il s'agisse des monologues de Marc Favreau ou du théâtre de Michel Tremblay, portent la marque de l'identité québécoise dans leur contenu comme dans leur forme.

La production culturelle québécoise dans son ouverture internationale reste fortement identitaire. Au même titre que dans les savoir-faire techniques, les réussites culturelles sont source de fierté. Du reste, quel que soit le domaine de production, cette expression d'une culture reste liée à sa source et à son contexte initial. Elle évolue en parallèle avec la vie politique, économique et sociale. Elle est le fruit d'un système de valeurs, reflet ou expression de soi, où l'affirmation nationale a d'ailleurs eu une belle part.

La chanson québécoise à l'étranger

Le grand poète Félix Leclerc est reconnu par les Québécois comme l'initiateur de la percée de la chanson québécoise en France. Précurseur, il ouvre la porte à toute une lignée de chansonniers et interprètes du Québec sur la scène internationale. Ses succès constituent la preuve des qualités de la production nationale. Ils contribuent à libérer le Québécois de ses complexes.

Au-delà de la beauté et de la profondeur de ses textes et de ses sentiments, au-delà également de son engagement humain et social, Félix Leclerc projette une image inattendue du Québécois. Cette image est à la fois nostalgique et délinquante. Quand il monte sur la scène parisienne en 1950 ou en 1960, la guitare à la main, en veste à carreaux et un pied appuyé sur une chaise, il apparaît désinvolte, en rupture avec les bonnes manières et les formes acceptées de présentation. Le personnage qu'il incarne ressemble bien peu au Québécois de cette époque. Quelques années plus tard, Gilles Vigneault, avec sa voix éraillée, puis Robert Charlebois affichent une semblable désinvolture. Lors de son premier spectacle à l'Olympia de Paris, Charlebois va même jusqu'à lancer sa guitare dans l'auditoire en criant que le public ne comprenait pas. Le contenu des thèmes abordés change considérablement de Félix Leclerc ou Gilles Vigneault à Robert Charlebois. Les premiers chantent l'immensité, le pays, la forêt, la solitude, la ruralité, le froid, en somme des représentations collectives bien connues. Charlebois, lui, affirme son américanité de toutes ses forces, dans le rythme comme dans le texte de ses chansons. Il parle du quotidien, des transports, de l'argent, de la faim, de la ville. Les uns et les autres se rejoignent pour dénoncer, dans une même langue accessible et particulière, les misères humaines et sociales. Ils chantent l'intimité, qu'elle soit douce ou violente, ressentie jusqu'au tréfonds de l'âme ou vécue devant un « frigidaire » et une bourse vides.

Ces représentations paradoxales se côtoient harmonieusement dans la mémoire québécoise. Elles sont évoquées en parallèle plus qu'en succession. Elles illustrent une façon de fonctionner de la mémoire. Cette mémoire collective est en partie incontrôlable. Même les créateurs se font prendre à ses tours. Félix Leclerc aurait mieux aimé que l'on retienne de lui ses écrits et ses poèmes plutôt que son image de chansonnier-interprète.

L'histoire de la communication au Québec

À bien des égards, le domaine de la communication a remplacé les lieux de mémoire, hier privilégiés. Ce secteur d'activité a récupéré une bonne partie des pouvoirs autrefois monopoles de l'Église, de l'État ou de l'École. Rien n'échappe à son emprise. Il couvre tous les champs de la vie. Il englobe le réel comme l'imaginaire. Il sacralise ou désacralise presque à volonté. Le médiateur sélectionne et diffuse ce qu'il estime bon. Cette production en constante effervescence n'a pas de raison d'interroger les fondements de son pouvoir ou de ses pratiques. Elle agit en pleine puissance de ses moyens technologiques.

Le domaine des communications n'a par contre rien d'homogène, car plusieurs personnes ou organismes s'y partagent le pouvoir en prônant des idéologies ou des valeurs différentes. Il est également très vaste, il englobe les revues spécialisées, les journaux, la radio, la télévision, le cinéma et les vidéocassettes, etc. Ses préoccupations évoluent de la nouvelle au roman, du sport aux arts d'interprétation, de la politique aux faits divers, des données économiques aux tragédies sociales, du divertissement à la chronique ou à l'émission d'intérêt public. Les médias divertissent, mais aussi informent et forment à une cadence qu'aucune société n'a connue jusqu'ici. Ils s'adressent à des clientèles variées, de tous âges et d'intérêts divers. C'est là une autre différence essentielle en regard des grands lieux de pouvoir traditionnels. La production est si vaste que le consommateur peut choisir ce qui lui plaît. L'influence des téléspectateurs sur la constitution de la grille horaire et du contenu des émissions est évidente. Il faut rejoindre le client, discerner ses goûts et y répondre. Cotes d'écoute et tirages incitent fortement les médias à s'appuyer sur des sensibilités collectives qu'ils finissent par refléter.

Les moyens de consommation de masse influencent finalement des identités personnelles qui se muent en tendances collectives. Les différents contenus reflètent comme un miroir une société en évolution. Ils en illustrent la pluralité des comportements, des valeurs et des appartenances sociales et culturelles. Ils consolident des facettes d'identité, selon les thèmes privilégiés par les lecteurs, auditeurs ou spectateurs. Par les enquêtes, sondages et interventions, ils précisent et façonnent les courants d'opinion. En somme, leur rapport à l'identité est aussi multiple qu'important en ce qui a trait aux perceptions de la vie, du monde, de la culture et des mentalités.

La matière couverte par le champ des communications est tellement vaste que seul un survol de l'histoire, du reste réduit aux seuls médias, permet de tracer une esquisse pertinente de leur influence sur l'identité québécoise. Les journaux ne se développent au Québec qu'au début du XIXᵉ siècle. Ils livrent surtout de la nouvelle internationale et des prises de position politiques et idéologiques. Quelques années seulement après l'apparition des journaux populaires aux États-Unis, *La Patrie* en 1872 et *La Presse* en 1884 emboîtent le pas. Le journal devient une production à l'intention des masses. Au tournant du XXᵉ siècle, on commence à se plaindre de la percée du modèle d'une certaine presse américaine, où la publicité, la photographie et le sensationnalisme disputent l'espace aux articles de fond. En 1919, le format tabloïd fait son apparition. *Le Petit Journal,* fondé en 1925, et *La Patrie du Dimanche,* en 1935, s'en inspirent directement. À compter de 1935, les journaux québécois vont de plus en plus s'abreuver à l'agence de presse internationale nouvellement formée aux États-Unis.

En multipliant les moyens et les techniques de communication, la radio ouvre la porte à une démocratisation et à une diversification des formes d'expression culturelles. Des émissions qui évoquent les travers et les déséquilibres de la société suscitent un engouement considérable. Une gamme étendue de sensibilités populaires trouve un canal privilégié d'expression. L'auditeur, par ses goûts et ses préoccupations, influence de plus en plus la programmation.

L'apparition de la télévision en 1952 ouvre une nouvelle fenêtre sur le monde extérieur. Les gens peuvent se voir, s'entendre, s'observer, se comparer, s'objectiver, mieux se connaître individuellement et peut-être collectivement. La télévision montre que la vérité comporte plusieurs facettes. Elle rompt l'unanimité, permet d'exprimer des idées sans risquer l'anathème, introduit une plus grande tolérance et entraîne la suppression de certains tabous. Les sensibilités collectives peuvent plus facilement s'exprimer.

Dans la programmation, les téléromans, les sports et les émissions pour enfants obtiennent la faveur du public. Le rêve l'emporte sur la réalité. Les personnages des continuités, les vedettes du sport et des arts d'interprétation sont parfois mieux connus que les voisins de palier. Les rôles joués par les interprètes leur collent à la peau, comme une nouvelle identité. Ils suscitent l'affection, la pitié, l'animosité, signe de puissants sentiments d'identification. L'astuce des producteurs fut de créer des personnages qui ressemblent au « vrai monde », vivant dans le présent ou dans le passé, dans le rêve ou la réalité.

La faiblesse du marché francophone québécois a rapidement obligé à puiser dans les émissions produites à l'étranger. Dans les années 1950, Ovila Légaré, un artiste reconnu comme un des meilleurs interprètes du folklore québécois, emprunte plusieurs de ses idées à des émissions américaines. Les séries américaines gagnent de plus en plus la faveur du public québécois, au détriment de celles conçues sur place. Par la chanson, le sport, la nouvelle, les émissions de divertissement, les téléromans, la culture américaine pénètre dans chaque foyer, envahit l'esprit et les sensibilités. Elle crée des points de référence culturelle en dehors de l'espace antérieurement connu. Certains estiment qu'elle façonne un imaginaire culturel au désavantage de notre identité.

*

Les productions culturelles projettent un double reflet de l'expression d'une identité ; d'une part, par ce qu'elles sont et produisent ; d'autre part, par les situations, les personnages et les valeurs qu'elles présentent à l'attention des publics qui les soutiennent. Ces productions offrent une gamme infinie d'images variées, mais elles paraissent à la fois trop nombreuses et trop riches pour être synthétisées et mises en mémoire, puisqu'elles « disent » l'humain dans sa vie et ses sensibilités.

À cause de leur nouveauté à l'époque de leur apparition, d'un certain exotisme peut-être, de la distance qui déjà nous en sépare et d'un engouement périodiquement ravivé pour les œuvres pionnières, les débuts de la radio et de la télévision ont laissé davantage de souvenirs partagés. Souvenirs disparates tout de même, répartis par tranches d'âge et nourris de noms d'auteurs et de personnages, d'émotions et de faits divers.

La surabondance des productions culturelles a cependant des effets d'éparpillement sur le souvenir collectif. Reflet d'un monde multiple, à contenus diversifiés et reposant sur des technologies particulières, les productions culturelles se sont spécialisées et s'adressent à des clientèles cibles. En outre, le mode individualisé de la transmission médiatique a pour effet de réduire les échanges entre les personnes. Les lecteurs/auditeurs/spectateurs se retrouvent isolés ou par petits groupes, en fonction de champs d'intérêt, de valeurs morales, d'appartenance sociale et de choix culturels. En somme, assez paradoxalement, la communication de masse fragmente et disperse le souvenir.

Les médias renforcent également l'instantanéité. Une bonne annonce télévisée de 30 secondes projette au moins 15 images différentes. La succession débridée de messages a quelque chose d'anti-mémoriel. Certains estiment que ces productions s'annulent l'une l'autre ou s'effacent au fur et à mesure de leur diffusion. Peut-être, en effet, la mémoire a-t-elle quelque difficulté à les saisir dans leur ensemble et à les utiliser comme une expérience utile. Malgré ces réserves, l'utilité et l'intérêt que les compagnies, les groupes politiques, sociaux, culturels ou religieux accordent à la publicité révèlent l'importance qu'on y attache. Et encore, il y a ce qui reste dans l'inconscient. Les études sur la violence chez les enfants, par exemple, et les choix d'animateurs ou de personnages faisant partie des communautés visibles montrent que ces messages n'ont rien de neutre.

Le substrat historique permet une évaluation davantage saisissable de la signification des productions culturelles québécoises dans l'évolution des collectivités. Deux éléments se dégagent avec plus de netteté. La comparaison entre les divers secteurs de la production a fait ressortir d'impressionnantes similitudes et simultanéités. Un même mouvement d'ensemble a balisé leur cheminement. En fond de scène, la vie urbaine, la misère sociale, puis une amélioration assez généralisée des moyens matériels dont chacun vient à disposer au lendemain de la guerre. À l'avant-plan, des contestations, des succès populaires, les droits de l'être humain et une ouverture internationale.

L'élément déclencheur de ces transformations, le contexte qui s'applique à toutes, directement et indistinctement, de façon pertinente et immédiate, réside dans la circulation des idées. La multiplication des instruments de diffusion donne la parole à d'autres interlocuteurs. Elle fait découvrir d'autres perceptions, d'autres façons de faire, d'autres croyances, d'autres valeurs. Avec le journal, la radio et la télévision, les revues spécialisées et le cinéma sur cassette, le monde pénètre dans chaque foyer. Cette communication révèle des faits, suscite des réactions affectives, enrichit l'expérience, nourrit la mémoire et pénètre jusque dans l'inconscient. Son rapport à l'identité est bouleversant.

Les productions culturelles influent sur l'identité d'une façon qui n'est pas mesurable. Mais un constat majeur s'impose : l'ouverture au monde. Que cette relation avec l'ailleurs ait été conservatrice, conformiste et mimétiste ou qu'elle se soit voulue novatrice, moderniste et insoumise, les sources d'inspiration d'hier demeurent étrangères. Depuis le milieu du XIXe siècle, les courants d'idée et les savoir-faire qui circulent en Europe ou aux États-Unis trouvent rapidement une résonance au Québec. Les Québécois reçoivent, adoptent et intègrent ces productions qui les changent sans, apparemment, menacer leur identité. Certains en viennent cependant à conclure que, sans s'en rendre compte, les Québécois sont devenus des Américains parlant français.

Les principaux changements et les réalisations retenues ici comme les plus marquantes proviennent surtout de ceux qui se sont le plus écartés du modèle idéologique dominant. Ce sont ces opposants, aux confins de la marginalité, que les collectivités ont fini par célébrer. Comme nous y conviait l'opinion rassurante des autres, et en particulier des Français, les Québécois ont noté les qualités de ces productions, contribuant ainsi à façonner un passé dont ils puissent être fiers. Par leur parlure, leur simplicité, leur désinvolture et leurs qualités, les artistes ont su se faire reconnaître dans le monde. Et encore aujourd'hui, l'estampille internationale dans les arts, la culture et même les disciplines universitaires est souvent recherchée. Il y a peut-être là une sensibilité propre à une collectivité qui a été ou dont on a répété à satiété qu'elle était repliée sur elle-même. De fait, les moindres succès sur la scène internationale des entreprises culturelles québécoises ou des artistes de renom sont rapidement associés à des réalisations québécoises.

La *personnalité* du Québécois livrée à travers les productions culturelles prend appui sur trois axes. Le cadre idéologique semble avoir changé fondamentalement, même si la rupture n'est pas complète. La célébrité des contestataires montre à la fois l'appui qu'ils ont reçu et la liberté d'expression dont ils ont pu jouir. Dans ce nouveau lieu de mémoire fondé sur la communication, les productions culturelles associent aussi bien les représentations d'antan (*Le temps d'une paix*, par exemple) que les projections dans le futur (*Le déclin de l'Empire américain*). Enfin, à travers l'émergence des préoccupations sociales, le sentiment national se maintient comme volonté autant que comme expression d'un style de vie.

* * *

Les savoir-faire techniques et culturels ont souvent été associés dans le temps. Au XVIIIe siècle, on parlait des arts mécaniques ; hier, des métiers d'art ; aujourd'hui, des industries, aussi bien technologiques que culturelles. L'évolution de ces domaines comporte une grande similarité. Dans chacun d'eux, les productions semblent constituer des réalisations uniques et des performances d'artistes, l'œuvre demeurant inséparable de son producteur. Les études qui en traitent empruntent généralement les mêmes pistes. Elles privilégient l'unique, qu'il s'agisse d'un secteur, d'un auteur ou d'une œuvre. Par ailleurs, ces productions ont généralement été représentées à travers un seul discours idéologique, aussi puissant que normalisateur. En fait, elles sont également réunies dans la réalité historique qu'elles partagent. Que l'on s'arrête à une œuvre de l'esprit et de sentiments comme le théâtre, ou à des biens matériels comme la recherche du confort américain, c'est une seule et même conception de la vie, une seule expression culturelle, une même identité de personnage et de personnalité que l'on observe.

S'il faut s'imaginer pour pouvoir se dire, il est loisible de considérer que l'histoire des savoir-faire techniques et culturels peut être ramenée à deux grands modèles de référence, à deux grands discours identitaires. Le premier, conçu et construit par les élites intellectuelles œuvrant dans les champs politique, religieux et littéraire, a été élaboré dans les années 1840. Ce discours globalisant, d'autorité et de vérité, passéiste et ruraliste, prône le resserrement d'une collectivité autour des valeurs nationales et traditionnelles. Il s'appuie sur les racines françaises, les institutions et les qualités morales de l'artisan et de l'intellectuel. Ce petit peuple canadien-français, menacé de toutes parts, est invité à se replier sur lui-même et sur son passé pour assurer sa sauvegarde. Le second modèle de référence se formule plus distinctement dans le sillage de la Révolution tranquille. Véhiculé par les médias, il résulte d'une sorte de consensus populaire, s'appuyant ainsi sur des bases élargies, démocratiques et plurielles. Cette « voix du peuple », fruit de libres choix, est davantage axée sur la ville, sur l'économie et sur l'internationalisme. Elle prêche la modernité.

Ces deux discours idéologiques ont en quelque sorte défini la *personnalité* du Québécois, puisqu'ils proposent des finalités et des modèles à suivre. Il est impossible d'y rester indifférent; on est pour ou contre, par engagement ou dans son comportement. C'est que ces discours, à saveur morale ou intellectuelle, couvrent et dirigent toutes les facettes de la vie. Ils présentent un paysage idéal à construire, un mode de vie à instaurer, un réseau de relations à favoriser, une attitude à observer face à ce qui est ou à ce qui vient de l'extérieur.

Le sociologue Marcel Fournier décrit la rencontre de ces deux discours comme celle de deux mondes. L'affrontement était inévitable, dans les faits et dans les sensibilités. Pour lui, le renversement de la tendance se produit au tournant des années 1920 et se manifeste dans une volonté de modernité. Cette interprétation basée sur un glissement des sensibilités correspond à la multiplication des communications. Avec la radio, la dépendance envers l'image du catalogue ou le texte du journal disparaît. Les périodes requises pour s'informer s'éliminent presque complètement. L'information entre dans le quotidien, sans écarter d'autres tâches ou d'autres occupations. La diffusion des connaissances et

Posséder la terre entière

« Je me suis reconnu de mon village d'abord, de ma province ensuite, Canadien français après, plus Canadien que Français à mon premier voyage en Europe. Canadien (tout court, profondément semblable à mes compatriotes) à New York, Nord-Américain depuis peu. De là, j'espère posséder la terre entière. »

(Paul-Émile Borduas, 1959, cité dans *La Presse*, 7 mai 1988, p. E-5.)

des idées prend de l'ampleur, en même temps que le discours se renouvelle et se diversifie, tout en bénéficiant d'une audience élargie.

Le discours de la modernité commence à s'affirmer à compter des années 1920. Sa formulation plus claire après 1960 constitue un aboutissement dont les racines plongent loin dans le passé. Cette modernité paraît être le fruit d'un mouvement de longue durée, traversé de luttes épisodiques, de fluctuations, d'interdictions, voire de reculs temporaires, mais dont la tendance générale semble irréversible.

Dès que le discours idéologique clérico-nationaliste s'est élaboré, il a eu des opposants et des détracteurs. Journalistes, essayistes, littéraires, intellectuels en tout genre qui se nourrissent aux philosophies libérales européennes ont dénoncé cette perception. Ils attaquent vigoureusement le clergé, les hommes politiques et les institutions. Les virulentes dénonciations dont ils sont les victimes à leur tour et les vexations essuyées par les créateurs et les partisans de la lutte ouvrière confirment l'importance des dérogations et des oppositions au discours idéologique dominant.

Les faits observables témoignent éloquemment des réalités et des sensibilités différentes du discours idéologique. Les grèves déclenchées par les ouvriers, dans des contextes hasardeux pour eux, illustrent la force des convictions. L'analyse des intérieurs domestiques, des aménagements inscrits dans le paysage, des échanges de biens, des outils d'artisans, des équipements de ferme, des brevets, des marchés de consommation, de la distribution de la population, des secteurs d'activité, tout autant que des programmes de spectacles ou des œuvres d'artistes révèle que des innovations majeures dans le mode de vie ont été introduites de l'extérieur à compter de la première moitié du XIXe siècle et se sont poursuivies par la suite. Comme le prouvent la rapide pénétration des innovations matérielles et les succès des ventes par catalogue, les personnes veulent être de leur temps. L'urbanisation et l'industrialisation, qui marquent le contexte de cette période de notre histoire, se traduisent en un vécu tangible, en des réalités mesurables. Au milieu du XIXe siècle, au moment où l'on prône le repli sur soi, le Québec est en fait ouvert, sensible et réceptif à ce qui se passe ailleurs et à la nouveauté. Les courants internationaux d'ordre culturel ou technique s'y implantent sans délai.

Les sensibilités populaires s'expriment aussi dans le théâtre et les spectacles, les joutes politiques et sociales ou la recherche du confort matériel. Au début du XXᵉ siècle, cette tendance se renforce et se gonfle de nouveaux modes d'expression, à la faveur d'un contexte historique particulier. Les guerres accentuent l'ouverture sur le monde. La crise avive la prise de conscience des fragilités de l'équilibre et de l'équité dans la société. Quelques périodes de prospérité favorisent la diffusion et l'adoption de technologies et de savoirs nouveaux qui reflètent ce que les gens aiment, apprécient et achètent. L'urbain, le social et l'humain mis de l'avant sont en rupture avec l'idéologie antérieure. Même le clergé finit par s'introduire dans les modes d'expression que, jusque-là, il dénonçait.

La reconnaissance internationale, autour des années 1950, de la qualité des productions rétablit la jonction entre les perceptions savantes ou élitistes et les sensibilités de masse. Elle donne des lettres de créance aux savoir-faire techniques et culturels québécois. Elle permet la reconnaissance de nouveaux fondements de l'identité, plus complexes et plus diversifiés, plus urbains que ruraux, davantage ouverts aux courants internationaux et tournés vers l'intimité de l'humain. Quand s'amorce la Révolution tranquille, le répertoire des productions est connu et la pièce est prête pour la générale. Quand le rideau est tiré, tous les acteurs sont déjà en place sur la scène. Et le premier mot est lancé: «Désormais».

LECTURES COMPLÉMENTAIRES

Barbeau, Marius, *Maîtres artisans de chez-nous*, Montréal, Éditions du Zodiaque, 1942.

Bédard, Roger-J., *L'essor économique du Québec*, Montréal, Beauchemin, 1969.

Bonville, Jean de, *Jean-Baptiste Gagnepetit. Les travailleurs montréalais à la fin du XIXe siècle*, Montréal, L'Aurore, 1975.

Bouchard, René (dir.), *La vie quotidienne au Québec. Histoire, métiers, techniques et traditions*, Sillery, PUQ, 1983.

Chartrand, Luc, Raymond Duchesne et Yves Gingras, *Histoire des sciences au Québec*, Montréal, Boréal Express, 1987.

Debresson, Christian, Brent Murray et Louise Brodeur, *L'innovation au Québec*, Québec, Coopérative de recherche sur la science et la technologie, 1986.

Dionne, René (dir.), *Le Québécois et sa littérature*, Sherbrooke, Éditions Naaman, 1984.

Fauteux, Joseph Noël, *Essai sur l'industrie au Canada sous le régime français*, Québec, Éditions Louis-A. Proulx, 2 vol., 1927.

Gouvernement du Québec, *Les PME au Québec. État de la situation. Rapport du ministre délégué aux PME, 1987*, Québec, Ministère de l'Industrie et du Commerce, 1987.

Laflamme, Jean, et Rémi Tourangeau, *L'Église et le théâtre au Québec*, Montréal, Fides, 1979.

Lamonde, Yvan, et Esther Trépanier (dir.), *L'avènement de la modernité culturelle au Québec*, Québec, IQRC, 1986.

Lemire, Maurice (dir.), *Dictionnaire des œuvres littéraires du Québec*, Montréal, Fides, 5 vol., 1978-1987.

Robert, Guy, *L'art au Québec depuis 1940*, Montréal, La Presse, 1973.

Roy, Fernande, *Progrès, harmonie, liberté. Le libéralisme des milieux d'affaires francophones à Montréal au tournant du siècle*, Montréal, Boréal Express, 1988.

CHAPITRE SEPTIÈME

LES REPRÉSENTATIONS SYMBOLIQUES

P OUR S'EXPRIMER, l'identité québécoise a emprunté toutes sortes de formules métaphoriques se référant à l'espace, à la famille, à la composition de la population, aux habiletés techniques et culturelles. Elle s'est également affirmée dans des représentations symboliques qui ont en quelque sorte personnifié le Québécois dans des héros ou des objets et qui l'ont personnalisé dans ses valeurs et ses engagements. Le Québécois se reconnaissait dans ces représentations. Raquettes ou ber, rouet ou chemise à carreaux, maison canadienne ou armoire à pointes de diamant, Jacques Cartier et 1534, Dollard des Ormeaux ou Madeleine de Verchères, la langue française, les hommes forts, la fête de la Saint-Jean, tout cela servait à définir les singularités de la collectivité québécoise. La devise même du Québec *Je me souviens*, qu'elle se vérifie ou non dans les comportements, tout comme l'immense vague de rétromanie des années 1970, rappelle que le passé constitue un lieu prioritaire d'assise des appartenances collectives. Le passé mythifié est un point de référence pour définir les voies de l'avenir.

La relation des Québécois à leur passé a varié dans sa nature et son intensité. Elle s'est compartimentée dans plusieurs disciplines. Elle s'est officialisée dans des programmes culturels ou éducatifs mis de l'avant par les autorités civiles et religieuses. Elle s'est également popularisée. Les séries télévisées, les revues de vulgarisation, les centres d'interprétation, les regroupements de familles souches, les itinéraires historiques et, dans les années 1970, l'engouement pour le patrimoine mobilier ou immobilier montrent l'ampleur, la force et la diversité de cet intérêt. Mais il reste à voir jusqu'à quel point ces intérêts rejoignent ceux d'hier ou en différent et à dégager les ruptures et les permanences.

Ce qui importe par-dessus tout, c'est de préciser le rapport de la collectivité québécoise à ces représentations élevées au rang de symboles de son identité. Ce propos ne vise d'aucune façon à refaire l'histoire des événements les plus importants, des héros les plus célébrés, des manifestations les plus éclatantes ou des luttes pour la langue française. L'histoire de ces faits est assez bien documentée, connue et enseignée. Notre démarche porte davantage sur les contextes de pertinence explicatifs des survivances, des changements ou des remplacements de ces représentations. Elle touche la provenance, les circonstances, la force et la signification de ces lieux qui expriment et façonnent l'identité. Elle tente ainsi de cerner les sensibilités les plus vives d'une société.

Dans l'analyse de cette relation au passé québécois, nous avons privilégié des modes et des lieux particuliers reconnus comme les plus importants dans la mémoire collective : la langue transmise dans le milieu familial, la succession des événements et la vie des héros apprises à l'école, les manifestations qui traduisent ou engendrent des sentiments d'appartenance et les objets sacralisés à des fins de remémoration. En fait, notre intérêt porte sur l'interprétation critique de ces représentations, leur évolution et leur pertinence.

LA LANGUE

Le français a été, avec la religion, un signe et un instrument de la survivance nationale, un rempart de l'identité. On peut reconnaître un individu, une provenance, un groupe social, une collectivité par ses usages linguistiques, presque aussi sûrement que si l'on prenait les empreintes digitales d'une personne. La langue est marquée par le territoire qu'elle décrit et par les gens qui la parlent. Fruit des traditions, elle traduit un environnement et une appartenance. À ces caractéristiques propres s'ajoute une volonté constamment affirmée au Québec de préserver le parler français.

Dès les débuts de la Nouvelle-France, le français est devenu la langue de communication. Tandis que certains linguistes affirment que le français a été pratiqué ici comme langue nationale un siècle plus tôt qu'en France, d'autres estiment que la majorité des immigrants possédaient une maîtrise minimale du français. Retenons qu'en Nouvelle-France les nombreux parlers régionaux de la France (breton, basque, normand, saintongeais, provençal) se sont estompés rapidement au profit de l'usage uniformisé du français. En 1720, Charlevoix affirme que « nulle part ailleurs on ne parle plus purement notre langue. On ne remarque même ici aucun accent. »

Comme toute langue vivante cependant, le français a évolué même si la langue québécoise actuelle conserve en héritage de vieux termes oubliés depuis en France. Les vocabulaires de la marine, du temps qu'il fait et de la religion sont demeurés riches de diversité et d'application. Des « canadianismes », devenus depuis quelques années des « québécismes », se sont ajoutés. Il a fallu trouver ou emprunter des mots pour décrire des réalités nouvelles et un mode de vie différent. La rencontre avec les nations amérindiennes a fourni de nouveaux termes, en particulier pour nommer des lieux ou des espèces d'animaux. La présence britannique a introduit de nouvelles expressions et de nouveaux usages. Langue du conquérant et, partant, langue du pouvoir, jouissant d'une position de prestige, elle en a séduit plusieurs. Au XIXe siècle, les termes techniques, créés dans la foulée de l'essor industriel à dominante anglophone, ont investi le parler des francophones. La présence américaine et la force de ses productions sportives et culturelles ont accentué l'usage de l'anglais, surtout dans la langue parlée.

Les particularités du vocabulaire québécois ont été notées très tôt. On a cru utile de relever les mots ou les expressions typiques à cette collectivité. En 1726, C.-M.

Une langue à reconnaître

« Il y a encore une espérance que nous n'abandonnons pas et que nous devons, par tous nos efforts, tâcher de réaliser, c'est d'être reconnus officiellement sous le rapport du langage, par le pays d'où nos ancêtres sont venus, c'est d'être admis à concourir comme nos frères d'outre-mer, à l'augmentation de l'héritage paternel. Car, cette langue si belle, qui est restée la langue officielle de presque toutes les cours de l'Europe, non contents de la conserver dans toute sa pureté et son intégrité, nous l'avons enrichie d'une foule de mots et de locutions empruntées à des circonstances nouvelles et qui ne pouvaient se produire que difficilement ailleurs qu'ici. Placés dans une situation spéciale, dans un milieu différent de l'ancien monde, tant au point de vue du mode de vivre que sous le rapport de la nature matérielle, nous avons dû nécessairement exprimer des états nouveaux et des idées nouvelles par des mots nouveaux. Ces mots, nous les avons créés et nous nous en servons encore tous les jours. Avions-nous le droit de les créer ? Avions-nous le droit de nous en servir ? Et pourquoi non ? Une langue n'est pas une chose immuable ; il est vrai qu'on peut bien en fixer d'une façon à peu près définitive les règles grammaticales, mais jamais on ne pourra empêcher ceux qui la parlent d'étendre ou de modifier d'un commun accord et suivant les circonstances, certaines expressions, ou, au besoin, de créer des expressions nouvelles. »

(Napoléon Legendre, *La langue française au Canada*, Québec, Darveau, 1890, cité par Guy Bouthillier et Jean Meynaud, *Le choc des langues au Québec, 1760-1970*, Sillery, PUQ, 1972, p. 223.)

Le « franglais », voilà l'ennemi !

« Le principal danger auquel notre langue est exposée provient de notre contact avec les Anglais. Je ne fais pas allusion à la manie de certains Canadiens de parler l'anglais à tout propos et hors de propos. Je veux signaler une tendance inconsciente à adopter des tournures étrangères au génie de notre langue, des expressions et des mots impropres ; je veux parler des anglicismes. [...]

Voici comment je définis le véritable anglicisme : « Une signification anglaise donnée à un mot français. » [...] Voilà l'anglicisme proprement dit qui nous envahit et qu'il faut combattre à tout prix si nous voulons que notre langue reste véritablement française. Cette habitude, que nous avons graduellement contractée, de parler anglais avec des mots français, est d'autant plus dangereuse qu'elle est généralement ignorée. C'est un mal caché qui nous ronge sans même que nous nous en doutions. Du moment que les mots qu'on emploie sont français, on s'imagine parler français. Erreur profonde. Pour bien parler et écrire le français, il est non seulement nécessaire d'employer des mots français, il faut de plus donner à ces mots leur véritable signification. Massacrer la langue française avec des mots français est un crime de lèse-nationalité. À mes yeux, les barbarismes, les néologismes, les pléonasmes, les fautes de syntaxe et d'orthographe sont des peccadilles en comparaison des anglicismes qui sont pour ainsi dire des péchés contre nature. »

(Jules-Paul Tardivel, *L'anglicisme, voilà l'ennemi !*, Québec, Imprimerie du « Canadien », 1880, pp. 5-7.)

Saugrain publie un *Dictionnaire universel de la France ancienne et moderne et de la Nouvelle France*. À la fin du Régime français, le jésuite Pierre Potier écrit sur les façons de parler des Canadiens et, en 1810, Jacques Viger publie une *Néologie canadienne*. Par la suite, presque chaque décennie est marquée par la publication de dictionnaires du français écrit et parlé au Québec ou de compilations de barbarismes et d'anglicismes à proscrire. Une grande entreprise systématique, le Trésor de la langue française au Québec, à l'œuvre depuis 1977, commence à publier un dictionnaire du français québécois, en puisant dans toutes les sources historiques. Enfin, les grands dictionnaires d'usage courant publiés par Hachette ou Larousse intègrent de plus en plus de mots typiquement québécois.

Au Québec, l'usage des mots n'est jamais resté neutre. Pendant longtemps, par exemple, on a dit que les mots amérindiens enrichissaient notre vocabulaire, tandis que les anglicismes l'appauvrissaient. C'est dire la charge politique et culturelle dont a été et est encore investie la langue française au Québec. De 1760 à nos jours, cette langue a constitué la représentation la plus forte et la plus durable de l'affirmation de l'identité québécoise. Elle a fait l'objet de luttes politiques épiques et, parfois, de manifestations violentes. Si elle a enregistré des gains dans la reconnaissance officielle qui en a été faite, les revendications à son égard demeurent, tandis que les sensibilités restent à fleur de peau. Dans cette analyse, histoire et mémoire, faits et sensibilités, revendications et reconnaissance s'entremêlent étroitement.

Hier gardienne de la foi, aujourd'hui de la culture, la langue française a été perçue comme le plus solide fondement de l'identité. En 1825, Augustin-Norbert Morin, alors étudiant en droit, a l'audace d'écrire à un juge influent : « C'est dans l'unique désir de servir la cause commune de tous les Canadiens que j'ai pris sur moi, malgré ma jeunesse, la défense d'un de leurs plus importants privilèges, celui du langage, sans lequel tous les autres seraient illusoires. » Entre 1830 et 1840, les groupes nationalistes insistent sur le fait que la langue est la gardienne de la nation. Le député Louis-Hippolyte La Fontaine prononce son premier discours devant l'Assemblée législative du Canada-Uni en français, en signe de protestation contre ce qu'il estime être une injustice faite aux Canadiens français. Dans une brochure publiée en 1880, Jules-Paul Tardivel définit le mauvais usage des mots comme un crime de lèse-nationalité. L'avocat, historien et homme politique Thomas Chapais intitule sa conférence de clôture du premier Congrès de la langue française, en 1912, « La langue gardienne de la foi, des traditions, de la nationalité ». Le premier ministre René Lévesque ne pensera pas autrement lors du débat sur l'adoption de la Loi sur la langue française en 1977. Dans une réponse au premier ministre du Canada Pierre Elliott Trudeau, il écrit : « Nous devons garder intacts nos pouvoirs en matière d'éducation pour la sauvegarde de notre identité culturelle. » Pour le gouvernement d'alors, la langue française est un milieu de vie ; son statut juridique est une question de justice sociale.

Si le français a toujours été communément pratiqué au Québec, il n'a pas toujours été reconnu comme langue officielle ou langue nationale. Après la Conquête de 1760, il n'a plus de statut légal ; il est toléré comme une langue d'usage. En 1840, par l'article 41 de l'Acte d'Union, l'anglais devient la seule langue des textes officiels. Cet article est abrogé en 1848 et, par l'Acte de l'Amérique du Nord britannique, le français devient l'une des deux langues officielles au Parlement fédéral ainsi qu'à la législature de la province de Québec. Dorénavant, on se bat pour qu'il survive à la grandeur

*Par son cri « Vive le Québec libre ! »
lancé du haut du balcon de l'hôtel
de ville de Montréal le 24 juillet
1967, le général de Gaulle a rejoint
les sensibilités nationalistes
profondes des Québécois. Il a
contribué à faire rayonner la
personnalité du Québécois à travers
le monde.*

(Photothèque *Le Devoir*, 25 juillet 1967.)

Bouleversé par l'accueil délirant de Montréal, De Gaulle : Vive le Québec libre !

du Canada. En 1961, on crée l'Office de la langue française. En 1969, le projet de loi 63 proposant aux Québécois le libre choix de la langue d'enseignement soulève une opposition massive. En 1974, le projet de loi 22 consacre la reconnaissance du français et de l'anglais dans tous les secteurs d'activité. En 1977, le gouvernement adopte une charte de la langue française, par le projet de loi 101, qui reconnaît la primauté du français.

Charte de la langue française, dite loi 101

(Sanctionnée le 26 août 1977)
« Préambule
Langue distinctive d'un peuple majoritairement francophone, la langue française permet au peuple québécois d'exprimer son identité.

L'Assemblée nationale reconnaît la volonté des Québécois d'assurer la qualité et le rayonnement de la langue française. Elle est donc résolue à faire du français la langue de l'État et de la Loi aussi bien que la langue normale et habituelle du travail, de l'enseignement, des communications, du commerce et des affaires.

L'Assemblée nationale entend poursuivre cet objectif dans un climat de justice et d'ouverture à l'égard des minorités ethniques, dont elle reconnaît l'apport précieux au développement du Québec.

L'Assemblée nationale reconnaît aux Amérindiens et aux Inuit du Québec, descendants des premiers habitants du pays, le droit qu'ils ont de maintenir et de développer leurs langue et culture d'origine.

Ces principes s'inscrivent dans le mouvement universel de revalorisation des cultures nationales qui confère à chaque peuple l'obligation d'apporter une contribution particulière à la communauté internationale.

SA MAJESTÉ, de l'avis et du consentement de l'Assemblée nationale du Québec, décrète ce qui suit :

Titre premier : Le statut de la langue française

Chapitre premier : La langue officielle du Québec

Article premier : Le français est la langue officielle du Québec. »

(Éditeur officiel du Québec, *Préfixe du recueil des lois de 1977*, Québec, 1977, pp. 55-72.)

Cette évolution du statut juridique procède souvent de sensibilités populaires avivées, soit durant les situations économiques difficiles, soit quand les droits du français sont menacés dans les autres provinces. Depuis la Confédération de 1867 jusqu'à nos jours, débats politiques, organismes voués à la défense puis à la promotion de la langue, campagnes de francisation, publication de dictionnaires, manuels, traités et recueils réaffirment périodiquement cette volonté de la majorité de vivre en français au Québec.

Depuis les années 1960, la situation linguistique au Québec semble remplie de paradoxes. Au moment où le frère Untel dénonce dans ses *Insolences* la pauvre qualité du français des étudiants, des écrivains comme Michel Tremblay utilisent la «langue parlée par le peuple», le «joual», dit-on. Pour les puristes, cette mode constitue un abâtardissement inouï de la qualité de la langue. Pour ceux qui en usent et la répandent, cette façon de s'exprimer s'apparente davantage à une prise de position politique et nationale. Elle se veut une revendication identitaire insistant sur la profondeur des convictions. À maints égards, par ailleurs, la situation et la qualité du français paraissent s'être améliorées. L'influence des médias et l'augmentation du niveau de scolarité ont favorisé l'usage d'un français plus standard. Le français québécois, comme les autres productions culturelles, s'est internationalisé. Par contre, il faut maintenant imposer des examens de français à l'entrée dans certaines universités, tant sa maîtrise reste inégale selon les individus.

Parmi les préoccupations primordiales de la question linguistique au Québec, celles de la langue apprise par les migrants, de la langue d'usage en fonction de la langue maternelle, des transferts linguistiques et de l'apprentissage d'une langue seconde ont retenu l'attention. Les choix linguistiques paraissent finalement correspondre à des choix de culture, d'identité et de destin collectif, d'où les émotions qu'ils soulèvent. La population du Québec née à l'étranger et qui ne connaît aucune des langues officielles à son arrivée a tendance à choisir comme langue d'usage l'anglais plutôt que le français. À ce débat jugé crucial s'est ajoutée récemment la question de la montée du bilinguisme. De plus en plus de francophones, 28,7 pour cent dans l'ensemble du Québec, se disent bilingues. À Montréal, c'est tout près de 50 pour cent qui parlent l'anglais et le français.

Mouvement Québec français

«Le Mouvement Québec français proclame pour le peuple québécois le droit de penser, de vivre et de travailler dans sa langue. [...]

Le Mouvement Québec français connaît l'importance des autres combats que mène actuellement le peuple québécois. Il a choisi de lutter pour la défense de la langue parce qu'il constate que la domination linguistique, qui obscurcit la pensée et habitue à l'asservissement, est solidaire des autres dominations dont elle constitue la garantie la plus sûre. La libération linguistique porte en elle la promesse de libérations plus profondes : libérer la langue, c'est déjà libérer ceux qui la parlent. [...]

Québécois, il n'est pas vrai que l'anglais soit la seule langue de la technologie, des milliers d'ingénieurs de langue française, allemande ou russe sont là pour en témoigner ;

Québécois, il n'est pas vrai que l'anglais soit la seule langue de l'Amérique, des millions de Mexicains et de Cubains, de Brésiliens et de Chiliens sont là pour en témoigner ;

Québécois, on te trompe quand le gouvernement québécois permet par la loi 63 que les immigrants grossissent les rangs de la minorité anglophone ;

Québécois, on te trompe quand on te dit que l'État est impuissant à agir dans le domaine linguistique ;

Québécois, on te trompe quand on oublie de te dire que la domination de l'anglais fait du français la langue du chômage, du «cheap labor» et de l'humiliation collective ;

Nous, travailleurs, agriculteurs, enseignants, patriotes rassemblés au sein du Mouvement Québec français, conscients de nos responsabilités actuelles, et confiants dans la force d'un peuple déterminé, constatons que la domination de l'anglais est synonyme de défaite, d'humiliation, de haine de soi ; qu'un peuple qui n'aime pas sa langue ne s'aime pas ; et qu'un peuple qui ne s'aime pas ne peut aimer les autres.

Nous du Québec français, dénonçons les méfaits du bilinguisme généralisé, qui ravale le français au rang de langue secondaire et qui permet l'anglicisation massive des immigrants, le plus sûr moyen de réduire les Québécois à l'état de minorité dans leur propre pays.

Nous du Québec français, affirmons qu'il est impérieux de mettre l'État québécois au service de la majorité.

Nous du Québec français, assurons la minorité anglaise qu'elle aura droit à la protection de l'État le jour où, cessant d'être l'instrument de domination étrangère, elle sera devenue véritablement québécoise.

Nous du Québec français, assurons toutes les autres minorités qu'elles trouveront ici une patrie où elles jouiront des mêmes droits que tous les Québécois.

Nous du Québec français, croyons qu'il est possible, nécessaire et juste de bâtir un pays français en Amérique.

En conséquence, nous du Québec français, invitons tous les Québécois, ouvriers et agriculteurs, cadres et techniciens, commerçants et industriels, à prendre dès aujourd'hui les moyens pour faire le Québec français. [...]

Vive le Québec français !

Vive le peuple du Québec ! »

Signataires :
Confédération des syndicats
    nationaux
Fédération des travailleurs
    du Québec
Union catholique
    des cultivateurs
Corporation des enseignants
    du Québec
Mouvement national
    des Québécois
Société Saint-Jean-Baptiste
    de Montréal
Alliance des professeurs
    de Montréal
Association québécoise
    des professeurs de français

(*Québec-Presse*, 25 juin 1972.)

Le bilinguisme

« Au point de vue de la langue, je ne crois pas qu'il soit possible ni désirable que la masse de notre peuple apprenne et parle l'anglais. L'homme du peuple ne peut généralement se servir que d'une langue. La diffusion de la langue anglaise dans les couches populaires se pratiquerait aux dépens de l'idiome national et ne tarderait pas à atteindre les fibres intimes de notre tempérament ethnique. Ce serait la voie la plus sûre vers l'anéantissement de notre nationalité. Il n'en est pas ainsi de nos classes dirigeantes, de ceux qui par leur fortune, leur culture intellectuelle et leur situation politique et sociale doivent diriger notre peuple et maintenir l'union entre nous et nos voisins. À ceux-là incombe le devoir d'apprendre l'anglais, de se rapprocher des classes dirigeantes de la majorité anglaise, d'étudier à fond le tempérament, les aspirations et les tendances des Anglo-Canadiens. Le même devoir s'impose d'ailleurs aux classes dirigeantes du Canada anglais. Si les groupes les plus influents et les plus éclairés des deux races s'efforçaient de se fréquenter davantage et de se mieux connaître, notre avenir national serait moins précaire. »

(Henri Bourassa, « Le Patriotisme canadien-français. Ce qu'il est, ce qu'il doit être », conférence prononcée au Monument National de Montréal, le 27 avril 1902. Voir *Revue canadienne*, tome XLI, 1902, vol. 1, pp. 423-448.)

« Le bilinguisme nous corrode, nous dissout. N'aurions-nous pour le combattre que des arguments d'ordre pédagogique, psychologique et intellectuel, que ce serait suffisant. Mais ce ne sont pas les seuls. Il y en a un autre qui les vaut bien, à mon avis, encore que je l'aie vu mentionné nulle part. Le voici.

Les langues, personne ne l'ignore, sont des organismes vivants. Elles sont sujettes aux maladies, aux accidents. Elles naissent, elles meurent. [...] Or, quel sort, avec notre complicité, notre milieu a-t-il fait au français ?

Jugé du point de vue économique, il est une langue inférieure. La langue des manœuvres, des prolétaires, des gagne-petit. Sans l'anglais, point de salut. Ce n'est pas moi qui le dis. Ce sont, vous le savez, nos chefs qui l'affirment et le proclament à tout venant. Le peuple les a crus et, pis encore, les éducateurs les ont crus. Laïcs et clercs enseignent la comptabilité en anglais, souvent les mathématiques. La quasi-totalité des établissements franco-canadiens sont érigés sous une raison sociale anglaise. La quasi-totalité des inscriptions sur les devantures de magasins, les voitures de livraison, des panneaux-réclame, des annonces sont en anglais. D'où découle que pour nos compatriotes l'anglais a beaucoup plus d'importance que n'en a le français. Nos commerçants et nos industriels le pensent et, avec eux, le troupeau des appétits prêts à abdiquer pour une boîte de conserve ou un verre de whisky blanc.

Jugé du point de vue politique, le français est également une langue inférieure bien que la constitution le reconnaisse à l'égal de l'anglais. En dépit des croisades de la bonne entente, il n'a jamais pénétré les milieux anglophones. En sorte que pour se faire comprendre en Chambre, nos députés en sont réduits à parler anglais. L'égalité des langues n'existe qu'en théorie, non en fait. [...] Une langue subie est une langue inférieure. Et c'est, en politique, le cas de la nôtre.

Jugé du point de vue social, le français tend de plus en plus à devenir une langue inférieure. Ce n'est pas d'aujourd'hui que sévit l'anglomanie. [...]

De tous les ennemis que compte notre langue maternelle, le plus redoutable est donc l'état d'infériorité où les autres et nous-mêmes la plaçons. Si l'anglais possède vraiment toutes les puissances magiques qu'on lui prête, pourquoi le peuple qui ne se soucie guère, l'exemple lui vient de haut, de culture, de plaisirs intellectuels, continuerait-il à parler français ? [...]

L'infériorité économique, politique et sociale du français au Canada n'est pas notre seule cause d'alarme. Si nous nous en rapportons à l'histoire, nous constatons, comme M. Vendriez le signale, « que l'extinction d'une langue est généralement précédée d'une période de bilinguisme plus ou moins longue ». Et laquelle des deux langues en présence disparaît ? Celle précisément qui n'a pas la même valeur que l'autre, qui n'est pas au même niveau. Lorsque la connaissance d'une langue seconde tient uniquement à des raisons matérielles, économiques et lorsque, par surcroît, cette langue est un idiome officiel parlé par les deux tiers de la population, loin qu'elle soit un avantage elle est un danger. Voilà ce que ni M. [Henri] Bourassa ni les partisans du bilinguisme n'ont encore compris. »

(Victor Barbeau, « Le Français, langue inférieure ! », *L'Action nationale*, vol. IX, n° 4, avril 1937, pp. 214-219.)

Répartition des projections cinématographiques, selon la langue (%)

	français	anglais	autres
1975	71,5	27,7	0,8
1976	71,9	27,2	0,9
1977	72,2	26,6	1,2
1978	69,6	29,2	1,2
1979	68,6	29,6	1,7
1980	70,6	27,1	2,3
1981	66,7	31,0	2,3
1982	59,6	37,6	2,8
1983	57,6	40,6	2,1

(*Le Québec statistique. Édition 1985-1986*, Québec, 1985, p. 482.)

Les préoccupations linguistiques se définissent à deux niveaux : celui de la langue et celui de la culture. Des personnalités politiques ont tendance à croire que deux langues peuvent cohabiter facilement, aussi bien chez un même individu que dans une collectivité, apparemment sans conséquence sur les plans de la culture ou de l'identité. Mais où et comment tracer la frontière entre les deux ? D'autres penseurs estiment que le bilinguisme met finalement en jeu l'identité. Pour eux, la langue dépasse les mots que l'on utilise pour devenir le creuset d'une culture et ils entrevoient l'avenir avec un certain pessimisme. La population de langue maternelle française ne représente que 2 pour cent de l'ensemble de la population nord-américaine ; elle vit donc sous la menace constante d'asphyxie. Dans tout le Québec en 1981, 57 pour cent des productions cinématographiques ont été créées en anglais. À Montréal, il existe plus de salles de cinéma anglaises que françaises et presque autant de postes de radio et de télévision anglais que français. La musique, les romans télévisés, les nouvelles diffusées et la production scientifique de pointe paraissent souvent mieux présentés dans leur version anglaise. Et l'affichage n'est-il pas une marque d'identité ? En définitive, le bilinguisme risquerait d'emporter avec lui l'imaginaire d'un peuple, les fondements de sa culture et de son identité. Il aboutirait, comme l'écrivait Thomas Chapais, à renoncer à la langue de nos découvreurs et de nos héros.

LES HÉROS

Un adage veut que «chaque peuple a les héros qu'il mérite». De fait, chaque collectivité identifie des héros et, à travers eux, célèbre et définit une personnalité idéale, qui la représente et traduit ses aspirations. Ce héros incarne les valeurs supérieures privilégiées par le groupe et acquiert ainsi un pouvoir mobilisateur. Cette *personnalité* résulte de la construction d'un *personnage* qui se rapporte à deux réalités : celle de sa vie personnelle et celle de la collectivité qui le glorifie. Il a été partout démontré cependant que le personnage ainsi construit correspond plus aux attentes de ceux qui l'érigent en exemple qu'à l'exacte réalité de sa vie. Un Dollard Des Ormeaux, reconnu vers 1885 seulement, n'a atteint sa pleine célébrité que dans les années 1920. Un Pierre-Esprit Radisson a incarné l'audace, l'habileté, le courage, la victoire sur la nature. Les faits historiques de son exploration pionnière de l'Ouest canadien sont connus, datés, documentés, incontestables. Mais, phénomène renversant dans l'histoire du Québec, le personnage est devenu héros par la magie de l'occultation du fait qu'il avait passé plusieurs années au service des Anglais.

Les héros sont des créations personnifiées et chaque période historique ou chaque collectivité a ses préférés. Ils sont tirés d'un passé lointain ou profitent d'une gloire immédiate, parfois éphémère. Le héros est une actualisation, un exemple et un modèle de vie et de comportement proposés à l'administration du futur. Selon les circonstances, les héros ont vu leurs actions monter ou descendre à la Bourse de la gloire populaire. La sacralisation d'un personnage se présente ainsi comme une récupération au service d'une cause, pour répondre aux besoins d'une époque.

La vie même des héros n'a qu'une signification secondaire dans la perspective de l'identité et, de toute façon, les manuels d'histoire et les études biographiques abondent en précisions sur leurs exploits. Il est plus important de constater quels personnages ont été tirés de la réserve de héros disponibles, à quel moment et à quelle fin, et d'évaluer leur survivance. Quel type de héros, en somme, la société québécoise s'est-elle donné ?

Radisson, héros ou traître ?

« Radisson a été, semble-t-il, un de ces personnages extraordinaires, doués d'un heureux caractère, amoureux de la vie, s'adaptant très facilement et peu encombrés de scrupules religieux, moraux ou patriotiques. Il symbolise tout le pittoresque et la richesse d'une époque d'aventures et d'intrigues, de brutalité et d'imagination. Explorateur-né, il avait non seulement la résistance physique et morale nécessaire à la vie des bois, mais aussi un jugement instinctif et sûr des possibilités qu'offraient certaines régions et certaines routes, sur le plan commercial. Sa connaissance approfondie de la psychologie des Indiens et son enthousiasme spontané devant les beautés de la nature lui ont permis de décrire les terres qu'il découvrait et de faire la chronique de la vie des indigènes. Simple coureur de bois, vivant, chassant et tuant de compagnie avec les Indiens, il prit part à des affaires internationales, vécut dans les milieux de la cour, et eut l'occasion de converser avec des rois. Tantôt Français et catholique, tantôt Anglais (et sans doute protestant), il se maria trois fois, fut témoin de la peste et du grand incendie de Londres, assista au couronnement de Jacques II et vit la fondation de la Hudson's Bay Company. Il passa de rudes hivers dans le Grand Nord et participa à une campagne navale dans les Antilles. Bien qu'il fût opportuniste, un personnage troublant et, au fond, peu recommandable, on ne peut s'empêcher d'admirer ses multiples talents et son extraordinaire vitalité. »

(Grace Lee Nute, « Radisson, Pierre-Esprit », *Dictionnaire biographique du Canada*, Québec, PUL, tome 2, 1969, p. 563.)

Figure de héros

Tous les peuples ont leurs héros méconnus ou tout simplement inconnus, leurs actes héroïques ne se prêtant pas nécessairement à servir de modèle. Bon nombre d'entre eux n'ont jamais eu le plaisir de sentir les bouffées d'encens provenant d'admirateurs passionnés. Plusieurs aussi ont sombré rapidement dans l'oubli.

Une banque de héros potentiels

Dans l'histoire du Québec, tous les secteurs d'activité possèdent leurs héros potentiels. À Hollywood, on remarque plusieurs «stars» originaires du Québec: Ben Blue, Geneviève Bujold, Fify D'Orsay, Glenn Ford, Allyn Ann McLerie, Percy Rodriguez, Norma Shearer, Lucile Watson, John Vernon, etc. Dans le domaine des arts, les figures sont aussi et même plus nombreuses: L'Albani (Emma Lajeunesse), Calixa Lavallée, Éva Gauthier, Fernand Leduc, Paul-Émile Borduas, Antoine-Sébastien Falardeau, madame Edvina, Pauline Donalda, Pierre Mercure, etc. Les hommes forts ou posssédant une compétence spéciale, comme Alexis le Trotteur, Jos Montferrand, Louis Cyr, Victor Delamarre, la famille Baillargeon, mais aussi Gilles Villeneuve et Maurice Richard ont connu la célébrité.

Des dizaines d'autres personnes ont mené à terme des entreprises qui auraient pu en faire des héros de l'histoire: Fred Larose, le fondateur de la ville de Cobalt et le découvreur de la mine; Vital Guérin, fondateur de Saint-Paul, au Minnesota; Emily Tremblay, une héroïne de Dawson City; André Grasset de Saint-Sauveur, égorgé lors de la Révolution française; François-Joseph Chaussegros de Léry, général de l'armée de Napoléon qui le fit baron de l'Empire et le seul Québécois dont le nom soit inscrit sur l'arc de triomphe de l'Étoile, à Paris; Prudent Beaudry, à l'origine de l'essor de Los Angeles; Justine Lacoste-Beaubien, la fondatrice de l'Hôpital Sainte-Justine à Montréal; Pierre Grondin, le premier à faire une opération à cœur ouvert au Canada; Charles Pagé qui, avec Richard W. Cowan, expérimente le premier ballon dirigeable au Canada, et peut-être le premier au monde; Paul Pouliot, inventeur du briquet Presto; les frères Joseph et Cyrille Dion, champions nord-américains au billard entre 1860 et 1880; Jean-Marie Landry, le premier Canadien français à recevoir un brevet de pilote (1914); Roméo Vachon, surnommé le «Mermoz canadien», pionnier du service aéropostal sur la Côte-Nord, etc.

Vedettes, artistes, hommes forts, fondateurs ou pionniers ont connu la célébrité. Chaque année, les gouvernements décernent quelques dizaines de décorations à des gens qui ont posé des gestes de courage exceptionnel. Certains personnages sont entrés dans la légende de leur vivant même. Louis-Joseph Papineau a longtemps personnifié l'intelligence: on était, ou on n'était pas, «la tête à Papineau». Le père Jean-Baptiste de Labrosse, plus célèbre par les légendes à son propos que par les faits historiques, ou encore le curé Antoine Labelle, apôtre de la colonisation, ont connu une certaine gloire de leur vivant. Honoré Mercier, premier ministre du Québec à la fin des années 1880, a été considéré comme le père de l'autonomie provinciale. Alphonse Desjardins, fondateur des caisses populaires, a conçu un modèle économique québécois. Le XXe siècle offre l'embarras du choix des hommes politiques dont le charisme a permis d'incarner une ou plusieurs facettes de l'identité québécoise et d'apporter une réponse à un besoin et à une forme d'affirmation de l'identité. Dans l'histoire du Québec, tous les secteurs d'activité possèdent leurs héros potentiels.

Outre les individus nommément identifiés, une collectivité se donne parfois comme modèle un groupe de personnes. Au fil des ans, certains métiers, certaines professions ont fait de ceux qui les exerçaient des intermédiaires entre la population et les autorités civiles ou religieuses. Ces gens, de par leurs fonctions, ont souvent hérité, à l'échelle locale ou nationale, des traits de caractère marquants des héros : notoriété, influence, un genre de culte, une reconnaissance publique.

Sur le plan religieux, le curé, en plus de sa tâche de médiateur entre Dieu et les hommes, a aussi agi comme confident et conseiller pour régler des problèmes qui n'avaient rien à voir avec la religion. Son rôle élargi a fait de lui un des personnages les plus importants non seulement en milieu rural, mais aussi dans plusieurs paroisses urbaines. Quelques-uns rappellent, dans une douceâtre nostalgie, la période de notre histoire où, sous les sages directives d'un saint prêtre, tous les paroissiens s'aimaient et pratiquaient une charité exemplaire.

Louis-Joseph Papineau peut être considéré comme le premier grand nationaliste québécois. Il a réussi à canaliser les aspirations et les revendications des Canadiens français de son époque et à faire naître chez certains des rêves d'indépendance. Ses contemporains le jugent si intelligent qu'il donne naissance à une expression populaire courante : « la tête à Papineau ».

(Napoléon Bourassa, *Louis-Joseph Papineau*, Québec, Musée du Québec, 52.58. Photo P. Altman.)

Monsieur le curé !

« Personne ne peut nier que le curé soit une des plus touchantes figures de notre civilisation moderne, et que sa silhouette domine toute notre vie paroissiale et religieuse. [...]

Je le vois encore ce vieux curé de chez nous à l'âme essentiellement évangélique qui me pénétrait toujours d'un profond respect, aussi bien sous sa vieille soutane jaunie et râpée que paré de la majesté de ses habits sacerdotaux : son âme toujours simple et fraîche se révélait par le moin-dre de ses gestes et dans la plus insignifiante de ses actions. Son attitude et ses actes étaient encore plus éloquents que ses paroles, et son apostolat rural s'exerçait presque à l'égal de son ministère religieux, parce qu'il comprenait que le soc est le plus solide soutien de l'autel. [...]

Dans les paroisses reculées où les hommes de profession étaient rares, le curé était à la fois médecin des âmes et des corps, ses remèdes étant gratuits dans un cas comme dans l'autre. Le curé rédigeait aussi les contrats comme un notaire, et il jouait le rôle de juge et d'avocat en servant d'arbitre à ses paroissiens dans la plupart de leurs difficultés. Pour se distraire, parfois « il tirait des portraits » et réparait des montres.

Aucune limite à son zèle et à son activité bienfaisante ! »

(Georges Bouchard, *Vieilles choses, vieilles gens*, Montréal, Librairie d'Action canadienne-française, 1931, pp. 23-25).

La maîtresse d'école

«La silhouette de la maîtresse d'école est surtout évocatrice de cet être au dévouement sans bornes, à la patience inlassable, à la sérénité douce et conquérante, à l'esprit de justice tempéré de clémence, qui a pris nos âmes au sortir du foyer pour leur imprimer le sceau des vertus civiques et religieuses.

Je salue avec vénération les institutrices de mon enfance, celles d'il y a un quart de siècle, parce que sous des dehors modestes elles incarnaient tous les dévouements et toutes les énergies de la race, la robustesse de nos traditions rurales, et parce qu'elles savaient se prémunir contre les caprices de la mode et les futilités du siècle.

L'institutrice participait à tous les bienfaits de la vie sociale de l'arrondissement. [...] Il n'y avait pas une noce, une fête de famille où elle ne fût invitée. Consultée sur le cérémonial à observer, elle composait de plus les adresses ou compliments que les enfants lisaient avec émotion dans les fêtes de haut ton.

On lui apportait, pour les faire traduire, les lettres anglaises, et, pour les faire déchiffrer, les lettres mal écrites. On prenait même un vilain plaisir à lui soumettre des problèmes d'arithmétique réputés difficiles. Bien des jeunes gens timides lui demandaient un brouillon pour leurs lettres d'amour, surtout lorsqu'il s'agissait de faire la grand'demande.

Souhaitons cependant que, s'inspirant de leurs devancières, nos institutrices modernes continuent de maintenir vivaces les traditions religieuses de la race, la douce parlure de nos aïeux et l'attachement au sol canadien, instrument fondamental de notre prospérité matérielle, morale et sociale.

Saluons en nos institutrices les auxiliaires les plus nécessaires du foyer et de l'autel, les continuatrices de l'œuvre de formation civile et religieuse entreprise par nos mères canadiennes, et les plus beaux modèles de l'apostolat laïque.»

(Georges Bouchard, *Vieilles choses, vieilles gens*, Montréal, Librairie d'Action canadienne-française, 1931, pp. 85-90.)

Du côté des laïcs, en plusieurs endroits, le notaire fut souvent considéré l'équivalent du curé, mais sans jouir d'une autorité aussi forte. Il dispensait aussi ses conseils et ses connaissances, parfois en opposition au curé. Aucune transaction importante ne se faisait sans son avis. Des productions audiovisuelles ont bien campé ce personnage. Le député remplissait parfois un rôle identique, mais, dans ce cas, il y avait un problème : l'appartenance à un parti politique.

On ne saurait méconnaître non plus des personnages comme la maîtresse d'école qui médiatise le rapport entre le monde de l'enfance et celui des adultes. Le pionnier a été personnifié autant par le coureur de bois que par l'agriculteur. Le Patriote de 1837-1838 a également représenté un groupe collectif anonyme, lié par son engagement politique et national.

Depuis quelques décennies est apparu un autre type de héros médiateur : le chef syndical. Lui aussi a été appelé à intervenir dans des circonstances de tensions, de problèmes à régler. Pour l'ouvrier qui se sent démuni devant un patron ou une direction puissante, le chef syndical a parfois pris la figure du héros qui, seul, peut faire triompher la bonne cause. En contrepartie, récemment, les hommes d'affaires et les artistes qui réussissent à l'étranger constituent à leur manière une nouvelle classe de héros en gestation.

Au Québec, depuis le milieu du XIXe siècle, des personnages historiques et religieux ont connu une faveur populaire extraordinaire. La liste est quasi sans fin. Parmi les plus connus, on relève chez les femmes Marguerite Bourgeoys, mère d'Youville, Jeanne Mance et, pour faire bonne mesure, Madeleine de Verchères et Kateri Tekakouitha ; chez les hommes, Jacques Cartier, Samuel de Champlain, Jean Talon, le gouverneur Frontenac, Pierre Lemoyne d'Iberville, le chevalier de Lévis, le marquis de Montcalm ; chez les religieux, monseigneur de Laval, les saints martyrs canadiens et, plus récemment, le frère André. Enfin, de nombreuses familles érigent pratiquement en héros l'ancêtre fondateur d'une lignée et célèbrent chaque année l'anniversaire de son arrivée, tandis que la mère de famille reste une héroïne collective.

Le réservoir de héros disponibles au Québec est loin d'être vide. Leaders, inventeurs, créateurs, médiateurs, personnes ayant mené une vraie vie de « saint », hommes forts ou vedettes du sport ou du spectacle, personnages politiques ou religieux constituent un palmarès impressionnant au temple de l'identité. Mais il en reste peu dont les comportements ou les valeurs peuvent rallier une majorité d'admirateurs, comme si ce genre de héros avait fait son temps.

Le temps des héros

Le temps des héros, c'est celui de leur sacralisation populaire comme des modèles à imiter. C'est tout le contexte qui explique qu'à un moment donné, dans des circonstances particulières, une société valorise un type de comportement à travers un exemple de vie, habituellement tiré du passé. Si quelques événements sortant de l'ordinaire ont favorisé l'inscription dans la mémoire collective de ces personnages au destin souvent tragique, le contexte de leur popularisation est généralement caractérisé par des aspirations collectives plus ou moins largement partagées. La société s'appuie ainsi sur le passé pour proposer un autre modèle de vie, la primauté ou la reconnaissance de certaines valeurs sociales ou morales.

Le Jacques Cartier *de Théophile Hamel est la représentation la plus connue de ce héros.*

(Théophile Hamel, *Jacques Cartier*, Archives nationales du Canada.)

La grande période d'émergence des héros classiques au Québec correspond très exactement à celle de la constitution d'un discours idéologique articulé autour des années 1840. Les personnages que l'on propose en modèle s'inspirent évidemment des valeurs françaises, catholiques et rurales. La société québécoise participe alors d'emblée à un large mouvement de valorisation du passé et de création de héros. Des tendances idéologiques fortement teintées de religion et de nationalisme favorisent l'organisation de grandioses commémorations de faits et de valeurs héroïques, célébrant la persévérance, le courage et le renoncement de soi.

L'image de Jacques Cartier a été tirée d'un oubli relatif au début du XIXe siècle. En 1835, à l'occasion du 300e anniversaire de sa remontée du Saint-Laurent, les élites intellectuelles de Québec projettent d'ériger un monument à Jacques Cartier, découvreur du Canada.

La glorification des martyrs est l'occasion de la réaffirmation des valeurs qu'une élite religieuse veut perpétuer dans la population. Enfin, on peut prier des saints qui ont donné leur vie sur ce territoire pour l'avenir de cette société.

(Archives de folklore de l'Université Laval. Fonds Larouche-Villeneuve.)

Les Bienheureux Martyrs Canadiens
de la Compagnie de Jésus

GABRIEL LALEMANT   JEAN DE BRÉBEUF   ISAAC JOGUES
NOËL CHABANEL
CHARLES GARNIER   ANTOINE DANIEL
JEAN DE LA LANDE   RENÉ GOUPIL

Étoffe qui a touché aux ossements des Martyrs

En ces années particulièrement difficiles pour la collectivité canadienne-française, il paraissait opportun de
faire un rappel tangible des origines françaises de la
population de ce territoire. On cherche à donner un
visage concret au héros, car on ne lui connaît pas de
portrait authentique. Finalement, c'est sur une toile de
François Riss commandée par la Ville de Saint-Malo en
1839 et fondée sur un portrait ancien que sera fabriqué
le visage de Jacques Cartier. Une copie de cette toile fut
donnée à la Société littéraire et historique de Québec en
1847, et une lithographie produite par le peintre
Théophile Hamel l'année suivante remporte un grand
succès de vente et s'impose dans les manuels scolaires.
Plus tard, une autre image de Jacques Cartier sera popularisée, celle de P. Gandon créée en 1934 à l'occasion du
400ᵉ anniversaire du premier voyage officiel du Malouin.
Les portraits et statues de Jacques Cartier remémorent le
personnage tel qu'on aurait souhaité le voir, mais on ne
lui connaît pas de visage réel.

Peu après la fin de la construction du parlement de
Québec en 1883, on met en place une impressionnante
décoration statuaire extérieure. Dix-sept des 22 statues
de l'édifice évoquent des personnages de la Nouvelle-
France, surtout des religieux et des militaires. Ces nouvelles gloires nationales sont présentées comme des
exemples d'un mode de vie édifiant. La réponse aux
écrits de lord Durham affirmant que les Canadiens
français n'avaient pas d'histoire était dorénavant, et
pour les siècles à venir, inscrite dans la pierre.

Toutes sortes de circonstances immédiates ont aussi
permis de façonner divers types de héros. Les « prêtres-
historiens » furent souvent à l'origine de pieuses fausse-
tés, comme le portrait de Jeanne Mance. *Les adieux de M.
de la Dauversière* au départ de Jeanne Mance pour le
Canada présentent un visage imaginaire de la célèbre
laïque qui a joué un rôle important dans la fondation de
Montréal et l'organisation des soins hospitaliers. Le
portrait fut publié par le prêtre sulpicien et historien
Étienne-Michel Faillon en 1854 et fréquemment repris
dans les manuels d'histoire. Les prêtres et frères jésuites
suppliciés par les Iroquois entre 1648 et 1660 sont remis
à l'honneur à partir de 1844, époque du retour des
jésuites au Canada. Leur célébrité s'est accentuée par la
suite, sous la dénomination de saints martyrs canadiens
depuis leur canonisation en 1930. Le premier portrait de
Madeleine de Verchères est tracé en 1899 dans le cadre
des activités de l'Ordre des filles de l'Empire qui affichent

*Il faut trois choses pour faire un
héros : un personnage, un
événement et une admiration
populaire massive. À la fin des
années 1910, le Lionel Groulx qui
popularise le culte à Dollard des
Ormeaux n'est pas encore
l'historien qu'il deviendra plus tard.
À l'occasion du 300ᵉ anniversaire
de la bataille du Long-Sault, Groulx
mettra la science historique au
service de son idéologie nationale.*

(*Nos Racines. L'histoire vivante des
Québécois*, Montréal, Éditions T.L.M.,
vol. 8, 1979, p. 156. Archives nationales
du Canada.)

« J'ai longtemps cherché cette figure et pourtant j'étais tout pénétré de sa noblesse […] Un soir de novembre, je venais de lire quelques pages de La légende d'un peuple de Fréchette. Est-ce l'influence du poète ? Est-ce l'émouvant souvenir des longues luttes soutenues par nos pères pour s'établir sur notre sol ? Je ne sais. Toujours est-il que je pris un bloc de glaise et modelai en quelques minutes, sans effort, avec une émotion triomphante, la forme rebelle que j'avais si longtemps cherchée. C'était ma jeune Madeleine de Verchères se dressant de toute sa hauteur pour faire voir aux Sauvages son chapeau de soldat par-dessus les palissades, serrant nerveusement un fusil trop lourd pour elle mais qu'elle savait manier, toute palpitante d'émotion, l'œil au guet, le nez au vent, transfigurée par l'idée de sauver les siens et de défendre la maison natale. Je fis couler en bronze cette petite statuette et je fus très surpris du succès qu'elle obtint surtout chez nos compatriotes anglo-saxons. »

(Philippe Hébert, cité par Maurice Hodent, « Philippe Hébert, sculpteur », *La Canadienne*, Paris, septembre 1913.)

ainsi leur intention de participer à la défense de l'Empire britannique. Un autre guerrier est également « héroïsé » à la fin de ce siècle: Dollard Des Ormeaux. Un projet de monument est conçu en 1865 et mis en œuvre en 1882 par Honoré-Julien-Jean-Baptiste Chouinard, alors président de la Société Saint-Jean-Baptiste de Québec. En 1910, à la suite d'un article d'un journaliste anglophone rappelant que le 250ᵉ anniversaire de la bataille du Long-Sault ne semble pas devoir être souligné, l'Association catholique de la jeunesse canadienne-française organise une grande manifestation à laquelle participent des milliers de jeunes. La proposition d'élever un monument à Dollard et à ses braves est reprise. À cause de la guerre, le monument n'est finalement érigé qu'en 1920 à l'occasion du 260ᵉ anniversaire de l'exploit du Long-Sault, à la suite d'une souscription populaire. Le personnage, dont il n'existe aucun portrait, est représenté sous les traits mêmes du sculpteur.

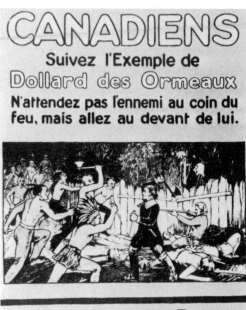

Un exemple de la récupération politique d'un héros de « notre » histoire !

(Archives nationales du Canada, C-93228.)

Entre-temps, le gouvernement du Canada récupère ce héros. Plusieurs des affiches de guerre qu'il publie pour inciter au recrutement invitent les Canadiens à suivre l'exemple de Dollard, à donner leur vie pour le salut de la France. On invente des illustrations du combat « meurtrier ». Plus tard, la commémoration de la fête de Dollard en vient à faire contrepoids à l'anniversaire de naissance de la reine Victoria qui a régné sur l'Angleterre et le Canada. Dans le même esprit, c'est au tournant du XXe siècle et à l'instigation de la Ligue nationaliste que le monument Chénier et les représentations du Patriote de 1837-1838 sont popularisés et acquièrent une forte connotation identitaire.

Durant les dernières décennies du XIXe siècle, la collectivité canadienne-française se sent faible, menacée et exploitée – c'est l'époque de Jean-Baptiste Gagnepetit. Elle s'accroche à ses géants : Louis Cyr, alors en pleine gloire, et Jos Montferrand, décédé en 1864.

Les pèlerinages à Dollard-des-Ormeaux

« Quels sont ceux parmi nous qui ne voudront point aller communier à ce passé sans égal ? Les pères, les mères y voudront conduire leurs enfants. Tout jeune Canadien français qu'on voudra élever selon l'idéal de sa race, dans l'âme de qui l'on voudra voir prédominer les fins supérieures de la vie, devra se rendre au pays de Dollard, laisser émouvoir sa jeune sensibilité aux pressions de ce pur héroïsme, ajuster ses rêves à la mesure de notre histoire, entrer dans un ordre d'idées et de sentiments qui appellent le meilleur de l'homme. »

(Lionel Groulx, à l'occasion d'un pèlerinage au Long-Sault, sur la rive nord de la rivière des Outaouais, dans *L'Action française*, 1919, vol. III, pp. 162-165.)

Une société urbanisée, économiquement faible, compense ses perceptions de « porteur d'eau » par une glorification de la force physique. Louis Cyr, surnommé l'Hercule canadien, est devenu le champion mondial des leveurs de poids, suscitant l'enthousiasme de ses compatriotes.

(*Le Monde illustré*, 13 février 1886, p. 328.)

L'historien Jean Hamelin a retracé les personnages qui ont successivement habité Jos Montferrand. Wilfrid Laurier, le premier, tenta en 1868 de projeter dans l'écrit la gloire propagée oralement de ce grand bagarreur épris de justice. Une vie de Jos Montferrand publiée par Benjamin Sulte à la fin du siècle connut plusieurs éditions. Ce Jos Montferrand réunit les traits du caractère national, tous aussi développés que puisse le compter la nature humaine. Chez lui, la bravoure indomptée, la force musculaire, la soif des dangers, la résistance aux fatigues – ces qualités propres du peuple d'il y a 50 ans – furent poussées à un degré prestigieux. En un mot, Jos Montferrand a été le Canadien le plus véritablement canadien jamais vu. Ce bûcheron qui donne la volée aux « boulés » anglais finit par s'établir sur une terre et va à la messe. Prophète de la colonisation, il prolonge l'idéologie cléricale, rurale et nationaliste des élites. Dans les années 1870, parallèlement à l'exode des Canadiens français vers les États-Unis, on le retrouve dans les camps de Nouvelle-Angleterre sous le nom de Joe Le Mufraw. Dans les années 1930, La Bolduc fait de Johnny Monfarleau un errant entre Montréal, Gaspé et New York, un défenseur des pauvres et des miséreux. Enfin, grâce à Gilles Vigneault, il devient philosophe, le géant assis sur le cap Diamant.

Modèles de comportement et illustrations de l'identité d'une collectivité, les héros sont mis au service d'une cause par la société qui les valorise. Le recours aux héros fait partie de la panoplie des moyens utilisés par des groupes pour influencer les engagements des personnes.

Face à une légère percée d'anticléricalisme et à une libéralisation des mœurs dans les années 1930, le Séminaire de Québec propose comme modèle aux jeunes Gérard Raymond, « mort en odeur de sainteté » vers la fin de ses études. Il fut plus tard l'équivalent de Maria Goretti. Au cours de la décennie suivante, lors du plébiscite de 1942, les opposants à la conscription utilisent nostalgiquement le souvenir de Camillien Houde alors incarcéré dans un camp de détention pour s'être prononcé deux ans plus tôt contre l'enregistrement national.

Récupération de guerre

« Dollard des Ormeaux n'est pas le premier en date de nos héros. Peut-être même n'est-il pas le plus grand. Mais à coup sûr il est le mieux connu, le plus populaire. Son nom surgit spontanément à la mémoire quand nous évoquons les pages épiques de l'histoire de la Nouvelle-France. C'est lui qu'on a choisi comme symbole du mâle courage et de l'esprit de dévouement, à base de foi religieuse, de notre petit peuple. On dit volontiers : héroïque, généreux comme Dollard. [...]

L'art militaire ne consiste pas à se faire tuer crânement, sans profit pour personne. Au contraire, il a pour but de ménager les vies en suivant des règles éprouvées. En guerre, il importe surtout de se bien préparer et armer, de deviner les intentions de l'adversaire et de choisir le champ de bataille qui nous est le plus favorable. Ce n'est qu'après avoir pris ces précautions essentielles qu'on doit accepter bravement les risques du combat. Bon soldat et bon officier, Dollard des Ormeaux savait cet art et c'est pourquoi son acte héroïque ne fut pas un coup de tête. Sa décision d'aller au-devant de l'ennemi, au lieu d'attendre et de risquer la vie de toute une population, prouve qu'il était de la lignée des grands capitaines, de ceux qui savent aussi bien élaborer un plan de campagne que payer de leur personne. Les événements qui se déroulent de nos jours en Europe et placent le Canada, sur le plan international, dans une position étrangement semblable à celle qu'occupait la Nouvelle-France en 1660, font ressortir de façon frappante son génie militaire. [...]

À l'analyse, la véritable grandeur de Dollard s'avère d'ordre stratégique. Il mérite sa gloire, moins pour avoir volontairement sacrifié sa vie à une cause qu'il savait juste, que pour avoir compris qu'on ne gagne rien à attendre chez soi les coups de l'ennemi. Par sa compréhension du problème national, il est bien le précurseur et le modèle des héros du 22e et de tous ceux qui, répétant son geste à 280 ans d'intervalle, se sont volontairement rendus outre-mer pour arrêter l'invasion d'une autre armée barbare. [...]

Si Dollard revenait, ce n'est plus seize braves qu'il trouverait à mener à cette gloire suprême qui consiste à sauver la vie de ses frères : c'est toute une armée. Car les jeunes Canadiens d'aujourd'hui sont bien les fils de cette France qu'il aima jusqu'au don total de soi et dont il contribua, plus que d'autres peut-être, à implanter ici les traditions de bravoure intelligente et d'altruisme raisonné.

C'est pourquoi, le 24 mai prochain, méditant sur un parallèle qui s'impose, nous mêlerons dans notre admiration et notre reconnaissance les noms de Dollard et de ses émules d'aujourd'hui.

Un peuple qui professe le culte de ses héros, qui sait s'inspirer de leurs exploits et profiter des leçons qu'ils lui donnent, domine les événements. L'ennemi ne peut prévaloir contre lui, cet ennemi fût-il l'armée allemande. »

(Ministère des Services nationaux de guerre, *Service de l'information*, Dollard *1660. Héros d'hier et d'aujourd'hui*, Ottawa, mai 1941, pp. 3-7.)

Étudiant au Petit Séminaire de Québec, Gérard Raymond symbolisait les aspirations d'une collectivité en voulant consacrer sa vie à l'apostolat missionnaire en Chine. Il est mort en 1932, à l'âge de 20 ans, avant d'avoir pu réaliser son rêve.

(Archives de folklore de l'Université Laval. Fonds Larouche-Villeneuve.)

La récupération des héros s'est pratiquée à plusieurs époques et n'est pas l'apanage des Québécois. Ici comme ailleurs, on a choisi les bons héros à honorer et ce, de toutes les façons possibles. On a perpétué leur souvenir en donnant leur nom à des villes, des montagnes, des lacs, des rues ou des places publiques. On a fait couler dans le bronze leurs traits, imaginaires ou authentiques. On a fait imprimer leur portrait sur des affiches, des timbres, des médaillons, des en-têtes de publication, dans les manuels scolaires. On les a chantés en vers ou en prose, sur des airs de musique ou de marche populaire. On a rendu un véritable culte aux objets qui leur avaient appartenu.

*

Les faits et gestes des héros historiques, politiques ou religieux n'ont plus actuellement le retentissement d'autrefois. Leur histoire et leur vie n'exercent plus le même attrait ni le même pouvoir mobilisateur. Ces personnages éveillent rarement plus qu'un intérêt nostalgique, soit qu'on ne s'identifie plus aux valeurs qu'ils représentent, soit qu'on ne s'y reconnaît plus, soit que l'on refuse le modèle proposé. Plus généralement, il reste dans notre histoire bien peu de héros dont la vie soit indicatrice d'une orientation ou d'une expérience qui ait une signification pour le présent.

Les héros modernes paraissent bien dilués et bien éphémères en regard de ceux d'hier. On les veut vivants... pour un temps.

LES ÉVÉNEMENTS

Dans la mémoire d'une collectivité, héros et événements vont habituellement de pair. Le héros sert de modèle, et l'événement d'expérience. L'un et l'autre bénéficient d'un traitement qui les embellit, magnifie et idéalise. Ils répondent ainsi aux attentes d'une mémoire collective à la recherche de sécurité, d'harmonie, de fierté et d'un avenir souhaitable. Dans l'histoire du Québec, héros et événements marquants ont le plus souvent connu des fins dramatiques. Mais les premiers ont paru plus facilement excusables que les seconds. Le destin tragique des héros et le don de leur vie ont même pu contribuer à leur gloire personnelle. Mais comment assumer les défaites, sans trop les déformer ou les occulter? Les solutions du temps passé ont insisté sur des excuses, des malversations ou des trahisons. Elles ont cherché ailleurs des raisons de se réjouir, comme dans l'espace plutôt que dans le temps. Elles ont mis de l'avant le destin tragique. Elles ont prôné le refus de la modernité. Ces solutions ne semblent plus jouer dans la société actuelle un rôle d'expérience utile comparable à celui d'hier.

L'histoire de la collectivité canadienne-française comporte relativement peu de grands faits sources de fierté, objets de célébration et de commémoration collectives. On peut relever la découverte – maintenant contestée – du Canada par Jacques Cartier. Des épisodes comme la fondation de Québec et même de toutes les villes et villages du Québec sont plus communément célébrés. De là, sans doute, un attachement particulier à quelques personnages et à l'image du pionnier. Il faut attendre la Révolution tranquille, qui n'est pas un événement en soi mais une succession d'affirmations, d'initiatives et de gestes tant sociaux, politiques que religieux, pour retrouver un passé qui puisse susciter un certain engouement. Il semble en rester suffisamment d'aspects positifs, non entachés par la crise d'Octobre 1970 ou le référendum de 1980, pour conserver une signification favorable. Ces derniers événements, ajoutés à la Conquête de 1760, aux défaites de 1837 et de 1838, aux guerres mondiales et à la crise économique des années 1930, ont, par contre, laissé peu de souvenirs agréables à partager.

Ce propos ne vise pas à rappeler le détail des grands événements qui ont marqué l'histoire du peuplement de la vallée laurentienne. Les manuels scolaires et les études spécialisées fournissent une abondante information de qualité. Ce qui nous importe, c'est de montrer la façon dont on a présenté ces événements, dont on les a utilisés pour se représenter et comment cette représentation a changé.

Une chronologie détaillée ferait ressortir un grand nombre d'événements, d'ordre politique, économique, social ou religieux, que les études spécialisées auraient tendance à voir comme autant de tournants notables.

Les collectivités québécoises n'affichent d'ailleurs pas toujours les mêmes sensibilités à l'égard de certains événements. Les unes célèbrent 1760, tandis que d'autres s'en offusquent. La conquête de la responsabilité ministérielle en 1848, la Confédération de 1867 ou le traité de Westminster de 1931 ont été différemment perçus. Nous avons donc choisi de traiter un peu plus en profondeur un nombre restreint d'événements considérés comme majeurs par une très large collectivité. En raison de leur nature et de leur place dans la mémoire collective, nous avons retenu deux événements perçus comme positifs (la découverte du Canada en 1534 et la Révolution tranquille de 1960) et deux autres communément considérés comme négatifs (la Conquête de 1760 et la défaite des Patriotes en 1837-1838). Ils portent sur des périodes historiques, des mobilisations et des enjeux différents. Un bref rappel d'événements que nous n'avons pas retenus aide quelque peu à les situer.

Des événements sans gloire

La réalisation de la Confédération canadienne en 1867 instaure un nouveau partage des pouvoirs. Depuis plusieurs années, il était question de réunir sous un même gouvernement les colonies britanniques de l'Amérique du Nord, mais la situation n'avait pas semblé assez urgente pour justifier un tel changement. Par contre, au début des années 1860, la guerre civile qui sévit aux États-Unis, les problèmes économiques auxquels devait faire face, entre autres, le Canada-Uni, la nécessité de trouver les fonds nécessaires pour continuer la construction de chemins de fer et le désir des autorités de Londres de voir les colonies assumer une partie de leur défense et les frais de leur administration ont fortement milité en faveur de l'unification de la majorité des colonies. D'un autre côté, des hommes politiques cherchaient une scène plus prestigieuse que leurs gouvernements locaux pour faire valoir leurs talents.

Parmi les artisans de la Confédération, on compte quelques Québécois francophones. Leur participation à la rédaction du texte de la nouvelle constitution révèle les préoccupations de leur temps: il fallait protéger la religion, la confessionnalité de l'école et l'existence juridique de la langue française. L'agriculture et la taxation de la terre faisaient aussi partie des secteurs qu'ils voulaient protéger.

Que penser de la Confédération ?

« La Confédération a été un compromis, elle conserve aujourd'hui son caractère. [...] Plusieurs même disaient que l'on ne savait à quoi s'attendre de l'Angleterre ; que l'on avait pu élaborer une bonne constitution dans les conférences de Québec, mais que les autorités impériales la changeraient, l'altéreraient à leur guise.

Eh bien, vous savez ce qui est arrivé : nous sommes allés en Angleterre, et nous y avons été traités justement, généreusement. On a eu égard à toutes nos représentations. Les Canadiens, ont dit les ministres anglais, viennent nous trouver avec une constitution toute faite, résultant d'une entente cordiale entre eux, d'une discussion mûre de leurs intérêts et de leurs besoins. Ils sont les meilleurs juges de ce qui leur convient, ne changeons point ce qu'ils ont fait, sanctionnons leur Confédération. »

(George-Étienne Cartier, discours prononcé à Saint-Hyacinthe le 17 mai 1867 ; dans J. Tassé, *Discours de sir Georges-Étienne Cartier*, Montréal, 1893, p. 524.)

« Quant à notre Confédération, nous lui disons merde parce que c'est elle qui nous a conduits où nous sommes. Nos pères avaient des globules rouges dans les artères ; nous, nous sommes supposés en avoir. Ça, les diplomates anglais ont fini par le comprendre et comme ils désespéraient de vaincre par la casse, ils nous ont offert le coquetel du bilinguisme. Perfidement, lentement, par des lois masquées, des mesures hypocrites, on a chloroformé les conducteurs de la caravane québécoise et on a fait se désintéresser le paysan de l'instruction primaire. Si bien qu'après deux générations, nos braves terriens en sont venus à concevoir de la haine pour tout ce dont ils n'aperçoivent plus la valeur immédiate. Le Britannique savait que sans école il n'y a plus d'élite et sans élite plus de race. »

(Jean-Louis Gagnon, *Vivre*, novembre 1935.)

Si l'unification des quatre principales colonies britanniques d'Amérique du Nord est chose faite, il n'en va pas de même dans les esprits. Le Québec n'est pas la seule province à éprouver des réticences. Des journaux de la Nouvelle-Écosse paraissent avec des bordures de deuil. Avant même que l'Acte de l'Amérique du Nord britannique ne devienne une réalité, certains le rejettent. La Confédération suscite plus d'intérêt et de débats dans son application que de mouvements populaires pour la commémoration de son anniversaire, devenu pourtant fête nationale. L'événement Confédération n'excite pas les sensibilités populaires québécoises, car, pour plusieurs, cette entente reste encore un pacte à négocier.

Les années 1914-1918 furent sombres. Elles ont été marquées par la mort, des émeutes, une crise politique, une épidémie. On préfère taire ces heures de malheur, même si on ne les oublie pas. Des milliers de Québécois sont morts au champ d'honneur en France et en Belgique. D'autres furent faits prisonniers, gazés ou blessés ; plusieurs sont restés handicapés pour la vie. Au Québec même, les civils ont été rationnés. Les femmes prirent le chemin de l'usine. La conscription a failli faire sortir le Québec du Canada. Des campagnes intensives d'enrôlement ont prélevé de lourdes ponctions dans les rangs

L'obligation de participer à la défense militaire de la Grande-Bretagne a souvent été la cause de violentes manifestations populaires au Québec. Ainsi, à Montréal en 1917, des milliers de personnes descendent dans la rue pour protester contre la conscription.

(Archives nationales du Canada, C-6859.)

de la jeunesse québécoise. À certains égards, l'effort de guerre québécois et canadien a surpassé celui des anciennes mères patries. Certains, un peu à l'exemple des soldats du gouverneur Frederick Haldimand qui, à la fin du XVIIIe siècle, pénétraient dans les maisons où il y avait la variole dans l'espoir que la maladie les ferait échapper au service militaire, ont préféré s'enfuir dans les bois plutôt que de se terrer dans les tranchées. Comme un malheur n'arrive jamais seul, une épidémie de grippe espagnole déferle sur le Québec entre septembre et décembre 1918, touchant 530 000 personnes et causant 13 500 décès. Mieux valait oublier ce temps.

En 1975, soit 30 ans après la fin de la Deuxième Guerre mondiale, des recherchistes de Radio-Canada qui préparaient une série d'émissions radiophoniques sur la vie quotidienne au Québec durant la Deuxième Guerre mondiale ont été surpris de constater le nombre de personnes qui refusaient d'accorder une entrevue sur leur vie de déserteur, tout simplement parce qu'ils ne voulaient pas que leurs enfants apprennent que leur père avait refusé de joindre les rangs de l'armée. Ce n'est pas le seul aspect de la guerre qui ait été ainsi refoulé au tréfonds de la mémoire individuelle et même collective. On a oublié le rationnement, les exercices d'obscurcissement, la création d'une psychose de l'arrivée

éventuelle des Nazis et des Japonais. On a tu le fait que
des sous-marins allemands avaient pénétré dans le golfe
du Saint-Laurent et coulé une vingtaine de navires. On
a occulté complètement l'existence d'une forte censure
et de camps d'internement sur le sol québécois. On
continue de célébrer les héros qui se sont fait tuer à
Dieppe, lors du débarquement en Normandie et de la
campagne d'Italie, mais on a tôt fait d'oublier les morts,
les disparus et les amputés de guerre. On oublie également que datent de la Deuxième Guerre mondiale les
débuts de l'émancipation de la femme avec le travail en
usine, l'octroi du droit de vote aux femmes, la naissance
des premières garderies et une plus grande ouverture sur
le monde. On évoque rarement la tension ethnique née
de l'attitude des francophones lors du plébiscite de 1942
et leur opposition à tout service militaire obligatoire. On
omet de rappeler que des désertions se sont produites
partout au Canada. On oublie enfin que des Québécois
avaient été sympathiques à Mussolini, Franco et Salazar,

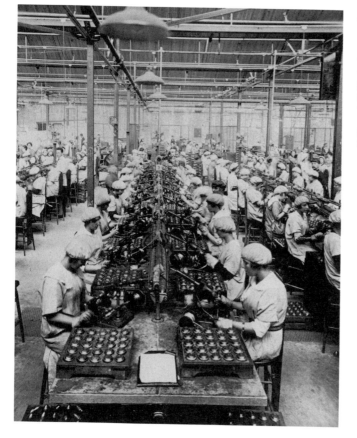

*La Première Guerre mondiale a été
une occasion de changements dans
les rôles traditionnels de la femme.
Les autorités politiques les ont alors
invitées à entrer à l'usine pour
participer à l'effort de guerre. En
retour, elles obtiendront le droit de
vote aux élections fédérales.*

(Archives nationales du Canada,
C-18734.)

Censure !

Il est interdit de publier ou faire publier : « Toute déclaration, nouvelle ou opinion, contraire ou défavorable, de nature à nuire à la défense du Canada ou à la poursuite efficace de la guerre ; toute déclaration ou nouvelle propre à causer de la désaffection à l'endroit de Sa Majesté ou à nuire aux relations de Sa Majesté avec les puissances étrangères ; toute déclaration ou nouvelle propre à nuire au recrutement, à l'entraînement, à la discipline ou à la gouverne des forces armées ; toute information concernant le mouvement, le nombre, etc., de toute force des armées alliées ou se rapportant aux dépôts de matériel de guerre, aux fortifications, etc. ; tout pamphlet ou brochure se rapportant à la guerre ou à la conclusion de la paix qui ne porte pas le nom et l'adresse véritables de l'auteur et de l'imprimeur. Toute copie de journal, tract, périodique, livre, circulaire et autre matière imprimée qui viole ces règlements peut être saisie et les permis des postes de radio peuvent être révoqués ou suspendus. Des amendes et l'emprisonnement sont aussi prévus pour toute violation de ces règlements qui intéressent non seulement les journaux et les postes de radio, mais aussi à ceux qui adressent la parole dans des réunions publiques. [...] La coopération des autorités municipales qui disposent de salles où sont tenues des réunions publiques sera particulièrement appréciée, puisqu'elle aidera beaucoup à faire respecter les règlements. »

(Claude Mélançon, censeur de la presse, circulaire du 30 septembre 1939.)

que Pétain avait compté des milliers d'admirateurs sur le sol québécois et que les partisans de la France libre (de Gaulle, Malraux, entre autres) avaient dû faire face à des opposants lors de leur venue au Québec. Même si la guerre se déroule hors du territoire québécois, les événements nationaux ou familiaux qui la ponctuent sont généralement refoulés dans un coin de la mémoire : on ne se complaît pas davantage dans la mort ou dans les bêtises humaines que dans les malheurs.

Lorsque, à l'automne 1987, une brusque chute des indices boursiers laisse craindre un nouveau krach, on établit immédiatement des parallèles avec la crise économique des années 1930. On ressort de la mémoire refoulée des images de misère, de chômage, de catastrophe, mais qui restent très vagues et parsemées d'oublis. Le taux de chômage avait atteint 30 pour cent de la main-d'œuvre enregistrée. Les salaires de plusieurs avaient été réduits, tout comme les prix de certains articles. On avait créé des camps pour les célibataires en chômage obligés de travailler au salaire dérisoire de 20 cents par jour. Des policiers, postés aux diverses entrées de l'île de Montréal, empêchaient les chômeurs étrangers de pénétrer dans la métropole. Pour survivre, plusieurs ont fait appel à la charité publique et privée. Les sociétés Saint-Vincent-de-Paul ont dû utiliser des bons d'achat pour éviter les dépenses inutiles. Pour lutter contre le chômage chronique, les villes ont effectué des travaux publics (à Montréal, le Jardin botanique,

Les heures sombres du passé sont rappelées à l'occasion de nouvelles crises. Ainsi, le mini-krach boursier de 1987 a été associé à la Crise de 1929 et à ses longues files de chômeurs affamés ; la crise d'Octobre 1970 a été mise en parallèle avec les rébellions de 1837-1838 ; enfin, la crise du Lac-Meech a incité certains anglophones à rappeler l'issue de la bataille des plaines d'Abraham.

(*Nos Racines. Histoire vivante des Québécois*, 126, p. 2501. Archives de la Ville de Montréal.)

l'aménagement de l'île Sainte-Hélène, la construction de toilettes publiques, les «camilliennes») pour lesquels elles recevaient des subventions des gouvernements fédéral et provincial. Pour d'autres, le seul moyen de sortir de la misère fut de s'établir sur des terres de colonisation. Seulement quelques-uns des aspects sinistres de la Crise de 1929 ont refait surface lors du mini-krach de 1987. La mémoire collective, refoulée ou endormie, n'a pas su fournir son contingent de souvenirs.

Plus près de notre temps, la crise d'Octobre 1970 a laissé beaucoup plus de sentiments de refoulement que de fierté dans la mémoire québécoise, comme autant de souvenirs désagréables. Des gestes des membres du Front de libération du Québec, se réclamant des Patriotes de 1837-1838, on a surtout retenu l'action terroriste. De fait, d'une idéologie nationaliste prônant l'indépendance, le mouvement a évolué vers la lutte contre toute forme d'exploitation et vers l'entreprise révolutionnaire. La crise a été déclenchée le 5 octobre par l'enlèvement d'un diplomate britannique, James Cross, suivi de celui du ministre du Travail du gouvernement du Québec, Pierre Laporte. Onze jours plus tard, le gouvernement du Canada décrétait la Loi sur les mesures de guerre. De ce geste on a surtout retenu le caractère répressif permettant l'arrestation et l'emprisonnement de tout sympathisant nationaliste jugé trop actif et engagé. L'intervention fédérale fut souvent interprétée comme l'asservissement du Québec. Une réaction d'horreur et d'invraisemblance a suivi la découverte du corps du ministre Laporte mort aux mains des felquistes.

Des terres de salut

«Que nos ouvriers qui chôment dans les villes aillent sur la terre. Faisons-en des colons. Ce mouvement est commencé et nous voulons lui donner toute l'ampleur possible. Beaucoup de ces ouvriers établis sur ces terres se disent heureux. J'espère qu'ils y resteront, qu'ils demeureront heureux et feront de bons cultivateurs.»

(Louis-Alexandre Taschereau, premier ministre du Québec, discours prononcé en novembre 1931.)

Le Front de libération du Québec

« Le Front de Libération du Québec n'est pas le messie, ni un Robin des temps modernes. C'est un groupement de travailleurs québécois qui sont décidés à tout mettre en œuvre pour que le peuple du Québec prennent définitivement en mains son destin.

Le Front de Libération du Québec veut l'indépendance totale des Québécois réunis dans une société libre et purgée à jamais de sa clique de requins voraces, les « big-boss » patronneux et leurs valets qui ont fait du Québec leur chasse-gardée du cheap labor et de l'exploitation sans scrupules. [...] Travailleurs du Québec, commencez dès aujourd'hui à reprendre ce qui vous appartient ; prenez vous-mêmes ce qui est à vous. Vous seuls connaissez vos usines, vos machines, vos hôtels, vos universités, vos syndicats ; n'attendez pas d'organisation-miracle.

Faites vous-mêmes votre révolution dans vos quartiers, dans vos milieux de travail. Et si vous ne la faites pas vous-mêmes, d'autres usurpateurs technocrates ou autres remplaceront la poignée de fumeurs de cigares que nous connaissons maintenant et tout sera à refaire. Vous seuls êtes capables de bâtir une société libre.

Il nous faut lutter, non plus un à un, mais en s'unissant, jusqu'à la victoire, avec tous les moyens que l'on possède comme l'ont fait les Patriotes de 1837-1838 (ceux que Notre sainte mère l'Église s'est empressée d'excommunier pour mieux se vendre aux intérêts britanniques). [...] Nous sommes des travailleurs québécois et nous irons jusqu'au bout. Nous voulons remplacer avec toute la population cette société d'esclaves par une société libre, fonctionnant d'elle-même et pour elle-même, une société ouverte sur le monde.

Notre lutte ne peut être que victorieuse. On ne tient pas longtemps dans la misère et le mépris un peuple en réveil.

Vive le Québec libre !

Vive les camarades prisonniers politiques !

Vive la révolution québécoise !

Vive le Front de Libération du Québec ! »

(Manifeste du FLQ, *La Presse*, 9 octobre 1970.)

Le climat d'inquiétude ne s'est résorbé qu'après la libération du diplomate anglais, le 3 décembre, l'exil de ceux qui le détenaient, et une fois les ravisseurs de Pierre Laporte retrouvés les 27 et 28 décembre. Faute d'un recul suffisant, à cause du caractère désagréable des souvenirs qu'elle a laissés, cette crise a été rangée dans un recoin de la mémoire collective. Elle n'a pas encore pris sens dans l'évolution historique du Québec.

Il a fallu encore moins de temps pour que les souvenirs du référendum tenu en 1980 sur le mandat de négocier une nouvelle entente constitutionnelle avec le gouvernement fédéral se retrouvent dans un coin caché de la mémoire collective. Depuis plusieurs mois, voire quelques années, le Parti québécois parlait d'un appel au peuple uniquement sur la question de l'entente à négocier avec Ottawa. On a tergiversé longtemps sur le libellé de la question dont la formulation définitive montrait d'ailleurs que tout n'était pas clair. Mais, estimait-on, il fallait une fois pour toutes régler le problème par une consultation populaire. Des comités du Oui et du Non se formèrent et firent campagne avec slogans, macarons, thèmes musicaux, etc. De part et d'autre, on ne reculait pas devant une certaine démagogie, on engageait des artistes pour tâcher de convaincre la population et on échangeait des menaces autant que des promesses. Depuis, on a cherché à oublier certaines scènes disgracieuses, le cas des Yvettes, les dissensions engendrées au sein de familles ou groupes d'amis et les malversations de la campagne. On a surtout fait un sort à la question principale. Le 20 mai 1980, près de 58 pour cent de la population ayant le droit de voter se prononcent contre la question telle que formulée. Pour le premier ministre du Québec, René Lévesque, c'est une demi-défaite. « Il est clair, admettons-le, déclare-t-il le soir du 20 mai, que la balle vient d'être renvoyée dans le camp fédéraliste. Le peuple québécois vient nettement de lui donner une autre chance. » L'année suivante, pour faire comprendre au gouvernement Trudeau qu'il n'avait pas remporté une victoire totale, le peuple québécois reporte au pouvoir le Parti québécois avec 80 députés sur une possibilité de 102. L'équilibre était rétabli. La mémoire pouvait oublier.

*

Le sort réservé par la mémoire collective québécoise à ces événements qui diffèrent dans leur nature et leurs répercussions paraît très complexe. Quand on les évoque, c'est de façon impersonnelle, comme par pudeur. Chacun protège son intimité, tait ses malheurs. Les opinions sur le sens d'un événement sont divergentes : le pacte confédératif donne satisfaction ou suscite des oppositions ; la « guerre sainte » s'oppose aux horreurs de la guerre. Cette pluralité d'opinion pourrait empêcher la formulation d'une réaction collective et, partant, identitaire. Enfin, certains événements sont encore trop récents pour que la mémoire collective en puisse tirer une expérience utile à mémoriser. Occultation ou parti pris montrent néanmoins l'importance d'une mémoire collective bâtisseuse de cohérences dans les choix de société.

Des événements glorifiés

Des événements réputés heureux et marquants ont également été célébrés au Québec. Ainsi en est-il de la « découverte » du Canada par les Français en 1534. La mémoire collective a associé personnage et événement, Jacques Cartier et la colonisation française. Les voyages officiels de Cartier ont symbolisé l'ouverture du continent nord-américain à une présence européenne francophone et catholique.

« La » question

« Le gouvernement du Québec a fait connaître sa proposition d'en arriver, avec le reste du Canada, à une nouvelle entente fondée sur le principe de l'égalité des peuples : cette entente permettrait au Québec d'acquérir le pouvoir exclusif de faire ses lois, de percevoir ses impôts et d'établir ses relations extérieures, ce qui est la souveraineté – et, en même temps, de maintenir avec le Canada une association économique comportant l'utilisation de la même monnaie. Tout changement de statut politique résultant de ces négociations sera soumis à la population par référendum. En conséquence, accordez-vous au gouvernement du Québec le mandat de négocier l'entente proposée entre le Québec et le Canada ?

Oui... Non... »

(Question faisant l'objet du référendum du 20 mai 1980 et rendue publique le 20 décembre 1979.)

Cette célébration comporte une part de vérité historique et beaucoup d'omissions. Il ne fait pas de doute que Cartier a, le premier, en mission officielle, remonté le fleuve Saint-Laurent jusqu'à Stadaconé (Québec), puis Hochelaga (Montréal). Mais ce fut en 1535 et non en 1534. L'objectif de présenter l'action de la France en Amérique comme une grande œuvre de civilisation a presque fait ignorer les finalités mercantiles, vues comme moins louables. Pourtant, le mandat donné à Cartier par le roi de France, de « découvrir ces isles et pays où l'on dit qu'il se doibt trouver grant quantités d'or et autres riches choses », ainsi que sa fuite précipitée des Terres neuves lorsqu'il croit ramener une cargaison d'or et de diamants ont été peu publicisés. On a généralement passé sous silence le fait que, avant même la venue du découvreur, des dizaines de bâtiments avaient régulièrement fréquenté les côtes atlantiques pour s'approvisionner en poisson. On a aussi oublié que le navigateur Thomas Aubert, au service du riche armateur dieppois Jehan Ango, avait ramené en France une dizaine d'Amérindiens de son voyage de 1508. Le rapport de découverte adressé au roi de France par Giovanni da Verrazano, alors au service d'armateurs de Lyon, au retour de son voyage de 1524, a été découvert il y a quelques décennies seulement ; mais sa connaissance a peu dépassé les cercles savants. On méconnaît le fait que, depuis l'entrée de Terre-Neuve dans la Confédération canadienne en 1949, les anglophones du Canada attribuent la découverte de ces contrées à Giovanni Caboto (John Cabot), qui a longé ces côtes en 1497. On attache peu d'importance au fait que la France officielle a été absente de l'Amérique du Nord entre 1542 et 1603. Si l'on a souvent reproduit l'image de Cartier plantant une croix aux armes de la France pour prendre possession du territoire, on a voilé l'importance majeure des protestants dans l'entreprise de colonisation de la Nouvelle-France.

Depuis les années 1535 jusqu'aujourd'hui, la mémoire québécoise célèbre à travers le personnage de Jacques Cartier la découverte du Canada par la France. Ce héros répondait aux besoins d'une collectivité menacée dans son existence, et dont on voulait même tirer un trait sur le passé. Il rappelait les racines françaises et religieuses d'une population qui, majoritaire en nombre, voyait tout de même grimper chaque année l'effectif britannique et protestant. On n'a cessé depuis de commémorer cette découverte, parfois à tort et à travers.

Lors de la célébration du 400ᵉ anniversaire en 1934, des cérémonies grandioses rappellent les faits historiques connus. En 1984, on profite encore d'un anniversaire pour organiser de grandes festivités. Mais cette fois, l'histoire est ramenée à la simple circulation, sur un site, d'un personnage déguisé. De faits pertinents et fondamentaux à une expérience de vie collective, on se contente de quelques déclarations « patriopétardes ».

Après la Conquête, la Révolution tranquille, qu'une bonne partie de Québécois ont vécue, est peut-être le fait historique qui les a le plus marqués en profondeur et qui est déjà entré dans la mémoire collective. Chacun reconnaît l'expression, même si l'expérience pertinente de cette période varie selon les âges, les lieux, les professions exercées et les régions, et diffère selon les domaines économiques, politiques, sociaux, religieux ou culturels. La Révolution tranquille laisse l'impression partagée qu'un nouveau Québec vient de naître. Peut-être avec raison.

Cartier est-il le découvreur du Canada ?

« Il faut d'abord définir l'objet de la discussion. Si l'on entend par Canada celui du seizième siècle, c'est-à-dire la région qui s'étend à peu près de l'île d'Orléans à Portneuf, ou peut-être même tout juste les environs immédiats de Stadaconé, c'est bien Cartier qui est le découvreur de ce Canada, mais en 1535 : c'est en 1535 que le nom de Canada est mentionné pour la première fois ; c'est en 1535 que Cartier trouve le chemin qui mène « à Canada ».

Si ce n'est pas ce Canada qu'on veut dire, il faut que ce soit le Canada tel qu'il se présente aujourd'hui, avec sa façade atlantique composée de la Nouvelle-Écosse, de Terre-Neuve et du Labrador, avec sa façade polaire et sa façade du Pacifique : Cartier est-il le premier à visiter l'une ou l'autre de ces façades ? [...]

On pouvait donc jusqu'en 1867 affirmer que Cartier était le découvreur du Canada : les historiens de langue française avaient encore parfaitement raison. Mais le Canada n'avait pas encore fini d'évoluer géographiquement : par la Confédération de 1867, il s'agrandit du Nouveau-Brunswick et de la Nouvelle-Écosse ; si cette dernière n'a pas été visitée par Jean Cabot, elle l'a été certainement par les Cortereal et par Fagundes : elle est sur les cartes bien avant que Cartier franchisse l'Atlantique. Enfin, en 1949, l'île de Terre-Neuve, connue bien avant Cartier, devient partie intégrante du Canada.

Même si depuis 1867 Cartier n'a plus droit au titre de découvreur du Canada, tel qu'il est aujourd'hui, et même si ses explorations n'ont pas l'envergure des travaux de Hernando de Soto ou de certains explorateurs sud-américains de son temps, il se situe parmi les grands noms du seizième siècle : il est le premier à faire le relevé des côtes du golfe Saint-Laurent, il est le premier à faire connaître dans le détail la vie indigène du nord-est de l'Amérique du Nord ; surtout (et c'est bien là son plus grand mérite), il découvre en 1535 le fleuve Saint-Laurent qui sera le grand axe de l'empire français d'Amérique, la route essentielle par laquelle les Français s'élanceront vers la Baie d'Hudson, vers l'horizon mystérieux de la Mer de l'ouest et vers le Mississipi. Découvreur d'un des grands fleuves du monde, Cartier est au point de départ de l'occupation française des trois quarts d'un continent. »

(Marcel Trudel, *Histoire de la Nouvelle-France. Les vaines tentatives, 1524-1603*, Montréal, Fides, 1963, pp. 116-117.)

Hommage à Cartier !

Mais gloire à toi, Cartier !
Gloire à vous, ses vaillants compagnons, groupe altier
De fiers Bretons taillés dans le bronze et le chêne !
Vous fûtes les premiers de cette longue chaîne
D'immortels découvreurs, de héros canadiens,
Qui, de l'honneur français intrépides gardiens,
Sur ce vaste hémisphère où l'avenir se fonde
Ont reculé si loin les frontières du monde !

(Louis Fréchette, cité par Guy Laviolette, *Jacques Cartier (1491-1557) Découvreur du Canada*, La Pointe-du-Lac, Les Frères de l'Instruction chrétienne, coll. Gloires nationales, 1943, p. 17.)

La perception de la Révolution tranquille a certainement été influencée par une diffusion médiatique importante. Elle a cependant emprunté un modèle de représentations qui rappelle les temps les plus lointains, où le bon surmonte les épreuves et triomphe du méchant. Par ailleurs, la Révolution tranquille sanctionne la primauté d'un discours idéologique sur un autre. Elle remplace l'ancien discours mais sans le faire disparaître complètement. La Révolution tranquille comporte d'autres particularités. Elle ne se ramène pas à un événement unique, simple, que l'on pourrait circonscrire et dater. Du reste, plusieurs personnes en revendiquent, au moins pour une part, la paternité. Elle n'est pas non plus le fruit d'une génération spontanée. Elle avait été préparée par une lente évolution : l'ouverture au monde par la télévision, la critique des idées et des idéologies par plusieurs groupes de penseurs, comme les gens de *Cité libre*. Ce type d'événement peut-il survivre dans la mémoire, au même titre que la prise de la Bastille ?

Ces célébrations indiquent finalement que la mémoire a plus d'importance que l'histoire dans un destin collectif. Elles démontrent cependant avec autant de force qu'une mémoire coupée des faits historiques qui en assurent le fondement a peu de valeur significative ou mobilisatrice.

Des événements difficiles

Dans l'histoire du Québec, les événements passés n'ont pas toujours été des jours heureux. Comme dans la mémoire des individus, des malheurs, des périodes sombres, des violences, des décès sont enfouis au tréfonds de la mémoire collective. C'est une façon de les oublier, de les assumer, de laisser le temps panser les blessures ou de réserver un coin d'intimité à des souvenirs encore trop sensibles. Dans la mémoire québécoise, la guerre de la Conquête et les rébellions de 1837 et 1838 ont engendré de semblables réactions.

Si l'on retient les aspects les plus négatifs de la guerre que se livrent la France et l'Angleterre en Amérique du Nord entre 1756 et 1763, on pourrait conclure, en reprenant les termes de l'historien Guy Frégault, que la petite société francophone établie depuis un siècle et demi sur les rives du Saint-Laurent a subi un véritable cataclysme. La défaite paraît à la fois militaire, politique, économique, sociale et culturelle. Avec le démembrement de la Nouvelle-France et le passage du Québec dans l'Empire britannique, il ne survit plus que des Canadiens sans Canada, une nation sans pays. Le conquérant peut imposer sa loi à un petit peuple, faible en nombre mais fort en qualité, qui luttera désespérément pour sa survie.

L'une des grandes voies d'interprétation de la Conquête, qui a eu cours des années 1840 jusqu'aux années 1960, a ainsi préféré insister sur la lutte pour se relever d'un malheur extrême. Elle a mis de l'avant le fait que les troupes s'étaient battues assez honorablement pour recevoir les honneurs de la guerre à Québec en 1759. Elle a valorisé les négociations de la paix qui avaient permis la sauvegarde de la langue, de la religion et des institutions.

À l'égard des faits eux-mêmes, toutes sortes d'excuses ont été avancées. Jusque dans les années 1920, on a cherché des traîtres. Ce fut Louis Du Pont Duchambon de Vergor qui, de garde sur les plaines d'Abraham, n'avait pas donné l'alerte quand les Anglais avaient débarqué et entrepris l'ascension du promontoire. Les malversations économiques de l'intendant François Bigot ont également été dénoncées. On a critiqué les décisions du général Montcalm qui avait opté pour une stratégie défensive et une guerre à l'européenne, perdant ainsi les effets des victoires accumulées jusque-là dans les raids « à la canadienne ». On a reproché à la France son abandon de la colonie. On a honni Voltaire qui avait osé écrire : « Je suis comme le public. J'aime beaucoup mieux la paix que le Canada et je crois que la France peut être heureuse sans Québec », ainsi que Nicolas-René Berryer, le ministre français responsable de la colonie, qui avait déclaré : « Quand le feu est à la maison, on ne sauve pas les écuries. » On a également occulté le fait qu'à l'été de

Une conquête providentielle

« Préoccupés avant tout des intérêts primordiaux de la religion, nos pasteurs eurent, sans doute, après 1760, raison de se réjouir d'un changement de régime qui, tout en retardant notre expansion française, nous permit d'échapper à la Révolution et de garder à peu près intact ce cachet de la vieille France et ce trésor de ses meilleures traditions dont nous sommes si fiers.

Des dangers et des luttes suivirent dont l'ère, d'ailleurs, n'est pas close, et où notre clergé, dans son ensemble, s'est montré le ferme champion des droits français. L'Église n'abandonna point au hasard des périls notre famille ethnique si providentiellement conservée. Elle l'a, au contraire, couvée des tendresses de son regard et des assiduités de son zèle. Ce zèle, pendant longtemps, dut être prudent : il n'en fut pas moins réel. »

(Louis-Adolphe Paquet, conférence prononcée le 9 juin 1924, à l'Académie commerciale, devant les membres de la Société Saint-Jean-Baptiste de Québec, section Notre-Dame, cité dans *Études et appréciations, nouveaux fragments apologétiques*, Québec, Imprimerie franciscaine missionnaire, 1934, p. 234.)

1759 les principaux citoyens de la ville de Québec avaient demandé la reddition. Finalement, dès la fin du XVIIIe siècle, la Conquête est présentée par l'épiscopat québécois comme un bienfait de la Providence; elle épargne aux Canadiens français les méfaits de l'anticléricalisme et du rejet de l'autorité qui accompagnent la Révolution française de 1789. Encore en 1924, monseigneur L.-A. Paquet, doyen de la Faculté de théologie de l'Université Laval, déclarait que les prélats du Québec eurent sans doute raison de se réjouir d'un changement de régime qui permit de garder intact le trésor des meilleures traditions de la vieille France.

Dans les années 1970, l'historien Fernand Ouellet propose une tout autre perspective. Pour lui, la Conquête n'a pas entamé les forces vitales de la société d'ancien régime qui survit sans coup férir et sans changement en profondeur. La reprise économique fait rapidement disparaître les méfaits de la guerre: la structure sociale n'est pas bouleversée, et les lois anglaises comportent des avantages. Serait-ce là une autre façon d'occulter une défaite?

On peut aussi observer un changement dans certaines attitudes répandues dans le discours populaire au Québec. Les tendances autonomistes anciennes s'étaient souvent traduites par le rejet de toutes les fautes sur autrui. Il était courant d'entendre que tout était la faute des « maudits Anglais ». Cette façon de s'apitoyer sur son sort a disparu à peu près complètement, comme si les Québécois étaient devenus capables d'assumer entièrement leur passé avec ses heures de gloire, de morosité et de malheur.

Le sang des Patriotes est une semence de nationalistes. Les milliers de Patriotes qui se sont soulevés en 1837-1838, les centaines qui ont été emprisonnés, les 58 déportés et les 12 personnes pendues évoquent, à des degrés différents, l'affirmation d'appartenance identitaire.

(*Nos Racines. Histoire vivante des Québécois*, 70, p. 1381.)

Malgré un aboutissement qui se rapproche de celui de la Conquête de 1760, la perception des Patriotes de 1837-1838 a connu une évolution différente. L'historien Jean-Paul Bernard a retracé minutieusement les différentes mémoires de ces événements. Il a dégagé les attitudes qui évoquent des perceptions différentes de ces événements. Cet exemple éclaire l'interaction symbolique entre des collectivités et leur passé.

La perception des événements et les ralliements qu'ils ont provoqués ont évolué dans le temps et selon les points de vue. Dans plusieurs textes d'époque, les gestes posés lors des rébellions constituent la première grande affirmation nationale de l'existence de la nation canadienne et ils auraient reçu une forte audience ailleurs que dans les seules régions du Richelieu, des Deux-Montagnes et de Montréal. Presque tout le Bas-Canada aurait été secoué par des frissons de contestation. Par contre, en 1852, Pierre Blanchet a dû suspendre la publication de son journal nationaliste *L'Avenir*. En outre, malgré des efforts surhumains, une souscription pour ériger un monument aux Patriotes a rapporté l'insignifiante somme de 125 livres, même pas de quoi installer une modeste pierre tombale. La fuite des chefs politiques et la condamnation par l'Église ont d'abord jeté un voile sur l'action des Patriotes. Thomas Chapais résume ces positions dans son *Cours d'histoire du Canada*, publié en 1923. Il écrit que le mouvement insurrectionnel était condamnable dans son principe et n'avait eu que des résultats déplorables, qu'il avait été l'occasion d'une explosion de démagogie et d'une répudiation de l'autorité de l'Église. On peut ainsi comprendre les minces succès de ceux qui avaient voulu commémorer la mémoire des Patriotes.

Les débats que ces événements ont suscités ont remis en cause la légitimité de la rébellion. Ils ont insisté sur ses dimensions nationalistes, politiques et sociales. Certains ont atténué la portée radicale des revendications. Pour J.-P. Bernard, l'évocation positive des Patriotes a triomphé plus tôt et plus rapidement au Canada anglais. Le mouvement a été interprété comme un progrès vers la liberté politique, débouchant, en 1848, sur la reconnaissance de la responsabilité ministérielle. Du côté des francophones, c'est Lionel Groulx qui, dans une série d'articles dans *L'Action française* en 1926, a fait ressortir les valeurs nationalistes du mouvement. Il lève l'hypothèque de la sanction cléricale en distinguant l'ordre politique et l'ordre moral. Pour Groulx, la position du clergé était uniquement morale. Ce serait la mort dans l'âme que le clergé, conformément à ses devoirs religieux, avait dû refuser la sépulture ecclésiastique aux Patriotes morts les armes à la main.

Au moment de la Révolution tranquille, le mouvement des Patriotes fait l'objet de nouvelles commémorations. Une vingtaine de livres, dont la réédition de vieux ouvrages à fort penchant nationaliste, sont publiés. S'y ajoutent une dizaine de productions cinématographiques. Une fête commémorative attire 5 000 personnes en 1977. Lors des grandes crises nationalistes ou des événements de 1970, les protagonistes brandissent le souvenir des Patriotes et se proclament leurs héritiers. Certains rappels ont soulevé de l'enthousiasme, d'autres n'ont guère gagné la sympathie du public. Les fêtes marquant le 150e anniversaire, les émissions de radio et de télévision ont cependant permis de présenter les événements sous un autre jour et d'effacer leur caractère odieux. L'Église et l'État ont pu tirer profit de cette commémoration. Les cendres de Jean-Olivier Chénier ont été transportées dans un cimetière catholique tandis que le Parti québécois s'est réclamé de la ferveur nationaliste des Patriotes. Pendant un siècle et demi, on n'osa se réclamer des Patriotes; aujourd'hui, la tendance est plutôt de rechercher la présence d'un ancêtre parmi ceux qui avaient fait le coup de feu.

Une réhabilitation tardive

« L'Église d'aujourd'hui ne saurait désavouer l'Église d'hier. Mais l'exclusion du droit des Patriotes à la sépulture religieuse a marqué leurs descendants jusqu'à aujourd'hui. Il apparaît que leurs prières doivent aujourd'hui être exaucées. »

(Charles Valois, évêque de Saint-Jérôme, homélie du 26 juillet 1987, cité dans *La Presse*, 27 juillet 1987, p. 1.)

*

La façon dont une société évoque les événements majeurs de son passé n'est pas plus neutre ou gratuite que l'image de ses héros. Le rappel comporte des choix, privilégie des aspects particuliers et, finalement, construit un passé qui sert les intentions du présent en vue de l'avenir. Cet effet de rappel des traces inscrites dans l'histoire ou dans la mémoire joue un rôle primordial dans l'expression d'une volonté et d'une affirmation collectives.

La première interprétation globale des événements marquants du passé québécois est élaborée à un moment crucial pour le devenir de la collectivité francophone. Elle intervient après 80 années d'une domination anglaise inscrite entre deux cuisantes défaites: la Conquête de 1760 et les rébellions écrasées de 1837 et 1838. Entretemps, les luttes et les compromis pour la reconnaissance des droits fondamentaux, l'invasion américaine de 1775, la Révolution française de 1789 et la guerre de 1812, ajoutés à l'emprise économique et démographique croissante des Britanniques, s'imposent comme une accumulation d'événements peu glorifiants. Les seuls événements valorisants ramènent à l'époque de la Nouvelle-France. La seule élite intellectuelle francophone en place au milieu du XIXe siècle, le clergé, incitait à privilégier des valeurs d'ordre et de morale. Ce contexte a fortement teinté la perception du passé et de l'expérience qu'on y a cherchée. Il condamnait à une idéologie de survivance. Les découvertes et les explorations ont rappelé la force des racines françaises dans l'entreprise de conquête d'un continent. Les exploits guerriers et le martyre des missionnaires ont remémoré le courage et l'abnégation des uns et des autres; on les interpréta comme des victoires sur la sauvagerie. Sur le plan social, on mit en lumière les qualités morales des mères, le labeur des hommes, l'esprit de famille, la pureté de la race. Les voyages des pêcheurs antérieurs à ceux de Jacques Cartier, le rôle des commerçants, la venue de protestants, les menées des coureurs de bois, la conduite des militaires, tout cela, secondaire ou accidentel, méritait peu de considération. Bref, la Nouvelle-France ressemblait à un paradis sur terre. La France antérieure à 1789 avait légué à l'Amérique une société « à hauteur d'homme », caractérisée par sa langue, sa religion, ses institutions et ses valeurs.

La sauvegarde de l'identité francophone pouvait ainsi s'appuyer sur des bases solides. Les situations ou les événements moins glorieux furent excusés par la traîtrise, atténués dans leur signification ou simplement occultés au profit de la célébration de l'espace, des pionniers ou des héros. De la période jugée plus sombre des années 1760-1840, le discours idéologique retint surtout la lutte pour la survivance de la collectivité. Pendant plus d'un siècle jusqu'aux environs des années 1960, cette perception du passé et du destin de la collectivité francophone a été soutenue et véhiculée, non sans nuances et tensions parfois, par les lieux traditionnels du pouvoir et de la mémoire : l'Église, l'État et l'École. Ceux-ci offraient ainsi une réponse satisfaisante aux préoccupations et aux sensibilités populaires.

Depuis les années 1960, les attitudes face aux événements du passé changent et empruntent d'autres voies, souvent paradoxales. Des groupes politiquement

engagés réagissent violemment contre des comportements qu'ils jugent agressifs envers la collectivité
canadienne-française. À Québec, des bombes ébranlent
la statue de la reine Victoria et le monument Wolfe. On
s'oppose ainsi à l'organisation, en plein cœur de la
francophonie, de la célébration de ses défaites. Différents groupes, généralement inconciliables, récupèrent
à des fins particulières l'action des Patriotes de 1837-
1838 : les révolutionnaires felquistes justifient leur recours aux armes, les partisans péquistes organisent des
rassemblements nationalistes, des religieux reconnaissent la légitimité d'oppositions politiques actives, des
jeunes y cherchent l'engagement sans compromission
d'hypothétiques parents et ancêtres.

Au même moment, dans les universités, le nombre
d'étudiants en histoire décuple. On interprète cette
évolution comme une des retombées de la revitalisation
des courants nationalistes. Par contre, en même temps,
l'histoire délaisse l'étude de l'événement pour s'intéresser
au social. Elle prône une objectivité scientifique, se
refusant à tenir compte des sentiments. On rejette
l'histoire leçon du passé ou source de fierté nationale et,
du même coup, ce qu'elle peut représenter comme
expérience collective. On en vient à supprimer le cours
obligatoire d'histoire nationale dans les écoles. La Révolution tranquille, traduisant la question identitaire
en projet collectif et en actions, ne sentait plus le besoin
de rappeler ses fondements.

LES OBJETS SYMBOLIQUES

Avec les héros et les événements, les objets constituent
une autre façon pour les collectivités de conserver la
mémoire du passé. Cette mémoire est semblable à celle
qui anime les individus. Elle se compare aux souvenirs
d'un événement familial que l'on fixe sur pellicule, aux
objets que l'on rapporte d'un voyage, aux pierres tom-
bales que l'on érige, aux objets dont on s'entoure, au
décor intérieur ou extérieur d'un lieu de résidence, aux
collections que plusieurs constituent. Ces objets à valeur sentimentale plus que marchande expriment une
volonté d'être et de paraître.

Les représentations concrètes et symboliques de l'identité sont de divers ordres. On les retrouve dans les drapeaux et emblèmes officiels, tout autant que sur les bannières, affiches et macarons populaires. On peut également, par juxtaposition et comparaison, y associer les patrimoines immobilier, archivistique ou folklorique qui constituent autant de traces concrètes du passé d'une collectivité. Les collections de musée et les objets commémoratifs recherchés par les collectionneurs livrent un témoignage éloquent de ces sensibilités dans la sauvegarde ou l'affirmation d'une identité.

L'objet jugé digne de mémoire a le plus souvent perdu sa fonction utilitaire pour acquérir une valeur symbolique et une signification culturelle. Redécouvert après avoir été un temps oublié, l'objet devient témoin d'une époque, d'un espace, d'une culture. Il rend compte des aspirations et des valeurs de la collectivité qui le sacralise, l'admire sans le toucher, le vénère pour ce qu'il signifie plutôt que pour ce qu'il est.

Cette ouverture sur l'objet symbolique explore sommairement trois types de représentations : elle observe les attitudes face aux symboles officiels ; elle montre l'importance des emprunts dans l'expression de l'identité ; elle tente enfin de cerner l'évolution des sensibilités et des comportements dans la célébration du passé par l'objet de musée.

Les objets de collection

À l'instar des emblèmes comme le castor ou la feuille d'érable, il est courant qu'une collectivité fasse d'objets usuels des symboles qui incarnent sa mémoire et enracinent son identité.

Les premières personnifications matérielles de l'identité québécoise semblent remonter aux années 1830-1840, au moment où s'élabore un discours idéologique englobant toutes les facettes du passé. Dans les peintures de William Henry Bartlett et de Cornelius Krieghoff apparaissent ces éléments qui, plus tard, symboliseront l'identité québécoise. Au début du XXe siècle, les dessins et les gravures de Henri Julien et d'Edmond-Joseph Massicotte évoquent des personnages comme le Patriote ou l'ancien Canadien, représentés avec une pipe, une tuque, des bottes, des raquettes, un gros manteau d'étoffe du pays ou un manteau de fourrure retenu par une ceinture fléchée, ou encore assis dans

En 1931, évoquant les grandes traditions québécoises, Georges Bouchard se rend compte de la perte de l'usage du rouet et lui accole une nouvelle valeur d'ordre symbolique : « Le rouet est, certes, de tous les instruments de la production domestique, celui qui mérite le plus de captiver notre attention [...] il offre encore un des traits les plus gracieux de nos foyers ruraux. Il est de plus le roi, le soutien et encore le symbole de tous les autres instruments. »

(Almanach du peuple de la librairie Beauchemin, Montréal, Beauchemin, 1905, p. 165.)

une berçante devant un poêle à deux ponts. Ces représentations acquièrent un prestige et prennent une forme tridimensionnelle dans les années 1930. À ce moment, et en même temps que les Archives, on crée un Musée de la Province. Le gouvernement met sur pied un inventaire des œuvres d'art. Le sculpteur Alfred Laliberté reconstitue dans le bronze des métiers traditionnels et des scènes de la vie. Le gouvernement commence alors à acquérir des vestiges matériels du passé.

L'éventail des objets symboliques s'enrichit considérablement : le canot et la raquette, les mets dits traditionnels comme les fèves au lard, les cretons, le ragoût de pattes, la tourtière, le sucre d'érable ; les vêtements comme la chemise à carreaux, la ceinture fléchée, les bottes en poil de bœuf. Certains rappellent plutôt le mobilier domestique : le ber, le rouet, la baratte à beurre, le poêle à deux ponts, l'armoire à pointes de diamant, le fusil ou les arcs et les flèches et, bien sûr, les objets de dévotion. Dans ce processus d'acquisition et de sauvegarde, les sensibilités ont évolué des besoins primaires (manger, se vêtir, se chauffer et se déplacer dans la nature) vers les outils de l'artisan, puis le mobilier rural ancien et enfin vers les arts populaires.

Outre cette évolution dans les sensibilités, deux constats semblent significatifs en regard de l'identité. Plusieurs de ces objets ont été empruntés à d'autres

---

Le ber

« Le ber est très vieux : les aïeux y furent bercés. Par manière de parler, je dirais que le ber de chez nous existe depuis toujours. On ne sait plus son âge, tant il compte d'années. Il était dans la maison avec les chaises à treillis de peau de cheval ; il y était avant le poêle trapu qui supplanta le foyer ouvert, avant la huche rouge qu'on a toujours vue dans le coin du nord-est, avant le coffre bleu où de temps immémorial on serre les catalognes. Que dis-je ? le ber a vu construire, pièce sur pièce, la maison elle-même ; il attendait seulement qu'on l'eût couverte pour y entrer, car on était sur le bord d'avoir besoin de lui. En vérité, ce meuble est aussi ancien que la famille.

Suivant la tradition, le ber des ancêtres se transmet d'une génération à l'autre, comme un héritage sacré ; et c'est un privilège, réservé à l'aînée des filles mariées, d'aller le chercher à la maison paternelle, quand elle espère la première visite des sauvages.

Et c'est ainsi que, de mère en fille, le vieux ber bleu-coffre est venu jusqu'à nous.

Qui donc autrefois le construisit ? [...] Je pense au rude ancêtre qui assembla ces quatre planches et en fit le berceau de sa race. Il me semble le voir, tout là-bas, presque dans l'histoire. [...]

Bénissez, ô mon Dieu, les maisons où le ber est honoré ! Bénissez les foyers où les naissances nombreuses réjouissent le vieux ber et lui font une perpétuelle jeunesse ! Bénissez les familles qui gardent les vertus anciennes, pour la gloire de l'Église et de la Patrie ! »

(Adjutor Rivard, *Chez nous*, Québec, Éditions de l'Action sociale catholique, 1919, pp. 30-32 et 41.)

cultures: amérindienne pour la pipe, le canot ou les raquettes; américaine pour la chemise à carreaux et les fèves au lard; ou encore irlandaise pour certains airs de violon. D'un autre côté, certains de ces symboles, le castor ou la feuille d'érable par exemple, sont récupérés par un gouvernement supérieur. Voilà un signe puissant d'une culture de convergence qui adopte, s'approprie et exporte même les objets qui représentent son identité. Le second constat est lié à l'effet de symbolisation de ces objets qui ont généralement perdu leur valeur d'usage. Tout au plus servent-ils encore parfois à des fins de loisirs. On les reconnaît donc pour leur valeur passée et leur signification culturelle. Mais même cette signification paraît déformée, car, en réalité, ces objets ne représentent pas avec exactitude ce que nous sommes ou avons été. Un grand nombre de Québécois n'ont jamais possédé de chemise à carreaux, de capot de fourrure, de ceinture fléchée, de canot, de raquettes, de poêle à deux ponts ni d'armoire à pointes de diamant. La majorité des rouets et une grande partie du mobilier proviennent d'entreprises industrielles. Combien de Québécois ont pu posséder de ces riches armoires? Combien de gens se sont nourris de fèves au lard ou de ragoût de pattes? À travers ces objets, une société vise donc à commémorer autre chose: un monde rural, un monde de pionniers, un monde d'artisans qui produisaient de beaux objets, etc.

Le contexte idéologique de sauvegarde de la collectivité canadienne-française a pesé d'un poids très lourd sur la constitution des collections nationales. Encore une fois, l'initiative est venue d'anglophones. En 1906, les membres de la Quebec Landmark Commission recommandent la création d'un musée national sur les plaines d'Abraham. Dès son ouverture en 1933, le Musée de la Province, faisant écho aux préoccupations des élites civiles et cléricales, façonne la mémoire québécoise de façon particulière. « Avec ses quelque 200 bronzes immortalisant les légendes, coutumes et métiers d'autrefois, ses tableaux évoquant de grandes pages de l'histoire nationale, ses portraits de grandes figures du passé, ses scènes du terroir et ses représentations pittoresques de l'habitant, le volet artistique des collections du Musée incarne à lui seul l'image d'une société de souche française où l'on voudrait que rien ne change et dont il importe de fixer, d'enrichir et d'entretenir la mémoire. L'institution vise à démontrer au reste de l'Amérique l'existence, l'évolution et la vitalité d'une collectivité fière de son savoir-faire et de son héritage français. » Tant que l'on a mis de l'avant une politique de sauvegarde, on a invité les détenteurs d'objets anciens à les confier à l'État. Quand s'est imposée une stratégie de diffusion, on a insisté sur la nécessité de conserver les pièces dans leur contexte de création ou d'utilisation. La publicité d'une maison d'affaires préconisait alors que « vivre dans des meubles qui ont un passé, c'est un peu renouer quotidiennement les liens avec les ancêtres, avec le patrimoine, c'est se donner une identité à domicile ».

À compter des années 1970, la situation commence à changer. On conteste, par exemple, l'entreprise de reconstitution exacte des bâtiments de Place-Royale à Québec qui fige un aménagement urbain à un moment donné du passé. On se plaint de la détérioration d'un tissu urbain qui ne réussit pas à retrouver un dynamisme. Finalement, on retourne aux objectifs initiaux du projet, centrés sur le développement touristique et, partant, sur la rentabilité de la diffusion d'un patrimoine.

La création d'un musée de la civilisation éclaire un autre volet des attitudes face à l'objet symbolique au Québec. Jusqu'aux années 1960, l'objet patrimonial est géré par le Musée du Québec, plutôt tourné vers l'art, d'où la primauté accordée aux dimensions esthétiques de l'objet. Après l'acquisition de quelques grandes collections, les sources de financement se tarissent ou se déplacent vers le patrimoine immobilier. Les collections cessent d'être rajeunies ou renouvelées. Encore aujourd'hui, elles reflètent prioritairement le discours idéologique ancien axé sur le monde rural et artisanal « traditionnel ». Les orientations des recherches en sciences humaines et sociales des 20 dernières années permettent de constater que les collections ne rendent compte que d'une partie seulement d'un passé définitivement révolu. Le Musée de la civilisation, inauguré en 1988, définit de nouveaux rapports avec l'objet et les collections. Il veut être moins un établissement qui conserve des objets qu'un lieu de diffusion des valeurs incarnées dans la matière et des témoignages symboliques de la société qu'ils représentent.

Drapeaux et emblèmes

En regard des emblèmes qui traduisent une faveur surtout populaire, les drapeaux et les armoiries constituent plutôt des marques distinctives officielles. Symboles de la patrie, ils se veulent un signe de ralliement.

De Jacques Cartier qui en 1534 plante une croix décorée de l'écu des rois français jusqu'au drapeau du Québec adopté par l'Assemblée législative en 1948, la fleur de lys a constitué la représentation identitaire à laquelle les francophones se sont le plus identifiés. On la retrouve sur des bannières, des étendards, des armoiries. Elle est rappel de la royauté française, mais encore plus des souches de la majorité de la population du Québec.

La fleur de lys a aussi côtoyé d'autres signes de ralliement à différentes époques. Le drapeau papal pavoisait les rues et les maisons lors des processions de la Fête-Dieu. La venue d'un navire aux armes de la France en 1855, *La Capricieuse*, a repopularisé le tricolore pendant un demi-siècle. La bannière qui a peut-être vu le feu lors de la victoire française à Carillon en 1758, redécouverte en 1848, connut aussi son heure de gloire.

Le Québec se dote d'un drapeau particulier

« ATTENDU qu'il n'existe pas actuellement de drapeau canadien distinctif ;

ATTENDU que les autorités fédérales semblent s'opposer à l'adoption d'un drapeau exclusivement canadien et négligent, en conséquence, de donner à notre pays, le Canada, un drapeau qu'il est en droit d'avoir ;

ATTENDU qu'il est juste et convenable que sur les édifices parlementaires de la province de Québec flotte un drapeau qui répond aux traditions, aux droits et aux prérogatives de la province ;

ATTENDU qu'au cours de la session de l'an dernier la Législature de Québec, à l'unanimité, s'est prononcée en faveur d'un drapeau propre à la province de Québec et qui lui convient ;

IL EST ORDONNÉ, en conséquence, sur la proposition de l'honorable ministre de l'Industrie et du Commerce :

QUE le drapeau généralement connu sous le nom de drapeau fleurdelisé, c'est-à-dire drapeau à croix blanche sur champ d'azur et avec lis, soit adopté comme drapeau officiel de la province de Québec et arboré sur la tour centrale des édifices parlementaires, à Québec, et cela avec la modification ci-après, savoir :

QUE les lis qui figurent sur le drapeau soient placés en position verticale. »

(Arrêté en Conseil adopté par le Conseil des ministres de la province de Québec, le 21 janvier 1948.)

Sous la couronne royale britannique, les fleurs de lys françaises, le lion anglais et les feuilles d'érable canadiennes-françaises. À ces armoiries assignées par la reine Victoria en 1868, s'est ajoutée, 15 ans plus tard, la devise québécoise Je me souviens.

(Ernest Gagnon, *Feuilles volantes et pages d'histoire,* Québec, 1910, p. 37. Dessin d'Eugène Taché)

Le drapeau de Carillon

Sur les champs refroidis jetant son manteau blanc,
Décembre était venu. Voyageur solitaire,
Un homme s'avançait d'un pas faible et tremblant
Aux bords du lac Champlain. Sur sa figure austère
Une immense douleur avait posé la main.
Gravissant lentement la route qui s'incline
De Carillon bientôt il prenait le chemin,
Puis enfin s'arrêtait sur la haute colline.

Là, dans le sol gelé fixant un étendard,
Il déroulait au vent les couleurs de la France ;
Planant sur l'horizon, son triste et long regard
Semblait trouver des lieux chéris de son enfance.
Sombre et silencieux il pleura bien longtemps,
Comme on pleure au tombeau d'une mère adorée,
Puis, à l'écho sonore renvoyant ses accents,
Sa voix jeta le cri de son âme éplorée :

« Ô Carillon, je te revois encore,
Non plus hélas ! comme en ces jours bénis,
Où dans tes murs la trompette sonore
Pour te sauver nous avait réunis.
Je viens à toi, quand mon âme succombe
Et sent déjà son courage faiblir.
Oui, près de toi, venant chercher ma tombe,
Pour mon drapeau je viens ici mourir. [...]

« Cet étendard qu'au grand jour des batailles,
Noble Montcalm, tu plaças dans ma main,
Cet étendard qu'aux portes de Versailles,
Naguère, hélas ! je déployai en vain,
Je le remets aux champs où de ta gloire
Vivra toujours l'immortel souvenir,
Et, dans ma tombe emportant ta mémoire,
Pour mon drapeau je viens ici mourir. » [...]

À quelques jours de là, passant sur la colline,
À l'heure où le soleil à l'horizon s'incline,
Des paysans trouvaient un cadavre glacé,
Couvert d'un drapeau blanc. Dans sa dernière étreinte
Il pressait sur son cœur cette relique sainte,
Qui nous redit encore la gloire du passé. »

(Octave Crémazie, « Le drapeau de Carillon », 1858, cité par Pierre de Grandpré, *Histoire de la littérature française du Québec*, Montréal, Librairie Beauchemin, tome 1, 1967, pp. 168-169.)

Enfin, sous le Régime britannique, à compter de 1759, diverses versions du drapeau anglais flottent sur les édifices gouvernementaux jusqu'à l'adoption du drapeau canadien actuel en 1965, où deux bandes rouges enserrent une feuille d'érable sur fond blanc.

Les emblèmes sont un peu comme les vêtements dont s'habillerait une collectivité. Ils la représentent dans des objets concrets. Ils symbolisent ses valeurs. Ils illustrent l'image qu'elle se donne et veut donner d'elle-même. Ils sont de puissants marqueurs d'identité, façonnés par la tradition, empreints de valeurs partagées et ralliant la faveur populaire.

Depuis fort longtemps, le castor et la feuille d'érable ont servi d'emblèmes à la collectivité québécoise. Le castor apparaît dans une gravure de 1670 illustrant la traite des fourrures au Canada. Dès 1673, le gouverneur Frontenac propose de le faire figurer dans les armes de la ville de Québec. On le dessine sur des cartes, des médailles, des armoiries, des drapeaux, des affiches, des jetons, des en-têtes de journaux. Il devient l'écusson d'un célèbre régiment. Il a aussi été très tôt récupéré par les Canadiens anglais. En 1859, il apparaît sur un timbre du Canada-Uni. Il glisse encore quotidiennement entre les doigts des Canadiens, sur le revers de la pièce de cinq cents. Symbole du commerce, il l'a été encore davantage du travail inlassable, du bricolage d'une solidité à toute épreuve, de la société des humains.

Quant à la feuille d'érable, elle devient un emblème du Canada français au XIXᵉ siècle. Elle acquiert une célébrité rapide dans les années 1834-1836, au moment même où l'on veut ériger une statue à Jacques Cartier. Popularisée par la Société Saint-Jean-Baptiste et le journal *Le Canadien*, organe nationaliste, elle apparaît sur les bannières et les drapeaux des Patriotes en 1837-1838. Quand le gouvernement du Canada envisage d'adopter un drapeau distinctif de l'Union Jack, au moment de la préparation de la célébration du centenaire de la Confédération, les francophones font une vigoureuse campagne populaire pour le choix de la feuille d'érable et l'adoption des couleurs bleu, blanc et rouge de la France. Ils auront la feuille d'érable, mais uniquement le rouge et le blanc, plus proches du drapeau britannique.

*

Pendant longtemps et pour une large collectivité, les représentations symboliques identitaires suivent un cheminement semblable, soumises qu'elles sont aux mêmes influences. Les objets du passé qui acquièrent

Vive le castor !

«Le castor doit, pour nous, faire partie du drapeau canadien-français.

Pourquoi? Parce qu'il est au nombre de nos traditions populaires les plus universelles et les plus antiques. [...]

Le castor paraît encore sur plusieurs de nos édifices publics et sur une multitude de drapeaux et de bannières; il entre dans l'ornementation intérieure de nos salles publiques et dans une foule de décors: on le retrouve au delà de quarante fois dans la salle des séances au Monument National.

Sous la domination française, il y eut sept émissions de monnaie à l'effigie du castor, avec ces mots «non inferiora metallis».

Nos ancêtres tenaient au castor, parce qu'il symbolisait bien l'extraordinaire industrie des habitants de la Nouvelle-France.»

(François-Xavier Baillairgé, *Le drapeau canadien-français, azur, fleur de lis, castor, feuilles d'érable, écusson; nos raisons*, Montréal, Granger, 1904, pp. 19-22.)

La feuille d'érable !

« La feuille d'érable est exclusivement la marque distinctive du Canadien français. Nos pères furent les premiers occupants de ce beau pays où la feuille d'érable apparut pour la première fois à leurs regards. Sa forme gracieuse et légère, son vert tendre, symbole de jeunesse et d'espérance, les captivèrent et elle devint notre emblème national.

Peut-être nous objectera-t-on qu'elle fait partie du drapeau officiel de la Puissance et qu'à ce titre les Canadiens anglais pourraient bien la réclamer. Je répondrai que, sur le drapeau du Canada, elle symbolise la race canadienne-française et non la race canadienne-anglaise. Chacune des deux nations qui se partagent le Canada a son emblème sur l'étendard officiel ; et la feuille d'érable étant la nôtre, c'est à bon droit que nous pouvons l'y détacher pour la mettre sur notre drapeau national. »

(Comité de Québec, *Le drapeau national des Canadiens français : un choix légitime et populaire*, Québec, 1904, p. 31.)

une valeur culturelle visent à témoigner des souches françaises, rurales, religieuses et préindustrielles de la société québécoise. Quand le discours idéologique dominant ne bénéficie plus de la même audience, on se tourne vers d'autres traces tangibles du passé, que l'on s'efforce d'abord de sauvegarder. Quand la volonté de diffusion commence à son tour à s'imposer avec plus de force, les tendances à la sauvegarde persistent avec moins d'acharnement et en certains endroits seulement. Les sensibilités populaires, passant de la célébration du patrimoine bâti à celle du mobilier, puis à l'histoire de vie, de la famille ou de la localité, demeurent imprévisibles. Cependant, avec un peu de recul il est possible de retracer des besoins auxquels semblaient répondre les modes en matière culturelle, de dégager le sens d'une évolution, de construire une cohérence entre hier et aujourd'hui.

L'ajustement des représentations symboliques identitaires qu'incarnent les objets et les collections d'un musée aux réalités et aux préoccupations du présent constitue un puissant défi. Il peut arriver, comme ce fut le cas lors de la vogue patrimoniale des années 1965-1975, que des sensibilités populaires favorisent un type d'acquisition et valorisent diverses représentations. Mais, dans cette société de consommation, le public paraît constamment à la recherche de nouveautés et les modes passent rapidement. Ces tendances ne se ramènent cependant pas à une quête éphémère de constantes innovations. On peut y déceler des racines profondes. L'engouement pour le quotidien, l'individu ordinaire ou l'évolution rejoint une recherche d'emprise sur l'environnement de chacun dans l'espace et dans le temps. La multitude des traces et des représentations du passé conduit à des rappels diversifiés, intervenant en étroite complémentarité dans une démarche de réappropriation de soi et de sa collectivité. Cette évolution a facilité le passage vers la personnalisation et les sensibilités. On se rend compte finalement que toutes ces formes de recours ou de réminiscences du passé sont inhérentes aux processus culturels essentiels au fonctionnement des sociétés. S'ils s'adaptent aux goûts du jour, c'est qu'ils jouent un rôle actif dans une expérience de soi et de sa collectivité dans le présent.

FÊTES ET MANIFESTATIONS

La fête, comme la manifestation, s'apparente aux célébrations commémoratives, en ce sens qu'elle est expression de solidarité et de volonté collective. Elle marque l'apothéose d'une célébration. Elle affirme ce à quoi l'on croit, ce que l'on veut, ce dans quoi on se reconnaît, à quel groupe on s'identifie. Chargées de sens pour ceux qui y participent, les rencontres festives ou les manifestations revendicatrices traduisent leur sentiment d'appartenance.

Certains ont dit qu'au Québec tout était prétexte à la fête. Jeunes et vieux, de 7 à 77 ans, sont invités à entrer dans la ronde. On se réunit à tout moment et à toute occasion, aussi bien pour noyer un malheur que pour célébrer une réussite. Naissances, mariages, décès et anniversaires sont autant d'occasions de rencontres ou de réjouissances. Le calendrier annuel comporte un bon nombre de festivités où le caractère religieux originel a souvent cédé la place à des manifestations profanes. On clôture la journée de corvée, la semaine de travail ou la manifestation sportive par une rencontre entre amis. L'hiver, on organise des carnavals et, l'été, des festivals. On commémore la fête du saint patron de la paroisse et celui de la nation. Qu'elle soit institutionnalisée, familiale, sportive ou sociale, la fête resserre les liens de solidarité, au même titre que les attroupements de militants.

Tout comme pour les précédentes représentations symboliques, notre propos est bien loin de toute intention d'exhaustivité ou de bilan. Le calendrier des fêtes religieuses et profanes, l'inventaire des célébrations et des manifestations ou la liste des rassemblements publics dans le Québec d'hier et d'aujourd'hui mériteraient sans doute des analyses détaillées, faisant la part, dans l'espace et dans le temps, des circonstances et des permanences, du divertissement et de l'engagement, de leur sens et de leur déroulement, de la fréquence et de la popularité, etc. Notre ambition, beaucoup plus réduite, veut illustrer quelques facettes de leurs rapports à l'identité au Québec.

Vaut mieux rire et boire...

Commençons la semaine.
Qu'en dis-tu, cher voisin ?
Commençons par le vin,
Nous finirons de même.

refrain

Vaut bien mieux moins d'argent,
Chanter, danser, rire et boire
Vaut mieux moins d'argent,
Rire et boire plus souvent.

On veut me faire croire
Que je mange mon bien.
Mais on se trompe bien
Je ne fais que le boire.

Au marché de Varennes,
Moi, je n'ai rien perdu,
Je suis venu tout nu ;
Je m'en irai de même.

Si ta femme te querelle
Dis-lui pour l'apaiser
Que tu veux te griser
Pour la trouver plus belle.

Providence divine
Qui veille sur nos jours
Conservez-nous toujours
La cave et la cuisine.

(Chanson à boire connue surtout dans la région de Rimouski et publiée par Raoul Roy, *Le chant de l'alouette. Cinquante chansons folkloriques canadiennes*, Québec, PUL/ Ici Radio-Canada, 1969, pp. 10-11.)

La nature des rencontres festives est extrêmement variée. Mais qu'elle soit familiale ou sociale, locale ou nationale, la fête remonte souvent loin dans les siècles passés. Son sens et ses rites ont plus ou moins changé, mais elle a peu varié dans son essence. Les unes sanctionnent de façon rituelle un événement de la vie ou un temps de l'année. Les autres prennent l'allure d'un défoulement collectif et permettent de sortir de la grisaille du quotidien. Et il y a souvent des relations directes entre les unes et les autres.

La fête de la grosse gerbe

« La récolte est rentrée, le champ est nu, et le chaume dresse partout ses tiges perçantes. Il ne reste plus qu'une gerbe à faire, c'est la dernière, c'est la grosse gerbe ! Tous les travailleurs redoublent de zèle. Deux harts des plus longues lui font une ceinture qui fait gémir sa taille souple. On la met debout ; on noue des fleurs à sa tête d'épis et des rubans à sa jupe de paille. Puis, en se tenant par la main, l'on danse autour des rondes alertes. On épuise le répertoire des vieux chants populaires, et l'on remplit le ciel de rires, de murmures et de cris. Les petits oiseaux sont jaloux de ces chants nouveaux qui s'élèvent du sein de la prairie : ils protestent de leur plus douce voix ; et les bêtes à cornes, surprises ou émerveillées, regardent de loin avec leurs grands yeux pensifs.

Enfin, la gerbe est placée au milieu d'une grande charrette, tous les moissonneurs s'entassent alentour, et le cheval, orné de pompons rouges ou bleus, selon sa couleur politique, se dirige à pas lents, – écoutant crier l'essieu, en songeant à l'inégalité des conditions – vers la grange où la gerbe orgueilleuse va dormir, oubliée parmi les petites et les humbles, son dernier sommeil.

La fête de la grosse gerbe se termine par une soirée de jeux et de danse comme toutes les autres réjouissances populaires. »

(L.-Pamphile Lemay, *Fêtes et corvées*, Lévis, Pierre-Georges Roy, édit., 1898, pp. 32-34.)

Dans le passage de la France vers la Nouvelle-France, il semble qu'il y ait eu d'importantes pertes. La dispersion de la population, au départ, selon sa provenance et, à l'arrivée, par le mode d'implantation, a eu des effets profonds. Ce mélange de population a accentué l'importance des fêtes religieuses et familiales, au détriment des festivités villageoises. Plusieurs fêtes encore populaires en France ne sont plus célébrées au Québec ou encore ont perdu sens et intensité. Une sociabilité différente s'est façonnée tandis que s'est maintenue la dérogation profane des réjouissances collectives hors du champ du sacré.

Dès le Régime français, l'évêque de Québec intervient pour tenter de réduire le nombre de bals et obliger les gens de la haute société à garder une juste mesure en ces occasions. Les gens du petit peuple, eux, se rabattent sur le jeu de cartes et, dans les auberges, sur le billard. En général, la fête du saint patron d'un métier connaît peu de vogue, au contraire de sa célébration en Europe. Une

---

L'épluchette de blé d'Inde

«Une pyramide de blé-d'Inde a surgi comme par enchantement au milieu de la salle, disons plutôt de la cuisine, – car chez nous les habitants, on ne connaît que trois sortes d'appartements: la cuisine, la chambre, et le cabinet. La cuisine, c'est la pièce principale, et la plus grande partie de notre vie s'y passe. Je ne veux rien insinuer de méchant en disant cela. Je veux seulement dire qu'elle est à elle seule presque toute la maison; c'est là que l'on fait bouillir la marmite, que l'on reçoit les intimes, que l'on dîne et que l'on travaille [...] La chambre, c'est autre chose. On y entre aux quatre grand'fêtes de l'année et pour les soupers du carnaval. Les messieurs y sont toujours admis cependant. C'est là qu'on reçoit le curé et les marguilliers. Les cabinets, ce sont les chambres à coucher; c'est là que [...] l'on se réveille pour la première fois et que l'on s'endort pour la dernière. Donc, au milieu de la cuisine s'élève une pyramide d'épis chaudement enveloppés dans leurs robes, – et l'on attend le signal de l'attaque. Le voici! on se précipite, en poussant un cri de joie, à l'assaut du léger rempart. Je ne sais comment cela se fait, mais le dieu de l'amour a si bien favorisé tout le monde, que chacun se trouve auprès de l'objet aimé. On forme une ceinture aux épis, on se presse les uns contre les autres, à la seule fin, croyez-le bien, d'être plus près du blé-d'Inde. Les chaises feraient perdre un espace précieux; on les laisse dans leurs coins et l'on s'assied à terre. Un étrange froissement de feuilles sèches annonce que le travail commence. On dépouille complètement les épis qui doivent être égrenés bientôt; on laisse trois ou quatre feuilles à ceux qui doivent être gardés en tresses. Les plus éveillés de la bande des éplucheurs ont déjà quelques ripostes à lancer, quelques drôleries à faire. C'est un besoin pour eux de faire rire les autres, comme c'est un besoin pour d'autres de rire toujours. Une espérance anime les travailleurs, l'espérance de trouver un blé-d'Inde d'amour – on appelle ainsi un épi rouge – car ce blé-d'Inde est mieux qu'un talisman; non seulement il vous préserve de la mauvaise fortune pendant la soirée, mais il vous investit d'un doux privilège, celui d'embrasser qui vous plaît. Quelquefois le possesseur de l'heureuse trouvaille dissimule son plaisir et son épi; il va traîtreusement déposer un chaud baiser sur une joue qui ne s'y attend pas, et ne produit qu'ensuite, au milieu des éclats de rire et des applaudissements, la pièce justificative; quelquefois il pousse, de suite, un cri de joie, puis il agite comme un trophée l'épi de pourpre. Alors les yeux cherchent sur qui va tomber la faveur. Souvent la préférée – qui n'est pas sans quelque pressentiment – se trahit d'avance en rougissant tout à coup. L'épi rouge ne doit servir qu'une fois; mais... trouvez donc une loi qui n'est pas enfreinte! [...]

Les jeunes filles qui développent un blé-d'Inde d'amour, ne peuvent cacher ni leur émotion, ni leur contentement, mais d'ordinaire, elles ne se prévalent point du privilège qu'il donne. Il ne faut rien moins que les rigueurs de la loi pour les décider à s'en prévaloir, et encore se moquent-elles de la loi. Rien de beau comme cette craintive pudeur!... Aussi la récompense ne se fait pas attendre, car elles ne refusent pas, ces jeunes filles, de prêter à leur ami, cet épi qui les embarrasse, et l'ami galant ne manque jamais de prouver sur le champ sa reconnaissance. [...]

Le réveillon sera gai; le reste de la nuit s'écoulera dans les amusements de coutume; car toutes ces fêtes et ces corvées ne sont, après tout, que divers chemins pour arriver au même but...»

(L.-Pamphile Lemay, *Fêtes et corvées*, Lévis, Pierre-Georges Roy, édit., 1898, pp. 34-38.)

année, l'évêque interdit de célébrer la fête de sainte Anne à cause des dérèglements qui s'ensuivaient. On supprime aussi la messe de minuit pendant une trentaine d'années, soit entre 1825 et 1852. Il semble bien que ce ne soit pas avant le milieu du XIXe siècle que se multiplient et se popularisent les veillées de famille, au son du violon et de l'accordéon. Mais encore une fois l'évêque a tendance à les réprimer parce que la danse permet des rapprochements dangereux. Les curés conseillent d'en revenir sagement aux jeux de cartes.

Puis la fête urbaine s'organise. Les jeux et les rondes d'enfants se développent. La participation aux spectacles et aux courses augmente considérablement. On commence à organiser des excursions, des fêtes champêtres et des joutes sportives. On assiste à des défilés de clubs de raquetteurs et de chars allégoriques. L'époque est au divertissement. À la fin du siècle, la sociabilité s'élargit avec la mise sur pied de carnavals et de festivals.

Un défilé de carnaval

« Faire appel à tous leurs abonnés, et offrir au public une mascarade comme celles qui se font dans tous les patinoirs de la ville, eût été, pour les directeurs de ce lieu populaire d'amusements d'hiver, chose facile. Le succès toujours certain eût été une nouvelle victoire à ajouter à celles déjà remportées. Le souvenir en aurait été jusqu'à la fonte des glaces, ainsi en emporte le vent, et le carnaval de l'hiver 1900-1901 serait allé rejoindre ses devanciers dans la paix profonde de l'oubli.

Les directeurs du Montagnard, qui sont tous des « Bloods », veulent faire, cette année, au roi Carnaval, des funérailles remarquables en reconstituant ce qu'ils ont fait l'année dernière, le « cortège du Bœuf Gras », précédé et suivi de cette brillante escorte qui faisait dire aux journaux de l'époque que c'était sans contredit la plus belle fête qui se fût jamais donnée au Canada.

Le défilé comprendra des chars allégoriques représentant toutes les nations amies des Canadiens-français et Anglais : chaque char sera précédé de porte-bannières, hérauts d'armes escortés de dames au centre, une fort jolie fille personnifiera soit une ville, soit une nationalité, Montréal, l'Angleterre, la France, l'Irlande, les États-Unis.

Le chariot sur lequel le Bœuf Gras prendra place sera plus richement décoré que de coutume. Quant au héros du jour, le roi Carnaval, (alias Bœuf Gras), il sera en tout point digne d'être admiré en attendant d'être livré à la consommation.

Sic transit gloria mundi. »

(*La Patrie*, 18 février 1901, p. 5.)

Et swing la compagnie !

«Nous sommes donc aux jours gras. Entendez-vous le trot mesuré des chevaux, les vibrations argentines des sonnettes, les silements des lisses d'acier sur la neige? Entendez-vous les rires à demi étouffés sous les robes de carrioles? Tout le jour et dans toutes les routes, les voitures circulent. Ce sont les amis qui vont souper chez les amis, les parents qui visitent les parents. Tout le monde sort ou reçoit. [...]

Les invités arrivent: ils sont quarante de leur bande. Vieux et jeunes, hommes et femmes, veufs ou non, le nombre pas plus que le genre, rien n'y fait. Les femmes se déshabillent, les hommes se décapotent et les chevaux se dételent. Il fait froid et l'on prend un verre de gin pour se réchauffer; s'il ne faisait pas froid, on en prendrait quand même. Les hommes s'assoient et causent de mille choses: des chevaux et de la récolte, des promesses du gouvernement, des taxes et des prochaines élections. Les femmes ne jasent pas moins, et, si les dernières nouvelles ne suffisent pas, elles rééditent les premières, soigneusement revues, corrigées et augmentées. Les jeunes filles ne font qu'un rond dans la place; les pieds leur brûlent de l'envie de danser. Voici le joueur de violon. Il porte gravement sous le bras, et précieusement enveloppé dans un mouchoir de poche, l'instrument désiré: un stradivarius de fabrication canadienne. On verse à boire pour lui donner du bras, et, soudain, – sous le doigt exercé qui les met d'accord, – tour à tour les cordes vibrent et sonnent, pendant que les clefs tournent en criant dans la tête gracieusement cambrée du violon. [...]

Aux reels succède la gigue, la plus difficile, la plus belle et la plus honnête des danses, à mon avis. Puis viennent les cotillons alertes avec leurs chaînes capricieuses, les oiseaux, les Sir Roger – qu'on appelait tout bonnement de mon temps et dans mon village – rénegeurs! Et puis encore, les quadrilles gracieux avec leurs marches et leurs contre-marches mesurées, les lanciers compliqués et brillants et les caledonias tapageurs. Et puis encore quelquefois, pour les vieillards qui aiment à nous donner une leçon de grâces... corporelles, le menuet gracieux et mignard, avec ses salutations incessantes et ses gestes doucereux. [...]

Cependant tout le monde n'aime pas la danse, et il en est pour qui une partie de quatre-sept vaut tous les autres amusements réunis. Il ne faut pas en vouloir à ces gens-là, de crainte que l'âge qui éteint d'ordinaire les autres passions, ne nous apporte la passion du quatre-sept. Ces courtisans des cartes qui valent bien après tout les autres courtisans, se sont depuis longtemps attablés. Ils luttent deux contre deux; l'enjeu, c'est l'honneur; et, à les voir attentifs à leur main ou aux cartes qui passent, on dirait qu'ils jouent les destinées des candidats conservateurs ou libéraux. [...]

Mais voici que sur des chevalets on couche des planches, et que sur ces planches on étend des nappes, et que sur ces nappes on place des assiettes et des plats, des verres et des carafes!... Et la senteur du ragoût monte jusqu'au plafond; et le fumet des pâtés à la viande et aux pommes fait passer des frissons dans l'estomac des gourmands; et les volailles rôties qui dorment – richement dorées par la braise – leur dernier sommeil, dans les plats de faïence bleue, attirent fatalement plus d'un œil de convoitise! Les soupers sont joyeux à la campagne, car il n'y a pas de gêne – et là où il y a de la gêne, il n'y a pas de plaisir, vous le savez. Les soupers du mardi gras surtout sont joyeux et longs. On voudrait voler quelque chose au carême. Puis quand l'appétit est un peu plus que satisfait, et la soif, joliment plus qu'assouvie, on chante au lieu de faire des discours. [...] Mais enfin les voix se fatiguent, les refrains deviennent plus courts ou plus rares, et, finalement, il arrive un moment où le dernier chorus est bien le dernier. Alors on se disperse pour se réunir de nouveau autour des tables à cartes ou au son du violon. Et jusqu'à minuit sonnant, c'est un entraînement irrésistible, une véritable fureur de plaisirs. »

(L.-Pamphile Lemay, *Fêtes et corvées*, Lévis, Pierre-Georges Roy, édit., 1898, pp. 13-18.)

Apparus à Montréal en 1882 et à Québec en 1883, les carnavals donnent lieu à des fêtes grandioses. Après une disparition pendant quelques décennies, ils reviennent à la mode à compter des années 1960. Actuellement, chaque année, paroisses, municipalités, villages ou groupes divers organisent environ 150 festivals d'été. On y célèbre la nature sous toutes ses formes (forêt, pissenlit, bleuet, tabac, patate, tomate, automne et même la lune), en plus de la chasse, la pêche, l'artisanat, la musique, la chanson, le théâtre, le jazz, etc. Ces réjouissances conservent habituellement un caractère populaire et spontané, ainsi que les rites instaurés à l'époque médiévale ou antérieurement. Jeux, compétitions, concours, défilés, couronnement d'une reine, repas en commun, soirées, danses, feux, costumes et déguisements, encans et criées se retrouvent presque partout. La fête, dans son essence la plus traditionnelle, permet de se défouler. D'ailleurs, elle précède souvent une période de restrictions ; c'est par exemple le samedi soir avant le repos dominical, le Mardi gras à la veille du Carême, l'Avent précédant Noël, etc. Ce sens ancien de la fête populaire s'est perpétué et reste indispensable à la compréhension des fêtes instituées, comme la fête nationale.

Le 24 juin, devenu journée nationale des Québécois, est l'une des plus anciennes fêtes que l'on connaisse. Cette tradition associée tantôt au solstice d'été, tantôt à la fécondité de la terre, se célébrait déjà dans l'Antiquité. En Nouvelle-France dès 1636, bénédiction, coups de canon et de mousquet marquent la mise à feu d'un bûcher et sa célébration se poursuit régulièrement par la suite. De 1694 à 1744, la Saint-Jean est même une sorte de fête d'obligation «chômée». À cette époque, et jusqu'au premier tiers du XIXe siècle, la célébration du feu accompagne une fête devenue d'abord et avant tout religieuse.

À compter de 1834, la Société Saint-Jean-Baptiste nouvellement créée fit du 24 juin une fête patriotique et davantage urbaine. Lors d'un banquet où l'on ne porta pas moins de 37 toasts, un jeune homme appelé à un grand avenir politique – George-Étienne Cartier – chanta une production bien québécoise, le *Ô Canada, mon pays, mes amours*. La Saint-Jean prenait un caractère de fête nationale. En 1866 s'y ajoute le personnage symbolique de Jean-Baptiste habillé d'une peau de mouton. Ce symbole n'avait alors rien de péjoratif ou de réducteur.

Le mouton
de la Saint-Jean-Baptiste

« Doit-on faire disparaître le « petit mouton » des processions de la Saint-Jean-Baptiste ? Les opinions sont partagées à ce sujet. Le mouton, d'après les liturgistes les mieux cotés, représente la faiblesse et la douceur. On se plaint que dans bien des quartiers le mouton ne symbolise plus la douceur mais plutôt la peur ou la veulerie. Et il ne faut pas que le Canadien français, s'il veut conserver ses droits, soit peureux et encore moins veule.

D'où nous vient cette coutume de faire figurer le mouton dans la procession de la fête nationale ? M. E.-Z. Massicotte fait remarquer qu'en France, surtout dans la Provence, on fêtait autrefois la Saint-Jean-Baptiste par une procession où certains pères de famille figuraient conduisant d'une main un agneau et de l'autre un enfant habillé d'une peau et ayant une croix sur l'épaule et une gourde en bandoulière. Ces enfants marquaient ainsi leur reconnaissance pour avoir été guéris d'une grave maladie au cours de l'année écoulée. M. Massicotte note également que jadis à Paris on faisait une seconde procession dans l'octave de la Fête-Dieu. On y voyait figurer des enfants conduisant des agneaux vivants.

Il n'y a donc pas de doute que nous avons emprunté à la vieille France la coutume de faire figurer un mouton dans notre procession de la Saint-Jean-Baptiste. »

(*Bulletin des recherches historiques*, 1945, vol. LI, p. 279.)

Il représentait l'agneau de Dieu, protecteur d'un peuple jeune. Les premiers défilés avec chars allégoriques apparaissent en 1874. Ils traitent de thèmes historiques et de thèmes valorisant des valeurs comme l'attachement à la terre ou le courage des mères. Par contre, quand le personnage de Jean-Baptiste, associé au mouton soumis, suiveux et doucereux, a pris une connotation péjorative, il a été rejeté. Après 1960, la Saint-Jean-Baptiste a été le plus souvent célébrée sans rappel du personnage.

L'importance accordée aux aspects nationalistes ou identitaires a également varié au fil des époques, dans sa nature comme dans son intensité. Les simples réjouissances de spectateurs attentifs à un défilé ou à un feu d'artifice ont côtoyé les participations chantées, dansées et engagées. À l'occasion, la célébration a dégénéré en opposition violente à certaines politiques gouvernementales. L'émotion collective a parfois atteint des sommets de popularité. En 1975, une super franco-fête attire sur les plaines d'Abraham à Québec plusieurs dizaines de milliers de personnes clamant leur appartenance. Elle fait suite à la célébration de la fête nationale sur la montagne à Montréal l'année précédente. À ces rassemblements grandioses ont succédé des fêtes de quartier auxquelles les communautés culturelles ont été invitées à participer intensément. Parfois l'affirmation d'appartenance est moins sensible, le regroupement ne conservant que les plus vagues vestiges des traditions anciennes : se défouler, se réjouir autour d'un feu, oublier en levant le coude et sympathiser. C'est le contexte immédiat qui influence la charge d'engagement et d'émotions que soulève la célébration.

Dans sa plus profonde signification, la fête, organisée ou spontanée, traduit néanmoins une revendication, par la célébration ou le défoulement. Mouvement populaire, affirmation d'appartenance, elle exprime des engagements. Avec le temps, il arrive que son sens s'effrite ou se modifie. Il n'est remis à jour, quand cela s'y prête, que dans les moments d'intenses préoccupations, et la fête se transforme alors plus nettement en manifestations revendicatrices.

Si l'on n'y regarde pas de trop près, peu de différences distinguent la procession religieuse, la manifestation politique, le défilé idéologique et la marche syndicale. Leaders, chants, musique, slogans, pancartes, affiches ou bannières, discours ou homélie, participation active et parfois cacophonique, immolation symbolique sur l'autel ou mannequin incendié, seuls les motifs et la signification diffèrent, mais profondément.

La société québécoise n'a pas été moins sujette à des émotions populaires violentes et instantanées qu'à des rituels festifs empreints des plus lointaines traditions. Son histoire est parsemée de ces échauffements collectifs, également spontanés ou planifiés. Mais la mémoire en a gardé peu de souvenirs. L'événement s'estompait, avec sa raison d'être, par la solution du problème.

Les occasions les plus diverses peuvent dégénérer en manifestations de violence. À la fin du Régime français, les femmes descendent dans la rue ; 400 d'entre elles s'opposent au rationnement du pain décrété par le gouverneur et l'intendant. Entre 1790 et 1810, la Révolution française et la prise du pouvoir par Napoléon Bonaparte ravivent les espoirs du retour de la France. Plusieurs groupes s'agitent et défient l'autorité en place. Dans les années 1830, 5 000 personnes assistent aux funérailles de trois Montréalais tués par des soldats lors d'une élection contestée. En 1885, plusieurs rassemblements réunissent des milliers de personnes (jusqu'à 50 000, une fois) qui protestent contre la pendaison de

Louis Riel. En 1901, des étudiants de l'Université McGill célèbrent la victoire britannique de Ladysmith en Afrique du Sud en installant l'Union Jack au mât de la succursale de l'Université Laval à Montréal. Il s'ensuit, pendant quelques jours, une véritable guerre de tranchées et de drapeaux. La police doit intervenir. Les autorités du diocèse, conjointement avec celles de l'université, réussissent à calmer les esprits. En 1918, c'est l'émeute à Québec. Du 28 mars au 2 avril, 2 000 à 5 000 personnes s'opposent aux dénonciateurs de conscrits. Il faut plus de 1 000 soldats des troupes régulières pour rétablir la paix et le calme. En 1955, l'émeute éclate au Forum de Montréal et conduit au saccage des rues avoisinantes. Un anglophone avait osé s'en prendre à une des idoles des Canadiens français. En 1968, les fêtes de la Saint-Jean font 130 blessés et entraînent 290 arrestations.

À côté de cette diversité de situations et de circonstances, certaines manifestations se sont produites de façon récurrente et régulière. Elles concernent surtout le sort des ouvriers ou l'avenir de la langue française. Toutes les grèves importantes ont mobilisé des milliers de travailleurs et de sympathisants. En 1877, le tavernier Jos Beef voit 2 000 personnes entendre sa déclaration en vers dénonçant les patrons qui profitent de la crise pour baisser les salaires. En 1933, 25 000 personnes s'assemblent au Manège militaire de Montréal sous les auspices de la Fédération des clubs ouvriers. En 1972, trois chefs syndicaux jugés coupables de collusion sont emprisonnés.

La journée des travailleurs, le 1er mai de chaque année, présente une facette spéciale des rassemblements. Le jour choisi reprend une célébration qui date d'au moins 2 000 ans et célèbre la fertilité de la terre ; ce jour-là, les esclaves avaient congé. Du XVIIe au XIXe siècle, au Québec comme en France, on célébrait ce jour comme celui de la « Plantation du mai ». Fête de l'arbre et symbole de croissance, on rendait ainsi hommage au seigneur et aux autorités locales dont relevaient les censitaires. En 1889, la Deuxième Internationale socialiste fait du 1er mai la fête des travailleurs. Au Québec, c'est en 1906 que 500 à 600 personnes défilent un 1er mai dans les rues de Montréal, sous les huées de la foule. Par la suite, presque chaque année, les partisans socialistes et communistes de Montréal et de Rouyn organisent un défilé. En 1933, au plus fort de la crise, ce défilé réunit 25 000 personnes, sous l'œil toujours vigilant et réprobateur des policiers

**Le visage
du premier mai 1923**

« Ce fut plutôt terne, cela commence à ressembler au cortège traditionnel de la Saint-Jean-Baptiste, moins le mouton, bien entendu [...]. Il est vrai, toutefois, de dire que la manifestation du 1er mai change un peu de son caractère primitif ; surtout celle de cette année. En Europe, où il n'y a pas de Fête du Travail reconnue légalement par aucun gouvernement, le 1er mai a été choisi par les prolétaires de tous les pays comme le jour des revendications populaires. [...]

Ici au Canada et aux États-Unis, on cherche plutôt à lui donner une teinte communiste, on en a profité pour célébrer le soviétisme, et tout ce qui s'en suit ; c'est loin de l'idée qui a présidé à la naissance de la journée du premier mai ; les promoteurs de ce mouvement avaient en vue une société future basée sur un esprit de justice et de solidarité qui devait se réaliser au moyen d'une évolution rationnelle et progressive, tandis que les adeptes de la troisième internationale ne rêvent qu'une dictature du prolétariat au moyen de la force brutale du nombre. »

(Gustave Francq, *Le Monde ouvrier*, mai 1923.)

et des autorités politiques et religieuses. Ces dernières tentèrent cependant d'atténuer la signification de cette fête. En 1935, le gouvernement déclare le 6 mai jour férié et « chômé », en rappel du couronnement du roi George V. En 1955, le pape Pie XII fait du 1er mai la fête de saint Joseph-Artisan, le patron des ouvriers. En 1970, 4 000 personnes défilent dans les rues de Montréal, mais il s'agit surtout d'appuyer des travailleurs en grève. En dehors de circonstances immédiates particulières, la fête du 1er mai n'a jamais eu de succès considérable au Québec.

L'autre grande série de revendications a surtout trait à la langue française et en particulier au choix de la langue d'enseignement. Les plus importantes de ces manifestations ont attiré des milliers de personnes sur la colline parlementaire ou dans les rues de Montréal. En 1969, 6 000 personnes réclament la francisation de l'Université McGill. Au mois de septembre de la même année, à Saint-Léonard dans le nord de Montréal, c'est l'émeute. En 1988, une marche imprévue regroupe plusieurs milliers de personnes dans les rues de Montréal. La réclamation fondamentale porte sur la reconnaissance au Québec de la primauté du français comme langue officielle, de communication, d'usage, d'apprentissage, de travail…

Contrairement aux fêtes, les manifestations ont généralement un caractère spontané. Elles engagent des personnes dans des actions fortes qui visent à régler des problèmes immédiats. Elles cherchent l'approbation populaire pour faire partager une sensibilité et adopter un point de vue ou une cause. En fait, le nombre et l'importance des manifestations montrent que les Québécois ont peu en commun avec le mouton : facilement mobilisables pour une cause qu'ils croient juste, ils réagissent vivement quand une menace sérieuse pèse sur leur avenir collectif.

* * *

Les représentations symboliques qu'une collectivité se donne traduisent, sans conteste, sa mémoire collective et ses préoccupations et expriment ses aspirations, ses engagements et ses sensibilités. À travers une série de thèmes qui couvrent autant l'espace, la famille et le travail que les loisirs, elles reflètent aussi bien des volontés immédiates que le discours idéologique dominant. Elles puisent dans les riches sédiments de

La fête de l'identité

« Du rite du « feu nouveau » engendrant symboliquement des forces nouvelles pour l'avenir, au début du siècle dernier, à la récente « communion du feu » allumant les joyeux signaux du 24 juin tout le long du Saint-Laurent, notre fête nationale, hier comme aujourd'hui, rend le plus légitime des hommages aux bâtisseurs de notre identité collective et nous fait communier dans un même sentiment d'appartenance et de saine solidarité. […]
   La fête est le miroir des réalisations d'un peuple, la preuve de sa fidélité, de son dynamisme et de sa confiance. Être assuré de soi, c'est la meilleure façon d'être amical et fraternel envers les autres. »

(René Lévesque, premier ministre du Québec, 24 juin 1980.)

l'histoire, les personnages, les événements ou les objets porteurs d'une signification culturelle. Elles proposent des valeurs qui appellent des comportements. La célébration de héros ou d'événements, la sacralisation d'objets, les revendications et manifestations proclament ainsi les volontés et les appartenances des collectivités. Elles personnifient ou incarnent l'identité vécue ou voulue.

Dans l'évolution du Québec, trois périodes de plus en plus courtes caractérisent la relation entre le passé et le présent, l'utilisation du passé pour penser l'avenir. À compter des années 1830-1840 et pendant au moins un siècle, la primauté est accordée au national. Les héros et les événements passés priment sur la vie des individus ordinaires, leur bonheur et leurs souffrances, leurs travaux et leurs activités domestiques. Tout le discours est centré sur la survivance d'une collectivité. Héros et événements mettent de l'avant des actions généreuses et courageuses, prêtes à l'ultime sacrifice, sinon toujours victorieuses. La mesure de l'humain est fixée à l'échelle des saints, des découvreurs et des pourfendeurs de l'ennemi. Un passé tragique, nourri de luttes acharnées, fournit des exemples porteurs d'espoir.

La deuxième phase de cette célébration du passé élargit les perspectives à l'ensemble des traces de l'humain, tout en renforçant les visées nationalistes. Dans les années 1930, l'écrit conservé dans les archives, l'oral sauvegardé dans le folklore, l'objet relevé dans l'inventaire des œuvres d'art ou récupéré par le musée donnent lieu à la création d'organismes publics. Coïncidence remarquable ou simple cohérence, au même moment se manifestent les grands changements dans les productions culturelles. Le quotidien des gens ordinaires commence alors à mériter une certaine considération.

La troisième phase se produit à compter des années 1960-1970 et aboutit également à une renaissance du nationalisme. Elle affirme la primauté de la diffusion sur la sauvegarde, sinon une volonté, au moins implicite, de rentabiliser immédiatement et en espèces sonnantes le passé et le patrimoine. Il subsiste sans nul doute encore aujourd'hui des vestiges importants de la stratégie de sauvegarde, notamment en architecture, en archéologie et en muséologie, mais une nouvelle tendance s'est imposée. À certains égards, la sauvegarde pour la sauvegarde est présentée comme un combat d'arrière-garde, victime de sa pertinence moins immédiate en fonction du présent.

En même temps, les revendications se font plus fermes. À compter de ce moment, on se refuse à la célébration des défaites. Une statue de la reine Victoria et le monument Wolfe subissent l'effet d'explosifs. Les prises de position sur la langue ou sur la condition des travailleurs se durcissent. Bientôt, tout engagement prôné par un groupe ou un autre en vient à faire la manchette et se diffuse à un rythme qui a des effets annihilants, faute de synthèse ou de cadre de référence pour le situer ou l'évaluer. Dans les universités s'intensifie la préoccupation de pertinence sociale et de compréhension. Il ne suffit plus de remplir le réservoir des souvenirs, il faut en comprendre l'utilité et la finalité.

Au-delà des modes passagères, ce cheminement illustre l'importance des contextes et des circonstances dans l'affirmation des volontés collectives. Les facettes du passé ne sont généralement mises en valeur qu'au moment où elles servent le présent, du moins hors des cercles universitaires. Les héros que l'on célèbre, les événements que l'on retient, les objets que l'on sacralise sont liés à des problèmes vécus ou ressentis. Le recours à ces représentations devient une façon de faire valoir ses refus autant que ses volontés. Il donne sens et fondement à l'engagement individuel et collectif. Force est de constater cependant que trop souvent les faits du passé sont vidés de sens, tandis que les problèmes du présent souffrent d'une absence de profondeur historique. Les fêtes traditionnelles, qui pourtant perdurent, semblent délestées d'une bonne part de leur signification, tandis que les manifestations n'ont que des effets éphémères. L'expérience que fournit la mémoire paraît ou trop dévalorisée, perdue dans un appareil scientifique compartimenté et surspécialisé, ou trop superficielle, conduite sans rigueur et parfois sans contenu, cherchant la manchette et ouvrant la porte à l'imposture.

Dans l'affirmation d'une identité, la perception des autres n'a pas moins d'importance que celle de soi. Au Québec, l'importance attribuée aux autres a paru primordiale. La perception des productions culturelles en a été une bonne illustration. De même, les représentations symboliques doivent beaucoup aux autres ou à des intérêts particuliers. Que d'anglophones canadiens, par exemple, ont remis à l'ordre du jour des personnages célébrés en héros! Ils ont replacé Dollard Des Ormaux sur un socle et se sont inspirés de Madeleine de Verchères. Ils ont reconnu aux Patriotes un rôle précurseur dans la pratique du gouvernement un demi-siècle avant la majorité francophone. Après 1960 cependant, leur volonté de célébrer les défaites de la majorité s'est heurtée à des refus et à des oppositions parfois ponctués de violence. Le regard des autres a été majeur sur la définition et l'identité de la majorité québécoise : l'exemple achevé d'une culture de convergence !

En définitive, comment le Québécois se reflète-t-il à travers ces représentations ? Certes, par des traits de mentalité et des sensibilités ! Mais ceux-ci demeurent invérifiables à moins d'une hasardeuse démarche qui approcherait la psychologie sociale et resterait discutable. Par contre, le fait de cerner les sensibilités par les attitudes ou les changements dans les représentations symboliques nous rapproche de l'intimité des valeurs et des aspirations collectives.

Pendant longtemps, les représentations symboliques ont été imprégnées d'une affirmation nationale centrée sur la collectivité francophone de vieille souche. Les mêmes représentations aujourd'hui ont plutôt un caractère démodé et nostalgique. Seules les préoccupations linguistiques et démographiques semblent rester d'une brûlante actualité. Partout ailleurs, le social, les libertés de l'humain se sont imposés en priorité.

Dans la mesure où le contexte prime sur la représentation, l'identité est en constant renouvellement. De 1840 à 1930, elle se nourrit surtout des hauts faits de l'histoire de la Nouvelle-France. Dans les années 1930, la lutte pour la sauvegarde s'étend à toutes les traces du passé. À compter des années 1960, trois mouvements s'affirment, en se chevauchant plus ou moins. Une intense vogue de rétromanie célèbre le mobilier et l'immobilier anciens. Un temps, on classe monuments historiques les bâtiments qui remontent à la Nouvelle-France. À travers l'immobilier, on commémore écrivains, paysages ou modes de vie. Vers 1970, on s'intéresse à des architectures plus récentes. Quinze ans plus tard, l'immobilier historique devient parfois un fardeau dont on a tendance à se départir. Au cours de cette période, on entreprend également une lecture critique des gestes posés antérieurement. On se rend compte que les objets destinés à célébrer le monde rural et artisanal traditionnel comportent plusieurs pièces de sources industrielle et anglophone. L'écrit qualitatif perd de sa crédibilité au profit du quantitatif. Les actes notariés et les documents

judiciaires remplacent les ordonnances et les mandements. L'oral commence à peine à être regardé comme
un discours nostalgique des années 1900, et non plus
comme une projection vraie de la ruralité traditionnelle. En tous domaines, la recherche de signification
l'emporte sur la simple délectation. Enfin, les efforts
pour rejoindre l'humain dans ses représentations intimes et ses sensibilités propres accentuent les rapprochements entre les producteurs et les consommateurs de
culture. Décentralisation et régionalisation s'accompagnent d'une prise en main et d'une affirmation renforcée
des représentations et des appartenances locales, sociales
ou idéologiques. La tendance est à produire une histoire
à soi.

LECTURES COMPLÉMENTAIRES

Archambault, Jacques, et Eugénie Lévesque, *Le drapeau québécois*, Québec, Éditeur officiel, 1978.

Auger, Geneviève, et Raymonde Lamothe, *De la poêle à frire à la ligne de feu. La vie quotidienne des Québécoises durant la guerre '39-'45*, Montréal, Boréal Express, 1981.

Barbaud, Philippe, *Le choc des patois en Nouvelle-France. Essai sur l'histoire de la francisation au Canada*, Sillery, PUQ, 1984.

Barbeau, Marius, *Ceinture fléchée*, Montréal, L'Étincelle, 1973.

Bélanger, André-J., et al., *Québec, un pays incertain. Réflexions sur le Québec post-référendaire*, Montréal, Québec/Amérique, 1980.

Bernard, Jean-Paul, *Les rébellions de 1837 et 1838. Les patriotes du Bas-Canada dans la mémoire collective et chez les historiens*, Montréal, Boréal Express, 1983.

Bouthillier, Guy, et Jean Meynaud, *Le choc des langues au Québec, 1760-1970*, Sillery, PUQ, 1972.

Braudel, Fernand (dir.), *Le monde de Jacques Cartier. L'aventure au XVIe siècle*, Montréal, Libre Expression, 1984.

Corbett, Noël (dir.), *Langue et identité. Le français et les francophones d'Amérique du Nord*, Québec, PUL, 1990.

Filteau, Gérard, *Le Québec, le Canada et la guerre 1914-1918*, Montréal, L'Aurore, 1977.

Frégault, Guy, *La guerre de la conquête, 1754-1760*, Montréal, Fides, 1955.

Gagnon, François-Marc, *Jacques Cartier et la découverte du Nouveau Monde*, Québec, Musée du Québec, 1984.

Lacoursière, Jacques, et Hélène-Andrée Bizier, *Nos Racines. L'histoire vivante des Québécois*, Montréal, Éditions Transmo, 24 vol., 1979-1981.

Laflèche, Guy, *Les saints martyrs canadiens. Histoire du mythe*, Laval, Singulier, 1988.

Magnan, Hormidas, *Les origines de nos drapeaux et chants nationaux, armoiries, emblèmes, devises*, Québec, s. édit., 1929.

Martin, Denis, *Portraits de héros de la Nouvelle-France. Images d'un culte historique*, Montréal, Hurtubise HMH, 1988.

Massey, Gilberte, *Les festivals populaires du Québec (Monographie descriptive)*, Trois-Rivières, UQTR, 1974.

Paulette, Claude, *Je me souviens depuis 1834*, Montréal, Leméac, 1980.

Roy, Pierre-Georges, *Les monuments commémoratifs de la province de Québec*, Québec, Imprimé par L.-A. Proulx, Imprimeur du Roi, 1923.

CONCLUSION

Q U'ELLE SOIT VOULUE OU REÇUE, l'identité d'une collectivité se vit, se définit et s'affirme dans le présent.
Pour ce, elle choisit dans le passé les éléments essentiels
à la conception de son devenir. Multiple, le passé se
retrouve dans l'espace, l'art, l'objet, l'écrit, l'oral. On le
cerne par l'histoire, l'archéologie, l'ethnologie, la
muséologie et, sous certains angles, par la démographie,
la géographie, la sociologie, la linguistique et la littérature. Il couvre toutes les facettes de la vie : gestes, comportements, attitudes et croyances, aussi bien à la maison,
au travail, dans les loisirs ou les associations que dans les
relations de voisinage ou de parenté. Il se divise en
domaines, politique, économique, social, religieux, culturel. Il se pressent à diverses échelles de temps et
d'espace, de l'intimité ou de la maisonnée à la nation ou
au territoire, du quotidien au séculaire. Par ses facettes
et ses richesses multiples, le passé agit comme un réservoir d'informations pour le présent. Il met à la disposition
de la collectivité l'expérience utile à la conception des
lendemains.

Ce rappel du passé comporte une sélection de faits
jugés, implicitement ou explicitement, pertinents à la
solution des problèmes de la société qui y recourt. Ce
contexte d'évocation a pour effet d'offrir et de projeter
une facette partielle et particulière du passé. Certains
faits s'en trouvent occultés, d'autres magnifiés. Leur
présentation ajuste et modifie plus ou moins la réalité
en fonction des besoins qui les ont fait ressurgir de
l'oubli ou du passé.

Les sociétés se sont donné plusieurs moyens pour
puiser à cette réserve d'expériences. Les disciplines universitaires, les places historiques, les revues spécialisées
et de vulgarisation, les archives, les musées et les centres
d'interprétation illustrent cet éventail de moyens dont
la multiplicité a pour corollaire l'importance. Cependant,
ces recours ne jouissent pas d'une audience égale ou

comparable dans les sociétés. Les mémoires collectives offrent par contre l'avantage de rejoindre chacun, comme individu et comme membre d'un ensemble social.

L'expérience historique du Québec est assez semblable à celle des États-Unis. Mais le mythe de la frontière ne s'y est jamais imposé, du moins avec force. Tout au plus en a-t-on trouvé quelques traces dans la relation à la nature, comme les mythes du Nord et du coureur de bois qui ont perduré à l'extérieur du mythe fondateur. Au Québec, une fois l'idéologie définie avec précision et rigueur dans les années 1840, le mythe de la frontière n'était plus viable. Le Québec demeurait idéologiquement tourné vers la mère patrie ; l'idée de rupture ne trouvait assise ni dans les faits – il n'y avait pas eu de guerre d'indépendance – ni dans les souhaits – on espérait encore le resserrement des liens avec la France. La philosophie passéiste ne pouvait non plus s'accommoder du mythe du développement. Dans le discours idéologique dominant, le rejet de la ville, de l'innovation, de la modernisation, avec toutes les nuances qui s'imposent, de même que la volonté de retour aux sources et de repli sur soi contrecarraient directement le mythe de la frontière. En réaction au progrès, le mythe adapté de la frontière avait peu de chance de s'implanter et de survivre.

Le Québec n'a pas eu de mythe aussi puissant et unificateur que le mythe américain de la frontière. On cherche en vain une formule majeure ou prédominante qui, dans le temps ou par sa nature, se soit imposée avec autant de force. Quelle est donc la nature des mythes québécois ? Quand et dans quelles circonstances sont-ils apparus ? Jusqu'à quel point ont-ils résisté et perduré ?

Le passé mythique québécois paraît caractérisé par sa multiplicité. Tous les champs et domaines de la vie semblent avoir été couverts par ces expressions faciles à retenir qui ont souvent fondé l'affirmation de traits culturels spécifiques. Mais ces traits que l'on a surtout retenus pour leur valeur descriptive étaient souvent chargés de symboles. Ils prescrivaient un comportement, établissaient des normes, appelaient un engagement, traduisaient une identité en action et en mouvement. Et les Québécois s'y reconnaissaient ou, du moins, reconnaissaient ce qu'ils avaient l'impression d'avoir été.

Dans leur formulation symbolique ou leurs perspectives imaginaires, ces traits faisaient bien plus que décrire le personnage du Québecois; ils proclamaient sa personnalité.

Dans la courte histoire du Québec, deux temps forts ressortent nettement: celui de l'apparition de ces symboles ou, plus justement peut-être, de la constatation de leur existence au milieu du XIXe siècle, et la période de la Révolution tranquille. Au début des années 1960, bon nombre des métaphores identitaires canadiennes-françaises sont discréditées. Les temps nouveaux, enrichis par l'ouverture sur le monde, les voyages et la science, modelés par des comportements, des croyances et des valeurs, enlèvent aux mythes et aux représentations anciennes une grande partie de leur pertinence. Les faits n'ont pas changé, mais leur utilité pour la société et pour la solution des problèmes contemporains a perdu son évidence et ses significations.

Au moment de la Révolution tranquille, la *personne*, le *personnage* et la *personnalité* du Québécois changent ou donnent l'impression de changer considérablement, dans une constante interaction entre l'individuel et le collectif. Une volonté partagée accentue la perception de cette évolution jusqu'à un point de rupture. Les prémisses du changement et les éléments de continuité sont occultés. Les projets collectifs proposent un départ à zéro. Si parfois se maintient le vieux discours nostalgique, en général on choisit une option de vie tournée vers l'avenir. Sur le plan des *personnes*, le Québécois se substitue au Canadien français, la nation à la nationalité. Les liens avec le reste de la francophonie nord-américaine s'étiolent, tandis que les diverses communautés culturelles en viennent à tenir une plus grande place dans le discours et les préoccupations politiques. Sur le plan religieux, l'œcuménisme et les modifications dans les pratiques transforment les groupes de fidèles. Le *personnage* du Québécois revêt un nouvel habillement. Il se départit de l'enveloppe des grands pouvoirs traditionnels. Les individus cessent d'être cantonnés dans des caricatures, d'ordre familial par exemple. L'autonomie des personnes s'accompagne d'une affirmation des droits de l'être humain. Les grands pouvoirs traditionnels reconnaissent qu'il existe différentes façons d'être Québécois ou catholique. D'autres engagements, écologiques ou sociaux, acquièrent une forte légitimité, tandis que se multiplient les groupes de pression. Finalement, c'est la *personnalité* du Québécois qui change. Ses valeurs, ses attachements, ses engagements et ses aspirations se tournent en partie vers d'autres horizons. Le Québécois se veut consciemment différent de ce qu'il était auparavant. En même temps qu'il s'éloigne de ses traditions, un nouveau projet prend forme et ravive les sentiments d'appartenance nationale. Le nationalisme survit aux changements en profondeur de l'identité québécoise.

Le renouvellement des connaissances sur le passé depuis les années 1960 offre des assises liées davantage aux préoccupations d'aujourd'hui. La perception d'une ruralité figée, homogène et simpliste s'est effritée avec les analyses qui en ont montré la diversité, le dynamisme et la complexité. La petite société laurentienne, qu'on a décrite comme repliée sur elle-même, s'est avérée sensible aux courants économiques et culturels occidentaux. L'urbanisation, l'industrialisation, les courants de pensée, la mode, l'architecture, les produits domestiques et les communications le prouvent sans conteste. La société québécoise n'a jamais été coupée des productions technologiques et culturelles occidentales, même si l'idéologie dominante a pu s'efforcer parfois de restreindre la pénétration de ces nouveautés. Les recherches sur les relations entre les individus et les collectivités, l'influence de la ville ou celle de la culture américaine, les conditions socioprofessionnelles, les hommes d'affaires francophones, la sensibilité des producteurs agricoles aux marchés internationaux, les artistes, etc., changent la perception du passé. Tous les grands domaines de la vie collective et de l'identité sont concernés. La société a éprouvé comme le besoin de vérifier la pertinence de ses représentations et de les ajuster.

Au cours des dernières décennies, la mémoire collective québécoise s'est adaptée à des circonstances et à des contextes variés et nouveaux. Les observations sur notre temps ont fourni des balises à la compréhension du fonctionnement de la société québécoise. Elles ont exploré de nouveaux lieux de constitution d'un passé mythique et de la conception de soi. Elles ont touché des enjeux majeurs, comme l'espace écologique, la famille nouvelle, l'universalisation du savoir. Elles ont mis en doute les attitudes liées à la personne qui innove, à la présence de l'autre, à la recherche de la performance et de l'excellence, à l'appropriation de soi par le recours au passé.

Un trait fort et permanent s'est dégagé de cette recherche. Il a proposé la culture de convergence comme piste d'interprétation du passé québécois. Il s'agit là, sans nul doute, d'un questionnement renouvelé qui tient à des situations vivement ressenties dans le présent. L'interpénétration des modes de vie paraît incontestable dans tous les domaines. Les apports démographiques, les emprunts technologiques, l'adaptation aux conditions de vie, les influences subies dans les domaines les plus sensibles, y compris ceux de la production culturelle, de la langue et des institutions, démontrent à profusion ces échanges interculturels. L'histoire et la culture québécoises sont profondément imprégnées de ces rapports d'altérité dans la construction de l'identité.

Au premier abord, cette perception, qui contredit un discours idéologique séculaire, risque de choquer les sensibilités nationalistes. Elle paraît aller à contre-courant d'une affirmation et d'une lutte nationales qui ont prédominé et façonné les engagements les plus profonds de la majorité francophone pendant près d'un siècle et demi. Mais tant les situations du présent que les faits du passé convergent vers ce nouveau regard. Prises de position et manifestations indiquent par contre que la société québécoise n'entend pas renoncer à son identité ; elle se veut et se voit une société distincte. La reconnaissance d'une participation diversifiée à la constitution culturelle du Québec actuel, la reconnaissance d'enjeux qui concernent tous les habitants du territoire québécois et l'accent mis sur le social et l'humain, voire le refus du racisme, incitent à accepter de se représenter autrement. Un tel exercice de lucidité écarte les discours d'auto-célébration. Il produit parfois une formidable inquiétude, pourtant indispensable à la profondeur des harmonisations, malgré les paradoxes qui durent.

Dans l'identité québécoise subsistent deux discours opposés. Les uns préfèrent celui qui éveille la nostalgie des temps passés, y trouvant une certaine sécurité. Les autres, tournés vers la modernité, ont tendance à rejeter le passé en bloc, lui niant toute pertinence : de véritables amnésiques. Entre les deux subsiste un écart de temps consacré à la révision du passé et au renouvellement de la mémoire. Car le recours à l'expérience du passé est un processus inaliénable à la définition de son avenir.

Comprendre la présence du passé dans le présent, comprendre le fonctionnement des mémoires collectives, c'est finalement pouvoir mieux orienter son destin. «Se connaître soi-même», comme individu et comme collectivité, c'est mettre à profit son expérience pour savoir ce que l'on veut; c'est reconnaître ce que l'on doit pour savoir ce que l'on vaut; c'est préciser ses engagements, choisir à chaque instant ce que l'on veut être; autrement dit, c'est définir son identité.

INDEX